商　法

Business Law

《美国法律文库》编委会

编委会主任　江　平
编委会成员　(按姓氏笔画排列)
　　　　　　方流芳　邓正来　江　平　朱苏力
　　　　　　吴志攀　何家弘　张志铭　杨志渊
　　　　　　李传敢　贺卫方　梁治平

执行编委
　　　　　　张　越　赵瑞红

美国法律文库
THE AMERICAN LAW LIBRARY

商　法
Business Law
第二版

斯蒂芬·加奇　著
Stephen Judge

屈广清　陈小云　译

中国政法大学出版社

商法（第二版）

Business Law
by Stephen Judge
Copyright © Stephen Judge 1995, 1999
All Rights Reserved

本书的翻译出版由美国驻华大使馆新闻文化处资助
中文版版权属中国政法大学出版社，2004年
版权登记号：图字：01-2003-3046

出 版 说 明

"美国法律文库"系根据中华人民共和国主席江泽民在 1997 年 10 月访美期间与美国总统克林顿达成的"中美元首法治计划"（Presidential Rule of Law Initiative），由美国新闻署策划主办、中国政法大学出版社翻译出版的一大型法律图书翻译项目。"文库"所选书目均以能够体现美国法律教育的基本模式以及法学理论研究的最高水平为标准，计划书目约上百种，既包括经典法学教科书，也包括经典法学专著。他山之石，可以攻玉，相信"文库"的出版不仅有助于促进中美文化交流，亦将为建立和完善中国的法治体系提供重要的理论借鉴。

美国法律文库编委会

2001 年 3 月

第二版序言

本书适用于商法专业及其他相关专业的大学生，同时也适用于商业团体之使用。

由于不存在所谓的商法——仅有一个涵盖与商业活动相关的法律各个特定方面的标题，所以，要想对商法书籍的范围作出一个准确的界定几乎是不可能的。并且，商业活动由于几乎涉及"任何贸易、专业或者职业"（1890年《合伙法》第45条）而无法准确定义，因此，为了界定商法的范围，就人为限定了商业活动的范围。

本书所涉及的法律将引起诸如银行家、保险业者、股票经纪人或者债务代理人等专家的极大兴趣，但本书不包括支配有关特定行业专门文献的特别法律。本书主要涉及货物或者服务的提供以及从事上述商业活动的组织。

本书首先介绍了法律渊源的背景以及法律争议的解决方式，包括仲裁和替代纠纷解决方式（ADR）。在讨论商业组织的不同形式以及商业资产（包括作为借贷保证而使用的资产）的性质之前，本书对法律责任作出了界定和解释，并且特别提及了合同法和侵权法的有关内容。其后，本书对商事代理合同、商事雇佣合同以及货物和服务的买卖和供应合同进行了阐述。

由于消费者保护是干预企业合并、垄断和一般的限制性商业活动的理由,因此,本书随后讨论了消费信贷和支付方式的有关内容,并专编论述了消费者保护的问题,包括竞争法的内容。这一部分的内容是从英国法和欧洲共同体法的角度来进行论述的。最后,本书对有关自然人和法人破产的法律进行了阐述。

斯蒂芬·加奇

/简目/

1	第二版序言

第一编 英国法律制度概要

3	1 法律制度概要
3	1.1 英国法的分类
3	1.2 法律人格
5	1.3 英国法的渊源
12	1.4 成文法的解释
18	1.5 欧洲共同体法
26	1.6 欧洲人权法公约
30	2 民事争议的解决
30	2.1 专门法庭
30	2.2 民事法院
34	2.3 高等法院的诉讼程序
37	2.4 郡法院的诉讼程序
40	2.5 民事判决的强制执行
42	2.6 仲裁
61	2.7 替代性纠纷解决方式（ADR）

第二编 债法导论

69	3	合同法
70	3.1	合同要素
70	3.2	一致的要约和承诺
74	3.3	承诺
76	3.4	投标
76	3.5	例外情形
77	3.6	对价
83	3.7	设立法律关系的意图
84	3.8	附属合同/封锁协议
85	3.9	使合同失效的因素
85	3.10	普通法规定的有关合同生效的错误
89	3.11	衡平法规定的有关合同生效的错误
89	3.12	虚假陈述
94	3.13	胁迫、不正当影响和不合良心的交易
97	3.14	公共政策和违法行为
104	3.15	缺乏形式的合同
106	3.16	缔约能力
109	3.17	合同的条款
110	3.18	法院默示的条款
110	3.19	法律默示的条款
111	3.20	条件条款和保证条款的条款分类
113	3.21	除外条款和免责条款
117	3.22	不完全或不确定的协议

118	3.23	合同的解除
118	3.24	履行
119	3.25	协议终止合同
121	3.26	以接受违约来终止合同
122	3.27	随后的不可能性导致合同终止：合同履行落空
127	**4**	**侵权法**
127	4.1	侵权责任的重要性
129	4.2	侵权责任的确立
130	4.3	对侵权的一般抗辩
132	4.4	侵权中的原告和被告
134	4.5	一个以上侵权行为人的责任
134	4.6	责任的终止
135	4.7	过失
145	4.8	过失行为的抗辩
147	4.9	占有人责任
151	4.10	妨害
156	4.11	*Rylands v. Fletcher* 一案中确立的规则
163	**5**	**合同和侵权的司法救济**
165	5.1	损害赔偿金
167	5.2	间接损失和意外损失
168	5.3	合同的间接损失
169	5.4	减轻损失
169	5.5	共同过失
170	5.6	非补偿性损害赔偿金
171	5.7	侵权中的补偿性损害赔偿金

172	5.8	侵权中的间接损失
174	5.9	介入原因
175	5.10	扣减损失
176	5.11	共同过失
177	5.12	纯经济损失
178	5.13	侵权中的非补偿性损害赔偿金
178	5.14	合同中的衡平法救济方式
182	5.15	恢复原状的救济

第三编　商事组织

187	6	法律制度概要
187	6.1	英国商事组织
188	6.2	个体经营者
188	6.3	合伙
189	6.4	注册公司
191	6.5	公司形式的转化
192	6.6	公司集团：控股公司和子公司
192	6.7	合伙和公司的一般区别
206	7	合伙法
206	7.1	合伙的性质
211	7.2	合伙的成立
214	7.3	非法合伙
214	7.4	合伙和与之进行交易的人之间的关系
215	7.5	合伙人实际权力和通常权力的区别
217	7.6	对债务及合同义务的责任
217	7.7	侵权及其他违法行为的责任

219	7.8	自认：准合伙人的责任
220	7.9	退伙及入伙的合伙人责任
221	7.10	合伙人之间的关系
222	7.11	合伙财产
223	7.12	合伙人之间的内部权利
225	7.13	合伙人的责任
228	7.14	合伙的解散
230	7.15	合伙解散的后果
231	7.16	合伙解散时对财产的处分
232	7.17	解散时的财产使用
232	7.18	关于企业解散以后清算完成之前获得的利润
233	7.19	合伙协议的解除
233	7.20	无偿还能力的合伙的解散
234	7.21	英格兰和威尔士的有限责任合伙
236	**8 注册公司**	
236	8.1	注册公司的组成
243	8.2	公司章程细则
246	8.3	公司章程大纲和公司章程细则的法律效力
247	8.4	公司发起人
249	8.5	公众公司签订的临时合同
250	8.6	越权合同和对公司以外人员的保护
251	8.7	未被授权签订的合同及对公司以外人员的保护
254	8.8	公司的股份资本
262	8.9	红利的支付
263	8.10	公司获得自己股份的经济资助

267	8.11	公司在自己股份上设定的抵押
267	8.12	股份和股东
273	8.13	成为公司成员
273	8.14	停止成为公司成员
273	8.15	股票的转让
275	8.16	股份证书下的禁止反言
276	8.17	成员的登记
276	8.18	重大持股人的登记
277	8.19	公司董事
284	8.20	董事的义务
294	8.21	董事义务的法定执行
299	8.22	免责
300	8.23	公司秘书
301	8.24	董事民事义务的强制执行

第四编 经营资产、借贷和担保

315	9	经营资产
315		9.1 经营资产的性质和分类
317		9.2 英国法上的不动产概述
319		9.3 对他人财产所享有的权利
319		9.4 1925年改革
321		9.5 已登记和未登记的财产转让事务
322		9.6 不动产权以及土地权益的分类：未登记土地和已登记土地
324		9.7 占有动产
324		9.8 诉取动产

326	9.9	知识产权
352	9.10	产品设计保护
357	9.11	半导体晶片设计保护
359	**10**	**借贷担保**
359	10.1	担保的性质
360	10.2	土地抵押
363	10.3	抵押权人的优先权及对抵押权人的保护
365	10.4	对抵押人的保护
367	10.5	对抵押权人的救济
371	10.6	记名股票抵押
373	10.7	其他证券
374	10.8	人寿保险单抵押
377	10.9	货物担保
378	10.10	注册公司设立的担保
379	10.11	公司财产担保
382	10.12	担保的登记
387	10.13	浮动担保的不利之处
388	10.14	担保权利人对公司权力机关和高级职员的责任
389	10.15	保证和赔偿保证
398	10.16	所有权保留条款涉及的财产
401	10.17	留置权

第五编　商业合同

407	**11**	**代理法**
407	11.1	代理的定义

408	11.2	代理人的种类
408	11.3	代理人的代理权
413	11.4	代理人的权利和义务
417	11.5	代理人对本人享有的权利
419	11.6	代理人对第三人的责任
421	11.7	代理的终止
423	11.8	代理商
427	**12**	**雇佣合同**
427	12.1	劳务合同与服务合同
430	12.2	替代责任
432	12.3	雇佣的持续性
433	12.4	雇佣合同的订立
468	12.5	限制贸易条款
468	12.6	固定期限和履行合同
472	**13**	**货物买卖合同和供货合同**
472	13.1	货物买卖合同
473	13.2	合同的形式
473	13.3	货物买卖合同中的默示条款
482	13.4	对违反条件的放弃
483	13.5	1979年《货物买卖法》默示排除的条款
484	13.6	对其他货物转让合同的类似保护
484	13.7	所有权转移和风险转移
493	13.8	非所有人对货物的买卖
499	13.9	合同的履行
502	13.10	未获得价款的卖方对货物的权利
505	13.11	违约诉讼

506	13.12	供货合同
511	13.13	根据分期付款买卖协议和附条件买卖协议供应的货物
511	13.14	服务、货物和设施方面的歧视

第六编 支付方式

517	14	消费者信贷协议
518	14.1	1974年《消费者信贷法》调整的协议
520	14.2	取得执照与开展业务
522	14.3	协议的内容和形式
522	14.4	解约
523	14.5	交易人作为债权人的代理人
524	14.6	债权人对供应商违约的责任
524	14.7	滥用信用工具
525	14.8	债务人的提前或延误还款
525	14.9	违约及未违约通知
526	14.10	高利贷交易
526	14.11	债务人死亡
526	14.12	分期付款买卖及其他分期付买卖
532	14.13	对机动车辆私人购买者的保护
532	14.14	附条件买卖协议和信贷买卖协议
534	15	汇票、支票、信用卡、信用卡和借记卡
534	15.1	债务结算中的汇票和支票
534	15.2	汇票和支票的对比
535	15.3	汇票的基本要件
538	15.4	当事人的行为能力和授权

540	15.5	汇票的承兑
541	15.6	汇票的付款
542	15.7	空白票据
543	15.8	汇票或支票的流通
544	15.9	票据的对价
545	15.10	票据持有人
547	15.11	汇票或支票的等同现金（cash equivalence）
548	15.12	汇票或支票责任的解除
550	15.13	银行与客户的关系
551	15.14	银行对客户承担的义务
557	15.15	客户对银行承担的义务
558	15.16	对银行的保护：付款银行和托收银行
559	15.17	对付款银行的保护
560	15.18	对托收银行的保护
563	15.19	类似票据和银行汇票
563	15.20	作为正当持票人的托收银行
565	15.21	电子资金转让（EFT）

第七编　消费者保护

571	16	消费者保护
571	16.1	商品说明
572	16.2	虚假商品说明
575	16.3	对服务、住房和设施的虚假陈述
577	16.4	抗辩
582	16.5	对价格的虚假或误导性说明
585	16.6	产品责任

585	16.7	1979年《货物买卖法》
585	16.8	侵权行为责任：过失
586	16.9	1987年《消费者保护法》第一编
589	16.10	1987年《消费者保护法》第二编
594	16.11	从担保合同
595	16.12	主动提供商品和服务的合同
595	16.13	可撤销商品和服务协议
596	16.14	消费者合同中的不公平条款（unfair terms）
601	**17**	**竞争法**
601	17.1	《竞争法》的宗旨
601	17.2	英国竞争法及欧洲共同体竞争法
602	17.3	1973年《公平贸易法》
602	17.4	向消费者保护资询委员会报告（CAPC）
602	17.5	对不良商人的控制
603	17.6	非官方行业规则
603	17.7	垄断
605	17.8	兼并
606	17.9	阻碍、限制或扭曲竞争的协定等
609	17.10	滥用优势地位
611	17.11	对第1章及第2章禁止的调查及执行
612	17.12	欧洲共同体竞争法基础
613	17.13	对共同体范围内违反的认定
614	17.14	对国家范围内违反的认定
615	17.15	规则的域外适用
616	17.16	违反第85条第1款的限制性作法
622	17.17	滥用优势地位：第86条

第八编　自然人破产和法人破产

631	18	自然人破产
631	18.1	个人自愿和解（IVAs）
635	18.2	破产
651	19	法人破产
652	19.1	破产接管
661	19.2	破产管理令（administration orders）
668	19.3	公司自愿和解（CVAS）
671	19.4	公司清算
688	19.5	因破产而产生的刑事责任
688	19.6	因破产清算而导致董事资格的丧失
689	19.7	停业公司的解散
689	19.8	法院宣告解散无效的权力
692	案例表	
731	索　引	
761	译后记	

第一编

英国法律制度概要

1

法律制度概要

学习目标

通过本章学习了解以下内容:
1. 自然人和法人的区别
2. "有拘束力的司法先例作为法源"原则的适用
3. 直接立法和间接立法的形式以及成文法解释的规则
4. 欧共体法作为法律渊源的意义
5. 欧共体法的直接适用和直接效力的含义以及欧共体法最高地位的含义
6. 《欧洲人权公约》作为法律渊源的意义

1.1 英国法的分类

英国法主要分为刑法和民法两大类,虽然刑事责任和民事责任有所交叉,但是刑法存在的目的是惩罚罪犯。因此,尽管1973年《刑事法院法》中规定了赔偿金的支付,1964年《刑事伤害赔偿办法》规定了暴力犯罪的受害人将得到特惠金,但是,在通常情况下,这些损害仍都根据民法被提起请求赔偿诉讼。

1.2 法律人格

法律上的人享有法律权利,他们包括(1)自然人;(2)拟制的人或者法人。

自然人

对自然人而言,重要的是国籍、住所、性别和种族。虽然欧共体一成员国的国民享有和其他成员国国民平等的权利,但国籍仍然决定自然人的公共权利,例如效忠国家、选举和参加议会的权利。自然人通常只有一个国籍,但也可以有双重国籍或者无国籍。在民法中,本国国民和外国国民通常享有同等待遇。

住所决定自然人所适用的准据法。所有的自然人都有住所,而且在任一特定时刻都只能有一个住所。住所有三种:(1)原始住所;(2)选择住所;(3)法定住所。原始住所由自然人的出生地决定。选择住所就是一个达到法定年龄并且具有完全行为能力的自然人以定居为目的(即有定居意图)在一个国家建立的永久居住所。任何自然人如果放弃选择住所,那么在其获得新的选择住所之前,其原始住所被重新视为住所。法定住所针对那些依赖父母或者丈夫决定其住所的未成年人和已婚妇女。1973年《住所和婚姻诉讼程序法》(DMPA)现在允许已婚妇女可以获得与其丈夫分开的住所(1973年《住所和婚姻诉讼程序法》第1条),并且允许未成年人达到16岁时可以获得独立的住所,以及父母分居或者离婚时未成年人可以采用母亲的住所(1973年《住所和婚姻诉讼程序法》第3条和第4条)。

法人

法人由一定数量的人组成并且可以分为以下几类:(1)特许法人;(2)法定法人;(3)登记法人。特许法人通过皇家特许而设立。最早的商业法人,例如哈得逊河湾公司和东印度公司,即是通过此种方式创设的。如今,特许法人包括诸如特许大臣和行政官协会(ICSA)在内的职业团体;历史比较悠久的大学也是特许法人。法定法人根据特别的议会法令而设立。地方政府是法定法人;尽管国有企业的数量随着私有化而减少,但是国有企业也是法定法

人。登记法人根据《1985年公司法》而组建,是普通商业公司。(见第6章和第8章)

非法人组织

非法人组织不具有法律人格,其财产由组织成员共同所有,违约和侵权责任由组织成员承担。工会、雇主协会和合伙(见第7章)适用特殊规则。

1.3 英国法的渊源

英国法的渊源主要有:(1)判例法;(2)制定法;(3)欧共体法。

判例法

先例是法官在判决案件过程中作出的法律陈述,并将依据法院的地位影响今后类似争议的解决。遵循先例原则取决于:(1)法院的级别;(2)精确而有效的判例汇编。第二个条件只在19世纪末才完全满足。

民事判例汇编使用原告和被告的姓名。因为刑事诉讼是由国家提起的,所以在刑事判例中,一般用代表君主和女王的字母"R"代表原告,也可能使用字母"DPP(检察官)"和字母"AG(检察总长)"代表原告。其余部分是信息检索码,如:*Saunders v. Anglia Building Society* [1971] AC 1004 或者 *R v. Kylsant* [1932] 1 KB 442。判例汇编中包含高等法院各分庭的一系列单独汇编——"Ch"代表衡平法庭;"Fam"代表家事庭;"QB(或者'KB')"代表女王座庭(或者王座庭)。方括号中的日期代表该判例被汇编的年份(并不一定是案件审理的年份)。卷标列在字母之前,页码列在字母之后。上诉法院按照审判该案件的原分庭名称进行判例汇编,上议院的判例汇编为"上诉判例(AC)"。判例汇编委员会还公布每周判例汇编,用字母"WLR"代表。另外,还有许多私家判例汇编,其中最著名的是由字母"All ER"表示的全英判例汇编。判例也可以通过计算机数据库查阅,其中最为著名的数据库是

Lexis系统。如果得到亲历法庭判决的出庭律师的证实，那么，没有被汇编的案例判决也可以当作判例被引用。

判决的拘束力要件

判例汇编详细记述案件事实、当事人姓名和构成判决与裁决基本依据的法律陈述。其中，只有作为判决和裁决基本依据的法律陈述才具有拘束力。判例可以包含法律的其他陈述。有拘束力的法律陈述被称为判决依据（判决理由）。其他的陈述仅起说服作用，被称为附带意见（附带的法律陈述）。

判决依据是据以作出裁判的、用于解决由法院认定系案件主要事实所引起的法律问题的法律陈述。判决依据只有在所有方面都符合该定义，才能具备一般拘束力。附带意见有以下两种：（1）作为法律陈述的事实不存在，或者虽然事实存在，但不能构成主要事实；（2）尽管法律陈述适用于法院确认的案件主要事实，但其不构成作出裁判的基础。第一种附带意见是以假设为基础的法律陈述。法官陈述道：在案件的主要事实不同的情况下，其认为法律将如何规定。在 *Rondel v. Worsley* 一案中，上议院陈述道：出庭律师如果从事与诉讼无关的行为则为疏忽，应当承担侵权责任；但如果事务律师作为辩护律师进行诉讼有疏忽，则将被免除侵权责任。由于该案涉及出庭律师担任辩护律师时的侵权责任，所以上议院的这一陈述系附带意见。第二种附带意见是作出多数判决的法院的不同意见。

一般而言，判决依据是由把该判决运用到新情况中的后来的法院确定的。当一个判例有多个理由时就产生了问题。其中的一个理由被确定为真正的判决依据，其他的理由可以作为附带意见。附带意见的说服力由法官的威望和其在司法系统中的地位决定。

不具有拘束力的先例

它们包括：（1）说服性先例；（2）已经被推翻的先例；（3）已经被区分的先例；（4）因失察所致的先例。

说服性先例 由于判例的体系是垂直自上而下的，所以上级法院并不受制于司法等级中下级法院的判决，这些判决只能作为说服性先例。苏格兰、爱尔兰、英联邦和外国法院的判决也只能被视为说服性先例。

已经被推翻的先例 某一先例可能会被更高级别法院随后的判决或者议会法令宣布无效。司法推翻先例具有溯及力；但是，通过法令宣布无效一般是可预期的，即：除非该法令本身具有溯及力，否则，有法令生效之日起该先例即被推翻。推翻先例是法律发展的重要保证。

推翻先例与撤销先例截然不同。推翻先例所影响的是作为被推翻先例的基础内容的法律规则，而不是当事人的权利。因此，20年前一个下级法院所作的判决可能被推翻，从而对法律进行具有溯及力的变更，但是，原诉讼当事人的地位和处境不能发生变化。撤销先例是指一个下级法院的判决被移送到上诉法院审理，这直接影响案件当事人的法律关系。

已经被区分的先例 如果法院找到其正在解决的案件事实与被请求遵循的先例之间的实质性区别，则法院可以拒绝适用这个先例。由于几乎不可能重复发生完全相同的情况，所以从理论上说，可以对所有判决进行事实上的区分。区分的可能性是确保法律对于环境变化的适应性和灵活性的深层因素。不可区分的先例被视为与本案情况"完全一致"。

因失察(疏忽大意)所致的先例 在 Young v. Bristol Aeroplane Co. Ltd 一案中，上诉法院确立以下原则:法院不必遵循其早先由于疏忽大意所作的判决。这里指的是在法院没有考虑某些相关法律规定或者判例的情况下就作出的判决。从这个意义上说,此类判决有瑕疵。现在,这一原则适用于其他法院的判决,但程度有限。

法院体系运作规则

所有的下级法院都服从其上级法院所作的判决，有的法院也服从同级法院作出的同级判决（见图1.1）。

8 商　　法

　　上议院　在涉及欧共体法的问题上,上议院服从于欧洲法院(ECJ)和欧洲初审法院(CFI)的判决。虽然上议院已经声明其受自身所作判决的约束(London Street Tramways Ltd v. LCC 案),但是,其仍然可以"在看上去这样做是正确的情况下",赋予其"偏离"自身先前判决的权利(《实务综述(司法先例)》[1996] 3 ALL ER 77)。

　　上诉法院(民事庭)　该法庭除受到欧洲法院、欧洲初审法院和上议院判决的约束之外,还根据在 Young v. Bristol Aeroplane Co. Ltd 一案中确立的例外原则,受到其自身判决的约束。因此:(1) 当存在两个互相矛盾的判决时,其可以进行选择遵循;(2) 当其先前的判决与上议院后来的判决不一致时,应当遵循上议院的判决;(3) 其不必遵循因失察所致的判决。

　　上诉法院不必遵循后来被枢密院司法委员会(JCPC)否决的判决: Doughty v. Turner Manufacturing Co. Ltd 一案。民事庭还应当受到刑事庭(并非早期的上诉刑事法院)所作判决的约束。由五个或者七个法官组成的合议庭所作判决的效力与两人法庭所作判决的效力相同: Langmey v. North West Water Authority 一案。

　　上诉法院(刑事庭)　除非发生通常的例外情况,否则,刑事庭也受到欧洲法院、欧洲初审法院、上议院和上诉法院民事庭判决的约束。该法庭不必遵循其先前作出的将导致不公正的判决: R v. Gould 一案,详见 May 法官在 R v. Spencer 一案中所作的陈述。组成法庭的法官人数在刑事庭中显得较为重要,其关系到判决的法律地位。一般而言,只有通过由 5 个或者 7 个法官组成的法庭作出判决,法院才能推翻一项已经创设的法律规则。

　　高等法院各分庭(受理上诉和司法审查)　高等法院各分庭受到其所有上级法院的判决的约束,并根据 Young v. Bristol Aeroplane Co. Ltd 一案中的规则遵循其先前所作出的判决。由于司法审查被看作是初审判决而并非上诉,所以女王座庭(QBD)的司法审查功能具有更大的灵活性。在刑事判例中,与上诉法院刑事庭一样，女王座庭可以为了实现法律公正而偏离其自身所作出的判决。

欧洲法院（卢森堡）
所作出的判决虽然大多数与商业事务有关，但也涉及性别平等的案件。其判决甚至有权推翻上议院所作的判决。

欧洲人权法院（斯特拉斯堡）
处理人权问题。在诸如关于对待囚犯和从国外迁入国内的移民的问题上，已经屡次否决英国政府。

上议院
国家最高级别的法院——由"上议院常任上诉法官"（上议院贵族法官）任职于议会大厦。他们审理由上诉法院提交的上诉案件以及偶尔由高等法院直接提交的上诉案件。

上诉法院（民事庭）
每年审理大约1600个上诉案件，其中大多数来自高等法院和郡法院。该法庭由上诉法院民事庭庭长主持，其法官被称为上诉法院法官。

上诉法院（刑事庭）
审理来自刑事法院的上诉案件，其中主要有关刑罚和具体的法律问题。该法庭由皇家首席大法官主持，其法官也被称为上诉法院法官。

高等法院
共有80多个高等法院，分3个庭审理案件：
女王座庭——审理重大的民事案件和一些来自治安法院的刑事上诉案件
家事庭——审理离婚争议和其他家庭纠纷
衡平法庭——审理遗嘱、税收和股票等经济事务。

刑事法院
共有90多个刑事法院，由高等法院法官、巡回法官、记录法官或巡回法官和/或记录法官与非职业法官的陪审团主持。其处理所有的重大犯罪案件，如谋杀、强奸等案件。

治安法院
大约共有700个治安法院，每年处理200多万个案件。这些法院分为两类：
民事——收养和儿童照管等案件
刑事——故意伤害等案件
少年特别法庭处理17岁以下儿童的案件。大多数治安官是无报酬的，对其适任资格没有限制。

郡法院
共有270个郡法院，处理比较轻微的民事案件，如索赔金额在25000英镑以下的案件和无抗辩的离婚案件。

法庭
共有50多个专门法庭。

表 1.1 英格兰和威尔士的法院

9　　　**初审高等法院**　初审高等法院受制于所有的上级法院，包括其分庭在内。此类法院也可能受到其他高等法院分庭判决的约束，但并不受其自身先前所作判决的约束。在上诉法院对 *Froom v. Butcher* 一案作出判决之前，关于"车中不系安全带是否构成混合过失"的问题，从1970年到1975年间有14个相互冲突的判决。出于司法礼让，法官们甚至遵循那些并不具有拘束力的判决：*Poole BC v. B & Q (Retail) Ltd.* 一案（《泰晤士报》1月29日）。在 *Colchester Estates(Cardiff) Ltd v. Carlton Industries plc* 一案中，Nourse 法官陈述道：面对两个相互矛盾的判决，如果后来所作的判决是在对前一个判决充分认识的基础上作出的，则法官一般应认为后来所作的判决是正确的。

　　下级法院　治安法院、郡法院和其他初级法庭受到所有上级法院的判决的约束。刑事法院的地位由首席法官的地位决定。如果其由高等法院法官主持，则该法院的地位可能相当于初审高等法院。初级法院的判决对其上级法院或者其同级法院都没有权威性。

　　欧洲法院（ECJ）和欧洲初审法院（CFI）　欧洲法院和欧洲初审法院无需遵循其先前所作出的判决，但是其判决对成员国所有的法院都具有拘束力。

判例制度的优点和缺陷

　　判例制度的优点表现为确定性、准确性和灵活性——后者是通过推翻和区分先例体现的。其明显的缺点是：被汇编的判例数量巨大并且仍在不断增长，而且，尽管有推翻和区分先例制度，但有些判例仍然僵化刻板。此外，由于判例制度经常取决于决定花费自己费用提起上诉的当事人，所以该制度导致了法律向非系统化方向发展。鉴于法律委员会的作用就是确定需要进行法律改革的领域和促进必要的立法，因此，法律委员会的出现减缓了这种法律的非系统化发展趋势。

普通法和衡平法（equity）

普通法源自始于 13 世纪的普通法法院的判决。由于其存在内在缺陷，而且诉讼当事人必须事先向国王提出请愿书，才能再由国王授权御前大臣审理案件，因此设立了衡平法院。衡平法院创设的规则不断改正和弥补普通法的缺点，救济方式的新发展补充了普通法的损害赔偿的救济途径，其中包括：特定履行、禁令、撤销与修正。衡平法院还规定了特别适用于信托和抵押的专属管辖范围。

当衡平法修正普通法并承认新的权利时，这两个法律体系发生了碰撞。牛津伯爵一案（1615 年）确立了衡平法优于普通法的地位，如今这一地位已在 1981 年《最高法院法》中明文规定。1873—1875 年《司法组织法》废除了与之相适应的司法体系，由最高法院所取代，将衡平法院的专属衡平管辖权转移给高等法院的衡平法庭。衡平法作为法律规则的一部分仍继续存在，并且在统一的法院体系下，随着最高法院法官在其自由裁量范围内对衡平法规则及救济方式的适用而不断发展。

衡平法上的权利和救济方式具有任意性，不像普通法上的权利和救济方式那样依据"依法当然取得"即可以主张。衡平法不拘泥于法律形式，强调当事人的意愿，例如：在其对租赁和抵押的认可中，没有普通法的形式要求。通过要求当事人必须起草正式的租赁和抵押协议的判决，衡平法明确承认：租赁或抵押协议在当事人之间创设了权利，并且为了禁止人们作出不公平也就是合法却不公正的事情，衡平法扩大了欺诈的界定范围。

如今，衡平法的重大价值在于：法官行使了其衡平法上的自由裁量权，从而避免了遵循先例原则的僵硬。

制定法

制定法是法律的主要渊源，其存在形式有两种：通过议会法案的形式直接立法；通过地方性法规、行政立法性文件及枢密院君令的形式授权立法。通过议会法案修正实体法律规则、统一现有法规、编纂成文法典、实施国际条约、提出社会立法,议会享有绝对的立法权。原则上,议会将来的立法自由不受任何法律限制,但对其主要的限制源于英国系欧洲共同体成员国(见下文1.5节)。对其更进一步的限制与1998年《人权法案》将《欧洲人权公约》融入英国法有关,这影响了直接立法和授权立法的解释(见下文1.5节)。

授权性立法由议会授权的机构制定。该机构进行授权立法必须在其授权立法范围内(在权限内)进行,否则即为越权行为,是违法的。地方性法规由地方权力机构和其他授权机构制定。行政立法性文件由政府部门在直接立法规定的权限内,根据主要法令制定细则,从而不必通过议会就可以快速制定和修改法规,大大加快了立法的进程。枢密院君令是由政府颁布但通过枢密院发布的命令。

1.4 成文法的解释

制定用语含义不明确或模糊的立法就引发了如何理解立法含义的问题。在语义范围不明确的情况下,即使一个单词的使用也能够引起这样的问题。例如"交通工具"、"停车场"或"前提"等单词就是能够引起歧义的用语。关于1969年《雇主责任(设备缺陷)法》,法院将"设备"定义为包括因建造缺陷而沉没的大型船舶(*Coltman v. Bibby Tankers Ltd* 案)和受雇人搬运的有产品瑕疵的石板(*Knowles v. Liverpool City Council* 案)。在使用修饰性形容词但不明确所修饰的内容时,也可能发生含义模糊。在"公共医院和学校"这个短语中,就不明确"公共"一词是修饰"医院"和"学校"还是仅仅修饰"医院"。

短语也能引起歧义。关于《劳工赔偿法》(现为1965年《国民保险(工业伤害)法》)中规定的"在工作外和工作中"所发生事故的界定问题,已经导致了大量的诉讼,包括其是否适用于在逗留超过茶点时间时受到伤害的雇员 [R v. Industrial Injuries Commissioner, ex. p. AEU (No. 2)案]。在 Customs and Excise Commissioners v. Savoy Hotel Ltd 一案中，法院不得不对"人造饮料"这个词语是否包括手工压榨鲜橙而生产的橙汁饮料作出裁决。

如果词语有两种或两种以上文字含义，其中一种是技术性含义，而其他是非技术性含义，也会发生词语歧义。1959 年《进攻性武器管制法》规定"'许诺销售'进攻性武器系犯罪"。在 Fisher v. Bell 一案中，根据该法，被告被指控为以销售为目的在橱窗展示弹簧刀。但这不是该法所规定的许诺销售，而是一个要约邀请，邀请公众成员发出购买要约。

如果发生立法通过时没有预见的情况，则要求法院扩充立法。在 A - G v. Telegraph Co. 一案中，法院作出判决：1869 年《电报法》虽于电话发明之前即已通过，但其仍赋予邮政部长掌管电话通讯的权力。

法律解释的司法方法

法院借助于一些可以参考的推定、规则和辅助方法来解释法律。

推定（presumptions）

适用于本土的推定 该推定指制定法仅在英国国内适用，即：除非另有规定，否则该法适用于整个英国。

法令对王室没有拘束力的推定 约束王室的法案必须明文规定其对王室具有拘束力。

不变更普通法的推定 制定法只能通过明文规定而非默示规定，才能对普通法进行重大修改。例如：虽然 1898 年《刑事证据法》允许妻子提供不利于其丈夫的证据，但是上议院认为该规定没有强制妻子提供证据（请注意：现在在某些案件中，妻子是可以被强制提供证据的）。

不强制适用无过错责任的推定 法院在解释适用刑事责任的制

定法时,都必须以存在犯罪意图(犯意)为前提。只有通过明文规定,法案才能创设承担无过错责任的犯罪:*Sweer v. Parsley* 案。

不免除既得权利的推定 法案授权的行为因妨害某人享用其财产而构成了妨害行为,除非有明文规定,否则不能剥夺该人的起诉权利。例如,准许建立污水处理厂的法律并不能禁止居民提出妨害行为赔偿的诉讼请求。此外,推定还包括禁止法律有溯及力的推定。

法律解释的主要规则:字面性解释方法和目的性解释方法

关于法律解释有三项基本规则:(1)字面释义规则;(2)黄金释义规则;(3)不确切文字释义规则。

字面释义规则 该规则是指立法目的必须从法律所使用词语的一般的和本来的意思中去找寻,必须把该法律作为一个整体、将其中的文字放在上下文中进行解释。在 *Fisher v. Bell* 一案中,字面释义的方法否定了法律的规定。

黄金释义规则 该规则是一个"对字面释义规则所作的注释",在字面释义规则导致前后不一致、谬论或者不便,即表明所用的词语将不能给出其一般意思的情况下适用。因此,当法律准许作出两个或更多的字面解释时,黄金释义规则允许法院采用最不可能产生"荒谬或者矛盾结果"的法律解释。

不确切文字释义规则 该规则起源于 Heydon 一案。在纯粹的字面性解释方法不适用时,该规则可以作为辅助性规则被遵循,或者与字面释义规则选择适用。它是现代目的性解释方法的基础。在 *Jones v. Wrotham Park Settled Estates* 一案中,Diplock 勋爵重述该规则,确定了其适用的三个必备条件:(1)必须有可能准确确定法案中意欲补救的不确切文字;(2)必须显然是议会没有解决的不确切文字;(3)必须是本应被插入但可能是由于议会疏于注意而遗漏的附加词语。法律委员会认为:不确切文字释义规则是一种比黄金释义规则"更令人满意的方法"。

关于制定法解释，争论的主要焦点集中在所谓的字面性解释方法和目的性解释方法之间。字面性解释方法承认所用文字的含义的重要性，认为法官所充当的角色是法律的解释者而非立法者，并且如果措辞不适当，法官的职责就是以现有的文字为基础作出判决，而将原本意图引入立法的工作留给议会处理。

目的性解释方法的观点试图在法律通过以后找到法律的意图，即使违背所用词语的严格意义，也希望用这种方法解释词语来实现立法目的。该观点经常被批评为对立法权的侵犯。现代的法律解释方法更加趋近于目的性解释方法。

尽管这三个基本规则是按照字面释义规则、黄金释义规则和不确切文字释义规则的顺序排列的，但这并不代表其被适用的顺序。John Willis 教授认为："法院援用其中任何一个规则的结果都是使得当前的案件得到公平解决。尽管在解释明示条款时最经常被提到的是字面释义规则，但法院将三者视为有效规则，根据实际情况的需要加以适用，然而……并不指出选择一个规则而非另一个规则的原因。"［见 *Statute Interpretation in a Nutshell*（1938），16 Can Bar Rev 1］。

过去，字面释义规则属于优势地位，从而使法律受制于法官消极的语言分析，使法官拒绝填补法律的空白并且拒绝通过探寻法律文字隐含的含义来实现立法精神。在 *Stock v. Frank Jones（Tipton）Ltd* 一案中，Scarman 勋爵认为：除非"结果非常荒谬以至于如果不从成文法条文中走出来，人们就会认为议会一定犯了立法错误"，否则应倡导字面释义规则。然而，其他法官对其司法职责持广义的观点，在 *Magor and St Melons RDC v. Newport Corporation* 一案中，Denning 法官（当时是作为法官）作出以下陈述："我们坐在这里是为了找出议会和政府的意图并且实现这些意图，通过填补法律空白、弄清法律规定的含义比通过展开消极的文字分析能更好地做到这一点。"这段关于法官职责的陈述被 Simonds 勋爵批判为

"在法律解释这个苍白的伪装下对立法权进行的赤裸裸的侵犯",Simonds 勋爵认为"如果法律空白已经暴露出来,就应当通过修正法律的方式来补救。"

字面释义规则这一保守方法受到法律委员会的批评,认为其"过分强调条文中的词语的文字意义",是在"假想一种实际上不可能达到的完美的立法技术"〔见 *The Interpretation of Statutes* (1969) Law Com. No. 21〕。他们建议应当更加强调根据立法背后的一般目的解释法律的重要性,1981 年《立法解释法案》引入了这一建议。

尽管其语言表述如此,但是法律委员会仍然认为:不确切文字释义规则是一种比其他两种规则"更加令人满意的方法"。然而,这个在 *Sussex Peerage* 一案中已经确立的规则应当仅适用于语言模棱两可的情况。Rupert Cross 先生曾经提出:该规则并不是两者选择适用中的一个选项,而是一种更加具有进步意义的方法,其始于分析法案上下文所使用语言的通常含义,然后,当其通常含义导致荒谬的结果时转而考虑其他可能的词义。这种所谓的语境解释方法是以字面解释方法为基础的,但是更多地考虑了文字所处的语境,而且对语境作了广义的界定。这一方法主张将自动考虑立法目的作为语境内容,在语境中分析文字的含义。这趋向于法院超越法规本身来决定其中文字的含义(见下文的外部辅助方法)。

其他法律解释规则

同类解释规则　这技术性规则是用来解释那些跟在两个或者更多特定单词后面构成同类的总括性词语的。这些总括性词语根据通常限制其范围的特定单词来解释;例如在 *Powell v. Kempton Park Racecourse Co.* 一案中,法院认为 1853 年《赌博法》第 1 条中禁止赌博的"家庭、办公室、房间或者其他场所"不包括塔特萨尔斯的围场,即把"其他场所"解释为"家庭、办公室、房间"同一类别(同类)的场所。必须至少有两个特定词语才能构成一个类别。在 *Allen v. Emerson* 一案中，因为"剧院和其他娱乐场所"没有构成一个类别，所以将有关"剧院和其他娱乐场所"的法律规定延伸到"游艺园"。

文理解释 "通过理解相关的单词和短语的本质含义可以更好的理解词语本身。"在 *Pengelley v. Bell Punch Co. Ltd* 一案中，法律要求保持清洁的"地面、台阶、楼梯、走廊、通道"中的"地面"不包括用于储存的工厂地面。

明示其一即排除其他 "明示其中的一件事情就代表排除其他的事情。"根据这一规则，如果使用特定词语而且后面没有使用总括性词语，那么法律只适用于被提及的事情。例如，法律有关立法应当被明示废止的规定，就排除了没有被特别提及的法律的默示废止。

狭义解释刑法规定 对一条语义模糊的刑法规定应当作出有利于被告的解释（见法无明文规定不强制适用无过错责任的推定）。

法律解释的辅助方法

辅助方法分为内部辅助方法和外部辅助方法。内部辅助方法设在法律规定之中，其中最重要的是对立法规定的词语作出界定的解释内容，这在许多法案中都可以找到。外部辅助方法是法官可以参考的其他来源；字典是一个典型的例子。1978 年《法律解释法》规定了某些仅是推定的并在被解释的法案中变为相反意义的单词和短语的定义。外部辅助方法的范围包括：法律委员会和各种法律改革委员会的判例汇编、作为立法基础的国际条约、立法意欲实施的欧洲共同体指令以及其他的议会法案。

自从 *Pepper v. Hart* 一案以后，在下列情况下，法院可以参考英国议会议事录中有关立法程序的报告：（1）立法模棱两可，或者模糊不清，或者导致谬论；（2）所依赖的材料包含大臣或其他提案人的陈述；（3）所依赖的陈述清楚。

欧洲视角

如果一部法律的通过是为了执行欧洲共同体指令，或者是为了执行欧洲法院的判决以使英国法符合欧共体法，那么，对该制定法的解释可以适用特殊考虑。因此，在 von Colson v. Land Nordrhein - Westfalen 一案中，欧洲法院作出了以下陈述："在适用国内法尤其是适用国内法中专门为了执行《欧洲共同体指令》而制定的条文时，为了获得《欧洲共同体条约》中提到的结果，要求各国国内法院应当根据该欧洲共同体指令的措辞和目的解释其国内法"。在 Pickstone v. Freemans plc 一案中，上议院甚至还参考了那些看似包括而实际上并未包括相关词语的立法文件。Oliver 勋爵所作出的判决明确承认了为履行欧洲经济共同体条约而通过的法律属于特殊类型。在 Marshall v. Southampton & South West Hampshire Area Health Authority 一案中，法院赋予了法律溯及既往的效力。

自从 Marleasing SA v. La Comercial International de Alimentacion SA ［1992］1 CMLR 305 一案以后，欧洲视角扩大了，该案认为即使不是为了执行欧洲共同体指令而制定的法律，也要受到前述 Colson 一案中所确立原则的约束，并且认为在任何可能的情况下，国内法院都要根据欧洲共同体法来解释其本国法律。

1.5 欧洲共同体法

欧共体法的渊源是制定法和判例法。某些条约的规定是一级立法，而理事会和委员会依据《欧共体条约》第189条制定的规章、指令和决定是二级立法或者授权立法。另外，欧洲法院和欧洲初审法院的判决对其成员国国内法院具有拘束力。

欧共体法的直接适用和直接效力

欧共体机构制定的法律对英国具有拘束力。1972年《欧洲共同体法》（ECA）第2条第1款对此加以确认。根据该款规定，"不仅必须考虑条约本身的规定以及据此制定的二级立法，而且还必须考虑欧洲法院作出的法律解释。"

1972年《欧洲共同体法》第2条第4款规定了议会法案今后将根据欧共体法的规定进行解释和生效，从而确立了欧共体法的最高地位。另外，该法第3条第1款规定了英国法院必须使用欧洲视角的方法解释欧共体立法，从而鼓励了使用具有更大法律解释空间的目的性方法去解释立法的"精神"，拥有更多援用外部辅助方法的自由。该法第3条第2款规定了对条约的司法认知、欧共体委员会的官方文报（OJ）以及欧洲法院有关解释法律方面的判决和意见。如果欧共体法的某一规定自动成为成员国国内法的一部分，而不需要通过直接或者间接国内立法将其并入本国法，该规定就可以直接适用。如果某一规定创设的权利在成员国法院可以直接实施，其就直接生效。法律规定的直接生效并不以直接适用为要件，但是所有可以直接适用的规定都直接生效。

只具有直接效力的欧共体法律只能由个人用于针对成员国或者成员国机构，而不能用于针对其他个人。由于执行法律规定的个人与其所针对的国家具有垂直关系，所以这些法律规定被视为具有纵向的直接效力。而一些法律规定在作为平等主体间诉讼的基础时具有横向的直接效力。

制定法
条约规定

欧洲法院已经确立了一些在横向和纵向都直接适用并直接生效的条约规定。这些规定必须：（1）并非纯粹关于国与国之间的关系；（2）清楚并且明确；（3）是绝对的、无条件的，不受任何成员国和欧共体其他法律规定的约束；（4）不给成员国留下任何实质的行动自由或自由裁量权。但是，成员国国内法中违反相关规定的选择性救济条款与此无关。例如，在同工同酬问题上，1970年《英联邦同工同酬法》第119条与欧洲共同体法出现了冲突（见第12章）。

17　　　根据《罗马公约》第189条，委员会和理事会有权制定二级立法。先由委员会提出立法建议草案，再由各成员国代表组成的部长理事会批准或者否决。只有经过理事会一致投票同意，才能对立法提案作出修改。理事会对其大多数事务都采取特定多数票通过的投票制度。1986年《统一欧洲法案》规定的合作程序赋予了欧洲议会在某些立法领域与委员会和理事会享有同等的权利，这些立法领域包括歧视以及劳工和劳务的自由流动领域。并且，根据《马斯特里赫特条约》，现在议会有权否决其认为不能接受的立法提案。

规　则

规则被定义为能够"普遍适用"并且"发生整体效力，在全体成员国均直接适用"，规则"不仅……自动排除了那些与欧共体法规定发生冲突的现有国内法的规定，……而且还排除了与欧共体法规定不协调的新的国内立法的有效适用"。

规则用于引入适用于整个欧共体的欧共体法的主要变化。其对所有成员国都具有拘束力，并优先于所有成员国的国内立法。居住在成员国国内的个人可以通过规则实现由成员国国内法院保证的权利。

指　令

指令是用来协调欧共体内的法律体系的，要求成员国在特定时限内引入能产生期望效果的立法。在有关水质标准、污染程度和公司法方面的立法中能看到一些例子。指令"在所要达到的效果方面对其所针对的每一个成员国都具有拘束力，但是，在方式与方法上应当将选择权留给成员国"（第189条）。

指令不能被直接适用，但是如果欧洲法院认为成员国在规定期间内没有执行一项指令，则个人可以在国内法院对该成员国提起诉讼，见 *Van Duyn v. Home Office* (No. 2) 一案。因此，指令的效力是纵向的而非横向的。由于民间的自然人或者法人对不执行指令不可能有过错，所以其不可能承担相关的责任。在纵向直接效力这个问题上，非常值得注意的是，不仅国家本身能够对此负责，而且责任能够延伸到在国家控制下提供公共服务的地方权力机构和组织，包括地区卫生局和英国天然气公众有限责任公司。

决　定

决定一般针对经调查被发现违反欧共体法的一个或多个成员国或者个人作出。一项决定"从整体上约束被针对的对象"（第189条）。欧洲法院认为国内法院必须确保针对成员国所作出的决定直接对个人发生效力。

判例法

判例法来源于欧洲共同体的两个法院——欧洲法院和欧洲初审法院的判决。欧洲法院的管辖权包括：

第169条　委员会对成员国提起的诉讼。

第170条　成员国之间的诉讼。

第173条　由成员国、理事会或者委员会提起的对理事会和委员会行为合法性的审查。

〔自然人或者法人也可以针对向其作出的决定或者与其有直接和单独利害关系的决定提起诉讼（该诉讼将由欧洲初审法院审理——见下文）。〕

第175条　由成员国、理事会或者委员会提起的主张欧共体机构因不作为而违反条约的诉讼。

第177条　应成员国法院或者法庭的请求对下列有关事项作出先决裁定：

● 条约的解释；

● 各机构法案的有效性和解释；

● 根据理事会法案所设机关的法令规定对该法令的解释。

欧洲初审法院有权审理并判决一审案件，当事人有权就某些诉讼的法律问题提出上诉。欧洲初审法院的管辖权范围包括由自然人或者法人提起的诉讼,而不包括由成员国、欧共体各机构或者与先决裁定有利害关系的人提起的诉讼。下列三个领域的诉讼管辖权已经从欧洲法院转移到欧洲初审法院:(1)共同体与其工作人员之间的争议;(2)有关企业竞争规则执行的损害赔偿之诉和司法审查请求;(3)某些情况下,对欧洲煤钢共同体委员会(ECSC)提出的有关征税、生产限额、价格、合同和含量方面的损害赔偿诉讼和司法审查请求。

19 **预先提请欧洲法院作出法律解释**

为了在整个欧共体范围内实现欧共体法的标准化,根据第177条,欧洲法院可以通过先决裁定享有欧共体立法的专有解释权,因此,当被请求解释欧共体法时,如果被解释的法律将被适用于审理案件,则法官可以或者在某些案件中必须提请欧洲法院作出法律解释,其程序包括中止案件、向欧洲法院简洁陈述请求和等待欧洲法院的裁决。依据第177条,在大多数案件中,法官可以在其自由裁量权限内决定是否提出解释法律的请求。但是,"如果此类问题出现在成员国法院或者审判庭审理的待决案件中,而该成员国国内法对该审判庭的决定不存在没有任何司法救济手段时",法官就必须提出解释法律的请求。

关于预先提请程序,应注意以下要点:

(1)国内法院应独立决定是否提请法律解释。

(2)"什么是法院或者审判庭"是由欧共体法解决的问题。第177条明显地适用于法院和制定法设定的审判庭,但其并没有明确是否适用于对医生享有纪律管辖权的枢密院司法委员会、诸如事务律师纪律法庭之类的法定机构或者诸如赛马俱乐部或足球协会之类的自愿协会的纪律委员会。

(3)由于"依据国内法对于不服其裁决没有任何司法救济手段的法院或审判庭"是指作出终局裁决的任何级别的法院,所以,在 Costa v. ENEL 一案中,治安法官有义务提请司法解释。由于对其判决没有提起上诉的"权利",所以上诉法院被认为负有提请义务。但是现在,*Chiron Corporation v. Murex Diagnostics Ltd* 一案已经确定了上诉法院不再负有该项义务。

(4)由于欧洲法院认可法律解释的原则并不局限于那些法律问题曾经作为其法律解释对象的案件,因此,欧洲法院已承认强制提请不适用于法律问题足够清楚的案件。

(5)欧洲法院的先决裁定对提请解释的法院具有拘束力,并且通常被视为创设了具有普遍拘束力的判例,因此,即使在后来的案件中欧洲法院可以改变甚至有时已经改变解释,但是一些法院仍然可以拒绝对已经作出解释的问题提出解释法律的请求。根据《1972年欧洲共同体法》第3条第1款,英国法院必须将先决裁定作为判例对待。解释法律的先决裁定一般还具有溯及力,但在例外情况下,法院将限制其一般溯及力。

欧共体法的最高地位

在 *Factortame* (*No.* 3)一案中涉及了1988年《商船法》,该法要求在英国登记的占用英国捕鱼配额的渔船必须归英国所有并由英国管理,这一条文因歧视其他成员国国民而被裁决违反《罗马公约》第52条。该案的问题之一涉及到当欧共体法和国内法之间有所谓的矛盾时,法院准许临时救济的权力。欧洲法院对上议院根据第177条提出请求的回复大意为:如果准许临时救济的惟一障碍是国内法的一些规则,那么,国内法院可以废除这些规则而准许临时救济。因此,欧共体法优于国内法。Bridges 勋爵在 *R v. Secretary of State for Transport, ex parte Factortame* (*No.* 2)一案中作出以下陈述:"如果欧共体法在欧洲共同体中的高于成员国国内法的地位没有构成《欧洲共同体公约》的固有内容,那么,其早在英国加入欧共体之前就已经被确立……根据1972年《欧洲共同体法》的明确规定,在作出终局判决时,英国法院有义务废除任何与欧共体法可直接执行的规则相冲突的国内法规则。同样地,当法院判决已经表明不执行理事会指令的英国法范围时,议会总是忠实地承担了对相关法律作出及时、恰当修改的义务。因此,欧共体法的最高地位不存在任何方式的例外。"

Hoffmann 法官在 *Stoke - on - Trent CC* v. *B & Q plc* 一案中陈述道:"《欧洲经济共同体公约》优先于议会法案,是本国具有最高地位的法律。我们加入欧洲经济共同体就意味着(受制于我们确定无疑的、但可能是理论上的完全退出共同体的权利)。议会放弃了其在社会经济政策方面制定与《条约》相反的法律规定的最高权力。"

在 *Francovich and Bonifact* v. *Italian State* 一案中,意大利工人请求意大利国家赔偿因不执行有关保护破产雇主的受雇人的工资的《指令》而造成的损失。由于意大利违反义务与工人遭受的损失存在因果联系,所以法院判决:意大利"必须对其违反欧共体法所规定的义务而造成的个人损失支付赔偿金"。

在同时审理的两个案件——*Brasserie du Pecheur SA* v. *Germany* 一案和 *R* v. *Secretary of State for Transport ex Parte Factortame Ltd.* (No. 3) 一案的判决中,法院阐明了成员国承担赔偿损失的责任。*Brasserie du Pecheur* 一案涉及到有关啤酒纯度的德国法,该法禁止法国啤酒厂在德国销售其产品,这违反了《欧共体公约》第 30 条所禁止的"(在成员国之间)的进口数量限制以及具有相同效力的所有措施"。

国家承担责任的理由如下:

● 如果国内立法机构、司法部门或执行机构对违反欧共体法负有责任,那么,成员国就必须赔偿由此所造成的个人损失,而无论条文是否直接生效。

● 国内立法机构没有采取必要措施,并不影响成员国承担没有将指令转化为国内法的责任。

● 在成员国对立法选择享有广泛的自由裁量权时,其与欧共体各机构在相同情况下承担责任的方式相同。遭受损失的个人在下列情况下有权获得赔偿：

（1）所违反的规则旨在授予他们权利；

（2）此项违反足够严重；

（3）在此项违反和个人遭受的损失之间存在直接的因果关系。

● 判断严重违反的依据在于成员国是否明显而严重地漠视对其自由裁量权的限制。在确定该问题时，国内法院可以考虑以下因素：

（1）该规则的清晰度和精确度；

（2）给予成员国自由裁量权的数量；

（3）违反和损失是故意的还是过失的；

（4）法律的错误是可原谅的还是不可原谅的；和

（5）欧共体机构的立场可能导致疏忽从而采用或保留违反欧共体法的国内法律的事实。

依据欧洲法院的判决、先决裁定或者先例明显构成的违反如果持续发生即为严重违反。

● 国家必须依照国内法赔偿损失，但是条件不得比有关的国内类似索赔更为不利，也不得为了不可能或者过于困难地获得赔偿而制定。

● 赔偿不得以负有责任的成员国国家机构的过错（故意或者过失）为条件。

● 赔偿必须与损失相当。其标准由国内法律体系制定，但是不得比以国内法为基础的类似索赔更为不利，或者不得使赔偿不可能得到或者过分困难地得到。

● 如果国内立法将赔偿范围限定于不包括利润损失规定的某些特定保护的个人利益，则其违反了欧共体法（见纯经济损失，第5章）。

● 如果损害赔偿可因国内法中的类似索赔而获得，那么就一定有可能获得诸如惩罚性损害赔偿之类的特定损害赔偿（见第5章）。

● 国家责任不能局限于法院作出"违反"判决后所遭受的损害赔偿。

其后，在西班牙渔民诉英国政府一案中，高等法院判决西班牙渔民获得英国政府的损害赔偿。英国政府正在考虑上诉。

更晚一些的关于不适当转换指令的判决是 R v. H. M. Treasury, ex parte British Telecommunications plc 一案。该案当事人——英国电信公司主张废止错误执行90/531号指令第8条的1992年《公用事业供应和劳务合同条例》的部分规定，并索赔因依据该《条例》而造成的损失。欧洲法院认为：虽然 Brasserie du Pecheur and Factortame 一案中确立的条件也适用于被错误转换的指令，但是，因为指令的第8条措辞不严密，能够适当由英国作出法律解释，所以此项违反不是足够严重的。而且，在判例法中没有本案可以适用的指导性法律解释，加之该《规则》被采用时欧共体委员会也没有提出异议。因此，欧洲法院驳回了英国电信公司的索赔请求。

1.6 欧洲人权公约

为了增强英国判决在人权法发展中的影响力和节省资金，1998年《人权法案》将原先由《欧洲人权公约》所保护的权利并入英国法，从而使得英国国民可以在国内法院根据国内法受到公约的保护，而不再需要向位于斯特拉斯堡的欧洲人权法院提起诉讼。

根据该法案，所有的法院和法庭"只要可能"，就必须对所有的一级立法和二级立法作出与《公约》权利一致的解释：第3条第1款。但是，这并不影响任何不一致的一级立法的效力、实施和执行：第3条第2款。一级立法的界定包括以通常被看作是二级立法的理事会令和法定文件的形式制定的授权立法。如果不可能作出协调一致的法律解释，则高级法院（高等法院及其上级法院）可以作出"不一致声明",该声明"对当事人不具有拘束力",且不影响一级立法的效力、实施和执行:第4条。议会不允许法院废除不一致的议会法案,从而保留了议会的最高立法权。此外,所有处理有关《公约》权利问题的法院和审判庭都必须将委员会和人权法院的判决"考虑在内":第2条。除非一级立法规定没有其他的行为方式,否则公共机构(包括法院和审判庭)以与《公约》规定的权利不一致的方式作出的行为是违法的:第6条。该"违法行为"的实际的或者可能的受害人可以在适当的法院/审判庭提起诸如请求司法审查的诉讼:第7条。法院/审判庭可以作出"在管辖权限内其认为公正并且合适的命令作为救济或补救",但是损害赔偿只能在有权判决损害赔偿的民事法院获得。

该法案规定了高级法院或者人权法院发现立法违反《公约》条款时,可以通过法定文件("救济令")修改一级立法的"快轨"程序来消除与公约权利不一致的规定:第10条。在第二次审读被提议的立法之前,负责提出该法律议案的政府大臣必须作出一项其认为议案与《公约》权利一致的陈述,或者其必须说明"尽管不能作出该一致陈述,政府仍然希望继续进行这个议案程序":第19条。

《公约》和一些《议定书》都明文规定了权利和自由。《公约》包含的自由有:生存权(第2条);不受折磨、非人道待遇、有辱人格的待遇或者虐待的自由(第3条);不受奴役、劳役、被迫劳动或者强制劳动的自由(第4条);人的自由权和安全权(第5条);受到公正审判的权利(第6条);不受溯及既往的刑事犯罪和刑罚的自由(第7条);尊重个人和家庭的生活、住宅和通信的权利(第8条);宗教自由(第9条);言论自由(第10条);集会和结社自由(第11条);婚姻和组建家庭的自由(第12条);获得有效国家救济的权利(第13条);权利保护不受歧视的自由(第14条);第15条规定:在发生战争或者其他公共紧急状态时,权利可以受到减损。

《第一议定书》规定了财产权（第1条）；受教育权（第2条）；自由选举的权利（第3条）。《第四议定书》规定了不履行合同义务不受关押的自由（第1条）；在一国内活动和离开该国领土的自由（第2条）；国民不被驱逐出境和进入一国领土的权利（第3条）；外国人不被集体驱逐的自由（第4条）。《第六议定书》规定了免受死刑的自由。《第七议定书》规定了外国个人不被驱逐的自由（第1条）；对刑事案件进行复查的权利（第2条）；因被误判获得赔偿的权利（第3条）；某人依据一国法律已经最终被宣告无罪或者定罪的犯罪不再受审判和惩罚的自由（一事不再理）（第4条）；夫妻的平等权（第5条）。

人权法院已经作出大量有关英国的判决。其认为解雇三个拒绝参加工会的铁路工人违反了第11条（结社自由），在马恩岛上的鞭笞违反了第3条（非人道或者有辱人格的待遇或者虐待）。该法院维护"囚犯为提起诉讼而与法律顾问通信和会见"的权利，认为审查囚犯写给律师和亲属的信件违反了第6条（受到公正和公开审判的权利）。该法院还判决北爱尔兰对自愿结成同性恋关系的成年人定罪的法律规定违反了第8条（尊重个人和家庭生活）。该法院作出判决的其他领域还涉及到具有歧视性质的英国移民法律以及允许在北爱尔兰不经审讯就拘留恐怖行为嫌疑人的紧急规则。

推荐读物

《法律方法》，第2版（Lan Mcleod, Macmillan Professional Masters, 1996）。

《沃克和沃克论英国法律制度》，第7版（Butterworths, 1994）。

《英国法律诉讼》，第7版（Terence lngman, Blackstone Press, 1998）。

《欧盟法》，第2版（Jo Shaw, Macmillan Professional Masters）。

《欧盟法指南》,第 6 版(P. S. R. F. Mathijsen, Sweet & Maxwell, 1995)。

《欧洲人权公约法》,D. J. Harris, M. O'Boyle and C. Warbrick (Butterworths, 1996)。

问题

1. 判决的拘束力要件是什么?
2. 如何理解遵循先例原则的横向适用和纵向适用?
3. 判例制度的哪一方面体现其灵活性?
4. 成文法解释的哪一个特别规则代表目的性解释方法?
5. 如果在工厂、车间或者未经许可的地方携带炸药是犯罪行为,那么,采石场业主在采石场附近的大棚车里携带炸药能否被定罪?
6. 英国政府如何选择性地将欧洲人权公约并入英国法?
7. 辨别公约规定的人权。
8. 直接适用和直接生效的区别是什么?
9. 为实现整个欧共体的法律协调一致,欧共体立法的一般形式是什么?
10. 在哪些情况下,法官应当提请欧洲法院解释欧共体法?

2

民事争议的解决

学习目标

通过本章学习了解以下内容:
1. 法院解决民事争议的管辖权和上诉制度的运作
2. 法院民事判决的执行方式
3. 商事争议如何通过仲裁解决
4. 替代性纠纷解决方式（ADR）在解决民事争议中的优点

当事人之间的民事争议解决存在不同的制度，包括（1）专门法庭；（2）法院；（3）仲裁；（4）替代性纠纷解决方式（ADR）。

2.1 专门法庭

由于特定争议必须提交到法定的专门法庭，因而：受雇人因不公正解雇提出的索赔必须向劳资法庭提出；有关公平租金确定的争议必须向租金法庭提出；有关社会保障支付的索赔必须向国民保险法庭提出；已登记土地的所有权争议必须向土地法庭提出。

2.2 民事法院

民事法院主要包括高等法院和郡法院。某些案件必须在郡法院起诉，另有一些案件必须在高等法院起诉，在其他情况下则可以在两者之间选择。

郡法院的管辖权

依据1990年《法院和法律服务法》第1条，制定了1991年《高等法院和郡法院的管辖权法令》。该《法令》扩大了郡法院的管辖权，规定了高等法院和郡法院之间的案件分配。郡法院的管辖权有三种：（1）专属于郡法院的管辖权；（2）与高等法院共同享有的不受索赔金额限制的管辖权；（3）与高等法院共同享有的受索赔金额限制的管辖权。

郡法院的专属管辖

这种管辖权以各种法律为基础，包括：（1）房屋所有人对承租人提起的请求恢复财产原状的案件；（2）由1974年《消费者信贷法》规定的关于消费者信贷协议（分期付款买卖协议、附条件买卖协议、信用买卖协议和消费租用电视机协议，等等）的案件；（3）有关非法种族歧视和性别歧视的索赔案件，但应由劳资法庭审理的有关雇佣方面的案件除外；（4）伦敦以外的抵押财产案件（索赔金额在3万英镑以下的抵押品的取消回赎案件除外）。

不受索赔金额限制的共同管辖权

这种管辖权包括：（1）合同和侵权案件（书面和口头的诽谤案件除外）；（2）追索法定赔偿金的案件；（3）收回土地或者有关土地所有权争议的案件；（4）针对有关死者财产的财政规定所提出的请求；（5）承租人对因未支付租金而被没收财产所提出的请求。

选择法院的依据是1991年《高等法院和郡法院的管辖权法令》的第7条，即：索赔金额在25000英镑以下的案件由郡法院审理，但郡法院认为应当移送到高等法院审理并经高等法院同意的案件以及在高等法院起诉并且高等法院认为应当由其审理的案件除外；索赔金额在5万英镑以上的案件由高等法院审理，但高等法院认为应当移送到郡法院审理的案件以及在郡法院起诉并且郡法院不认为应当将该案移送到高等法院审理的案件除外。

受索赔金额限制的管辖权

这种管辖权包括：（1）索赔金额在3万英镑以下的遗产管理案件，包括有争议的遗嘱检验案件；（2）索赔金额在3万英镑以下的信托生效、声明和变更案件；（3）索赔金额在3万英镑以下的抵押品回赎或取消回赎案件；（4）索赔金额在3万英镑以下的销售协议、购买协议和财产租赁协议的特定履行、修改或撤销案件；（5）伦敦以外的某些法院可以被指定为破产法院，全权管辖个人破产案件，并对已付清股本不超过12万英镑的公司破产案件以及总资产不超过3万英镑的合伙破产案件也享有管辖权。

小额诉讼

索赔金额在3000英镑以下的所有案件都被地区法官自动提交仲裁。这是一个非正式程序，由于胜诉方当事人不能追索诉讼费，所以禁止当事人提出法律异议。司法大臣正在考虑将小额诉讼扩大到人身伤害索赔并提高案件的索赔限制金额。

高等法院的管辖权

高等法院各分庭的管辖权分工如下：

女王座庭

女王座庭对合同和侵权案件与郡法院享有共同管辖权，并对书面和口头的诽谤案件享有专属管辖权。除了设有有关保险、提单、可转让票据等海事和商事争议方面的专门法庭之外，女王座庭还设有分庭，该分庭的管辖权职能为上诉和司法监督。该分庭处理来自治安法院和刑事法院的就法律问题以判案陈述的方式上诉的案件，并且，通过进行司法审查，该分庭还具有重要的司法监督职能。

衡平法庭

衡平法庭审理有关遗产管理、信托、抵押、合伙、专利、商标、版权、税收以及土地买卖、交换和分割的案件。该法庭还设有下列分庭：公司法庭、专利法庭和对神智不健全人及其财产进行照管和控制的保护法庭。

家事庭

家事庭审理有抗辩的婚姻案件、宣告死亡的案件（丈夫或者妻子失踪已经达到一定年限，其配偶为取得重婚自由或者请求继承"死者"遗产，可以申请作出宣告死亡的判决）、确认婚生子女或非婚生子女的案件以及有关儿童权利的案件——例如收养、监护和夫妻之间有关财产所有权和婚姻住所的占有使用权的案件。原告可以选择在伦敦的高等法院中央登记处或者在诉因产生地的地区登记处起诉。但是，在地区登记处提起的诉讼进入审判所花费的时间比较长。

对民事法院的上诉

对郡法院的上诉

如果对郡法院的判决不服，可就法律问题向上诉法院（民事庭）上诉。也有可能就事实问题上诉，但这要视诉讼金额的大小而定。经过上诉法院或者上议院的许可，还可能再就具有普遍意义的重大法律问题向上议院进一步上诉。来自伦敦以外的郡法院的破产上诉，应向衡平法庭的分庭提出。

对高等法院的上诉

通常情况下，如果对高等法院的判决不服，可就事实问题、法律问题或者二者兼具的综合问题向上诉法院上诉。对于具有普遍意义的重大法律问题，经过上诉法院或者上议院的许可，还可再向上议院进一步上诉。如果当事人同意而且庭审法官认为该案涉及具有普遍意义的重大法律问题（或者是有关法律和法定文件的解释问题，或者更经常的是有关上诉法院受到先例约束的问题），并且，经过上议院许可，那么，就可适用特别的越级程序，直接向上议院提出上诉。

2.3 高等法院的诉讼程序
起诉和答辩

高等法院的诉讼程序一般开始于原告律师起草的令状。该令状确认了有关的争议和当事人，一般还有详述原告主张的起诉状。令状必须在 12 个月内送达被告，如果超过 12 个月，则该令状只能在法院指令更新后才能送达被告。令状和送达回执一同送达被告，在回执上被告或者承认原告主张，或者作出意图答辩通知。被告必须在令状送达之日起 14 日内将回执送交签发令状的法院办公室。对于某些特定案件，如果被告未在限定时间内将回执返还，原告就有权认为被告不进行答辩。

如果被告打算对该案进行答辩，其就必须在 14 日内向原告送达正式答辩状。被告可以对原告提出主张，该主张或者与原告的主张有关，或者完全独立于原告的主张。这两种情形都被视作反诉，都应当在答辩中提出，即"答辩和反诉"。

开示和查阅文件

除非文件受到特权保护而不能公开，否则各方当事人都能够查阅对方当事人占有的与本案有关的所有文件。此处的"公开"被称作"开示"，"允许当事人阅读这些文件"被称作"查阅"。被告可能通过毁灭证据而导致原告败诉；或者可能通过处分财产、将其转移到管辖权以外的外国而导致没有可以被判决执行的金钱和财产，从而使原告的主张落空。针对上述情况，在案件中有两种可以使用的临时武器，其分别是玛瑞瓦禁令和安东·彼勒强制令。

玛瑞瓦禁令 (Mareva injunctions)

玛瑞瓦禁令允许原告阻止被告处分与未决案件相关的财产，以防止对其作出的判决不能执行。最初，玛瑞瓦禁令限于用在涉及外国被告的案件，以禁止将财产转移到管辖权以外的其他地方。上诉法院确认该禁令的第一个案例是 1975 年的 *Mareva Compania*

Naviera S. A. v. *International Bulkcarriers S. A.* 案，该禁令的名称即来源于此案。不久，该禁令的适用范围迅速扩大到全体英国居民和禁止接管辖权范围内不当使用财产：*Rahman（Prince Abdul）bin Turki al Sudairy* v. *Abu - Taha* 案。现在，1981 年《最高法院法》第 37 条第 3 款规定："高等法院有权……作出临时禁令以限制任何诉讼当事人将财产转移到高等法院管辖权范围以外的其他地方，或者处理位于管辖权范围内的财产。无论当事人的住所、居所或者目前是否位于管辖权范围之内，高等法院都可以行使此项权利。""处理"一词的含义包括出卖或者赊卖财产的处分：*CBS（UK）Ltd* v. *Lambert* 一案。

该禁令请求一般是由原告单方面提出的，有时是在签发令状之前提出的。原告写下宣誓证词支持其请求。在 *Third Chandris Shipping Corporation* v. *Unimarine S. A.* 一案中，上诉法院确立了法官在处理该请求方面应当遵循的规则：（1）原告应当完全并坦率地开示其所知悉的并且法官也很有必要知道的所有相关内容；（2）原告应当详述其请求及其相关索赔数额和相对应的被告情况的具体细节；（3）原告应当提出理由，说明被告在管辖权范围内拥有财产；（4）原告应当提供证据，证明在判决执行之前确实存在被告财产被转移到管辖权范围之外（或者在管辖权范围之内不当使用）的风险；（5）原告应当作出损害赔偿保证，在特定案件中提供保证人或者财产担保。

高等法院可以在"看上去法院这样做是公正和方便的任何情况下"签发玛瑞瓦禁令：1981 年《最高法院法》第 37 条第 1 款；但在 *American Cynamid Co.* v. *Ethicon Ltd* 一案中，上议院制定了签发临时禁令的指导原则。原告必须确保：（1）该案件至少存在适当争议；（2）如果拒绝请求，将由于被告将财产转移到管辖权范围之外或者在管辖权范围之内不当使用财产，而产生使得对原告有利的判决将一直不能被履行的一个真实的风险。

向银行或者其他机构送达的玛瑞瓦禁令将冻结被请求当事人的账户或者其持有的财产。如果案件涉及银行，则该禁令效力高于客户对银行作出的指示。法院保持警惕以确保该当事人不受牵连。因此在 *Searose Ltd v. Seatrain UK Ltd* 一案中，只有在原告保证支付任何由被作出禁令通知的人（被告除外）产生的合理费用的条件下，该禁令才被签发。如果法院担心财产可能被不当使用，则其既可以将该禁令效力延续到作出判决后，也可以在判决后首先签发该禁令：*Orwell Steel v. Asphalt & Tarmac* 案。

安东·彼勒强制令（Anton Piller orders）

安东·彼勒强制令要求被告有义务允许原告进入其房屋检查、拿走或者复制属于其或者有关其财产的文件；该强制令最先在 *Anton Piller K. G. v. Manufacturing Processes Ltd* 案中得到上诉法院的确认，并据此命名。如果原告说明有财产被走私或者重要证据被损灭的风险，就可以单方获得安东·彼勒强制令，该强制令大多用于有关侵犯版权或者滥用机密信息的案件。如果被告不履行该强制令要求的义务，则将构成藐视法庭。

原告惟一的风险是向被告支付费用和赔偿由此造成的一切损失。对被告的程序性保护措施有：原告的律师必须参加该强制令的送达，如果其被拒绝进入，不得采用任何强制性措施；被告必须有机会接触其律师并接受律师对其权利的法律建议；申请人必须向法院完全开示与其请求有关的所有内容，如果遗漏了重要事实，该强制令将被撤销。

如果被送达的强制令是单方面作出的，被告可以申请撤销甚至可以拒绝遵守该强制令。但是，如果这一申请失败，则将构成被告藐视法庭，而且，如果同时被告因毁灭记录而违反强制令，则还将受到刑罚处罚。因此，被告作出这一申请是有风险的。在 *Rank Film Distributors Ltd v. Video Information Centre* 一案中，上议院作出以下判决：凭借反对自我归罪的特权，被告能够成功地抵制对他签发的强制令。但是，1981年《最高法院法》第72条对高等法院有关侵犯知识产权或者出售假货的案件取消了这一特权。

向法院交存款项

被请求支付债务或者赔偿损失的被告一般都力图通过提供较少的金钱来解决与原告之间的争议。如果在被告向法院交存款项后，原告继续进行诉讼，则其获得的损害赔偿一旦不超过被告交存法院的款项金额，其就必须支付自被告向法院交存款项之日起双方当事人的法律费用，因此，被告向法院交存款项使得原告处于困难的境地。但是，法官并不知道交存银行的款项金额。款项交存到英国银行的法院账户，这些金钱被记在被告名下并且以被告的名义进行投资。之后，被告将向法院交存款项的通知送达原告。通过这种方式，大多数案件都在法庭外解决——百分之五十以上的案件在提交法院之前就已解决。

开庭审理

开庭审理始于原告律师对案件事实和救济请求的首次陈述。随后原告的证人被传唤作证，在被主询问后接受被告律师交叉询问，并接受原告律师再询问。接着被告律师对本案作出陈述，其证人被传唤作证。在被主询问后，被告的证人同样将被原告律师交叉询问，并接受再询问。然后是原告律师和被告律师的最后陈述。之后，法官立即或者稍晚作出判决（"延期判决"）。一般情况下，胜诉方当事人的诉讼费用将由非胜诉方当事人承担，但是法院在该问题上有自由裁量权。

2.4 郡法院的诉讼程序

在郡法院进行的诉讼主要为以下三类：（1）不履行债务的诉讼；（2）指定日期的诉讼；（3）租赁诉讼，下文将详细介绍前两类诉讼。不履行债务诉讼的目的在于受偿债务、取得已确定的或未确定的损失赔偿，诉讼始于向被告送达传票和起诉状，起诉状告知被告——如果其14日内不支付索赔的数额也不进行答辩，将被判决不履行债务。指定日期诉讼的目的是请求救济而非支付金钱：例如，请求占有土地或公平的救济。

这几类诉讼都始于送达传票，届时被告被通知呈交送达回执的日期，地区法官将于该日期进行庭前审查，如果案件涉及土地的占有，则地区法官将于该日期开庭审理案件。郡法院一般采用邮寄的方式送达传票。在不履行债务诉讼中，被告还将收到答辩和反诉书，其可以在答辩和反诉书中接受请求并提供分期付款或者陈述其答辩和任何反诉主张。起草诉状的原则与高等法院的原则相同，但是"请求陈述"被称作"请求详述"。

中间程序

在该程序中，书面文件、书面质询和相互诉讼的效力相同。开示必须依申请进行而不能自动进行。郡法院可以作出任何可由高等法院作出的命令，这些命令既可以是无条件的也可以是有条件的，既可以是终局的也可以是临时的：1990年《法院和法律服务法》第3条。但是，执行职务令、调卷令或者禁止令却只能由高等法院（女王座庭）作出。虽然郡法院无权签发玛瑞瓦禁令（下文的例外情况除外）或者安东·彼勒强制令，但经所有当事人同意，郡法院可以变更现行的玛瑞瓦禁令或者安东·彼勒强制令。郡法院仅在发生下列情况之一时可以签发玛瑞瓦禁令：（1）在其家事案件管辖权范围内；（2）目的是为了保管、照管或者扣押构成或者可能构成诉讼标的物的财产；（3）目的是为了在扣押财产之前保全该财产。向高等法院提出签发安东·彼勒强制令的请求首先被转换成高等法院签发安东·彼勒强制令的诉讼，但是，除非高等法院作出相反命令，否则这些诉讼将被再次转换。

开庭审理

如果被告先前已经作过首次陈述，那么，只有经过郡法院许可，被告才能作最后陈述。除此之外，郡法院的开庭审理程序与高等法院的开庭审理程序相同。经各方当事人同意，案件将由巡回法官或者地区法官审理。一般情况下，胜诉方通过与高等法院诉讼程序中相同的方式从败诉方获得其诉讼费用。但是，在已经向法院交存款项或者其他情形下，该一般情况将被改变。郡法院裁决的诉讼费用金额参照诉讼请求金额或实际赔偿数额的固定比例计算。

小额索赔

如果原告提起索赔金额等于或者小于3000英镑的不履行债务诉讼，并且被告提出了抗辩，则案件自动提交地区法官进行非正式裁决。如果当事人同意，涉及索赔金额更大的案件也可以同样方式提交。如果案件涉及疑难的法律问题或异常疑难的事实问题，或者存在欺诈指控，或者提交极其不合理，或者各方当事人同意撤销提交，则该自动提交可以被撤销。

这类案件由地区法官不公开审理，并且不适用那些通常用于程序和证据方面的规则。地区法官只是询问当事人案件争议的性质。该程序的目的在于使原告能够无需通过他人依法代理而独立提起有关细微问题的诉讼。实际上，由于将面对被告委托的事务律师甚至出庭律师，任何自己独立对企业提起诉讼的个人都很可能发现自己处于相当不利的地位。

这种诉讼方式的主要优点是：除胜诉原告能取得提起诉讼和执行地区法官所作裁决的费用以外，无论是胜诉还是败诉的当事人都无需支付对方的诉讼费用或者要求取得自己的诉讼费用。这是为了避免律师的介入。惟一的例外是：只有当一方当事人已经作出了不合理的行为时，其才有可能被裁定支付对方的诉讼费用。

人们期待日后对民事法律制度进行改革，由行使简化程序的单一体系替代高等法院和郡法院。Woolf勋爵在写给司法大臣的报告中建议：对索赔金额在3000英镑至1万英镑之间的案件应适用一种新的"快轨"审理程序，这种程序仅适用于文件和口头证据的开示，有固定的诉讼费用和在20至30个星期之内审判的严格时间表；此类案件的审理时间为3个小时。对于更高索赔金额的诉讼，报告建议一种审判节奏由法官而非当事人控制的"多轨"审理程序。建议采用的新程序旨在鼓励当事人之间和解以及诸如调解和仲裁之类的替代性纠纷解决方式的使用（见下文）。

2.5 民事判决的强制执行

如果被告不愿支付其被判决支付给原告的损害赔偿，则原告需要请求强制执行该判决。1991年《高等法院和郡法院的管辖权法令》第8条规定，请求通过给付货物来强制执行郡法院的给付金钱判决或命令的，应当按照下列情形予以强制执行：（1）总金额为5000英镑或者5000英镑以上的判决或命令，只能由高等法院强制执行；（2）总金额少于2000英镑的判决或命令，只能由郡法院强制执行；（3）总金额在2000英镑至4999英镑之间的判决或命令，可由高等法院或者郡法院强制执行。如果判决涉及法律所规定的消费信贷协议，则郡法院可不考虑金额而强制执行该判决。

由于胜诉债权人可能并不知悉债务人的收入或资金状况，并且，强制执行判决的方式因债务人的情况而异，因此，债权人有必要查明债务人的具体情况。这种查明除了可以通过有关法官为审查债务人的资产而传唤债务人的规定进行之外，还可以通过调查代理人进行。

财务扣押令（fifa）或执行令

对于高等法院作出的给付金钱判决，如果查封被告的物品将足以履行判决、清偿判决的支付费用和司法行政官费用，则原告可向郡司法行政官提请签署财务扣押令。这些被查封的物品将被拍卖，司法行政官在扣除自身费用后上交拍卖所得。对于郡法院作出的给付金钱判决，可向郡法院法庭事务官提请签署"执行令"。

扣押令、"扣押第三债务人保管的财产令"

如果败诉债务人是其他人的债权人，则胜诉债权人可以通过扣押令和扣押第三债务人保管的财产令程序，获得将债权转移给其的法院命令。此种情况下，一般由法院对败诉债务人的银行作出指示。请求由单方提出，如无异议，法院作出禁止指定人向败诉债务人履行债务的命令。该命令送达第三债务人和败诉债务人，如果被送达人不能提出充分理由，该命令将具有绝对效力，15日后其将出席法庭。

扣押偿债令

胜诉债权人可以获得针对土地、股票和股份或合伙财产的利益而作出的"扣押偿债令"。这些财产可以被处分以偿付判决债务。

指定收款人

如果债务人取得的收益必须由独立个人收取，例如向承租人收取租金，则其可以指定一个收款人。

破产和清算

胜诉债权人可以考虑使败诉债务人破产；如果败诉债务人是合伙企业或者注册公司，则胜诉债权人还可以考虑使败诉债务人进入清算程序（见第18章和第19章）。

扣发工资

法院命令债务人的雇主将债务人工资的适当份额交存法院。如果债务人失业或者调换工作，该命令可以被撤销。依据1971年《扣发工资法》，该请求必须向债务人所在地的郡法院提出。

特定交付令

交付货物或有形财产的判决可通过特定交付令得到强制执行，该令状的签发取决于请求是在高等法院提出还是在郡法院提出。司法行政官或郡法院法庭事务官依照该令状查封财产并交付胜诉人。

查封令

专员扣押并封存败诉债务人的财产直到败诉债务人遵守法院命令。该令状是对藐视法庭的惩罚，适用于拒绝遵守禁止性禁制令的

35 工会。

土地占有令

这是一种实现土地占有权的强制执行令状，其命令司法行政官或郡法院法庭事务官进占土地，驱逐非法占有土地者并将占有权交还原告。

因藐视法庭拘押

当法院作出的判决是禁令时，如果某人拒绝遵守该禁令，法院就可以将其收监。

2.6 仲 裁

当事人可以约定将有关特定合同的任何争议交由准司法调查而非法院处理。争议可以通过书面或者口头协议提交仲裁。1997年1月31日生效的1996年《仲裁法》规定了有关书面协议的法律规则。书面协议包括：（1）书面形式的协议（无论是否经当事人签字）；（2）信息交换的书面形式（例如传真或电报）；（3）通过书面形式证明的协议：第5条第1款和第2款。含有仲裁条款的合同的受让人受仲裁条款约束，是仲裁协议的一方当事人：第82条第2款。口头仲裁协议由第81条第1款第2项保留的普通法规则调整。该项规定还保留了与该法第一编内容一致的所有普通法规则，体现了该法并不意旨成为一部完整法典。1950年《仲裁法》、1975年《仲裁法》、1979年《仲裁法》以及1988年《消费者仲裁法》第一编均已被废止，由1996年《仲裁法》所取代。

虽然新仲裁法重述现行的制定法并将判例法确立的原则编纂为法典，但是，为了完善仲裁制度和加强伦敦作为世界首选仲裁中心的地位，该法并不是一部合并规则的法典，而是作出了一些变化。该法体现了联合国国际贸易法委员会（UNCITRAL）的规定和300年来英国的专家意见。除非另有规定，否则本章本节涉及的所有法定提交仲裁都遵循1996年《仲裁法》的规定。

1996年《仲裁法》第1条规定了三个基本原则,并以其作为解释该法的依据:(1)仲裁的目的在于,在没有不必要的迟延或开支的情况下,——由公正的仲裁庭公正解决争议;(2)当事人的意思自治仅受制于对公共利益的必要保护;(3)限制法院干预该法所规定事项的权力。

第一编规定了仲裁地在英格兰、威尔士和北爱尔兰的仲裁,但也有一些条款涉及在上述地区以外的地方进行的仲裁(第2条)。仲裁地由下列人员指定:(1)当事人;或者(2)由所有当事人授权的仲裁机构、其他机构或个人;或者(3)经当事人授权的仲裁庭(第3条)。该法案的规定分为强制性规定和非强制性规定(第4条)。第一编中的强制性规定列于附录一,其不能被排除适用。

仲裁协议是约定将现在或将来发生的争议提交仲裁的协议(无论是否有关合同):第6条第1款。"争议"一词包括"意见分歧"(第82条第1款),涵盖对侵权、违反法定义务和欺诈的请求。该法没有界定哪些争议可以仲裁,并且保留了普通法规则的适用:第81条第1款第1项。由于仲裁协议通常仅仅将"与合同有关的"、或"由合同引起的"、或"根据合同产生的""争议"提交仲裁,所以仲裁庭的仲裁权力受到了限制。除非侵权索赔与违约索赔具有相同范围,否则,提交仲裁的"根据合同产生的"争议将侵权索赔排除在外。所有提交仲裁的"根据合同产生或与合同有关的"争议都延伸到侵权索赔: *Ashville Investments Ltd* v. *Elmer Contractors Ltd* 案。"由合同引起的"争议也适用于变更合同的索赔: *Ethiopian Oilseeds and Pulses Export Corporation* v. *Rio Del Mar Foods Inc* 案。对主合同的违反或者中止不影响仲裁协议的效力。在 *In Heyman* v. *Darwins Ltd* 一案中,被告依据合同指定原告作为其销售代理人,该合同包含仲裁条款,规定将"与本协议有关的"争议提交仲裁;由于仲裁协议的效力不受违约影响,所以当原告起诉对被告拒绝履行合同进行索赔时,法院裁定中止诉讼。关于仲裁协议有效性的问题不能提交仲裁。

除非当事人另有约定，否则，已经构成或者旨在构成另一协议一部分（无论是否书面形式）的仲裁协议应被视为一个独立的协议，不因另一协议的无效、不成立或者失效而无效、不成立或者失效：第7条。该规定确立了仲裁协议的独立性原则：即仲裁协议的有效、成立和生效不依赖于主合同的有效、成立和生效。受协议制约，仲裁协议不因一方当事人死亡而解除，其可由或者向该方当事人的遗产代理人执行：第8条第1款。这一规定不具有强制性。关于选定仲裁员的当事人死亡问题由第26条规定（见下文）。

如果仲裁协议的一方当事人因可提交仲裁的某些事由被起诉，则即使该诉讼是在用尽其他争议解决程序之后才被提起的，该方当事人仍然可以请求中止诉讼：第9条第1款和第2款。除非法院认为仲裁协议无效、不可执行或者不能履行，否则该中止诉讼是强制性的：第9条第4款。这一规定具有强制性。

仲裁程序的开始

如果仲裁协议规定：除非请求人在规定时间内开始仲裁程序或者在仲裁开始之前用尽其他解决争议的程序，否则其请求应被禁止或者其权利应丧失，那么，法院可以裁定延长仲裁程序开始的时间。在已经提出请求、并且用尽所有可以援用的延期的仲裁程序之后，任何一方当事人都可以申请法院作出通知对方当事人的延期裁定。只有当有关事由超出了当事人于约定时间条款时的合理考虑范围、并且该延期系正当之时；或者一方当事人的行为使另一方当事人遵守条款的严格条件系不公正之时，法院才能作出该延期裁定。无论规定的期间是否届满，只要法院认为适当，就可以延长该期间：第12条。这一规定具有强制性。在法律程序方面，《时效法》适用仲裁程序：第13条；但第12条规定的"延长仲裁程序开始时间"并不影响《时效法》的适用。与《时效法》相关的法律包括1984年《涉外时效法》，该法规定：如果可适用的外国法有不同的时效期限规定,则可以不适用英国法的时效期限规定。这是一条强制性规定。

当事人可以约定仲裁程序开始的时间,如无此项约定,则:(1)如果协议中已经选定仲裁员,则仲裁程序自一方当事人向另一方当事人送达要求其将事项提交选定仲裁员的书面通知之时开始;(2)如果仲裁员由当事人选定,则仲裁程序自一方当事人向另一方当事人送达要求其选定仲裁员的书面通知之时开始;(3)如果仲裁员由第三方指定,则仲裁程序自一方当事人向第三人送达请求其指定仲裁员的书面通知之时开始:第 14 条。使用"事项"一词而非"争议"使该条规定延伸到适用于"索赔请求"。

仲裁庭

当事人可以约定仲裁员的人数以及是否设立仲裁主席或者首席仲裁员。除非另有约定,否则已经选定 2 名(或者其他任何偶数数字)仲裁员的仲裁协议需要另外再选定 1 名仲裁员作为仲裁主席。如果仲裁协议对仲裁员的人数没有约定,则仲裁庭应当由 1 名独任仲裁员组成:第 15 条。当事人可自由约定仲裁员、仲裁主席或首席仲裁员的选定程序,如无此项约定,则:(1)如果仲裁庭由 1 名仲裁员组成,则当事人应当在任何一方当事人的书面请求送达之后 28 天之内共同选定仲裁员。(2)如果仲裁庭由 3 名仲裁员组成,则:①双方当事人应当在任何一方的书面请求送达之后 14 天之内各自选定一名仲裁员;并且②被选定的两名仲裁员应立即选定第 3 名仲裁员作为仲裁主席。(3)如果仲裁庭由 2 名仲裁员和 1 名首席仲裁员组成,则:①双方当事人应当在任何一方的书面请求送达之后 14 天之内各自选定 1 名仲裁员;并且②双方当事人可以在其选定仲裁员之后、实质性审理之前的任意时间选定首席仲裁员;如果对有关仲裁的事项不能达成一致,则双方当事人可以立即选定首席仲裁员(第 16 条)。

如果一方当事人在规定时间内拒绝选定仲裁员或者没有选定仲

裁员，则已经选定了1名仲裁员的另一方当事人可以向未选定仲裁员的当事人送达书面通知，建议将其已选定的仲裁员作为独任仲裁员。如果该方当事人收到通知之后7天之内仍未选定仲裁员，也未通知已作出选定的另一方当事人，则另一方当事人可以将其已选定的仲裁员作为独任仲裁员。该仲裁员视同被仲裁协议选定，其作出的裁决对双方当事人都具有拘束力，但是如果未选定仲裁员的一方当事人已通知作出选定的另一方当事人，则其可以请求法院撤销该选定：第17条。

双方当事人可以约定选定仲裁庭的程序无法进行时可采取的措施（除非选定被法院撤销，否则第17条规定的选定独任仲裁员不是"程序无法进行"）。如果未能达成协议，任何一方当事人都可以在通知对方当事人后请求法院行使如下权力：（1）对必要选定作出指示；（2）指示仲裁庭应当由已经被选定的人员组成；（3）撤销已经作出的任何选定；（4）直接作出必要指定。法院作出的指定与通过当事人的仲裁协议作出的选定具有同等效力：第18条。在行使上述权力过程中，法院应考虑当事人之间有关仲裁员资格的协议：第19条。

如果当事人同意设立1名仲裁主席，则其可以约定该仲裁主席的职责，若无此约定，仲裁庭的决定、命令或者裁决应当依据全体或者大多数仲裁员（包括仲裁主席）的意见作出。当大多数仲裁员无法达成一致意见时，仲裁主席的意见具有决定性：第20条。以前的立法中并没有规定仲裁主席的职责。如果当事人约定应当设立一名首席仲裁员，则其可以约定该首席仲裁员的职责，尤其包括（1）首席仲裁员是否参加仲裁程序；（2）首席仲裁员何时有权取代仲裁庭的其他仲裁员来作出决定、命令或者裁决。如果当事人没有约定首席仲裁员的职责，则：

1）首席仲裁员应当参加仲裁程序，并且被提供的文件应与其他仲裁员相同。

2）除非和直到其他仲裁员对某些事项不能达成一致意见，否则其他仲裁员应当共同作出决定、命令或者裁决。如果其他仲裁员对某些事项不能达成一致意见，其应当将书面通知送达当事人和首席仲裁员，则首席仲裁员应取代其他仲裁员，如同独任仲裁员一样组成有权作出决定、命令或者裁决的独任仲裁庭。

3）如果仲裁员意见不一致却没有通知这个事实，或者他们之中的任何一人没有参与作出通知，则在向仲裁庭和对方当事人送达通知后，任何一方当事人都可以向法院提出申请，请求法院裁定首席仲裁员应取代其他仲裁员、享有与独任仲裁员相同的权力。

首席仲裁员和仲裁主席之间的区别容易令人混淆。仲裁主席应当参加所有的会议和所有有关仲裁庭裁决的投票。而首席仲裁员仅在因2名仲裁员不能取得一致意见而取代仲裁员作出裁决时才发挥作用。首席仲裁员一旦介入仲裁，就在余下的仲裁中取代其他仲裁员。

如果当事人一致同意设立两名或者更多仲裁员，而不设首席仲裁员或者仲裁主席，则其可以约定仲裁庭作出决定、命令和裁决的方式，若无此约定，则应当依据全体或者大多数仲裁员的意见作出决定、命令和裁决：第22条。一般而言，选定仲裁主席或者首席仲裁员更为可取。

双方当事人可以约定撤销仲裁员权力的时间，若无此约定，则：（1）仲裁员的权力只能由双方当事人共同撤销或者由被授予撤销权的仲裁机构、其他机构或个人撤销；或者（2）除非双方当事人同意（口头或者书面）终止仲裁协议，否则其作出的共同撤销必须经双方当事人书面同意。该条规定并不影响法院根据第18条撤销选定或者根据第24条撤换仲裁员的权力：第23条。

对于有利害关系的仲裁员或者其他仲裁员，一方当事人在通知对方当事人之后，即可以根据下列理由请求法院撤换仲裁员：（1）对仲裁员的公正性存在合理的怀疑；（2）仲裁员不具备仲裁协议规定的资格；(3) 仲裁员的身体或者精神不适合参加仲裁程序，或者对仲裁员从事仲裁工作的能力存在合理的怀疑；(4) 仲裁员拒绝或没有适当地参加仲裁程序，或者仲裁员参加仲裁程序或作出裁决时，拒绝或没有使用所有合理的快速处理方式，从而已经发生或者即将发生对请求人的实质不公正。

如果存在一个有权撤换仲裁员的仲裁机构、其他机构或个人，则除非请求人先前确实已用尽所有向前述机构或者个人寻求救济的权利，否则法院不应行使其撤换权。在法院对该请求作出裁定之前，仲裁庭可以继续进行仲裁程序并作出裁决。关于仲裁员是有权收取报酬或开支还是应返还已支付报酬或开支，法院可以作出任何其认为适当的裁定。在法院作出裁定之前，仲裁员有权接受听审：第24条。这是一条强制性规定。

当事人可以约定仲裁员辞职的后果，包括辞职仲裁员收取报酬或开支的权利以及应承担的责任。如果当事人没有此项约定，则辞职仲裁员在通知当事人之后，即可以请求法院免除相关责任，并可以请求法院裁定其是有权收取报酬或开支还是应返还已支付报酬或开支。如果法院认为仲裁员的辞职是合理的，则法院可以在其认为适当的范围内对仲裁员赋予救济：第25条。仲裁员的辞职一般都构成违约，但是，仲裁员可以与当事人约定其是否有权辞职以及其辞职的条件和后果。

仲裁员的职权是人身性的，因其死亡而终止：第26条第1款。这是一条强制性规定。但是，除非另有约定，否则选定仲裁员的当事人死亡并不撤销仲裁员的职权：第26条第2款。当仲裁员停止任职时，当事人可以约定：(1) 能否和如何填补仲裁员的职位空缺；(2) 前一阶段进行的仲裁程序是否继续有效，以及在何种程度上有效；(3) 如果仲裁员又指定一个人，那么这个指定行为的效力如何。如果当事人没有这些约定，第16条和第18条的规定适用于解决填补职位空缺的问题。随后，重新组成的仲裁庭应当决定是否和在多大程度上使前已进行的仲裁程序继续有效。如果一名仲裁员不再任职，其先前（单独或者共同）对其他仲裁员、首席仲裁员或者仲裁主席的指定并不受影响：第27条。

当事人对视适当情况支付仲裁员合理的报酬和开支负有连带责任。当事人可以在通知对方当事人和仲裁庭后请求法院作出裁定，依照其指示判断和理算报酬和开支。法院可以裁定仲裁员返还已经支付的超额款项。这既不影响一方当事人向任何其他当事人支付全部或部分仲裁费用的义务，也不影响仲裁员任何有关报酬或开支的合同权利：第28条。该强制性规定确定了"职务"在普通法中的含义。

除非恶意，否则仲裁员对其履行职责中的任何作为或不作为不承担责任。这项保护延伸到仲裁员的受雇人，但并不影响第25条规定的因仲裁员辞职而产生的责任：第29条。这条强制性规定消除了普通法的不确定性。新条款规定，指定或者提名仲裁员的仲裁机构或其他个人对其在履行该项职责中的任何作为和不作为均不承担责任，但有事实表明这种作为或者不作为出于恶意的除外：第74条第1款。此外，指定或者提名仲裁员的仲裁机构或其他个人对仲裁员、仲裁员的雇员或者代理人在履行仲裁职责中的作为或者不作为不负责任：第74条第2款。这条强制性规定消除了普通法的不确定领域。

仲裁庭的管辖权

除非当事人另有约定，否则，仲裁庭可以就下列事项裁定其实体管辖权：(1) 是否存在有效的仲裁协议；(2) 仲裁庭的组成是否适当；(3) 哪些事项可以被提交仲裁。在仲裁的诉讼或复审程序中或者依据该法第一编，可以对此种裁定提出异议：第30条。虽然该条款承认了国际公认理论，并将其制定成法律，但是，这一条款不具有强制性。仲裁程序开始时，当事人一方关于仲裁庭缺乏管辖权的异议，必须不迟于其在程序中就与所提异议的仲裁庭管辖权有关的任何事项的实体予以抗辩之前提出。当事人已经选定或者参与选定仲裁员的事实，不妨碍其提出此种异议。仲裁程序进行中，关于仲裁庭超越管辖权的异议，被指超越管辖权的事项一经发生必须尽快提出。如果仲裁庭认为延迟是合理的，则其可以接受迟于规定时间提出的异议。如果一项异议被提出而且仲裁庭有权裁定其管辖权，则仲裁庭可以：（1）接管辖权裁决中对此事项作出裁决；或者（2）在实体裁决中处理该异议。如果当事人约定仲裁庭应当采取以上任一措施，则仲裁庭应当相应采取措施。在当事人根据第32条向法院提出请求时，仲裁庭可以并且在当事人同意时应当中止诉讼程序：第31条。这是强制性规定。一方当事人可以请求法院决定仲裁庭的管辖权。提出该请求需要其他当事人的书面同意或者仲裁庭许可，而且法院应当认为：对该问题的决定很可能实际上节省费用；该请求未经迟延地提出；该问题由法院决定具有合适的理由。除非上诉涉及具有普遍重要性的法律问题或者由于其他特殊原因应当由上诉法院进行审理，否则，未经法院许可不得对法院作出的该项决定提出上诉：第32条。这是强制性规定。

仲裁程序

仲裁庭的一般义务是公正无私地进行仲裁，即——给予各方当事人合理的机会陈述案件并抗辩对方当事人的陈述；根据案件的具体情况采用合适的程序，避免不必要的迟延和费用：第33条。"合理机会"一词而非"充分机会"的使用使得仲裁庭可在更大程度上约束当事人。这是强制性规定。仲裁庭根据当事人之间的协议可以决定所有程序和证据事项，这些事项包括进行仲裁程序的时间和地点、使用的语言、书面陈述的形式、被提交的文件和证据规则等：第34条。当事人可以合并两个仲裁程序，或者同意同时举行庭审。仲裁庭仅在当事人授权时才能合并程序：第35条。除非当事人另有约定，否则，当事人在程序中可以由律师或者其他人代理：第36条。该条禁止当事人通过坚持由特定人代理的方式来拖延仲裁程序的进行。非律师者不能根据该条主张职业特权。在仲裁程序中，当事人可以由外国律师代理，但是，在向法院提出请求时，当事人不得由外国律师代理。

除非当事人另有约定，否则，仲裁庭可以聘任专家或者法律顾问向其及当事人报告，或者聘任评估师就技术事项提供帮助；仲裁庭还可以允许前述专家、法律顾问或者评估师参加仲裁程序：第37条第1款。根据该法规定，仲裁员对其聘任的专家、法律顾问或者评估师的报酬和开支负责，此类报酬和开支属于仲裁员的开支：第37条第2款。第37条第2款是强制性规定，赋予仲裁员更大的灵活性。

当事人可以约定仲裁庭的权力，如果没有此项约定，则仲裁庭可以命令请求人为仲裁费用提供担保。仲裁庭可以对任何由一方当事人所有或者占有的作为仲裁程序标的的财产作出指令。仲裁庭可以指令一方当事人或者证人在被询问时宣誓，还可以指令一方当事人对其占有的证据进行保全：第38条。当事人可以约定仲裁庭有权作出关于当事人之间支付金钱或处分财产的临时裁决，或者关于临时支付仲裁费用的临时裁决。终局裁决应当考虑到所有的临时裁决：第39条。

当事人的一般义务是为仲裁程序适当进行而采取一切必要的措施，包括毫不迟延地遵守仲裁庭有关程序或证据事项的决定或者任何裁定、指令，以及在适当情况下根据第32条和第45条采取必要措施取得法院有关管辖权或者法律方面的判决：第40条。这是强制性规定。当事人可以约定仲裁庭的权力（第41条第1款）。但是，在当事人没有作出此项约定时，如果仲裁庭认为请求人在提出请求时存在过分的、不可原谅的迟延，并且，该迟延产生或者可能产生争议无法得到公平解决的风险，或者导致或可能导致对被请求人的严重不公，则仲裁庭可以驳回请求人的请求：第41条第3款。如果一方当事人没有充分理由而未参加或者未委托代理人参加庭审，或者，在事项需要以书面形式处理时，没有充分理由而未能提交书面证据或者未能作书面提交，则仲裁庭可以在该方当事人缺席或者没有其书面提交情况下继续进行仲裁程序，并基于已有的证据作出裁决。如果一方当事人没有充分理由而未遵守仲裁庭的裁定或者指令，仲裁庭可以限定其认为合适的期限要求该当事人遵守：第41条第5款。如果请求人未能遵守为仲裁费用提供担保的裁定，则仲裁庭可以驳回其请求：第41条第6款。如果当事人未能遵守任何其他裁定，则仲裁庭可以：（1）指令不作为的当事人无权依据作为裁定主要事项的主张或材料；（2）从不遵守行为中作出不利的推定；（3）以已经适当提交的材料为基础作出裁决；或者（4）裁定支付因不遵守行为而产生的费用：第41条第7款。

法院有关仲裁程序的权力

除非当事人另有约定，否则法院可以裁定一方当事人遵守仲裁庭作出的裁定。该申请可以由仲裁庭提出，或者由经仲裁庭允许的当事人提出，或者由已约定法院根据本条规定具有此种权力的当事人提出：第42条。为了保证证人出席仲裁庭以便提供口头证据、文书或者其他证据，仲裁程序的一方当事人可以采用如同诉讼中使用的法院程序。这种作法需要经过仲裁庭的准许或者其他当事人的同意。只有当证人位于英联邦境内而且仲裁程序在英格兰、威尔士或者北爱尔兰进行时，才能适用该程序。这种裁定只能适用于在法律程序中可被强制提供证据的人对证据的提供：第43条。除非当事人另有约定，否则，法院如同在司法程序中一样有权就下列事项作出裁定：证人证据的取得和证据保全；对作为程序标的的财产作出下列裁定（1）对该财产进行检验、拍照、保全、保管或者扣押，或（2）从该财产中提取样品，对之进行观察或者实验，并为此目的授权任何人进入仲裁当事人所有或控制的场所；出售任何作为程序标的的货物；签发临时禁令或者指定财产管理人。如果发生紧急情况，则经仲裁当事人申请，法院可以作出证据保全或者财产保全的裁定。如果未发生紧急情况，则只有在一方当事人申请且得到仲裁庭的准许或其他当事人的书面同意时，法院才能作出上述裁定。无论何种情况，只有在仲裁庭或当事人授予此项权力的仲裁机构、其他机构或个人无权或者暂时不能有效行使此项权力时，法院才可行使此项权力。法院的裁定可以宣布仲裁庭、仲裁机构、其他机构或个人作出的裁定全部或部分失效：第 44 条。根据本条，法院可以签发玛瑞瓦禁令或安东·彼勒强制令：第 44 条第 3 款。除非当事人另有约定，否则，经一方当事人申请，法院可就任何其认为严重影响一方或者多方当事人权利的法律问题作出决定。仲裁庭裁决无需附具理由的约定排除了法院的管辖权。向法院提出该申请必须经当事人一致同意，或者经仲裁庭准许且法院认为就该问题作出决定可能会大大节省费用以及该申请系毫不迟延地提出。除非当事人另有约定，否则，在该申请待决时，仲裁庭可以继续进行仲裁程序并作出裁决。除非该问题具有普遍重要性，或由于其他特殊原因应由上诉法院进行审理，否则，未经法院准许不得对该决定提出上诉：第 45 条。

仲裁裁决

仲裁庭应当适用当事人选择的法律解决争议：第 46 条第 1 款第 1 项；或者，如果当事人同意，依据其所约定的或者仲裁庭所决定的其他因素解决争议：第 46 条第 1 款第 2 项。后者允许当事人可以约定其争议依照"公平条款"裁决，从而解决了此类条款在法律上的不确定性。由于不存在可以提起上诉的任何法律问题，所以该规定排除了所有向法院提起上诉的权利。为此目的，一国选择适用的法律应被理解为指其实体法而非冲突法规则的适用。如果当事人未作选择或约定，则仲裁庭应依据其认为合适的冲突法规则来决定应适用的法律：第 46 条第 3 款。1990 年《合同（准据法）法》吸纳了《欧洲共同体公约》中的有关内容，规定了合同之债的法律适用。除非当事人另有约定，否则，仲裁庭可以在不同时间就待决事项的不同方面作出多个裁决，尤其包括对影响整个请求的事项作出的裁决，或仅对部分请求或反请求作出的裁决：第47条。当事人可以约定仲裁庭关于救济方面的权力，若无约定，仲裁庭可以声明或者裁定用任何币种支付金钱。仲裁庭在如下方面与法院享有同样的权力：（1）命令或者禁止当事人做某事；（2）命令合同的特定履行（与土地有关的合同除外）；（3）命令修改、撤销或取消契据或其他文件：第48条。当事人可以赋予仲裁庭一些法院不享有的权利，但仲裁庭行使该权力时不得违背公共政策。当事人可以约定仲裁庭裁决利息的权力，若无此约定，仲裁庭可以依其认为公正的日期、利率和余额裁决下列款项的单利或复利：（1）关于截至裁决日止的期间，按仲裁庭裁决的全部或部分金额计；或（2）关于截至实际支付日止的期间，按仲裁开始时未给付但在裁决作出之前给付的仲裁请求中的全部或部分金额计。仲裁庭可以依其认为公正的日期、利率和余额就裁决中任何未支付款项（包括利息裁决）裁决自裁决之日（或更迟）起到支付之日止的单利或者复利：第49条。

如果仲裁协议限定了裁决作出的期限，则除非当事人之间另有约定，否则法院可以依据仲裁庭（经通知当事人）或者当事人（经通知仲裁庭和其他当事人）的申请延长该期限，但是，申请人必须已经用尽所有可以适用的批准延长期限的仲裁程序：第50条。在仲裁程序进行中，如果当事人达成和解，则除非当事人另有约定，否则，仲裁庭应当终止仲裁程序并将和解以协议裁决的形式予以记录。该裁决与仲裁庭关于案件实体问题作出的其他裁决具有同等的地位和效力：第51条。当事人可以约定裁决的形式，如无此约定，则：裁决应以书面形式作出，并由所有仲裁员或者所有同意该裁决的仲裁员签名；除非是协议裁决或者当事人约定不附具裁决理由，否则裁决书应附具理由；裁决书中应载明仲裁地以及裁决作出的日期：第52条。要求裁决书必须签名意味着必须使用书写或打印文本而非电子文本。除非当事人另有约定，否则只要仲裁地在英格兰、威尔士或北爱尔兰，仲裁程序中的任何裁决均应视为在这些地方作出，而无须考虑其于何处签字、发出或送达当事人：第53条。除非当事人另有约定，否则仲裁庭可以决定裁决书作出的日期。如果仲裁庭未作出此项决定，则将仲裁员的签名之日或者在数名仲裁员签名时最后一名仲裁员的签名之日视为裁决书作出的日期：第54条。当事人可以对裁决书的通知作出约定，如果未作约定，则裁决书应以毫不迟延地向当事人送达副本的方式予以通知：第55条。除非当事人已足额支付仲裁报酬和开支，否则仲裁庭可以拒绝将该裁决书交付当事人。在这种情况下，一方当事人可以请求法院作出裁定，要求仲裁庭应当在申请人将所要求的或者法院确定的较少金额的有关报酬和开支交给法院后将裁决书交付当事人。应付的适当报酬和开支应当按照法院指令的方式和条件确定金额。如果存在可以对报酬和开支进行诉讼或者复审的仲裁程序，则当事人不得就此问题向法院提出申请：第56条。这是强制性规定。

当事人可以约定仲裁庭更正裁决或者补充裁决的权力，如无此约定，则仲裁庭可以主动或经一方当事人申请，就消除因失误或忽略而引起的文字错误或者明确或消除裁决书中含糊不清的内容作出更正裁决，或者就任何已向仲裁庭提出但并未经裁决处理的请求作出补充裁决。申请仲裁庭行使上述权力应自裁决作出之日起28日内或者当事人约定的更长时间内提出。仲裁庭应当在其收到当事人申请之日起28日内或者当事人约定的更长时间内作出更正裁决，如果仲裁庭主动更正，则应在裁决作出之日起28日内或者当事人约定的更长时间内作出更正裁决。补充裁决应自原裁决作出之日起56日内或者当事人约定的更长时间内作出：第57条。除非当事人另有约定，否则仲裁庭作出的裁决是终局的，对当事人及通过当事人或以其名义提出请求的人都有拘束力。该规定不影响任何人依据可采用的复审或复查的仲裁程序或者根据本编规定，对裁决提出异议的权利：第58条。

仲裁费用

仲裁费用是指仲裁员的报酬和开支、有关仲裁机构的报酬和开支以及当事人的律师费用和其他费用，包括因确定可补偿的仲裁费用的金额的程序而产生的费用或相关费用：第59条。由任何一方当事人支付全部或者部分仲裁费用的协议，仅在争议发生后订立，方为有效：第60条。这条强制性规定与当事人自治原则不一致，是依据公共政策的要求所制定。仲裁庭可以根据当事人的约定作出有关当事人之间仲裁费用分担的裁决。除非当事人另有约定，否则仲裁庭应当按照"仲裁费用依裁决结果而定"的原则裁决仲裁费用，但适用该原则有不当之处的除外。除非当事人另有约定，否则当事人之间有关仲裁分担的协议或分担仲裁费用裁决项下的责任，只适用于可补偿的仲裁费用：第62条。当事人可以约定可补偿仲裁费用的范围，如无此约定，则仲裁庭可以作出确定可补偿费用的裁决。如果仲裁庭如此行事，则应具体写明其确定的依据、可补偿仲裁费用的项目及各项数额。如果仲裁庭没有确定可补偿仲裁费用，则任何一方当事人都可以在通知其他当事人之后向法院提出申请，请求法院决定可补偿仲裁费用或者指令据以确定费用的方式和条件。除非仲裁庭或者法院另有决定，否则应允许合理增减所有合理产生的仲裁费用，并在此基础上确定可补偿的仲裁费用；而且，对于该仲裁费用的产生及数额是否合理的怀疑，其解决应有利于支付方当事人：第63条。除非当事人另有约定，否则就仲裁员的报酬和开支而言，可补偿的仲裁费用应仅包括视情况被认为合适的合理报酬和开支。关于何种报酬和开支是合理和适当的问题可以被提交到法院，由法院决定相关事项或裁定该事项应依法院规定的方式和条件予以决定：第64条。根据当事人之间的协议，仲裁庭可以对可补偿仲裁费用的数额作出限制。在有关费用发生之前或对为此受到影响的程序采取措施之前，该指令可以在仲裁程序的任何阶段作出或更改：第65条。这是一条新的规定，能够减少不必要的费用，并保护财产较少的当事人不受富有的对方当事人的胁迫。

法院有关仲裁裁决的权力

经法院准许，仲裁裁决可按与法院作出判决或裁定的相同方式予以执行；并且，法院经准许可按仲裁裁决作出判决：第66条第1款和第2款。如果被请求执行的当事人证明仲裁庭没有实体管辖权，则法院不得准许执行该仲裁裁决，但是根据第73条（见下文）被请求执行的当事人已经丧失提出此种异议权利的除外：第66条第3款。本条规定明确保留了1927年《日内瓦公约》（第99条和1950年《仲裁法》第二编）以及1958年《纽约公约》（第100条——第104条，见下文）规定的承认和执行外国仲裁裁决的程序：第66条第4款。该条是强制性规定。经通知其他当事人和仲裁庭，一方当事人可以向法院：就仲裁庭的实体管辖权对仲裁裁决提出异议，或者，以仲裁庭没有实体管辖权为由请求法院裁定宣布仲裁裁决全部或者部分无效。在对该异议或请求作出决定之前，仲裁庭可以继续进行仲裁程序并作出进一步的裁决。法院可以确认、更改或者撤销仲裁裁决：第67条。该条是强制性规定。

根据第73条和第70条第2款和第3款的限制，一方当事人可在仲裁程序中以存在影响仲裁庭、仲裁程序或者裁决的严重不当行为为由就裁决向法院提出异议。严重不当行为是指法院认为对请求人已造成或者将造成实质性不公正的下列一项或者几项行为：(1)仲裁庭违反第33条规定的一般义务；(2)仲裁庭超越其权限（超越其实体管辖权除外）；(3)仲裁庭未按照当事人约定的程序进行仲裁；(4)仲裁庭未处理当事人请求的所有事项；(5)任何被授予有关仲裁程序权利的仲裁机构、其他机构或个人超越其权限；(6)裁决的效力不确定或者模棱两可；(7)裁决因欺诈获取，或者裁决或获得裁决的方式违反公共政策；(8)裁决形式不符合要求；(9)任何经仲裁庭、或者被授予有关程序和裁决方面权利的仲裁机构、其他机构或个人承认的程序中或裁决中的不当行为。如果存在影响仲裁庭的严重不当行为，则法院可以将裁决全部或者部分发回仲裁庭重审、全部或者部分撤销裁决或宣布裁决全部或者部分无效：第68条。

该条是强制性规定。

除非当事人另有约定，否则一方当事人可就仲裁程序中所作的裁决的法律问题向法院提起诉讼。当事人关于"仲裁庭裁决无需附具理由"的约定应视为排除了法院的管辖权。只有在当事人一致同意或者法院准许时，当事人才可以提起诉讼。该起诉权同时还受到第70条第2款和第3款限制性规定的约束。法院仅在认为符合下列条件时才准许起诉：（1）问题的决定将实质性地影响一方或者多方当事人的权利；（2）问题是仲裁庭被请求作出决定的；（3）根据裁决书中认定的事实，仲裁庭对问题的决定有明显错误，或者问题具有普遍的公共重要性，仲裁庭对此作出的决定至少存在重大疑问；（4）法院决定该问题是公正和适当的。法院可以对裁决确认、更改、全部或者部分发回重审或者全部或者部分撤销。除非上诉涉及具有普遍重要性的法律问题或者由于其他特殊原因应当由上诉法院进行审理，否则，未经法院许可不得对此提出上诉：第69条。该条不是强制性规定。上议院在 *Pioneer Shipping Ltd v. B. T. P. Tioxide Ltd The Nema* 一案中确立了这一指导原则。准许起诉应当被少量使用，尤其是在涉及"一次性"合同而非格式合同的情况下。只有当问题是新的、可能产生重大争议、具有重大意义并产生深远影响时，法院才会准许起诉。法院重视仲裁裁决的终局性而非合法性，认为当事人已经认同了仲裁员可能对法律或事实判断错误的风险。仲裁员可以根据《欧洲共同体条约》第177条将有关欧共体法的问题提交欧洲法院。

根据前述三条规定就仲裁裁决提出的异议申请或者诉讼，申请人或者起诉人只有首先用尽所有可以适用的诉讼或者复审的仲裁程序和根据第 57 条（更正裁决或者补充裁决）可以采用的法律救济，才能提出申请或诉讼：第 70 条第 2 款。而且，该申请或诉讼必须自仲裁裁决作出之日起 28 日内提出，或者在已经存在诉讼或复审的仲裁程序时，自申请人或起诉人接到该程序结果的通知之日起 28 日内提出：第 70 条第 3 款。法院可以要求申请人或者起诉人为申请或诉讼费用提供担保：第 70 条第 6 款。该条中有关第 67 条和第 68 条的规定具有强制性。

当法院依据第 67 条、第 68 条或第 69 条作出裁决时，如果该裁决被更改，则被更改的内容即有效并构成裁决的一部分；如果该裁决被全部或者部分发回重审，则仲裁庭应自发回重审之日起 3 个月内或在法院指定的更长或更短的期限内重新作出裁决；如果裁决被撤销或者被宣告无效，则对于仲裁裁决的主要事项或者相关部分，法院可裁定关于"仲裁裁决是提起诉讼的前提条件"的任何规定是无效的：第 71 条。该条是强制性规定。被称为仲裁程序的当事人如果并未参加仲裁程序，则通过法院程序请求确认、禁令或者其他适当救济手段，其可以质疑是否存在有效的仲裁协议、仲裁庭的组成是否适当或者何种事项已经依据协议提交仲裁。其亦具有与仲裁一方当事人同样的权利，可以根据第 67 条和第 68 条对裁决提出异议，但是，其不能适用第 70 条第 2 款的规定：第 72 条。该条是强制性规定。

如果仲裁程序的一方当事人参加或者继续参加仲裁程序，而没有立即或在仲裁协议约定的时间内提出下列异议，则其丧失了就仲裁庭的实体管辖权提出异议的权利：仲裁程序不适当进行、存在不符合仲裁协议的事实或者存在其他影响仲裁庭或仲裁程序的不当行为。除非证据表明在该方当事人参加或者继续参加仲裁程序时并不知晓或者以合理谨慎无法发现可以提出异议的理由，否则其以后不得提起此种异议：第 73 条第 1 款。如果仲裁庭裁决其具有实体管辖权，而当事人没有在仲裁协议约定或第一编规定的时间内通过任何可采用的诉讼、复审或提出异议的仲裁程序对此提出质疑,则该当事人以后不得以裁决标的为理由对仲裁庭的实体管辖权提出异议:第73条第2款。该条是强制性规定。

有关仲裁的其他规定

本法第二编规定了具体的仲裁情形和有资格成为仲裁员的人员。违背欧共体法的 *Philip Alexander Securities and Futures v. Bamberger* 一案(《泰晤士报》1996年7月22日)并没有改变第85条——第87条对有关国内仲裁的规定。

消费者仲裁协议

1994年《消费者合同不公平条款条例》将不公平条款延伸至有关构成仲裁协议的条款,而无论消费者是法人还是自然人:第89条和第90条。而且,根据该条例,将金钱赔偿限制在依据第91条作出裁定的金额以下的仲裁协议是不公平的。该条规定赋予了国务大臣经司法大臣同意可在英格兰和威尔士行使作出该条项下命令的权力。

郡法院小额索赔案件的仲裁

根据1984年《郡法院法》第64条,小额索赔仲裁有一个完全独立的体制,不受本法第一编的影响。

指定法官作为仲裁员

商事法院法官或者正式调停人可在其认为合适的情况下接受指定,担任独任仲裁员或首席仲裁员。除非其告知首席大法官,并且被首席大法官通知其可以担任,否则其不得接受这种指定。商事法院法官或者正式调停人担任独任仲裁员或首席仲裁员的报酬应在高等法院领取:第93条。可以担任独任仲裁员或首席仲裁员的商事法院法官或者正式调停人是不确定的。

制定法上的仲裁

除非其适用与有关制定法规定不一致或与其授权或承认的规

则、程序不一致，或者被其他制定法所排除，否则无论通过或制定法律是在 1996 年法案生效前还是生效后，第一编都适用于制定法上的仲裁。"制定法"一词包括二级立法：第 94 条。第 96 条和第 97 条对第一编的某些规定作出了调整以适用于制定法上的仲裁，并且排除了第一编某些不适用于制定法上仲裁的规定。

某些外国仲裁裁决的承认和执行

根据本法第三编规定，1950 年《仲裁法》第二编有关外国仲裁裁决的内容继续适用于本法第三编所指的有关外国仲裁裁决，此类裁决并非纽约公约裁决：第 99 条。由于只有少数为《日内瓦公约》成员国的国家还未成为《纽约公约》的成员国，所以该条和 1950 年《仲裁法》第二编将被限制性适用。第 100 条——第 104 条规定了纽约公约裁决的承认和执行。这些条款用简明扼要的语言重申 1975 年《仲裁法》的规定，并作出有利于裁决承认和执行的事实推定：被请求人（即裁决债务人）只有在证明第 103 条规定的一种情形之后，裁决才可能被拒绝承认或执行。截至 1996 年 9 月 30 日，《纽约公约》的成员国已达 110 个国家。

根据本法第四编规定，司法大臣有权依据本法在高等法院和郡法院之间分配诉讼：第 105 条。本法规定扩大适用于涉及君王的仲裁：第 106 条。

2.7 替代性纠纷解决方式（ADR）

为了提高诉讼效率，英国进行了民事诉讼改革，对高等法院和郡法院的管辖权作出调整。2 年后，1993 年《海尔布隆/霍奇判例汇编》（Heilbron/Hodge Report）指出，非现代化的英国法院因没有采用现代技术而实际上所有的法院文件和记录都由手工编写，而且，其不灵活的技术性诉讼程序规则漏洞百出并且难以为诉讼当事人所理解。涉诉的公司认为诉讼拖延时间、程序烦琐而且费用日益昂贵。如果一个历时 2 年的商事争议以一两个月的审判终结，其费用就将达到上百万英镑。但是，诉讼的数量仍在不断增加，根据公司间比较中心的报告，继 1991 年平均增长 43% 之后，诉讼数量于 1992 年又平均增长 25%。该《汇编》建议重新调整高等法院结构、引进新技术、设立更多专门法庭、引入简化程序以及法院文件应采用简明易懂的英语表述。但其最基本的建议包括政府应当在一两个民事法院中心设立替代性纠纷解决方式（ADR）的示范体系。

远东采用 ADR 方式已经超过 30 年，美国采用 ADR 方式也已有 15 年的时间。1993 年《海尔布隆/霍奇判例汇编》估算美国约有 10% 的案件是通过 ADR 解决的。美国大约有 1/3 的州都设有以法院为基础的 ADR 体系，并且大约有 1200 个 ADR 体系接受各州法院的提交。美国一些 ADR 体系的和解率高达 50%，并且许多法院都要求律师必须告知委托人可以采用的 ADR 程序。

ADR 有很多形式——调解、和解或者小型审判——但是其所有形式都不具有强制拘束力，在 ADR 不起作用和不可能解决争议时，当事人仍然可以进行诉讼。在美国，ADR 一词通常包括有拘束力的仲裁，但是，在英国，ADR 一般是指非裁决的方式。为促进 ADR 在英国的发展而设立的争议解决中心（CEDR），为协商者希望采用的形式提供了诸多可能性和所适用的程序：调解、行政裁决、中立专家评估或者附属法院仲裁。调解适用于大多数案件中。公司的代理人聚在圆桌周围，还有一个或多个中立者——中立的顾问适用于各种形式的 ADR 之中——其倾听各方对案件简短的介绍。然后，当事人被分别带到房间讨论或者评论本案情况，直到达成双方都满意的协议才停止协商。随后，由当事人立即起草并签署具有法律拘束力的文件。

如果争议涉及司法判例，或者当事人已寻求有关禁令的法律救济，或者当事人对案件的事实还存在争议，则采用 ADR 解决争议是不恰当的。如果为使其他当事人参加圆桌协商而必须提起或者继续进行诉讼，则采用 ADR 解决争议也是不合适的，然而，在大多数商事案件中，经济索赔的金额是争议的核心。在这些案件中，ADR 具有许多优于诉讼之处，包括提供更广泛的争议解决空间、更好的风险控制以及更强的保密性。由于 ADR 无需涉及关于当事人错误的声明，从而有助于当事人保持双方的商务关系，因此，ADR 最终的结果可以是一个不存在失败者——即双方当事人都胜诉的创造性解决方法。Texaco 和 Borden 之间一个涉及 1.2 亿英镑违约损失索赔的争议中，在持续 2 年的司法对抗之后，当事人选择采用小型审判制度，双方的副总裁和调停人坐在一起，听取简短的证据描述。3 个星期后，当事人没有花一分钱就解决了争议。当事人重新商定了供应协议并继续保持贸易往来。

法国和德国法院的法官可以介入诉讼当事人之间鼓励其和解，而英国法院则不像法国和德国法院那样鼓励诉讼当事人和解。ADR 可以补充英国法院的这一缺漏。在 1993 年《海尔布隆/霍奇判例汇编》建议的促进下，商事法院已经建立了一个附属于法院的 ADR 体系。诉讼当事人的法律顾问必须确保其当事人被告知解决特定事项和争议的最节省成本的方式。商事法院的书记官持有 ADR 服务清单，该清单罗列了大量的前商事法官以及诸如争议解决中心与解决银行业和金融业争议的城市争议专家小组之类的 ADR 机构。

ADR 最具吸引力的优势体现在其费用方面。虽然争议解决中心的费用以争议金额为基础，每天大约需要数百至 1000 英镑，但是，大多数调解都能在 1 至 3 天内得到解决：最近争议解决中心负责的涉及 2700 万英镑、并安排了 12 星期审理的争议的调解只进行了 1 天。与在美国一样，在英格兰，提交到法院的案件中大约有 85%－90% 在作出判决之前已经得到解决，所以应非常鼓励公司采用 ADR。摩托罗拉移动通信公司因采用 ADR 而将其诉讼费用降低了 75%。

尽管自 1990 年建立以来，争议解决中心已经受理 360 个案件，总金额达到 15 亿英镑，其中调解成功率达到 85%－90%；并且，

ADR 也得到了工业或者诸如国家消费者协会之类的消费者团体的支持,但是,ADR 仍然没有产生预期的效果。这一点可部分归结于"传统的对抗性观念和诉讼律师与委托人文化",但是,为了使 ADR 在英国得到充分适用并为民事司法体制节约成本,应将 ADR 的适用扩展到商事争议以外的范围,即包括所有民事诉讼,尤其是人身伤害诉讼。

推荐读物

《沃克和沃克论英国法律制度》,第 7 版(Butterworths,1994)。

《英国法律诉讼》,第 7 版(Terence lngman, Blackstone Press,1998)。

《替代性纠纷解决方式》(Alexander Bevan , Sweet & Maxwell,1992)。

《仲裁:实务指南》(Arthur T. Ginnings, Gower, 1984)。

问题

1. 下列各诉讼应当在何法院审理?
(1) 违约造成的 25000 英镑损失索赔;
(2) 过失致人人身伤害的 6 万英镑损失索赔;
(3) 金融公司根据分期付款买卖协议提出的支付到期未付款请求;
(4) 有关保险索赔的争议;
(5) 受雇人根据《种族关系法》对种族歧视提出的索赔请求。
2. 财务扣押令适用于何种情况?
3. 胜诉债权人何时可以求助于扣押第三债务人保管的财产令?
4. 什么是玛瑞瓦禁令?其在何时适用?
5. 安东·彼勒强制令最经常适用于哪一类请求中?
6. 如果一方当事人主张一份包括仲裁条款的合同无效,那么,该争议是否可以提交仲裁?
　　7. ADR 程序的主要形式有哪些?
　　8. 什么情况下采用 ADR 是不适当的?

第二编

债法导论

3

合同法

学习目标

通过本章学习了解以下内容：

1. 合同的要素：要约和承诺，对价和设立法律关系的意图

2. 导致合同无效、可撤销或者不可强制执行的要素：有关合同的错误、虚假陈述、胁迫和不正当影响、违法、缺乏形式和能力

3. 合同条款的种类，包括明示条款、默示条款和除外条款

4. 解除合同的几种方法：履行、协议、接受违约和合同履行落空

法定之债可由许多原因引起，其中最主要的两种原因是侵权和合同。侵权之债即为不得通过作出侵权法所规定的不正当行为伤害另一方当事人的债务。不履行该债务的人将面临侵权诉讼。合同之债是指如果一方当事人对另一方当事人作出法律上可执行的允诺，则允诺人迫于对其提起违约诉讼的制裁而必须履行该允诺的债务。

债务即意味着存在"债务人"——负有债务的人，和"债权人"——为其利益而存在债务。债权人为其自身的利益可以通过诉讼实现债权，这一点体现了债法和刑法的区别。

在信托中也可以产生债务。由于受托人接受而并非被强加照管其他人财产的义务，所以在此意义上，信托之债与合同之债类似。

虽然本书不直接单独讨论信托法，但是由于针对合伙财产和合伙人的利益（见第 7 章）、公司财产（见第 8 章）、被代理人的利益（见第 11 章）或者账户持有人的利益（见第 15 章），合伙人、公司董事、代理人和银行经理可以被视为处于准受托人的地位，所以，信托法的各个方面都很重要，贯穿本书始终。此外，受雇人对其雇主负有信托职责（见第 12 章）。

受托人和准受托人具有妥善保管被托付的财产的义务，对其任何违反信托职责的行为承担责任（见第 8 章），并对任何帮助其保管财产的知情第三人承担责任。因此，如果公司董事挪用公司财产，则其应当作为准受托人向公司说明被其挪用的财产，如果其得到银行办事员或者其他知道该挪用资金的人员的帮助，则其可以作为推定受托人向公司承担责任：*Selangor United Rubber Estates Ltd v. Cradock* (No. 3) 案（见第 8 章）。这种并非对他人欺诈手段不知情的债务，更类似于过失侵权责任（见第 4 章）。

3.1 合同要素

一项可执行的允诺债务必须具备三个要素：（1）必须有一致的要约和承诺；（2）允诺必须通过行为体现或者由充分对价支持；（3）当事人必须有设立法律关系的意图。

3.2 一致的要约和承诺

要约人和受要约人之间通常必须具有一致的要约和承诺。但是，在 *G. Percy Trentham Ltd v. Archital Luxfer Ltd* 一案中，原告（建筑承包商）与被告协商由作为分承包商的被告提供和安装门窗。工程结束后支付费用。原告后来请求被告依据合同分担部分罚款，被告则主张：因为没有一致的要约和承诺，所以与原告之间根本不存在合同。上诉法院认为：（1）缔结合同的方式是客观的，本案中的方式是"有判断力的商人的合理期望"；（2）虽然一致的要约和承诺是构成合同的基本要件，但在因履行而宣布合同成立的情况下则未必如此；（3）合同已经执行（履行）的事实一般排除不存在设立法律关系意图的主张，或者排除因合同内容含糊或不确定而主张合同无效的请求；（4）如果合同在履行期间成立或者作为履行结果而成立，则该合同适用于先合同履行行为。法院判决："即使不能准确地分析要约和承诺"，合同也已在履行期间成立。该判决遵循 Denning 勋爵在 *Gibson v. Manchester City Council* 一案中的处理方式，其试图弱化合同构成要件的主张在上诉中被上议院驳回（［1979］1 WLR 294）。

要约、要约邀请和初步价格陈述

要约是要约人作出的受其要约条件的协议性约束的保证；如果具备其他要素，则要约一经承诺即成为有拘束力的合同。要约既可以向一个人或一群人作出，也可以用广告的形式向整个世界作出：如 *Carlill v. Carbolic Smokeball Co.* 一案（见下文）。要约邀请系邀请其他人作出要约，该要约既可以被接受，也可以被拒绝。在 *Fisher v. Bell* 一案中，法院判决展示出卖的商品不构成要约。与此类似，在 *Pharmaceutical Society of Gt Britain v. Boots Cash Chemists* 一案中，法院判决在超市货架上陈列销售的货物不构成要约。在 *Partridge v. Crittenden* 一案中，Partridge 因在"分类广告"栏目中作许诺销售野鸟的广告而被判有罪，但是由于广告仅仅是要约邀请，因此该判决被撤销。与此相同，在 *Harris v. Nickerson* 一案中，经纪人参加广告销售，但其感兴趣的那批商品被取消，其没有因此获得违约赔偿。但是，公司的广告可能构成要约。在 *Carlill v. Carbolic Smokeball Co.* 一案中，被告在一系列广告中出价，向任何连续两周每天三次使用其专利产品"喷气球"后又患上流感的人支付 100 英镑，并声明其已经在银行存放 1000 英镑以支付可能的赔款。原告起诉请求支付 100 英镑，法院判决：由于 1000 英镑存款表明了支付索赔的意图，因此该广告是一项要约。产品宣传单、价格表还有报价单等等都是要约邀请：*Scancarrier A/S v. Aetearoa International Ltd* 一案。

土地买卖合同必须存在明确的出售意图。在 *Harvey v. Facey* 一案中，原告电报答复中询问被告："您想出售那块名为丰收园的土地吗？请电告最低现金价格。"被告答复："最低价格……900英镑。"随后原告发电报："我们同意购买您出价900英镑的丰收园一地。请您将土地所有权文件寄送过来，以便我们可以尽早拥有该土地"，但是没有得到回复。法院判决被告的电报仅仅是对如果最终决定出售该土地所要求支付的最低价格的陈述，而不是要约。在 *Clifton v. Palumbo* 一案中，原告信中陈述的"我准备以600 000英镑的价格出价给您……出售我的……财产……"被判决不是一项要约，而仅仅是为使协商能够进行下去而作出的初步价格陈述。

要约可以明示或者通过行为默示

一辆停在站台上的公共汽车是要约，乘客登上汽车是承诺：*Wilkie v. London Passenger Transport Board* 一案。在汽车停车场的围栏处买票的过程也可以分解为要约和承诺。

要约必须送达

一个人只能承诺其已经知道的要约，但是在此之后，其承诺要约的动机将不能阻止合同的有效成立。在 *Williams v. Carwardine* 一案中，即使原告提供有赏金的信息的动机是为了在其认为临终时净化自己的良心，其还是成功地诉请了赏金的支付。

要约的失效

要约在下列情况下失效：（1）要约人死亡，*Dickinson v. Dodds* 一案中的法官附带意见；（2）受要约人死亡，*Reynolds v. Atherton* 一案中 Warrington 大法官的附带意见；（3）作出承诺的规定期限或者合理期限届满，*Ramsgate Victoria Hotel v. Montefiore* 一案；（4）作为要约基础的某个事件的状态终止，在 *Financing Ltd v.*

Stimson 一案中,由于在作出要约之后、承诺之前汽车被毁损,分期付款购买这辆汽车的要约因此失效。

要约的撤回

要约可以在被承诺之前的任何时间被撤回: *Financing Ltd v. Stimson*(1962) 一案。撤回可以由第三方送达,即使在已经规定的承诺有效期间内,也可以撤回要约,但要约人和受要约人已另外订立选择权合同的除外。在 *Dickinson v. Dodds* 一案中,被告签发一项对原告出售财产的协议:"这项要约在周五之前保持有效…"。原告于周四决定购买这项财产,但是当天下午听其他人说被告已经将该财产卖给第三方。虽然当天晚上原告送达了一份正式承诺,但是,由于被告将物品出售给第三方已经构成对要约的默示撤回,因此原告提出的特定履行请求被驳回。

只有送达受要约人后,撤回才能生效;送达的邮寄原则不适用于撤回: *Byrne v. Van Tienhoven* 一案(见3.3节)。

要约的终止

要约在下列情况下自动终止: (1) 受要约人表示拒绝要约; (2) 受要约人作出相反的要约。一项试图引入新条款的所谓承诺是一项反要约。在 *Hyde v. Wrench* 一案中,被告就其财产向原告要价 1000 英镑,原告在声称接受原要约之前又出价 950 英镑。法院判决:反要约已经终止了原要约,该原要约不能再被承诺。在 *Neale v. Merrett* 一案中,由于原告引入了关于分期付款方式的新条款,所以不存在对出售财产的要约所作的有效承诺。

在 *Butler Machine Tool Co. Ltd v. Ex – Cell – O Corp (England) Ltd* 一案中,当事人通过使用各自的"标准格式"(即事先已经草拟的合同)订立合同。Butler 的要约格式包含价格变化条款,而买方的订货单采用其公司标准格式,并不包含价格变化条款。卖方以返还从买方标准格式上按虚线撕下的便条的行为承认了订货单,上诉法院判决买方作出反要约并且被卖方接受,因此成立的合同不包含价格变化条款。

Stevenson, Jacques & Co. v. Maclean 一案对反要约和询问进一步信息作出了区分。原告通过电报答复对货物的要约，询问卖方能否在两个月内分期交付货物。原告没有得到答复，于是就承诺了原要约。法院判决一个有效合同已经成立，并判决已将货物卖给第三人的被告应当向原告赔偿损失。

3.3 承诺

承诺必须通知要约人，并且必须与要约规定的条件一致，但是，下文讨论的例外情形除外。

沉默不能构成一项有效的承诺

除非另有约定，否则要约人不能将在规定期间内未收到受要约人的拒绝承诺通知推定为合同成立。在 Felthouse v. Bindley 一案中，原告在给其侄子的信中写道："如果不作回复，我就认为以30英镑15便士的价格购买了这匹马，从此这匹马归我所有。"由于侄子未作出答复，因此双方之间并无合同存在。这一规则在1971年和1975年《主动提供商品和服务法》（见第16章）中得到更加深入的发展。"承诺必须送达"有两个例外规则：（1）承诺的邮寄规则；（2）以实际行为作出承诺。

承诺的邮寄规则

如果承诺是通过邮寄作出的，则不论信件在路途上迟延或者丢失，承诺都在邮件发出时生效，但应当符合下列条件：（1）邮寄是送达的适当方式；（2）信件已经适当地粘贴邮票并写明地址；（3）被适当邮寄：Adams v. Lindsell 一案。在 Household Fire and Carriage Accident Ins. Co. Ltd v. Grant 一案中，被告请求获得原告公司股票，但是原告配发股票的信件邮寄后被告却从未收到。法院判决被告从信件邮寄之时起就是股东。该规则适用于电报，但不适用于即时到达的通讯方式，如电话、电传和传真等。Entores v.

Miles Far Eastern Corp. 一案和 Brinkibon Ltd v. Stahag Stahl 一案体现了这一规则在确定合同的缔结地方面和在没有明确规定时确定合同应当适用的法律方面具有重要的作用。在后一个案例中，英格兰买方和澳大利亚卖方之间的合同是通过卖方收到发自英格兰的电传成立的，由于合同在收到电传的地点成立，所以该合同受澳大利亚法调整。

承诺的邮寄规则可以被明示或者默示地排除适用，因而，一项书面通知的可行使购买选择权即默示排除了承诺的邮寄规则，要求实际送达：Holwell Securities Ltd v. Hughes 一案，并且，该规则不适用于要约的撤回。在 Byrne v. Van Tienhoven 一案中，被告于10月1日在威尔士向在纽约的原告邮寄一封要约信函，但又于10月8日邮寄一封撤回要约的信函。原告于10月11日收到要约，其通过电报作出承诺并且于10月15日邮寄确认。在原告于10月25日收到承诺信函之前，被告于10月20日收到撤回要约的通知。由于要约已经被承诺，因此，要约的撤回是无效的。

以实际行为作出承诺

对于单务合同而言，当一方完成行为或者另一方相应地不作为时，合同即成立。针对允诺采取的行动是承诺和对价：见 Carlill v. Carbolic Smokeball Co. 一案。

承诺必须和要约规定的条件一致

如果要约规定了作出承诺的方式，则法院可以将其视为要约规定的条件，因而通过其他方式作出的承诺都是无效的。在 Compagnie de Commerce et Commission SARL v. Parkinson Stove Co. Ltd 一案中，被告规定：承诺应当通过特定方式作出，以任何其他方式作出的承诺都是无效的。原告通过信函承诺要约，然后声称取消订单。法院判决：由于没有要约人明示或者默示的弃权，因此不存在有效的承诺。作为选择，法院可以将要约人的规定视为其希望得到答复的速度的一种表示，与此答复速度相同的其他承诺方式也是有效的：*Tinn v. Hoffman & Co.* 一案。要求以挂号信形式作出承诺通常并非要约规定的条件，以普通信件邮寄方式作出的承诺是有效的：*Yates Building Co. v. Pulleyn* 一案。

接受"受合同约束"不是承诺

在正式合同书被起草并经双方同意之前合同不存在：*Winn v. Bull* 一案。通常情况下，土地买卖合同一旦引入一个条款，即使这些词语将不再出现在后来的往来信件中，交易的所有阶段也都受到该条款的约束：*Cohen v. Nessdale Ltd* 一案。

3.4 投 标

投标可成为要约的一种形式，并经承诺可以构成合同的基础。请求提交投标的招标是要约邀请，投标人承担因投标而产生的费用的损失风险。但是在 *Blackpool and Fylde Aero Club Ltd v. Blackpool Borough Council* 一案中，上诉法院判决：在期限届满之前提交投标的人有权使其投标获得考虑。公司可以要求投标人在一个固定期限内提供货物，以确保价格稳定。如果公司接受投标，并不必须安排订货，但是任何货物的相关属性都以成功的投标记述为准。投标是一项持续的要约，每一份后来的订单都是一个承诺，共同构成了一个具有拘束力的合同。投标人可以在任何时候撤回投标，但是如果其没有提前送达撤回通知书将构成违约：*Great Northern Railway Co. v. Witham* 一案。

3.5 例外情形

某些情形下，无法辨别要约和承诺。在 *Shanklin Pier Ltd v. Detel Products Ltd* 一案中，原告为修理和喷漆码头订立合同，由于以前被告曾经告诉原告其油漆寿命在 7 年至 10 年之间，因此原告特别要求被告的油漆应当适用于这项工作。原告有权起诉，请求被告赔偿因违反附属合同的保证而造成的损失。在 *Clarke v.*

Dunraven, The Satanita 一案中, 两个游艇的主人参加比赛并保证遵守俱乐部规则, 其中一条规则规定游艇的主人应当对违反规则造成的损失承担责任。法院判决受损的游艇的主人有权依据推定的合同义务诉请对方赔偿损失。

3.6 对 价

当允诺的作出伴随其将接受约束的意图时（民法方式）；或者当其他当事人为允诺反过来作出容忍或者接受允诺并因此成为当事人之间成交的一部分时, 允诺可以被强制执行。这是英国法方式, 无偿允诺仅在通过行为体现时才是可以强制执行的。否则, 仅在法院确信允诺已经被来自其他当事人的充分对价"购买"时, 允诺才可以强制执行。自 Eastwood v. Kenyon 一案以来, 充分对价已经成为有效合同的"要件"。Frederick Pollock 先生为对价作出了最佳定义: "（1）一方当事人的行为或者容忍, 或者（2）允诺是为了购买对方当事人的允诺所支付的价格, 并且这种为获利所作出的允诺是可以强制执行的。"这个定义区分了已执行的对价（1）和待执行的对价（2）。

已执行的对价

被告的允诺是反过来对原告作出行为或者容忍, 对价的行为一经完成, 允诺就是可强制执行的。对价还是要约的承诺; 例如, 一项要约表明将酬谢找到其丢失的狗的人, 当注意到这个要约的人找到并且返还要约人的狗时, 要约即成为有拘束力的合同, 此人可以请求对方支付酬劳。

"必须在承诺之前完成对价"意味着要约在对价的行为完成之前可以被撤销, 即使一个人已经开始进行对价的行为也无济于事。但是, 在 Daulia Ltd v. Four Millbank Nominees Ltd 一案中, 上诉法院的 Goff 大法官陈述的附带意见为: 一旦受要约人开始着手作出行为, 要约人就不能撤回其要约。这仍然没有解决在向不作为人付款时所发生的问题。

待执行的对价

被告的允诺是为换取原告的允诺,尽管行为留待将来才执行,但合同立即成立。

对价必须充分但不必相当

必须存在某些东西能够作为充分对价,但是关于允诺的对价的价值并不重要。A 允诺以每年 1 英镑的价格出租一所房子是可以执行的：Thomas v. Thomas 一案；巧克力块的包装纸可以作为对价：Chappell & Co. Ltd v. Nestle Co. Ltd 一案。最典型的例子是以胡椒子作为地租交付出租人的象征性地租。在一些重要方面,对价必须充分而且必须相当。

允诺执行法律规定的或者合同规定的既存义务或者执行该义务的行为都不是充分对价

在 Collins v. Godefroy 一案中,由于受要约人被法院强制出席法庭,因此,其作为证人参加法院诉讼不是支持付款允诺的对价。但是,如果一个人允诺履行或者履行了较其受法律或合同强制履行的更多的行为,则其额外的付出可以构成对价。在 Ward v. Byham 一案中,私生子的父亲对该私生子的母亲允诺每周支付 1 英镑抚养费,要求母亲允诺照顾小孩并保证他快乐,因为保证孩子的快乐超越了母亲的保证孩子身体健康的法律义务,所以,允诺保证孩子的快乐构成对齐。

Stilk v. Myrick 一案和 Hartley v. Ponsonby 一案,都涉及留守的船员可分配离职船员工资的允诺。在第一个案件中,只有两个人离职,法院判决：因为原告负有临时填补缺席者的空缺的合同义务,所以,付款的允诺是不可执行的。在第二个案件中,离职船员的数量很大,这使船舶处在危险的船员不足状态,法院判决留守的船员已经超越他们当时的合同义务。在 Williams v. Roffey Bros & Nicholls (Contractors) Ltd 一案中, Stilk v. Myrick 一案被上诉法院重新讨论。被告是整修一单元公寓的建筑承包商。木工工作以2万英镑的价格转包给原告。当原告明显不能遵守合同时，被告同意以每完成一层支付575英镑的计价比例另外支付给原告10300英镑。原告又完成了八层却只收到1500英镑，原告停止工作并诉请支付被告所允诺的应当额外支付的数额。Glidewell大法官在其具有代表性的判决中陈述道：如果合同一方当事人允诺为获得某些利益或者为避免不利将准时履行合同义务，另一方当事人作为对此行为的回报允诺额外付款，而且该允诺不是强迫或欺诈的结果，那么该允诺应当具有法律拘束力。

但是，"允诺向第三方履行合同规定的既存义务或者履行该义务的行为可以构成有效的对价"。因此，如果A对B负有一项建造围墙的法律义务，后来C允诺A完成工作后将再额外支付一定数目金钱，则A可以向C请求付款。在 Shadwell v. Shadwell 一案中，原告订婚（当时合同是可以执行的）。他的叔叔允诺只要他活着，就在原告作为律师的收入总额达到每年600几尼之前每年支付给他150英镑。之后原告结婚了，他的叔叔在死前12年里每年支付给原告150英镑，直至其死于原告结婚之后的第18年。原告成功地诉请叔叔的遗产管理人支付尚未付清的5年分期付款。法院判决既存的结婚义务的履行行为构成允诺付款的对价。在 Pao On v. Lau Yiu Long 一案中，该原则得到再一次确认。原告和公众公司（Fu Chip）订立合同，从Fu Chip公司的420万股股票中转让250万股到他们的私人公司，并且为防止市场萧条允诺在1年之内不会卖出这250万股股票。作为防止股票价格下跌的保证，被告，即Fu Chip公司的大多数股东在补充协议中同意在1年之内以每股2.5美元的价格买回这250万股股票。原告已经认识到如果股票价格上涨他们就做了一笔失败的交易，所以除非被告以股票价格下跌到每股2.5美元以下获取赔偿金的真正的保证形式代替补充协议，否则原告拒绝执行主合同中的允诺。当股票价格暴跌时，被告拒绝兑现赔偿金并主张不存在有效的对价。枢密院判决关于赔偿金的对价是允诺履行原告对 Fu Chip 公司负有的既存义务或者该履行行为，并陈述道："阁下并不怀疑允诺对第三方履行既存的合同义务或者该履行行为能够成为有效的对价。"

过去的对价不是充分对价

在履行行为作为对价时，构成对价的行为或者容忍必须遵循允诺。如果对价先于允诺作出，则其不仅是过去的对价而且是无效的对价。财产继承人作出的向其中一人的妻子支付 500 英镑的允诺以其已经对财产实施的改进为对价，该允诺是不能执行的：有关 McArdle 一案。

在 Lampleigh v. Brathwait 一案中，原告在代替被告服刑过程中获得国王的赦免之后，由于系应被告的请求作出行为，所以能够索取被告对其允诺的支付。在有关 Casey's Patents，Stewart v. Casey 一案中，应某抽水机发明人的要求，Casey 为其发明进行了两年的商业开发。在已经获得成功后，Casey 得到对方的允诺将取得第三份专利权。由于 Casey 是应允诺人的要求进行工作并且默示其劳务将获得酬劳，因此法院判决其有权取得专利权。

上述判决在 Pao On v. Lau Yiu Long 一案中也得到再次确认，在该案中，枢密院（斯卡曼勋爵）判决："在给出承诺之前作出付款或者赠与其他利益的行为有时成为允诺的对价。该行为必须是应允诺人的要求作出的，当事人必须已经知道行为将获得报酬……，如果已经提前作出允诺，则付款必须在法律上可以执行"。

过去的对价存在法定的例外情形。根据 1980 年《时效法》，自违约之日起 6 年后，索赔违反单一合同损失的诉讼超过法定诉讼时效。对于以实际行为成立的合同和其他书面要式合同的诉讼时效是 12 年。但是，即使没有对价，应当承担责任的一方当事人出具的接受已经超过法定诉讼时效的请求的书面承认书也将赋予对方在更长一段时间内进行诉讼的权利。其他的例外情形有关汇票和支票

(见第15章)。

对价必须来自受允诺人

对价必须是由接受允诺的人提供，而不能由非合同当事人的人提供，例如A不能允诺：如果B给A除草，A将向C支付50英镑。这是普通法中合同相对性原则的基础，该原则内容为：合同不能对合同的局外人施加负担或者赋予权利。可能在 *Tweddle v. Atkinson* 一案中即已确立该规则。作为女儿和原告之间即将举行的婚礼的贺礼，Guy和原告的父亲订立合同，都允诺支付给原告一定金额的钱款。Guy没有付款，原告对其遗产执行人提起诉讼。由于原告是合同外的第三人，因此该诉讼被驳回。

该案导致了英国法不承认第三人享有合同权利。因此，如果A与B订立合同，合同将一项权利授予C，C将不能执行这个合同。在 *Dunlop v. Selfridge & Co. Ltd* 一案中，被告向代理商购买作为零售用的轮胎供货，而该代理商的轮胎是从原告处取得的。被告和代理商的合同规定：如果零售商卖出轮胎的价格低于生产商的定价，则零售商可以向原告支付差价。由于只有合同的当事人才可以执行该合同，因此，原告不能执行该合同。根据普通法，该规则还包括——如果A和B订立将权利授予C的合同，A将不能通过提起普通法上索赔诉讼的方式执行C的权利：*Woodar Ind. Dev. Ltd v. Wimpey Construction (U. K.) Ltd* 一案。该规则同样适用于对合同外第三人施加义务的合同。

普通法将代理视为例外，目前存在着这一极端不方便原则的法定例外和已经创设的大量司法例外。因此，在 *Beswick v. Beswick* 一案中，法院认可合同一方当事人为了合同外第三人的利益能够获得对方特定履行。在该案中，一个人将其商店卖给其侄子（被告），侄子的对价是在叔叔生命剩余时间里每周支付给叔叔6英镑10便士，并于叔叔去世后将每周支付给叔叔的遗孀5英镑。但叔叔去世后，侄子只向遗孀（原告）付过一次款。法院判决：原告有权成为其故去丈夫的遗产管理人,作为丈夫的私人代表请求对方履行合同的特定行为。在 Jackson v. Horizon Holidays Ltd 一案中,一些特定种类的家庭合同的当事人可以请求赔偿因对方当事人没有履行合同而造成的损失——例如为家庭度假、在饭店定餐、租用出租车而订立的合同。

其他的例外包括推定信托、准合同和限制性协议。

推定信托

在 Gregory & Parker v. Williams 一案中,Parker 将其所有财产转让给 Williams,同时 Williams 允诺将支付 Parker 欠 Gregory 的贷款。由于衡平法将 Parker 视为 Gregory 的财产受托人,因此 Gregory 和 Parker 能够根据衡平法执行该允诺。

准合同(不公正的受益)

在 Shamia v. Joory 一案中,被告欠其代理人 1300 英镑,其允诺将该欠款中的 500 英镑支付给原告(代理人的兄弟)。被告后来否认了对原告负有的所有责任。原告的主张最终得到支持。该案确立了一项规则,即:如果 A 欠 B 钱或者 A 以 A、B 两人的名义持有他们的共同财产,A 向 B 允诺向 C 付款并且确认对 C 负有债务,则为了避免 A 获得不公正的受益,法律将以准合同执行该付款。

限制性契约

Tulk v. Moxhay 一案的原告把莱斯特广场卖给 Elms,Elms 同意保持花园"是一个快乐的花园,并且不在上面增添建筑物"。这块土地最终卖给被告,其主张在土地上建筑房屋的权利。由于被告获得的土地是受限制的,因此法院签发了禁止建筑房屋的禁令(见第 9 章)。

第 242 号法律委员会报告对合同相对性原则作出了下列陈述:为第三方利益订立的合同和法案草案都建议合同相对性原则不再阻止第三方当事人执行为他们的利益而订立的合同。

允诺禁止反悔和对价

Central London Property Trust Ltd v. High Trees House Ltd 一案的判决承认不存在对价的允诺的法律效力。如果其他当事人已经基于对一方当事人的允诺的信赖作出行为，那么允诺根据既存合同放弃或者变更其权利的当事人将不能背弃其允诺而执行其完全权利。在该案中，当原告于第二次世界大战期间很难找到承租人时，被告允诺以免交原告全部租金的50%的价格承租一单元公寓。根据允诺禁止反悔原则，房屋所有人将不能诉请返还其已经放弃的对方免交的房租。

3.7 设立法律关系的意图

当事人必须存在使他们的协议产生法律关系的意图。法院将其区分为家庭和朋友间的协议和商事协议两种情况。

家庭和朋友间的协议

这种协议推定为不产生法律关系，寻求执行这种协议的当事人负有反驳该推定的举证责任。在 Balfour v. Balfour 一案中，从锡兰来度假的丈夫和妻子商定：妻子停留英国期间，丈夫每个月支付给妻子30英镑生活费用。法院判决他们之间不存在设立法律关系的意图（但 Duke 大法官作出判决的理由是妻子缺乏对价）。在 Merritt v. Merritt 一案中，丈夫和妻子已经在分居时缔结了有关他们财产和生活费的协议，该书面协议成为法律意图的证据。

其他的案件还涉及以下协议——关于分享宾果游戏的奖品的协议，或者分配奖金的协议：Simpkins v. Pays 一案，在该案中，法院判决存在法律意图；关于同事提供工作帮助的协议：Coward v. Motor Insurers' Bureau 一案和 Albert v. Motor Insures' Bureau 一案；关于母亲在女儿法律学习期间抚养女儿的协议：Jones v. Padavatton 一案，在该案中，法院判决没有任何法律意图能得到证明。

84 商　　法

商事协议

这种合同也被推定，主张合同不存在的人负有反驳该推定的举证责任。商事协议可以包含大概意思为协议"仅在信用下有拘束力"的条款——称作"荣誉保证条款"。以橄榄球比赛输赢赌博的彩票特别声明相关交易不产生任何法律关系，从而驳回了为获得其声称赢得的奖金而提起的诉讼：Jones v. Vernon's Pools Ltd 一案和 Appleson v. Littlewood Ltd 一案。在 Rose and Frank and Co. v. Crompton (JR) & Brothers Ltd 一案中，原告根据招标协议订立从被告生产商处购买复写纸的合同。该合同约定："本安排未被订立为正式合同或者合法合同……，并且本安排也不受法院的司法管辖权约束。"法院判决原告不能诉请执行该合同，但是，根据该合同作出并得到承认的指令作为独立销售合同能够通过诉讼得到执行。

推定并不容易被驳回，因而有关向定期航线飞行员允诺中的"特惠金"一词不足以替代推定：Edwards v. Skyways Ltd 一案。

3.8　附属合同/封锁协议

Walford v. Miles 一案中的原告协商购买被告的商店。进行协商时，原告同意取得银行开具的"安慰函"，并保证不退出协议。被告虽然作出反允诺即中断与第三方进行的商务洽谈，但是最终还是把商店卖给第三方。上议院判决被告同意不再考虑其他要约的协议能够构成一个有拘束力的"封锁"协议。Pitt v. PHH Asset Management Ltd 一案遵循了上述判决。原告为购买一项财产出价 185000 英镑，后来被告以其订立的合同承诺了该要约。被告收到 B 小姐出价为 195000 英镑的要约后又撤销其承诺。原告再次出价 20 万英镑又被被告承诺，然后 B 小姐 21 万英镑的出价也被被告承诺。之后原告威胁被告退出协议，并将退出通知 B 小姐（其就可以降低出价），原告和被告口头同意被告将继续保留原告 20 万英镑的要约。该协议在信中得到确认，其内容为："卖方在收到合同

2周之内与对方交换合同,在此基础上卖方将不再考虑其他有关该财产的要约。"被告答复说:如果2周最后期限内原告没有交换合同,他将有权考虑其他要约。而后,被告违反该协议将财产以21万英镑的价格卖给B小姐,原告起诉请求赔偿损失。上诉法院判决被告允诺的对价是原告保证在收到合同之后2周内交换合同。当明确规定买方交换合同的期间时,该协议将阻止"价格谈妥后又抬高价格改售给出高价的人"。该协议还超出了1989年《财产法(杂项规定)》第2条的要求,该法规定"购买房地产的"合同应当是书面的(见下文)。

3.9 使合同失效的因素

如果出现一项或者多项使合同失效的因素,则即使协议具备合同的全部要素,该协议也可能不是有效的,而是无效、可撤销或者不能执行的。使合同失效的因素是:(1)因错误、虚假陈述、胁迫或者不当影响而不存在当事人真实的合意;(2)合同可能是违法的或者是不可能完成的;(3)合同的形式不适当;(4)协议不足够清楚;(5)当事人因是未成年人、法人、敌国侨民、神智不健全者或者酗酒者而没有能力订立合同。无效合同不产生权利义务:合同自始(自开始起)无效。可撤销合同起初有效,但是受损害一方当事人有权选择受合同约束、或者撤销——或废除——合同。不能执行的合同虽然有效,但通常因不具备形式要件而不能通过法院的诉讼得到执行(见下文)。

3.10 普通法规定的有关合同生效的错误

如果合同的要约和承诺受到错误影响,则该合同在普通法上是无效的,其抗辩理由仅限于下列有关合同生效的事实错误:(1)否认订立合同;(2)单方错误;(3)双方错误。

71 否认订立合同（非我所签合同）

如果当事人在签订书面合同时认为该合同是完全不同的文件，则该抗辩适用于该合同。具有代表性的 *Saunders v. Anglian Building Society* 一案对该抗辩的适用作出了下列限制：（1）所签文件与欲签合同存在根本性的差别；（2）签署文件的当事人没有疏忽。在某人签署具有法律意义的空白文件并将其留给其他人完成时，该抗辩的适用也受到上述限制：*UDT Ltd v. Western* 一案。

在 *Lloyds Bank v. Waterhouse* 一案中，一个文盲在未经阅读也未告知银行其不识字的情况下签署一项保证书，而后疏于履行责任。该人信赖银行有关保证书实质内容的陈述，因而能以银行欺诈性虚假陈述为由胜诉（见下文3.12）。

单方错误

指一方当事人误解对方当事人实际的或者推定的意思表示，包括两个方面：对身份的错误和对条款的错误。

对身份的错误

如果合同一方当事人通过伪称自己是其他人已经取得了协议，则该协议的效力依赖于其是否为（1）面对面合同；或者（2）相隔一定距离协商的合同，例如邮寄。

面对面合同 在 *Lewis v. Averay* 一案中，一个骗子伪称他是 Richard Greene（当时著名的电影明星），并说服原告允许其取走一辆其用支票购买的轿车。支票被银行退回，原告试图要求被告返还轿车，而被告是在支票被银行退回之前善意地从那个骗子手中购买这辆汽车的。法院遵循 *Phillips v. Brooks* 一案并区别于 *Ingranm v. Little* 一案，拒绝承认原合同由于错误而无效并且承认了被告对汽车的所有权。在这种情况下，受损一方当事人能够以欺诈性虚假陈述为由撤销合同。这样的好处在于：从通过欺诈获得货物的人处购买货物的无辜第三方，只要是在合同被撤销之前善意获得财产，就能够获得完整的财产所有权。（见第13章）

相隔一定距离的合同 在这种情况下，只要原告说明其他当事人的身份对其至关重要，而且其认为其正在和一个不同的并且真实的人交易，合同就将因错误而失效。*Cundy v. Lindsay* 一案中的原告要求被告返还货物，这些货物是被告从另外一个人手里买到的，而原告基于相信被告是著名的、信誉是好的商人才提供给此人货物。当一个人使用虚构的化名时，该规则不能适用于合同：*King's Norton Metal Co. Ltd v. Edridge, Merrett & Co. Ltd* 一案。

在 *Citibank NA v. Brown Shipley & Co. Ltd* 一案中，一家银行在一项复杂的交易中向另一家银行签发银行汇票，该银行错误地和一个骗子完成交易，其却认为在和另一家银行进行交易。由于法院认为骗子仅仅是一根导管，因此，尽管骗子因其错误的身份不享有权利，但是其错误的身份并不影响两个银行之间合同的成立。

对条款的错误

如果单方错误的两个要素存在，合同将是无效的。*Webster v. Cecil* 一案的被告拒绝了一项对其财产出价 2000 英镑的要约。之后，其写信给原告，愿意以 1250 英镑的价格将其财产卖出。这里明显是将 2250 英镑误写成 1250 英镑，原告注意到这一点并对该要约作出承诺。法院判决合同因错误无效。但 *Higgins (W) Ltd v. Northampton Corporation* 一案中，原告在提交建筑合同的投标时出现计算错误，而被告并不知道这个错误，因此，法院拒绝将该合同视为无效。

双方错误

双方错误有两种不同的类型：双方相互错误和双方共同错误。

双方相互错误

此时双方当事人对合同有关事项都发生错误，例如，在买卖货物的合同中，一方当事人以为其在买这一辆车，而卖方以为自己在卖另一辆车。有时，双方相互错误被称为不一致的双方错误，在法律和事实清楚的案件中导致合同无效。在 *Raffles v. Wichelhaus* 一案中，双方订立购买"无敌号（孟买）"船舶上货物的合同，却有两艘船名相同的船舶在不同时间离开，双方当事人之间对是哪一艘船舶上的货物出现混淆。在 Scriven Bros & Co. v. Hindley & Co. 一案中，当事人对合同标的是亚麻短纤维还是大麻纤维产生误解。

如果有可能客观地规定协议的实质内容，则案件中模棱两可的合同也能够执行。在 Tamplin v. James 一案中，原告将一所公共的房屋和一些土地一并拍卖，这批拍卖物品被详细的说明并展览供人参观。被告买下了一项地产，并错误地认为该地产还包括位于小旅馆后面的一个花园，其拒绝履行合同并主张合同因双方共同错误而不生效，但法院判决：由于被告的错误不存在合理理由，因此原告有权要求被告履行合同。Wood v. Scarth 一案的被告认为其正在通过收取额外费用出租地产的附属建筑，而原告受到被告代理人的误导，认为无需支付额外费用。被告拒绝履行合同义务，法院判决原告获得赔偿损失（原告的前一次要求特定履行行为的诉讼败诉）。

双方共同错误

指双方当事人共同具有相同的错误认识，如买卖戒指合同的买卖双方都错误地认为该戒指是纯金的。有时，双方共同错误被称为一致的双方错误，普通法对其的保护限于：（1）关于合同标的物存在的错误——不存在之标的物；（2）当一方当事人就已为其所有之物订立合同时的错误——己方之物。如果订立合同是为了获得在该合同订立以前即已不复存在之物，则根据1979年《货物买卖法》第6条，该合同最终无效。如果货物在订立合同之后不复存在，则合同有效。

如果错误只与合同标的物的质量有关，则无论该关联多么重要，合同都不能因此无效。因而，双方当事人为一幅画而订立购买合同，当时双方都认为该画是康斯坦布尔的真迹，购画合同不因该错误而无效：Leaf v. International Galleries Ltd 一案。如果当事人在共同认为并不存在财产保全令的情况下为一财产订立合同，则该合同无效: *Amalgamated Investment & Property Co. Ltd v. John Walker & Sons Ltd* 一案。具有代表性的判决是 *Bell v. Lever Bros* 一案的判决，在该案中，双方当事人都认为合同有效，后来才发现完全可以不支付赔偿金就可解除该合同，法院执行了被告为解除服务合同向原告支付赔偿金的协议。但是，在一个拍卖一套"带有查尔斯一世的羽饰品，并且经认证是属于查尔斯一世的财产"的案件中，法院认为由于合同中的错误破坏了合同标的作为文物的状态，因此该合同无效: *Nicholson and Venn v. Smith – Marriot* 一案。

3.11 衡平法规定的有关合同生效的错误

法官可以通过实施其自由裁量权来避免普通法的古板僵硬，例如，将在普通法上有效的合同作为可撤销合同对待。在 *Grist v. Bailey* 一案中，被告同意将其房屋以低价卖给原告，双方都错误地认为这处房屋被一承租人占有，而且该承租人不会搬家。在被告意识到实际情况之后拒绝履行合同。法院驳回了原告要求特定履行合同的请求，但是判决：如果在真实市场价格下被告已给予原告对该房屋的优先购买权，则该合同为可撤销合同。衡平法还允许对一个在普通法上无效的合同进行更正，然后特定履行该更正合同。如果书面合同没有充分体现当事人的共同意图而且在订立合同之前一直保持不变，则可以修正该合同: *Joscelyne v. Nissen* 一案。发生单方错误时可以修正合同。在 *A. Roberts & Co. Ltd v. Leicestershire County Counci* 一案中，原告招标要求工作在 78 个星期内完成，但是由被告制定的合同详细说明时间为 30 个月。这个更改有利于被告。原告签字并没有注意到两个时间的差异。法院裁定更正该合同。

3.12 虚假陈述

陈述是一方当事人与订立合同的另一方当事人在合同磋商期间

对事实的叙述。如果其他当事人是由于陈述的内容才订立合同，而该陈述却不真实，则不论该虚假陈述是欺诈性的、过失的还是善意的，受害当事人都可以试图解除合同和/或获得由此产生的损害赔偿。

必须是对事实的陈述

"陈述"一词不是字面意义上的：手势、点头或者眨眼都能构成对事实的陈述。*Horsfall v. Thomas* 一案的原告交付一把有缺陷的手枪并隐瞒该缺陷。法院判决：只有被告在接受手枪之前对该手枪做了检查，原告才构成虚假陈述。下列情况不构成虚假陈述：（1）对法律的陈述；（2）对意图的陈述；（3）对观点的陈述；（4）纯粹的称颂的赞扬或者销售宣传广告。

对法律的陈述

在 *Solle v. Butcher* 一案中，"公寓在租房限制法范围以外"的陈述是对事实的陈述（外加法律的陈述）。在 *Andre et Cie. S. A. v. Ets. Michel Blanc et fils* 一案中，法院判决对外国法律的虚假陈述是对事实的虚假陈述。

对意图的陈述

如果能够证明陈述者头脑中从来不存在意图，则该陈述可以是对事实的陈述。*Edgington v. Fitzmaurice* 一案的原告主张解除认购公司发行债权的协议。由于其购买这些债券是受到招股说明书中董事希望用这些钱扩大经营的陈述所提供的安全保证的影响，而扩大经营实际上根本不是公司董事的意图，因此原告有权解除合同。

对意见的虚假陈述

如果陈述者并不持有此意见，或者一个通情达理的人不可能在可获得信息的基础上确实持有此意见，则该陈述可以是对事实的陈述。由于没有证据可以证明，因此，代理人陈述的"将财产租赁给一个'我们看来非常适当的承租人'"是一个虚假陈述：*Smith v. Land and House Property Corp* 一案。但在 *Bisset v. Wilkinson* 一案中，原告在谈判期间对出售土地所作的"这块土地能供养2000只绵羊"的陈述不过是对观点的陈述，因而合同不能被解除。

"纯粹的称颂的赞扬"不是对事实的陈述

纯粹的称颂的赞扬是在买卖期间作出的被认为没有法律意义的陈述。如果其中有对事实的陈述就不构成"纯粹的称颂的赞扬"。1979年《房地产经纪人法》在房地产经纪人的房地产细目中对使用这种陈述的频率作出限制。

沉默不是一般意义上的虚假陈述

货物出卖人并没有指出其货物缺陷的一般义务。该规则指购物者自慎，出门不换——"购物者当心"。在下列情况下，货物出卖人有告知义务，并且其沉默或者不完全的告知可以被起诉：（1）沉默能曲解一个积极的陈述；（2）合同要求最大诚信（坦率诚实）；（3）当事人之间存在信誉关系。

沉默曲解积极的陈述

在订立合同之前对事实的陈述必须完整和坦诚，如果遗漏重要细节则构成虚假陈述。在 *Curtis v. Chemical Cleaning & Dyeing Co.* 一案中，当客户把衣服留下干洗时，干洗店要求其在表格上签字，排除干洗店对衣物上的装饰用小珠子和小亮片的损坏赔偿责任，但是，实际上排除的责任更加宽泛。免责条款的范围因已被虚假陈述而不能适用。一旦发现某一陈述不是真实的或者不再是真实的，就应当马上更正作出的陈述。在 *With v. O'Flanagan* 一案中，由于没有向预期购买人更正有关交易的收入的陈述，因此购买人有权解除合同。

合同要求最大诚信（坦率诚实）

合同当事人负有完整并坦诚地告知有关合同的所有重要事实的义务，例如：个人填写人身保险投保单。

当事人之间存在信托关系

特定的信托关系要求当事人在所有交易中负有完全并坦诚的告

知义务。例如：代理人——委托人、董事长——公司、合伙人之间、律师——客户。经理对其雇主负有基于信用的义务。在 *Sybron Corp v. Rochem Ltd* 一案中，经理没有告知其下属违反雇佣合同（将揭露其违约）构成虚假陈述，因而其雇主有权要求经理返还多余支付的工资（见第12章）。

必须诱使当事人订立了合同

如果原告不知道虚假陈述的存在，或者不允许虚假陈述影响其判断，或者已经注意到虚假陈述的不真实，则对该虚假陈述行为免于承担法律责任。但是，如果虚假陈述不是导致当事人签订合同的惟一事由，则合同仍然可以被撤销。在 *Edgington v. Fitzmaurice* 一案中，尽管原告因其错误地认为债权被担保才签订合同，但是其仍然有权解除合同。

没有意识到虚假陈述

原告必定总是试图证明：其主张的虚假陈述影响其决定。在有关 *Northumberland & Durham District Banking Co., ex parte Bigge* 一案中，一股东请求撤销其取得股份的合同，由于其不能证明已阅读过虚假报告，因此，该股东败诉。在 *Horsfall v. Thomas* 一案中，手枪的买方因未对生产商隐瞒的手枪缺陷进行检查而败诉。Denning 勋爵曾经说过，只要一方当事人已经作出陈述/允诺，该方当事人就有义务证明对方当事人没有受到该陈述/允诺的影响：*Brikom Investments Ltd v. Carr* 一案。

虚假陈述不影响判断

在 *Smith v. Chadwick* 一案中，招股说明书错误地陈述将由某议员出任董事，而原告承认其对该议员是谁毫无所知，因此，原告败诉。此外，在 *Attwood v. Small* 一案中，买方请求撤销购买矿山合同，由于该买方信赖其代理人的报告，因此其败诉。

意识到虚假陈述是错误的

如果有明显证据证明原告确实完整地知道真实的情况，则不会发生赔偿。但是，如果一方当事人有机会接触能够证明陈述虚假的材料，而其却信赖虚假陈述，则其主张的赔偿可以得到法院支持。在 Redgrave v. Hurd 一案中，尽管已经被披露向原告提供了假账，但原告仍然能够以有关律师收入的虚假陈述为由解除合同。

虚假陈述的种类及其赔偿

自 1967 年《虚假陈述法》颁布以来，虚假陈述分为欺诈性虚假陈述、疏忽性虚假陈述和完全无意的虚假陈述。这些种类决定了受害方的救济方式。

欺诈性虚假陈述

在 Derry v. Peek 一案中，将虚假陈述定义为"明知、或者对其真实性不信任、或者粗心大意或不顾后果地对其是否真实"的错误陈述。原告负有举证证明陈述虚假的义务。其救济方式为：（1）受害方撤销合同；（2）赔偿欺诈侵权损失。

疏忽性虚假陈述

《虚假陈述法》第 2 条第 1 款规定："如果一方当事人在另一方当事人作出虚假陈述之后订立合同……导致其遭受损失，则作出虚假陈述的当事人应对损失承担责任……如果该方当事人出于欺诈而作出虚假陈述，则除非其能证明有合理理由相信并且直到合同订立之时仍然相信所陈述的事实是真实的，否则其应当承担该责任。"该条款推定所有的虚假陈述都是由于疏忽而作出的，因而作出虚假陈述的当事人必须证明其没有疏忽。其救济方式为：（1）由被误导的一方当事人解除合同；（2）根据 1967 年《虚假陈述法》第 2 条第 1 款赔偿损失。

在 Royscott Trust v. Rogerson 一案中，上诉法院作出判决：由于 1967 年《虚假陈述法》第 2 条第 1 款规定的赔偿损失的法律依据是侵权而非违约，因此，当事人可以间接适用一般原则，以索赔该虚假陈述造成的所有损失（见第 5 章）。除对合同相对性原则加以限制外，该规则排除了控告欺诈性虚假陈述的有利条件，禁止以代理人的虚假陈述为由对合同当事人的代理人提起诉讼。

完全无意的虚假陈述

作出虚假陈述的人负有证明其有合理理由作出该陈述的举证义务。其救济方式为受害人解除合同。但是，法院可以根据 1967 年《虚假陈述法》第 2 条第 2 款——"如果认为这样作是公正的"判决赔偿损失而非解除合同。

虚假陈述和除外条款

如果合同条款排除或者限制（1）作出虚假陈述的一方当事人的责任；或者（2）一方当事人因虚假陈述获得的赔偿，则除非该条款符合 1977 年《不公平合同条款法》和为 1977 年《不公平合同条款法》所取代的 1967 年《虚假陈述法》第 3 条规定的合理要求，否则该条款是无效的。该规则并不影响委托人限制其代理人的其他名义代理权的权利。在 *Overbrooke Estates Ltd v. Glencombe Properties Ltd* 一案中，原告指示拍卖人出售一项财产，并在货物价目表中含有限制拍卖人对财产作出陈述的权利的条款。拍卖人根据被告的询问向被告提供关于财产的信息，之后被告购买该财产。但因拍卖人所提供信息不准确，后来被告拒绝继续进行购买。法院作出如下判决：由于该条款限制了代理人的名义代理权，从而代理人的陈述对原告不具有拘束力，因此支持原告要求特定履行合同的主张。

3.13 胁迫、不正当影响和不合良心的交易

如果基于不适当的压力而订立合同，则该合同当事人可以主张并非真正同意对方的条件。在普通法上，这种抗辩理由被称作"胁迫"，十分严格苛刻，并且绝对、呆板。在衡平法上，这种抗辩理由被称作"不正当影响"，法官可以在其自由裁量权限之内宣告超越普通法规定范围订立的合同无效。相应的衡平救济都涉及不

合良心的交易。受到胁迫或者不正当影响的合同都无效。

胁　　迫

胁迫是任何非法构成"能够使赞同合同的意思无效的一种对意志的威压"的恐吓威胁：*Pao On* v. *Lau Yiu Long* 一案。经济胁迫是在 *Universe Tankships Inc of Monrovia* v. *International Transport Workers Federation* 一案中得到承认的。在该案中，船舶所有人在其船舶被船员占有、存在潜在地破坏经济的结果时，被迫同意一项工资协议。由于 Scarman 勋爵对胁迫所作的定义包含以下两个要素：（1）实际上是对受害者意志上的强制的压力；（2）所施加的压力是违法行为。因此，在该案中，法院认定船员所施加的压力因反抗罢工时的纠察队而违法。与此相类似，在 *Dimskal Shipping Co. SA* v. *International Transport Workers Federation*（*The Evia Luck*）一案中，被告的代理人登船告知船长和船舶所有人：除非原告和被告订立不继续装货的特定协议，否则船舶将被工会行动加以抵制。原告在压力下签署协议，然后请求宣告该协议无效。由于英国法是合同的适用法律，因此，该协议可以被废止，而上议院判决"被告的行为在瑞典是合法的"这一事实并无影响。在 *CTN Cash and Carry Ltd* v. *Gallaher Ltd* 一案中，被告向原告公司提供香烟并且指定其对撤销权享有绝对决定权的信用凭证。被告将货物交付到错误的仓库，在其能够将货物转运到正确的地点之前，货物被盗窃。原告在被威胁将撤销信用凭证的情况下最终为交付货物支付货款。原告请求返还付款，并声称遭到经济胁迫。上诉法院驳回原告的起诉，判决：尽管胁迫履行法律许可的行为和要求付款可能实际上是经济胁迫，但如果作出胁迫的一方当事人善意地相信其要求有效，则在这种公平的商业交易中将很难支持返还付款的请求。任何对"法律许可的行为的胁迫"的扩大都将在商业交易过程中引入不受欢迎的不确定性。当善意当事人确认该合同时，即失去了其解除合同的权利：*North Ocean Shipping Co.* v. *Hyundai Construction*

Co. 一案。

不正当影响

原告必须证明其受制于不正当影响的约束，该影响排除其自由的意思表示。因此，在合同缔约方、配偶或者近亲属的胁迫之下订立的合同是可以撤销的：*Kaufman v. Gerson* 一案和 *Williams v. Bayley* 一案。如果在合同当事人之间，一方当事人处于统治地位，则即使没有不正当影响的证据也可以宣告合同无效。在此种情况下，除非占统治地位的一方当事人能证明另一方当事人在缔结合同之前，独立地、不受约束地并且充分地接受劝告，否则推定为存在不正当影响。此类当事人之间的关系包括：（1）父母和孩子——*Lancashire Loans Ltd v. Black* 一案；（2）律师和客户——*Wright v. Carter* 一案；（3）宗教领袖和信徒——*Allcard v. Skinner* 一案。其他还包括医生和病人、保管人和受益人以及所有信托和信用关系。

该规则从 *Allcard v. Skinner* 一案发展而来。在该案中，原告是该修道院的成员（修道院的规则禁止其未经女修道院院长的同意听取外界的信息），其仅在女修道院院长的指点下向修道院慷慨捐赠财产。尽管法院裁决女院长没有对原告施加人身压力，也没有不公正地利用其弱点趁机占有其财产，对原告向修道院捐献财产的惟一解释就是原告自愿服从于忍受贫穷的誓言，但法院仍判决原告是在不能抵制的压力下作出捐献的。

Denning 勋爵在 *Lloyds Bank Ltd v. Bundy* 一案中作出判决：只要当事人之间存在不平等的交易地位就推定产生不正当影响，但这一判决被上议院对 *National Westminster Bank plc v. Morgan* 一案所作的判决推翻。在此案中，被告是一个处于经济困境中的商人，正在计划以家庭共同所有的财产作抵押来重新筹措资金，其劝说银行经理到其家向其妻子保证（错误地）抵押不包括其商业债务。其妻子没有获得独立的法律建议就办手续使抵押生效。丈夫去世，没有欠下任何商业债务，所以实际上妻子没有遭受因银行经理的误导而引发的损失。因此，被告家拖欠房租，银行取得财产所有权转让证书。Scarman 勋爵认为：考虑到 *Lloyds Bank Ltd v. Bundy* 一案当事人之间的特殊关系，该案判决也无可非议，但是本案不存在这种关系。在本案中，Scarman 勋爵判决交易提供给双方当事人"合理平等的利益"。因此，Scarman 勋爵指出：*Allcard v. Skinner* 一案仅仅有关捐赠，而在商业交易中仅当交易对主张合同无效的一方当事人不利时才作出不正当影响的推定。关于不正当影响和抵押的详细讨论请见第 10.2 节中"抵押和同意的真实性"。

不合良心的交易

如果一方当事人因贫困或者不懂法律而急需获得保护，或者其财产受到不公平处分，则该当事人都可以宣布交易无效。因此，当一穷人以 200 英镑的价格卖出其享有的实际价值为 1700 英镑的财产份额时，合同被宣告无效：*Evans v. Llewellin* 一案。在 *Watkin v. Watson - Smith* 一案中，被告是一位身体虚弱的 80 岁老人，其同意以 2950 英镑的价格出售其实际价值为 29500 英镑的平房，因而其获得差额的补偿救济。

3.14 公共政策和违法行为

根据普通法或者制定法，如果合同的条款、目的或者履行违背公共政策，则合同可能无效或者违法并无效。该规则主要体现在普通法中。合同可能因在一定程度上违反道德和良知而违法（并无效），也可能因其履行将对社会和经济有害而无效。

违法合同

根据普通法，如果合同条款或者任何一方当事人的缔约目的涉及下列犯罪行为之一，则合同违法。例如，*Dann v. Curzon* 一案的原告通过引发一场骚乱来推销戏剧。从事民事不当行为的合同包括：（1）促成违反合同的协议；（2）主债务人和债权人之间侵犯保证人利益的合同（保证合同中发生）；（3）代理人受贿情况下的合同。

81 **不道德的合同**

历史上,惟一因违反公共政策而无效的不道德合同是关于妨害风化和不道德的出版物。但是,最近这一领域的法律发生很大改变。尽管在 Benyon v. Nettleford 一案中,一男人宣称一女人是其情妇的协议违法,但是现在未婚者之间订立的关于他们财产分配权利的协议非常普遍。妓女不能执行付款的合同,以及,故意订立的妓女勾引客人的合同已经被判决无效。在 Pearce v. Brooks 一案中,原告不能在明知被告希望利用其服务拉客时,向被告提供租用马车服务。关于不道德的出版物,惯例上不可强制执行的合同涉及亵渎神明、煽动叛变和下流猥亵的出版物。但在 Armhouse Lee Ltd v. Chappell 一案中,上诉法院允许原告要求被告支付在介绍两性电话专线和两性约会内容的杂志上刊登广告的费用。上诉法院陈述道:"个别的法官把其自身的道德取向施加于行使司法权……是不合适的"。即除非这种不道德构成犯罪,否则两性之间的不道德合同是可以执行的。

与敌国侨民或者住在敌国领土的本国人订立的合同

(见第 3.16 节)。

友国法律规定为违法的合同

违反美国禁酒令,向美国进口酒精饮料的合伙协议无效:Foster v. Driscoll 一案。与此相同,一项协议因违反印度有关禁止同南非进行贸易的法律而无效: Regazzioni v. K. C. Sethia (1944) Ltd 一案。

妨害司法管理的合同

禁止当事人基于公共利益进行检举控诉的合同违法,John v. Mendoza 一案判决废除破产法的合同违法。此外,一人煽动另外一人提起民事诉讼并承诺向诉讼方提供非法资助,如果其意图获得诉讼收益的一部分,则其进一步构成助讼图利罪。这两人不仅构成侵权或犯罪，而且合同也不能被执行。

任职内有腐败倾向的合同

此类合同涉及政府办公购买的合同和争取获得权利的合同。在 *Parkinson v. College of Ambulance Ltd and Harrison* 一案中，被告 Harrison 向原告允诺向救护队作出捐赠，妄想能通过贿赂救护队使其获得爵士身份。在未能获得爵士身份后，原告起诉要求返还他的捐赠，但最终没有成功。

骗取国家和地区税收的合同

Napier v. National Business Agency 一案和 *Alexander v. Rayson* 一案。

违法的影响

这将取决于是否：（1）合同的构成违法；或者（2）受一方或者双方当事人道德上的意图所影响。如果违法出现在合同事实中，则合同完全无效，任何一方当事人都不能根据该合同获得利益，并且都不能要求返还根据该合同已经转让的金钱或者财产，但有以下三个例外。

第一，让与人能够不依赖于该违法合同来证明一项权利或者利益。在 *Bowmakers Ltd v. Barnet Instruments Ltd* 一案中，原告根据分期付款买卖合同已从被告处获得仪器设备，并在付款之前盗窃这套设备，从而构成对他人财产非法挪用的侵权行为。原告对赔偿损失进行的诉讼答辩理由是：被告获得该设备的合同是违法的，因此被告不能获得赔偿。法院判决：由于被告的诉讼权利完全独立于非法买卖，因此，被告可以获得赔偿。

在 *Tinsley v. Milligan* 一案中，原告和被告为购买房屋共同出资，该房屋置于原告名下使得被告可以向卫生和社会事务部提出欺诈性的索赔请求。后来当事人闹翻、解散关系，被告索赔房屋的部分份额。由于被告的索赔权利源于其购买该房屋时的部分出资而并非依赖于对违法合同的信任，因此，上议院支持被告的权利主张。

法院判决应当是原告提起对非法协议的诉讼反驳被告的索赔请求。

在 Skilton v. Sullivan 一案中，双方订立合同，原告出售鲤鱼给被告，被告支付押金。原告所开的发票上将鱼写为鲑鱼，而鲑鱼是无需增值税的。原告有权请求赔偿该项收支差额：尽管其在实现合同时实施违法行为，但是合同本身并非违法而且其并非基于其违法行为进行索赔。

第二，当事人并非同等犯罪，罪轻一方可以请求赔偿财产或者金钱。在 Hughes v. Liverpool Victoria Legal Friendly Society 一案中，被告的代理人使原告相信其有权订立某些特定人的人身保险合同，但实际上并非如此。保险单因此违法并无效。但是，由于该代理人和原告不具有相同过错（同等罪行），因此，原告获得已支付款项的赔偿。

第三，当事人在履行合同之前自愿反悔。在 Bigos v. Boustead 一案中，原告协议用意大利货币向被告的正在意大利的妻子和女儿支付 150 英镑，被告再用英国货币在英格兰向其偿还（从而规避兑换管理规则）。被告将其股份证书存放在原告处作为保证。因原告没有履行协议，被告请求返还其股份证书。法院认为被告没有真正地反悔其行为，因而驳回其请求。

当事人之间的附属合同也可以无效：Fisher v. Bridges 一案；与第三方共同签订的合同也可能无效：Spector v. Ageda 一案。因此，如果贷方知道贷款将用于履行一个违法合同，则该贷款违法，例如为偿还另外一个违法贷款进行的贷款。

如果违法性不体现在合同条款中，则订立合同时具有不正当意图或不当认识的当事人不能取得合同规定的权利，同时，没有上述第一个或者第三个例外也不能要求返还已经转让的财产和金钱。在 Cowan v. Milbourn 一案中，原告租用一个礼堂宣讲亵渎神明的讲座，但被拒绝占用礼堂，原告提起主张占用礼堂的诉讼。由于合同目的违法，因此，原告败诉。在 Ashmore, Benson, Pease & Co. Ltd

v. A. W. Dawson Ltd 一案中,被告运输公司同意通过公路为原告运输设备。被告的卡车超载,被原告的运输经理看到。其中一辆卡车翻车,原告提起赔偿损失的诉讼。由于该违法合同的履行被原告的受雇人知悉,因此原告败诉。

善意的当事人可以:(1)根据准合同要求支付基于合同已经从事的工作或者提供的货物的价款(按照服务计酬/按值付价);(2)由于不具有相同过错要求返还金钱或者财产;(3)起诉赔偿违约损失。因此,在 Clay v. Yates 一案中,发现书中带有诽谤性的陈述时就停止印刷工作,此种情况下,原告可以重新获得为被告印刷一本书的费用。附属合同将不必然受到影响。

因公共政策无效的合同

这类合同最典型的例子就是剥夺法院裁判权的合同和限制贸易的合同。

剥夺法院裁判权的合同

剥夺合同一方或者双方当事人诉讼权利的合同违法。这包括丈夫和妻子离婚之前订立的关于婚姻财产分配内容但未经法院认可的协议:Sutton v. Sutton 一案。(法学会于 1991 年 5 月发表了支持婚前协议的声明。)合同可以合法地包含将当事人之间争议提交仲裁的条款:Scott v. Avery 一案(见第 2 章)。

限制贸易的合同

限制某人从事贸易、商务或者职业自由的合同仅在该限制是合理的情况下才具有拘束力。合理限制包括:(1)受雇人接受的限制;(2)商业卖方接受的限制;(3)在生产商、贸易商和批发商之间的限制(见第 17 章)。

受雇人接受的限制 服务合同可以限制受雇人解除受雇关系后从事工作或者交易的自由。除非雇主享有需要保护的所有权利益,如商业秘密或者商业关系(善意的),否则该限制将是不能接受的。关于商业秘密,雇主必须证明受雇人已经获得秘密方法的实质性内容或者生产模式。但是，雇主无权保护商业经营所采用的机构组织方法，如果受雇人仅知道一部分秘密，则雇主不能以此为由限制受雇人。限制性条款必须足够宽泛，以确保保护受雇人。在 Commercial Plastics Ltd v. Vincent 一案中，被告被原告雇佣，配合研究开发胶带的生产。被告的劳动服务合同规定其将不得"在与原告解除雇佣关系后一年内，与原告在聚氯乙烯混炼橡胶领域内的竞争者建立劳务关系"。既然该技术在全世界范围内适用，并在整个聚氯乙烯混炼橡胶领域内而非仅在胶带条生产方面应用，那么，该限制性规定就比合理必要保护原告商业秘密的范围宽泛得多，因此，该限制无效。

如果前任雇员将顾客带走，则雇主可以保护自己不受到此损失，但这仅是针对那些"不仅获得客户信息，而且还将额外获得对他们的影响"的前任雇员（Herbert Morris Ltd v. Saxelby 一案）。对下列雇员的限制已经得到支持——律师的办事员: Fitch v. Dewse 一案；裁缝的裁剪工: Nicoll v. Beere 一案；送奶工人: Home Counties Dairies Ltd v. Skilton 一案；财产代理人的办事员: Scorer v. Seymour Jones 一案。如果合同条款超越雇主商业关系的有效保护，则除非法院准备删除该条款中的不合法部分，否则该条款无效: Fitch v. Dewse 一案。在 Home Counties Dairies v. Skilton 一案中，限制条款禁止被告出售牛奶和乳制品。法院删除了条款中"其以前从来未曾卖过的乳制品"这一部分，并执行该条款的其他部分。在 Atwood v. Lamont 一案中，被告作为原告的剪裁工和原告在基德明斯特镇商店的成衣部负责人。其合同限制受雇人与周围十英里内的"裁缝、制作女服或童装的裁缝、普通布料商、女帽制造及贩卖商、帽子制造商、男子服饰经销商以及男士、女士和儿童的运动用品商"进行交易。由于该规定已经构成单独的协议，因此，法院拒绝删除违法的部分并执行有效的限制。在所有案件中，只有当限制的期间和地区为合理时，合同条款才合理。而且，保护已经延伸适用于间接限制。在 *Bull v. Pitney – Bowes Ltd* 一案中，雇主与受雇人共同出资的退休金方案规定那些从事与雇主竞争或者对雇主利益有害的活动或者兼职的受雇人丧失获得退休养老金的权利，该条款被判决无效。

在 *Rock Refrigeration Ltd v. Jones* 一案中，被告的交易限制条款将在"无论如何发生"或者"无论如何引起"雇佣合同终止后生效。被告与原告的竞争者签署合同并接受工作。由于在这种情况下受雇人被免除债务，并且在合同有效的相反情况下合同也不能被执行，因此，上诉法院支持原告的上诉而不同意一审判决（原审判决：由于该条款在雇主否认合同效力后仍然适用，所以该条款不合理并无效）。

商业卖方所接受的限制　如果商业卖方已经收到带有商业信用的付款，则惟一合理的要求就是其在以后的商业经营行为中必须接受某种限制。但是必须——（1）订约人与受约人进行真正的商业买卖：*Vancouver Malt & Sake Brewing Co. Ltd v. Vancouver Breweries Ltd* 一案；（2）保护仅限于订约人进行的真实的商业出售行为：*British Concrete Co. Ltd v. Schelff* 一案。限制不得比对买方获得的该所有权利益的适当必要保护更为宽泛，限制期间和限制区域也应在相应范围之内。

限制可以延伸到订约人的一生：*Elves v. Cofts* 一案，限制区域可以扩展到整个英联邦：*Leather Cloth Co. v. Lorsont* 一案，限制区域甚至可以扩展到整个世界：*Nordenfeldt v. Maxim Nordenfeldt Guns & Ammuniton Co.* 一案。由于商业卖方和买方之间存在更平等的议价实力，从而订约人能了解其商业关系的价值，因此，法院一般更倾向于接受商业卖方和买方之间的限制规定。限制也可以适用于欧洲共同体竞争法（见第 17 章）。

86　**射倖合同**

射倖合同发生在对过去或者将来事件的结果没有特定利益的双方当事人之间。如果一方当事人不能赢或者不能输，就不能构成射倖合同；赛马赌博不是射倖合同。1845 年《赌博法》第 18 条规定："无论口头还是书面订立的赌博或者打赌的所有合同都是无效的"。任何一方当事人都可以根据射倖合同请求赔偿，但已经支付的金钱和已经转移的财产不能返还。

如果当事人订立合同的意图是返还输掉的钱，则无论是否存在一个新对价，规定返还输钱的新合同都不能被执行。在 *Hill v. William Hill (Park Lane) Ltd* 一案中，塔特萨尔委员会裁决原告应当通过定期付款向被告偿还欠款。由于该付款属于 1845 年《赌博法》第 18 条规定的"所谓的通过赌博赢得的……钱"，因此，法院驳回被告根据该协议返还欠款的请求。父亲签订的偿还其儿子欠职业赛马人的欠款的协议也被视为违反 1845 年《赌博法》第 18 条：*Coral v. Kleyman* 一案。

射倖合同必须区别于赌博合同，后者受《1960 年打赌和赌博法》和《1968 年赌博法》调整。违反这些法案进行赌博是违法行为。

无效合同的后果

只要与公共政策的规则相冲突的合同都是无效合同；已经支付的金钱和转让的财产都不能返还。根据分割原则，法院可以执行协议中有效的部分。在 *Goodinson v. Goodinson* 一案中，丈夫和妻子签订协议，规定丈夫应当向妻子每周支付零花钱，其中一个对价因素是妻子不得"对丈夫提起或者进行婚姻诉讼"。法院将这一部分从协议分离出去并执行了协议的其他部分。

3.15　**缺乏形式的合同**

特定的合同必须有特殊的形式，当这些形式不符合合同规定时合同不能被执行。

通过行为作出的合同

租期在 3 年以上的租赁合同应当通过实际行为作出。如果租赁的形式不正式，则可以承认当事人之间地位平等。由于平等的租赁可以通过登记保护，因此，对承租人而言，合同缺乏行为要件的实际后果并不严重。

书面合同

下列合同必须是书面形式：（1）支票、汇票和本票；（2）海上保险合同；（3）已逾失效期而免除债务的确认书；（4）1974 年《消费者信贷法》规定的消费信贷业务；（5）买卖土地的合同：1974 年《财产（杂项规定）法》第 2 条。选择购买土地的权利是根据 1989 年《财产（杂项规定）法》第 2 条进行的土地买卖：*Spiro v. Glencrown Properties Ltd* 一案。

必须由书面买卖协议书证明的合同

在这种情况下，执行合同之前必须具备书面要素：1677 年《禁止欺诈法》。仅仅要求在提起诉讼之前就存在可以是任何形式的买卖协议书，包括当事人之间的书信往来。具体条件如下：（1）买卖协议书必须包括当事人的姓名或者充分的说明；（2）必须在合同重要条款中详细描述合同标的物的特征以备鉴别；（3）必须有对价，但根据 1856 年《商法修正案》第 3 条不要求对价则必须在合同中阐明；（4）必须包括变更的当事人或者其代理人的签字（可以是印刷的、打印的、盖章、缩写签名或者可以辨别的标志）。

在 *Elpis Maritime Co. Ltd* v. *Marti Chartering Co. Inc.*（*The Maria D*）一案中，上议院认为 1677 年《禁止欺诈法》第 4 条的规定可通过下列方式之一执行保证合同：（1）保证人签字的书面协议；（2）协议的备忘录，此时可以作口头保证。法院判决：主租船合同第 24 条已经由被告在规定该条款的那一页签字，是 1677 年

《禁止欺诈法》第 4 条规定的"适当的备忘录"。

关于 A Debtor (No. 517 of 1991)(《泰晤士报》,1991 年 11 月 25 日)一案,联营公司 IHL 已经出面保证债务人履行金钱债务,但债务人声称他已经和债权人公司的代表订立口头协议,约定其通过另一公司支付给 IHL 公司的预付款应当计算在用于折减和抵消保证合同的费用之内。法院判决:尽管有 1677 年《禁止欺诈法》第 4 条的规定,但是,即使没有书面买卖协议就没有提起诉讼的理由,也可以在抗辩中援用改变保证合同履行方式的协议。

3.16 缔约能力

有关法人、未成年人、神智不健全者、酗酒者和敌国侨民的缔约能力存在特殊规则。

法 人

法人的缔约能力取决于法人的组成方式。特许法人是经过皇室特许创立的,法律对其缔约能力没有限制,但是如果其行为超越特许权赋予的权限,则其可能失去特权。法定法人的权利被限制在规定其创设的法律所许可的范围之内,超越权限的合同是越权,并且无效。(关于登记法人,见第 8 章。)

未成年人

未成年人是年龄在 18 岁以下的人(1969 年《家庭法改革法案》第 1 条)。该法律已经 1987 年《未成年人合同法》加以完善。未成年人合同相应分为有效合同、可撤销合同和不可强制执行的合同。

有效合同

未成年人订立的有效合同有两种:为其和家人订立的已经履行的涉及生活必需品的合同,以及受益的劳务合同。

关于生活必需品的已履行合同 必需品是狭义的必需品,不包括纯粹的奢侈品或者服务,但是可能包括适于未成年人身份地位的奢侈品用具。如果货物适于未成年人生活的状况，或者在购买和送货之时适于未成年人的实际需要，则该货物是必需品：1979年《货物买卖法》第3条。在 Nash v. Inman 一案中，法院判决价格高昂的马甲可以成为必需品，但是，因为未成年人已有足够穿的衣服，所以实际上该马甲并不是必需品。

只有在运送货物和提供服务之后才能产生付款义务，而在此之前，未成年人有权拒绝承认和清偿债务。1979年《货物买卖法》第3条规定了根据公平的合同仅支付货物合理价格的义务。因此，规定赔偿汽车损失的义务而不考虑过错的汽车租用合同是不可执行的：Fawcett v. Smethurst 一案。

受益的劳务合同　这类合同涉及雇佣合同、学徒和培训以及其他类似合同。此类合同应当有益于未成年人，但如果总体上有益于未成年人，则即使存在不利条款也应执行此类合同。在 Clements v. L. & N. W. Ry Co. 一案中，即使劳务合同强迫未成年人放弃法定的获得工伤赔偿的权利，而参加雇主提供的利益更小的保险赔偿方案，合同也能得到执行。

允许未成年人赚钱的合同等同于劳务合同。在 Doyle v. White City Stadium Ltd 一案中，法院执行了未成年人从事职业拳击的合同；在 Chaplin v. Leslie Frewin (Publishers) Ltd 一案中，法院执行了撰写未成年人自传的合同；在 Denmark Productions Ltd v. Boscobel Productions Ltd 一案中，法院执行了未成年人任命经理管理其事务的合同。即使合同将来生效也产生合同义务，因此，未成年人因否认与台球运动员共同环球旅行的协议而承担违约赔偿责任：Roberts v. Gray 一案。

可撤销合同

除非未成年人在未成年人期间或者成年后合理期间内撤销合同，否则诸如购买股票、参加合伙、进行租赁等获得永久利益的合同是有效的。如果合同被否认，未成年人将不再承担今后的责任，但是，除非完全不存在对价，否则不能返还已经支付的金钱。在 *Steinberg v. Scala（Leeds）Ltd* 一案中，原告在被告公司购买部分付款的股票，后来撤销合同。尽管原告对被告将来的赔偿请求不负责任，但是，因为公司股份的分配构成对价，所以其不能要求返还已经支付的金钱。按照合伙协议付款的未成年人在合伙不存在时可得到返还付款：*Corpe v. Overton* 一案。对于尚未付款的租赁合同，未成年人是否负有在该合同解除之前的一段期间交付租金的义务，相关判决存在冲突，从理论上说，未成年人不应当承担该项义务。

不可强制执行的合同

根据1987年《未成年人合同法》，借出非必需品的合同和账目陈述单据［例如 IOU（我欠你）签名账单］是未成年人可以执行的，但是不能对未成年人执行。未成年人一旦成为成年人，即可以认可以前不可执行的协议或者在同样条款的基础上签订新的可执行协议。法案通过 *Coutts & Co. v. Browne - Lecky* 一案废除以前的规则，即成年人为未成年人借贷行为提供的保证合同无效：第2条（见第10章）。

根据合同或者根据1987年《未成年人合同法》第3条规定的"任何等同财产"，其他当事人可以为未成年人获得财产提供保证。当其已经替换或者出售原始货物时，该保证将扩展到赔偿给对方其所拥有的货物或者金钱。

不得通过侵权诉讼间接执行合同。在 *R Leslie Ltd v. Sheill* 一案中，未成年人已通过欺诈性地假扮为成年人获得银行存款，受害人不能以诈骗为由起诉要求该未成年人赔偿损失。与此相同，不得因合同中规定的错误行为而以侵权为由起诉一个未成年人。在 *Jennings v. Rundall* 一案中，租马合同特别规定给马匹解缰绳时应当小心。未成年人对因给马匹解缰绳太快而造成的伤害不承担侵权责任。但是，在 *Burnard v. Haggis* 一案中，由于合同不允许马匹进行跳跃，因此，未成年人对其试图骑马跳跃栅栏时马匹的死亡承担赔偿责任。

神智不健全者和酗酒者订立的合同

如果神智不健全者和酗酒者能够证明订立合同之时，其神智不健全或者正在醉酒而且对方当事人知道这些情况，则其可以撤销合同。该问题在 *Hart v. O'Connor* 一案中受到争议。其必须为已经出售并送货的必需品支付合理价格：1979 年《货物买卖法》第 3 条。

敌国外侨订立的合同

在战争期间，敌国外侨不得与英国国民订立合同，并且不得实现既存合同规定的权利。但是，如果被起诉，则其可以作抗辩。英国公民可以通过选择住在敌国领土而成为敌国外侨。英国的注册公司可以以其控股股东的国籍国为母国：*Daimler Co. Ltd v. Continental Tyre and Rubber Co. (Great Britain) Ltd* 一案（见第 6 章）。

3.17 合同的条款

条款是合同所作出的保证，但是，在条款和陈述之间可能发生混淆。在 *Oscar Chess Ltd v. Williams* 一案中，被告卖给原告一辆二手车，错误地将其描述为 1948 年车型。这被判决为无意的虚假陈述；根据 1979 年《货物买卖法》第 13 条和后来的 1983 年《货物买卖法》，这不是违法的条件条款（见第 13 章）。

条款既可以是明示的，也可以是默示的；还可进一步分为条件条款和保证条款。明示条款由当事人详细表述在合同中，而默示条款表现为惯例、法院和法律。条件条款是最基本的条款，违法条件条款赋予受害方当事人撤销合同并诉请赔偿损失的权利。保证条款是重要性稍弱的条款，违法保证条款仅允许受害方起诉请求赔偿损失。

3.18 法院默示的条款

特定种类的合同，包括租用财产的合同和服务合同（见第12章），经常包含司法默示条款。此外，法院为了执行当事人的推定意图并赋予合同"商业功效"，可以暗指合同包含某些条款。该规则最先见于 The Moorcock (1889) 一案。在该案中，双方当事人订立卸货期间在码头旁边系泊轮船的合同，尽管双方当事人都意识到在低潮时船将被搁浅在河床上，但是，合同中没有条款保证河床的适宜性。船舶损坏后，法院判决码头所有人对违反保证河床安全的默示条款承担责任。在 McRae v. Commonwealth Disposals Commission 一案中，原告为救助一艘沉船订立合同，但后来发现在那个位置并没有船舶残骸。于是以"对方当事人违反合同中关于某个位置有船舶残骸的默示条款"为由提出违约赔偿请求，该请求得到法院支持。

将条款规定在合同中必须是双方当事人的意思表示，而非单方当事人的意思表示。在 K.C. Sethia (1944) Ltd v. Partabmull Rameshwar 一案中，因政府限制出口配额，当事人只交付了供应黄麻合同总额的三分之一。在违约之诉的抗辩中，供应商主张"受配额限制"一词应当包含在合同中。由于买方不能够知悉供应商受到配额限制，因此，法院驳回了供应商的该抗辩理由。在 Ali v. Christian Salvesen Food Services Ltd 一案中，上诉法院判决：如果经过谨慎协商的集体协议遗漏某一问题没有规定，则习惯上推定为故意未规定该问题，而并非因疏忽而遗漏。

3.19 法律默示的条款

为保证在最小程度上保护其中一方合同当事人，立法经常默认合同具有某些条款，包括受雇人（见第12章）和消费者（见第13章）。

3.20 条件条款和保证条款的条款分类

法院的职责是分别按照当事人订立合同时可能的意图和违约的严重程度（这种方法用于不适于严格分类的条款）这两种方法对合同条款进行分类。

按照当事人订立合同时可能的意图进行的分类

这是一个比较常用的方法。法院分析解释相关合同条款并断定其是条件条款还是保证条款。法院并不受限于合同对条款作出的界定。在 *L. Schuler A. G. v. Wickman Machine Tool Sales Ltd* 一案中，关于所违反的代理协议中规定的"被告保证销售商代表每周调查6个主要发动机生产厂"这一条款，尽管合同将其规定为条件条款，但是法院将其视为保证条款。在 *Bettini v. Gye* 一案中，原告签订演唱合同，并同意于正式演出开始之前6天在伦敦进行排练。原告因生病而错过前4天，被告因此解除合同。法院判决原告违反的条款不是条件条款，因此，被告应为其错误解除合同承担责任。但是，在 *Poussard v. Spiers & Pond* 一案中，原告是一个歌剧演唱者，其错过最后一次排练和为期3个月演出的前四天。当其提出参加第5天晚上的演出时被拒绝了。法院判决：由于原告违反条件条款，因此被告有权解除合同。当相继协商几个合同时，整个合同链中条款必须具有完全相同的含义：*Richco International Ltd v. Bunge and Co. Ltd* 一案。

按照违约的严重性进行的分类

在 *Hong Kong Fir Shipping Co. Ltd v. Kawasaki Kisen Kaisha Ltd* 一案中，上诉法院指出：有些条款过于复杂，不能用传统的方法对其进行分类。正被讨论的条款有关"适航"义务，Upjohn 大法官认为该条款有关多种保障，其中有一些是重要的，而有一些则微不足道："如果木制船的船骨少了一个钉子，或者如果开航时船上没有适当的医疗用品，就认为船舶所有人违反适航规定。对该条款进行的推定和常识相反，在这种情况下，当事人希望船舶承租人有权因此轻微违约以终止合同。"

这种条款被称为无名条款或者中间条款，将按照违约严重程度分类。在 Hong Kong Fir Shipping 一案中，法院判决：不能因为在整个租期为两年的租船合同中船舶有 20 周不适航，船舶承租人就以违反条件条款为由撤销合同。该方法遭到批评，法院一般拒绝将标准延伸至那些违反规定船舶预备装货时间或者要求装货通知期间的条款。因此，在 Mihalis Angelos [1971] 一案中，租船合同中规定船舶"有待于 1965 年 7 月 1 日为履行本次租船合同预备装货"的条款，从严格意义上被判决为条件条款。在 Bunge Corp., N. York v. Tradax Export S. A. Panama 一案中，合同要求"至少提前 15 个连续日前通知船舶预备开航"，案中 6 月 17 日给出通知，但由于合同要求 6 月底以前船舶开航，所以该违反条件条款行为赋予受害方撤销合同的权利。

规定履行或者交付时间的条款一般被视为条件条款，但有关付款时间的条款只能被视为保证条款。Union Eagle Ltd v. Golden Achievement Ltd 一案涉及一个明确规定完成交易时间的土地买卖合同，经理在 5 点——最终期限之后 10 分钟送交有关交易完成的文件。因违反合同规定的时间，买方的定金作为规定的违约赔偿金而被没收。枢密院司法委员会判决：法院不能为不遵循有关时间的重要条件条款规定公平的救济方式而介入当事人之间。即：在该案中，履行时间一经过去，买方就没有可能再履行合同。

放弃违反条件的损失索赔

违反条件条款经常可以被视为违反保证条款，但是只要作出合理通知，以前曾经放弃的违约赔偿请求就不能禁止该条款随后被一方当事人再次作为条件引入合同。在 Charles Rickards Ltd v. Oppenheim 一案中，被告定购一辆劳斯莱斯底盘的汽车，要求在特定时间内建造完成。其数次放弃向对方提出未按时交货的索赔，但送达一份通知,如果对方于四周内不交货其就拒绝收货。法院支持被告的请求。有关放弃向违反货物买卖合同的对方当事人提出违约索赔,见第13章。

先决条件和后续条件

合同中的条件条款不同于合同有赖于存在的条件。因此,受到先决条件约束的合同除非满足该先决条件,否则合同不生效:*Aberfoyle Plantations Ltd v. Cheng* 一案;如果合同包含后续条件,则该合同可以终止:*Head v. Tattersall* 一案。

3.21 除外条款和免责条款

合同通常包含排除一方当事人全部或部分违约责任或者根据合同产生的侵权责任的条款。这些条款由普通法和1977年《不公平合同条款法》规定,实际上表明在不平等情况下对消费者适用该条款不合法。

普通法针对除外条款的保护

普通法从以下三个层次排除除外责任:(1)否认除外条款规定在合同中;(2)通过解释合同限制除外条款的范围;(3)通过合同相对性原则限制除外条款的范围。

否认除外条款规定在合同中

条款必须包含在合同性文件中,而不能只包含在收据中。在 *Chapelton v. Barry UDC* 一案中,除外条款没有通过租用轻便折叠椅时开列的票据上的条款并入到合同中。如果除外条款在合同性文件中,则合同是否经过签字至关重要。如果合同经过签字,并且没有欺诈或虚假陈述,则签字方当事人一般将不得否认该条款或者合同的一部分:*Curtis v. Chemical Cleaning & Dyeing Co.* 一案。

如果除外条款规定在未经签字的合同中或者便条形式的合同中,则只有当当事人在合同订立之前或者订立之时已经实际或者推定注意到该条款的情况下,该条款才能并入合同中。如果需要得到保护的当事人特别显示在合同中订立重要条款的地方，则产生推定注意。法院并不经常适用推定注意。在 McCutcheon v. David MacBrayne Ltd 一案中，尽管在被告的办公室曾经展示过除外条款，但当运送汽车的工具沉没时，被告没有免除对原告汽车灭失的赔偿责任。由于汽车登记时开出提请注意的收条是在合同订立之后发生的，因此，原告和被告都不能受到该除外条款的保护。

在 Olley v. Marlborough Court Ltd 一案中，原告预定一家酒店的房间，后来放在原告房间内的物品被盗。酒店主张受客房内展示的告示免责内容的保护。由于合同在原告进入其房间之前就已经订立，因此，法院判决酒店不能受到该免责条款的保护。与此相同，由于只有已经订立合同的驾驶员驾车通过栏板时才能看到排除停车场主对使用者的赔偿责任的告示，因此，该排除告示不是合同的一部分: Thornton v. Shoe Lane Parking Ltd 一案。在 Dillon v. Baltic Shipping Co. (The 'Mikhail Lermontov') 一案中，由于船票是在公司合同已经成立之后才发出的，因此，法院判决原告不能受到包含在乘船游览票中的、限制其在班轮上发生的人身伤亡责任的除外条款的约束。如果过去的完整交易流程中一直使用除外条款，则即使在某一特定交易中该条款的告知存在缺陷，该条款仍然可以并入合同。在 J. Spurling Ltd v. Bradshaw 一案中，虽然包含在发票中的实际告知因太迟而无效，但两个公司之间长期以来的交易经常是在除外合同责任的基础上进行的，因此，原告能够依赖于除外条款获得由其储存的货物遭受的损失赔偿。一方当事人如果不连续使用除外责任则不能胜诉。在 McCutcheon 一案中，被告因未能有规律地要求原告签署风险通知而未能排除其责任，因此，被告不能依赖于过去的交易。这种交易必须在过去的 5 年中至少发生 3 至 4 次，如 Hollier v. Rambler Motors (AMC) Ltd 一案。

通过解释合同限制除外条款的范围

在模棱两可的案件中，除外条款将被作出不利于希望依赖于其的当事人的解释（不利于提供者）。该规则仅限于除外条款，并不适用于其他类型条款的解释：*GA Estates v. Caviapen Trustees Ltd* 一案。在 *Thornton v. Shoe Lane Parking Ltd* 一案中，停车场的除外责任条款写道："停放汽车的风险由汽车所有人承担"，这无疑免除了停车场对汽车驾驶员受伤害和汽车损坏承担的赔偿责任，但是，法院将其限制在汽车的损坏上。在 *Hollier v. Rambler Motors (AMC) Ltd* 一案中，原告的汽车在被告疏忽引发的火灾中损坏，因为合同中的"公司对火灾造成顾客的汽车的损害不承担责任"这一条款没有将火灾明确延伸到被告疏忽引起的火灾和意外火灾，因此，法院判决该条款模糊不清。

通过合同相对性原则限制除外条款的范围

在 *Adler v. Dickson* 一案中，旅客和班轮公司之间的客票中的条款免除了公司行为造成人身伤害的赔偿责任，但是不能免除因班轮公司受雇人疏忽行为而造成旅客伤害的赔偿责任。在 *Scruttons Ltd v. Midland Silicones Ltd* 一案中，托运人和被告（即货物所有人）之间的合同（提单）中规定了"将船舶所有人责任限制在500美元以内"的除外条款，原告是船舶所有人雇佣的搬运工，试图请求适用该除外条款的保护。由于原告不是该合同的当事人，因此，原告无权根据该除外条款免除责任。

法律保护：1977 年《**不公平合同条款法**》

该法适用于免责条款试图变更将来责任的各种情况。但其不包括已经发生的经办法律手续的财产授予和协议和解：*Tudor Grange Holdings Ltd v. Citibank NA* 一案。亦可见关于 1994 年《消费者合同不公平条款条例》的阐述（第 16 章）。

过失责任免责无效

在商事责任方面，除外条款不能免除过失导致他人人身伤亡的赔偿责任。对于其他的灭失和损坏，免责条款仅在其"满足合理要求"的情况下有效（见下文）：第 2 条第 1 款。该规则并不禁止工业设施所有人和租借者之间为规定其使用设施中的过失责任而制定协议,根据该协议双方互相免除过失赔偿责任:*Thompson v. T. Lohan (Plant Hire) Ltd and Another* 一案,而不同于 *Phillips Products Ltd v. Hyland and Another* 一案。

合同中的责任

在一方当事人"作为消费者进行交易"的合同中或者在标准的格式合同中,除外条款的条件是"合理要求":第3条。在下列情况下,当事人被视为消费者:(1)其没有在交易过程中订立合同或者不准许其在交易过程中订立合同;(2)其他当事人没有在交易过程中订立合同;(3)(在货物合同中)货物通常为私人使用或者消费供应。在拍卖和招标竞争的买卖中,当事人不能作为消费者进行交易。

如果交易者之间没有免责保护(除非其以一方当事人的标准格式订立合同),并且,双方当事人具有平等的交易地位,则除外条款将受制于普通法,对当事人产生拘束力。在 *Photo Production Ltd v. Securicor Transport Ltd* 一案中,上议院重述其已在 *Suisse Atlantique (Suisse Atlantique Societe d'Armement Maritime SA v. N. v. Rotterdamsche Kolen Central)* 一案中规定的地位,即依据其解释条款甚至排除了当事人欺诈性违约的赔偿责任。在 *Photo Production* 一案中,负责保护有关场所的警卫人员引起火灾,但该警卫人员被免除所有关于破坏原告房屋的责任。

"合理要求"

除外条款应当满足"注意到订立合同时当事人知道、正在考虑或者应当合理地知道、考虑的具体情况"的合理要求。法院对除外条款作出严格解释。在 *Computer and Systems Engineering plc v. John Lelliott Ltd* 一案中,合同排除了洪水泛滥和水管爆裂的责任,但该案损失是因洒水管断裂而造成的,因此,法院判决该损失不在除外条款范围内。

相关法律在 1994 年《消费者合同不公平条款条例》中亦有规定（见第 16.14 章）。

3.22 不完全或不确定的协议

如果合同的条款不足够清楚，则其不能被执行。在 *G. Scammell & Nephew Ltd v. Ouston* 一案中，在认为"买价的余额可以在两年内通过分期付款结账"的前提下，被告同意购买摩托车，但没有可解释该条款的价格标准。由于分期付款合同种类繁多，因此，不存在可以实际执行的合同。只要不减少合同的含义，法院可以除去任何无意义的条款。在 *Nicolene Ltd v. Simmonds* 一案中，由于实际上并不存在所谓的普通接收条件，因此，法院从货物买卖合同中除去"本人假定我们的协议适用普通接收条件"这一语句。法院可以参考当事人之间的商业习惯和交易过程解决问题。在 *Hillas & Co. Ltd v. Arcos Ltd* 一案中，合同规定在 1930 年内供应木头，其中包含一项选择下一年执行合同的条款，但没有详细规定木材种类、送货目的地和方式。法院判决：在此种情况下，可以参考以前的交易惯例和一般商业习惯来确定上述细节。法院也可以默认合同含有使合同有效的条款，或者默认协议本身通过规定提交仲裁提供合同解释。在 *Foley v. Classique Coaches Ltd* 一案中，原告订立合同，规定"以通过当事人平时书面形式同意的价格"为被告提供汽油，并规定任何争议应当"依普通方式提交仲裁"。由于法院默认汽油应当具有合理品质和合理价格，如果合同没有约定，则该合同规定通过仲裁程序确定价格，因此，被告不能在 3 年之后以不确定为由拒绝履行合同。

在 *Neilson v. Stewart* 一案中，股票买卖协议规定：偿还借款推迟一年至"我们协商达到双方对偿还数额都满意的时候"。买方主张这一语句致使整个协议不可执行,但是,上议院判决当事人没有明显的计划偿还借款的时间和还款方式。所有借款都可以应要求偿还,但并不必须偿还利息。

所有明显的含义不明确都能被消除

如果买卖货物和提供服务的合同中没有规定价格,则法律默认支付合理价格的义务(见第13章)。

3.23 合同的解除

当合同产生的权利被终止时合同被终止。可以通过履行、协议、接受违约和合同履行落空来解除合同。

3.24 履行

在一方当事人已经部分履行其合同义务并要求对方当事人为其履行行为付款之时,就产生了问题。关于合同究竟是不可分的还是可分的,有多种多样的情况。在前面的案件中,对价是完整的,履行必须是完全的,所以当事人从部分履行中得不到任何付款。在 Cutter v. Powell 一案中,原告在从西印度群岛到利物浦的航程中应当被作为二副支付工资。其在船舶到达利物浦之前死亡,其遗孀请求支付其已完成的工作所应得到的工资,该请求未能实现。在下面的案件中,对价被细分为独立的部分,并请求为部分履行行为付款。一个雇佣期间为5年、每周或者每月支付工资的雇佣合同使得受雇人能够在完成每个部分后请求支付工资。建筑合同一般规定每完成令人满意的一阶段工程就相应付款,避免 Sumpter v. Hedges 一案(见下文)产生的问题。

适当履行不可分合同的例外规则

可以为部分履行请求付款的情况有:(1)由于对方当事人的错误没有完全履行;(2)已经被对方当事人接受;(3)存在实质性的履行行为。

因对方当事人的错误而没有完全履行时

在 Planché v. Colburn 一案中，在完成草稿准备之后，作者有权于编辑取消丛书时获得部分付款。

部分履行已经被对方接受时

当事人可以拒绝部分履行，但是，如果接受部分履行，则其应当依据准合同承担付款责任（见第 5 章）。只有当有可能拒绝部分履行时，才产生部分履行的接受。即使买方获得其他建筑商提供的服务完成了工程，建筑房屋合同的部分履行也是不可能的：Sumpter v. Hedges 一案。在 IBMAC v. Marshall（Homes）Ltd 一案中，原告不能因完成公路建筑计划的部分工作而获得付款。

存在实质性履行行为时

当合同被实质履行但没有完全履行时，已经实质履行其合同义务的当事人有权获得减去未完成工作价值的付款。在 Hoenig v. Isaacs 一案中，室内装修合同未完成的工作量大约价值 55 英镑，法院裁决对装饰工付款应为有关合同未支付的余额减去 55 英镑。如果未完成的工作占合同总工作价格比重太大，则不构成实质履行。在 Bolton v. Mahadeva 一案中，由于未完成的制造中央加热功能装置的工作估价为 174.5 英镑，而总合同价格为 560 英镑，所以不构成实质性履行合同。

3.25 协议终止合同

如果当事人没有履行任何合同义务，则其可以通过简单的双方协议互相免除对方合同义务。但是，如果一方当事人已经根据合同履行其义务，并单方允诺解除对方当事人对其的合同义务，则只有在对方当事人已经提供充分对价时或者以行为作出允诺时，该允诺才具有拘束力。这被称为和解和清偿，作为对价的清偿要求实施可以执行的和解或者允诺。

因此，如果 A 根据合同欠 B100 英镑，而 B 同意解除 A 的付款义务或者接受偿付较少数额就完全履行义务，则 B 还有权将来根据普通法诉请返还未支付的余额。该规则是在 *Pinnel's Case*（1602）一案中创设的，*Foakes v. Beer* 一案遵循了该规则。在该案中，原告已经和被告商定接受判决的分期支付欠款，但其以后有权诉请返还其有权获得的未支付的利息。在 *Stour Valley Buiders v. Stuart CA Transcript* 555 一案中，债务人签发了少于所欠款总额的支票，其受制条件为债权人只有在接受完全的、最终的义务履行时才能兑现该支票。债权人兑现支票之后有权诉请返还未支付的余额。在有关 *Selectmove Ltd* [1995] 一案中，原告打算分期偿还被告的欠款，收款人同意如果该分期还款不可执行将告知公司。原告已开始分期偿还欠款，但被告威胁原告：如果不立即支付欠款就结束原告业务。原告基于 *Williams & Roffey Bros v. Nicholls (Contractors) Ltd* 一案，主张：如果对允诺人有实际利益，则履行既存义务将是合格的对价（见上文）。但是，由于在 *Foakes v. Beer* 一案中法院已判决分期支付既存债务的协议是不可执行的，因此，本案原告的主张因与该判决不一致而被驳回。

和解和清偿与允诺禁止反悔原则

根据允诺禁止反悔原则，如果一方当事人允诺解除对方当事人合同义务，则依赖该允诺进行行为的对方当事人可以将该允诺作为对允诺人坚持要求实现原始法律权利的抗辩。因此，部分偿付的可能性取决于允诺禁止反悔原则（见第 3.6 节的最后部分）。该原则仅适用于解决关于中止合同权利而非终止合同权利的允诺的情况。在 *Central London Property Trust Ltd v. High Trees House Ltd* 一案中，原告于 1940 年允诺以法定租金 50% 的价格出租一栋公寓，虽然该允诺是在原告很难找到承租人时作出的，但是其却仍然保持恶意，诉请返还 1940 年至 1945 年 6 月之间未支付的欠款。Denning 法官判决原告不能重新获得赔偿。补救赔偿是自由裁量的，当提出免除债务的一方当事人不公正地作出行为时，法院将拒绝提供保护。在

D & C Builders Ltd v. Rees 一案中，被告知道原告非常需要资金，因而强迫原告接受 300 英镑，但要求原告履行返还 500 英镑的义务，法院拒绝保护该被告。允诺禁止反悔原则是否涉及终止合同权利的问题得到解决，因此，判决的基础是以被告的不道德的行为为由扣缴自由决定的赔偿。见经济胁迫（见上文）。在 *Ferguson v. Davies* 一案中，原告以获得价值 600 英镑的其他唱片或者现金支付 1700 英镑为代价向被告出售唱片。价值 143.5 英镑的唱片仅使原告得到 5 英镑。原告起诉要求被告返还 486 英镑，被告签发了一张 150 英镑的支票作为完全履行债务。原告兑现了这张支票，但告知被告其将继续诉讼，并将赔偿数额提高到 1745.79 英镑。郡法院法官认为原告接受 150 英镑是有拘束力的和解和清偿，因此驳回了原告的请求。上诉法院判决：除非原告通过对价方式获得某些其他利益，否则接受少于请求赔偿数额的款项不构成和解和清偿。

合同更新和通知

合同可以通过合同更新的方式被另一合同所替代。合同的更新一般是在不同的当事人之间进行的。根据普通法合理通知的概念，只有当符合明确规定的要求或者 1978 年《就业保护统一法》的最低通知条款时，雇佣合同才终止（见第 12 章）。

3.26 以接受违约来终止合同

如果一方当事人违反协议的条件条款，则受害方当事人可以选择其继续受合同约束或者撤销合同。无论作出何种选择，受害方当事人都可以要求赔偿损失。当事人可以通过明确告知其将不履行合同或者通过将其自身置于不可能履行合同的境地，在履行日期之前违反合同。这被称为预期违约。

预期违约

受害方当事人可以选择其仍受合同约束或者撤销合同，如果作出后一种选择，则其可以立即诉请赔偿违约损失。在 *Hochster v.*

De La Tour 一案中，根据合同原告将于1852年6月1日开始信差工作，但其于1852年5月11日收到不再需要其作信差的通知，其于1852年5月22日起诉，有权诉请违约赔偿。不接受撤销合同可能产生问题。在 Avery v. Bowden 一案中，被告租用原告的船舶并同意45天内在敖德萨装货。船长一到达就被告知原告不希望装货，但是船长继续停留，希望原告改变想法。克里米亚半岛战争爆发后致使履行合同成为违法行为，合同以合同履行落空为由终止，因而法院驳回了赔偿违约损失的请求。

拒绝接受合同撤销的一方当事人可以继续将合同视为有效合同，并履行其合同义务。在 White & Carter (Councils) Ltd v. McGregor 一案中，在未发生任何损失时，原告拒绝接受合同撤销，履行其义务并且获得了后来遭受的损失赔偿。该判决与减轻损失的法律要求相反，后来的案件不允许当事人不接受合同撤销：Attica Sea Carriers Corp. v. Ferrostaal Poseidon Bulk Reederei GmbH，The Puerto Buitrago 一案；The Odenfield 一案；Clea Shipping Corpn v. Bulk Oil International Ltd，The Alaskan Trader (No.2) 一案。在后一个案件中，船舶所有人自1979年10月起出租船舶，租期为24个月。1981年4月，承租人第二次说明他们不再需要该船舶并拒绝作出航行指令。船舶所有人拒绝将此作为解除合同的通知，并保持船舶配备时刻准备开航的船员直至1981年12月。仲裁员裁决：船舶所有人应当在1981年4月8日零时之前接受合同撤销（见第5章）。

3.27 随后的不可能性导致合同终止：合同履行落空

如果由于某些不可预见的、当事人不能控制的事件发生，致使合同履行已不可能，则合同履行落空，任何一方当事人都不承担违约责任。其理由仅仅是合同履行已经变成不可能，例如毁灭剧院的火灾使租用剧院的合同履行落空，这是普通法中拒绝免除合同当事人合同义务的绝对合同义务原则的例外：*Parradine v. Jane* 一案。该规则最早在 *Taylor v. Caldwell* 一案中得到承认。如果发生的事件应当规定在合同中，或者合同仅仅是更难以履行或更不适于履行，则不能适用合同履行落空。在 *Davis Contractors Ltd v. Fareham UDC* 一案中，原告订立合同，约定在 8 个月之内以固定价格建造 78 套地方当局营造的简易住宅，但因缺乏劳动力而实际花费了 22 个月的时间，原告主张原合同履行落空的请求没有得到支持。在 *Amalgamated Investment & Property Co. Ltd v. Walker & Sons Ltd* 一案中，双方当事人都知道买方的意图是推翻该建筑再重新开发，所以，尽管对该建筑强制实施的保管令将其价值降低到 20 万英镑，但 170 万英镑购买该建筑的合同并不因此落空。在 *Tsakiroglou & Co. Ltd v. Noblee Thorl GmbH* 一案中，原告订立的出售落花生并将其运送到汉堡的合同并不因苏伊士运河关闭而落空，这就迫使其通过好望角运送该货物："费用增加不是合同履行落空的理由"。

合同履行落空已经在下列案件中得到承认：

1) 法律变更致使合同履行不可能：*Avery v. Bowden* 一案（克里米亚半岛战争爆发）；

2) 当事人死亡或者永远丧失资格致使人身服务合同终止：*Condor v. The Barron Knights Ltd* 一案（当事人精神失常使合同终止）；

3) 合同所依赖的事件保持的状态不再存在：*Taylor v. Caldwell* 一案（火灾毁损剧院）；*Krell v. Henry* 一案；*Chandler v. Webster* 一案（为观看加冕礼游行出租住房，后来加冕礼被取消了）。但在 *Herne Bay Steamboat Co. v. Hutton* 一案中，被告承租原告船舶的"目的是观看海军阅兵并在舰队周围进行一天巡游"：由于舰队仍然可以被视察，因此，合同不因取消皇家阅兵而落空；

4) 合同的商业目的落空：在 *Jackson v. Union Marine Insurance Co. Ltd* 一案中，被租用的船舶从利物浦航行到纽波特装载铁轨,然后运输到旧金山。船舶在开往纽波特的路上撞到礁石,被迫返回利物浦修理船舶,花费八个月时间完成修理工作。合同被判决落空,当事人被解除合同义务。

如果落空事件是由自己引起的,则不能适用合同履行落空。在 Maritime National Fish Ltd v. Ocean Trawlers Ltd 一案中,承租人获得的捕鱼许可证少于其申请的数量,当其将这些捕鱼许可证分派用于自己的渔船时,租用渔船的合同没有落空。

该规则扩展到适用于租赁合同和土地合同。在 National Carriers Ltd v. Panalpina (Northern) Ltd 一案中,原告将仓库出租10年。5年后,地方当局将公路支线关闭2年。尽管法院在原则上同意可以适用合同履行落空,但法院拒绝将合同履行落空适用于该案件中。

合同履行落空的后果

合同履行落空的后果是合同自始无效,当事人可以:(1)要求返还已经支付的金钱;(2)请求支付合同履行落空以前进行的工作的报酬:1943年《法律改革(履行落空合同)法》。

要求返还已经支付的金钱的权利

第1条第2款规定:"依照合同,在因合同履行落空而终止合同之前,一方当事人向对方当事人支付的或者应当支付的所有金额应当:如果金额已经支付,则应已支付该项金额的当事人的要求,收到金钱的一方可以将金钱返还;如果应当支付金钱,则该金钱不应当再支付。"但前述条款允许当事人对落空事件之前为履行合同所发生的费用进行抵消。

请求赔偿部分履行的权

要求"合同终止之前获得有价值的利益的"一方当事人支付"那些(如果有)……法院考虑该案件所有具体情况之后认为合理的数额"。但该规则是否适用于 Appleby v. Myers 一案涉及的事实并不明确,在该案中,当事人订立合同,约定原告在被告地基上安装建造机器，在工程实际完工之后地基和机器都被毁坏，原告请求赔偿损失，该请求没有得到支持。而在 BP Exploration Co. (libya) Ltd v. Hunt (No.2) 一案中，法院陈述该规则不适用于 Appleby v. Myers 一案。

推荐读物

《合同法》，第 2 版（Ewan Mckendrick, Macmillan Professional Masters, 1994）。

《威希尔和弗姆斯通论合同法》，第 13 版（Butterworths, 1996）。

问题

1. A 在商店窗户上展示的通知中发出要约，对返还其丢失的手表的人给予酬劳。6 个月以后，其通过在同一个窗户上展示新通知撤回原要约。又过了 6 个月，看见原通知但没有看到第二个通知的 B 返还手表并请求支付酬劳。B 的主张能否得到支持？

2. A 写信出价 250 英镑卖自行车给你；你通过邮寄接受了要约，并在信封内附支票作为应当立即支付的 50 英镑，而且另外的 4 张 50 英镑支票在以后的 4 个月内签发，但你发现 A 在收到你的信之前已将自行车卖给 B。你可以起诉索赔违约损失吗？

3. A 和 B 约定 A 支付给 B500 英镑，由 B 担当通过热带丛林的探险向导。探险队出发之前当地发生区域战争，除非格外支付给 B250 英镑，否则 B 拒绝出发。如果 A 拒绝支付额外的 250 英镑，B 可以对 A 提起违约诉讼吗？

4. 在什么情况下可以进行否认订立合同的抗辩？

5. A 同意以 10 万英镑的价格为 B 建造房屋，但后来发现其在计算中出现错误。其现在能否以原合同无效为由主张该工程的真实价值？

6. 何时缔约意图的陈述能作为虚假陈述的诉讼理由？

7. 胁迫与不正当影响有什么区别？

8. 合同的"无效"、"可撤销"和"不可执行"之间有什么区别？

9. 1977年《不公平合同条款法》规定除外条款无效吗？

10. 完整合同和可分合同之间主要的差别是什么？

11. A以每月偿还50英镑的分期付款偿还欠B的500英镑欠款。付款8个月之后，A告诉B其失业了，B同意取消后2个月的分期付款。后来B反悔其行为并索赔付款。B的请求能否得到支持？如果A谎称其失业，将有什么不同？

12. 什么是预期违约？

13. 如果合同履行落空，当事人享有什么权利？

4

侵 权 法

学习目标

通过本章学习了解以下内容：
1. 侵权责任的概念和侵权种类
2. 侵权责任的一般抗辩
3. 侵权中的原告和被告
4. 过失侵权责任的构成要件，包括过失虚假陈述
5. 占有人对拜访者和侵入者的责任基础
6. 私人妨害的责任基础
7. *Rylands* v. *Fletcher* 一案中确立的规则

4.1 侵权责任的重要性

对于工商业企业而言，侵权责任至关重要。企业对其过失及其受雇人的过失（见第 12 章）、未能确保房屋和地基的安全以及影响到相邻居住者的干扰承担责任。个人对特殊的可诉侵权违法行为承担责任。侵权根据侵犯人身、财产、经济权利、名誉或者一般权利进行分类。以下列出部分相关商业企业的较为常见的侵权行为。

人身侵权

过失　违反应负有的谨慎义务，导致他人遭受可预见的伤害。（见下文）

财产侵权

私人妨害 间接干涉他人使用或者享有土地利益。侵权人对土地占有人承担责任(除非影响到将来的占有——例如建筑损害赔偿,否则一般对缺席的所有人不承担责任)。这包括通过气味、振动以及树根的穿透等等进行妨碍干扰(见下文)。

侵入土地 直接干涉他人对土地的所有权。包括侵占土地和将物品放置于地产之上。即使土地占有人不是土地所有人,侵权人也要向土地占有人承担责任。这种侵权本身是可诉的,也就是说,不需要证明损失即可起诉。除了地面以外,地表以下和天空中的部分都可以成为侵入土地侵权行为的对象。因此,在 Kelsen v. Imperial Tobacco Co. (of Gt Britain and Ireland) Ltd 一案中,法院认定:从原告商店的上空凸出的招牌是侵入土地;在 Woolerton and Wilson v. Ricard Costain (Midlands) Ltd 一案中,吊车在上空中作业构成侵入土地。但在 Bernstein v. Skyview & General Ltd 一案中,法院拒绝将飞机闯入600英尺以上的高空认定为侵入土地(《1949年民用航空法》第40条在本案中成为抗辩理由,但是法官强调持续不断的空中监视可以构成可诉的妨害行为)。

侵犯货物 非法干涉他人占有的货物,例如将货物顺序颠倒、作标记或者取走货物。

侵占 在货物方面构成否定真正所有人权利的无法抗辩的行为。这种非法行为是针对真正所有人的,包括取走货物并否认是所有人的货物被取走。非所有人出售货物即构成对真正所有人的侵占。

过失 违背对于他人财产负有的谨慎义务,引起可预见的损害(见下文)。

Rylands v. Fletcher 一案中确立的规则 在土地上存积或者聚积的非天然依附在土地上的事物发生泄漏,并造成他人财产损失。此为严格责任:例如,水从池塘渗漏(见下文)。

经济权利侵权

妨害合同　无合法理由即劝诱某人违反其与他人的合同，或者以这种行为阻挠合同的履行。

胁迫　进行胁迫，目的在于促使或者阻止他人为某种行为，结果造成他人或者第三人遭受损害。

冒充　假装某人的货物或者服务是其他人提供的，引起他人交易损失或破坏商业声誉。以与相近行业的另外一个商家相类似的名称进行交易，导致混淆公众的认识。

欺诈　以欺诈为目的作出虚假陈述，期望他人依此进行行为，而且结果造成损失。

疏忽性错误陈述　违反对负有谨慎义务的人提供谨慎意见的义务，引起其遭受包括纯经济损失的可预见损失（见下文）。

名誉侵权

诽谤　"发表言论，致使普遍降低社会成员对当事人的尊重，或者导致社会成员避开、躲开当事人。"如果诽谤是持久形式的，则构成诽谤罪，可依其本身起诉（无需损失的证据）；如果诽谤是非持久形式的，则构成口头诽谤，一般仅在提供损失证据的情况下可以起诉。诽谤罪包括书面或者通过媒体（电视、电影、录像、戏剧等等）进行的诽谤性言论，但是口头诽谤仅限于口头言论。

一般权利侵权

公共妨害　严重影响其行为效力范围之内或者周围人群适当的舒适和方便的行为；例如，进行厌恶性营业、阻碍公路（见下文）。

合谋　两个或两个以上当事人同时计划使用不合法手段损害第三人利益的协同共谋。

4.2　侵权责任的确立

原告通常必须证明：妨碍其法律权利并导致其遭受损害或者损

失（损失）的行为是可诉的（可诉的权利侵害）。一般侵犯法律权利行为无需证明损失即可提请诉讼，但仅是其本身可以诉讼。这包括侵犯土地或者诽谤侵权。如果遭受损害或者损失的当事人不能证明妨碍其法律权利的行为是可诉的，则其不能享有该诉讼权利。

通常，"故意"不能将合法行为变为违法行为，即使在作出违法行为时没有故意，也不能构成抗辩理由。在 The Mayor of Bradford Corporation v. Pickles 一案中，被告在其土地上挖沟，期望切断流经其土地的水流以免给原告提供水源，强迫原告高价购买其土地。由于被告享有在其土地上排水的法律权利，"故意"不能使其行为违法，因此，原告没有获得阻止被告行为的禁令。在 Wilkinson v. Downton 一案中，被告对原告谎称其丈夫的腿断了，由于作为妻子的原告因此受到很大刺激，所以被告不能将此作为玩笑的抗辩理由。

某些侵权必须具备"故意"这一要素，例如恶意欺诈和非法拘留，在确定为故意时，被告丧失诽谤中公正评论和免责的合格抗辩理由。在公害侵权中，"故意"将合法行为变为违法行为（见下文）。

4.3 对侵权的一般抗辩

有些抗辩专门针对某种侵权：对于诽谤，有证明行为正当、公正评论和免责的抗辩。有些抗辩普遍适用于侵权。

对自愿者不构成侵权：同意

证明原告同意接受损害是一种抗辩。当事人可以同意一项"如其不同意即构成侵权行为"的故意行为，或者同意接受遭受意外伤害的风险，包括作为运动员参加拳击、橄榄球或者足球运动，甚至包括作为观众观看拳击、橄榄球或者足球比赛。此外，还包括受雇人和参与救助工作的人员（见下文）。

免　责

当事人可以以过失为由或者根据受制于 1977 年《不公平合同条款法》的 1957 年《占有人责任法》免除其侵权责任。见 1994 年《消费者合同不公平条款条例》（见第 16 章）。

其他抗辩

不可避免的意外事件

即使采取合理防范也不能避免意外事件的发生。在 Stanley v. Powell 一案中，被告瞄准野鸡射出了子弹，该子弹却擦过一棵树击中了原告。

不可抗力

这是自然界产生的、不能提前预防的某些事件。在 Nichols v. Marsland 一案中，一场意外的降雨冲毁由原告所有的人工河堤坝，洪水毁坏了由郡议会所有的一定数目的桥梁。

紧急避险

这是为防止发生更大的损害或者为捍卫领土进行的故意损害行为。例如：为防止火势蔓延而破坏火灾蔓延的路上的财产。

错　误

如果在案件中错误是合理的，例如不适当的拘留，则错误的事实构成抗辩理由。

国家行为

国家可以免除那些为执行国家公务而造成损失的赔偿责任。在涉及英国或友好邻国的国民损害时，不得提出该抗辩理由。在 Nissan v. Att. Gen 一案中，一英国国民拥有的位于塞浦路斯的旅馆被英国军队占据，由于"国家行为"不是对英国国民的抗辩理由，因此，该英国国民向政府索赔了损失。

法定权力

公共权力可以保护的范围取决于该权力是绝对的还是有条件的。如果该权力是绝对的，则只要权力机关合理行为，就不承担责任，而且不存在其他替代方式的诉讼。如果该权力是有条件的，则公共权力机关有权进行行为，但是其没有义务进行行为，只有在不干涉他人权利的情况下其才可以作出相关行为。在 Vaughan v. Taff Vale Railway 一案中，由于被告必须经营铁路并且已经适当谨慎地从事经营，因此，其对机车产生的火花所导致的火灾不承担责任。

自 卫

如果侵权行为是当事人为保护其自身、其家庭成员或者其财产、甚至全人类而作出的，则只要该当事人对构成危险的灾害作出合理反应，其就不应承担侵权责任。

4.4 侵权中的原告和被告

最重要的特殊种类是未成年人、法人、已婚夫妇、工会以及遗嘱执行人和管理人。

未成年人

未成年人可以以侵权为由起诉或者被诉，但是，必须如同在违约中那样，通过作为其诉讼代理人的成年人进行。当家长同时还是未成年人的雇主时，如果其怂恿未成年人进行侵权行为或者因其疏于监督而发生侵权，则家长也应承担责任。1976 年《先天残疾（民事责任）法》对儿童的民事保护扩展到因母亲以外的其他人而导致儿童先天残疾的侵权责任，这对追究医药公司等企业责任具有重要意义。

法 人

法人对其受雇人在正常的受雇期间进行的侵权行为以及其唆使进行的侵权行为承担替代责任。当必须证明实际错误时，法人可以根据人格否认原则承担责任（见第 6 章）。

夫 妻

已婚妇女对其侵权行为承担完全责任（1935 年《法律改革

（已婚妇女和侵权行为人）法》），只有在例外的案件中才产生丈夫的连带责任，例如丈夫是妻子的雇主。夫妻可以互相起诉对方，但是，如果诉讼对任何一方不产生实质利益，则该诉讼可以中止（1962年《法律改革（夫妻）法》）。

工 会

工会是非法人协会，但是，根据1974年《工会和劳动关系法》，其能够订立合同，以其自己的名义起诉和被诉。根据后来被修订为1984年《工会法》的1974年《工会和劳动关系法》第10条，在侵权法中，工会对其已投票选举成员在采取劳工行动之前进行的助长劳资纠纷行为的侵权享有特定的免责权。工会可能通过其他方式对诱导当事人违反其雇佣合同承担责任。个人也可以免除期待和助长劳资纠纷的侵权行为的侵权责任：第13条，但是其对二级纠察承担责任：1980年《雇佣法》第16条和第17条。

遗产执行人和管理人

1934年《法律改革（杂项规定）法》规定所有侵权诉讼（诽谤除外）的诉讼理由在当事人死亡之后都继续存在，该当事人保留下来的财产使得诉讼能够继续进行。这可以通过死者的亲属向对其死亡承担侵权责任的当事人提起诉讼。可以根据一些记录预期寿命的名目索赔损失。也可能索赔死者在"丧失的时间"期间将赚取的收入。

根据1976年《重大事故法》，对引起当事人死亡承担责任的人也可能对死者亲属承担额外责任，亲属包括丈夫，妻子（没有离婚或者不根据普通法），子女（包括非亲生），孙子、孙女和外孙、外孙女，父母，祖父母和外祖父母，兄弟，姊妹，伯母、婶母，舅母，姑母，姨母，叔父，伯父，舅父，姑父，姨父及其子女。

4.5 一个以上侵权行为人的责任

一个以上人对侵权承担责任有三种不同的情况:共同侵权、同时发生的单独侵权和导致不同损害的独立侵权。

共同侵权

共同侵权包括:雇主对受雇人在雇佣范围内进行的侵权行为承担的替代责任(见第12章);一人怂恿另外一人进行侵权行为的案件;违反了共同施加于两个或者两个以上人的人身义务的案件;两个或者两个以上人涉及"协同行动导致共同后果",在此期间,他们之中一个或者一个以上人进行侵权行为。

同时发生的单独(分别)侵权

指侵权行为人分别的侵权行为结合在一起造成同一损害。例如:在 Drinkwater v. Kimber 一案中,一辆汽车的乘客在两辆汽车的司机都有过失的碰撞中受伤。

导致不同损害的独立侵权

在两个或者两个以上人分别行为给原告造成不同的损害情况下发生这种侵权,如驾驶员由于驾车疏忽而伤害一个徒步者,后来医生给受害人的治疗又出现疏忽。

关于共同侵权和同时发生的单独侵权,每一个侵权行为人都对全部损害承担责任,并有权向其他侵权行为人索赔分担的份额。只要侵权行为人之一支付索赔,就免除了其他侵权行为人的责任。追偿份额的权利规定在1978年《民事责任(追偿)法》第1条中。当两个或者两个以上侵权行为人引发不同的损害时,法院将对每个被告确定独立的责任并分配责任,侵权行为人之间不存在追偿份额的权利。

4.6 责任的终止

判决、放弃、和解和诉讼时效终结可以终止责任。对于诽谤,还将因原告死亡而终止责任。其中,最重要的原因是诉讼时效终止。

时效终止

根据1980年《时效法》第2条,侵权的一般诉讼时效是自诉因产生之日起6年。如果诉讼涉及人身伤害,则诉讼时效自产生诉因之日起或者自知道受害人受伤害之日(如果更晚)起3年:第11条第4款第1项和第2项。因此,受雇人因雇主过失而暴露在石棉尘危害中之日应根据第1项规定产生诉讼理由的日期,但是受雇人注意到感染肺癌(可能是多年后)之日应根据第2项的规定。如果受害人在第4条规定的期间届满之前死亡,则为了保护其财产利益,诉因应自其死亡之日,或者应自其私人代理人知悉(如果更晚)之日起再延长3年:第11条第5款。根据1986年《潜在损害法》,如果因疏忽侵权而导致潜在损害而非人身伤害,则诉讼时效是自发现损害之日起6年。

对于具有连续性的侵权,例如妨害行为,在进行侵权行为的每一天都产生独立的诉讼理由,因此,尽管最初的不当行为超过时效,但原告仍可以对在诉讼时效之内进行的部分不当行为提起诉讼。对于未成年人和神智不健全人,在其无行为能力状态结束之前不开始起算诉讼时效。对已故侵权行为人的财产提起诉讼的时效,受到"自诉讼理由产生之日起3年或6年"这一一般规则的约束:1970年《财产诉讼法》。

诽谤和恶意欺诈的诉讼时效是自诉因产生之日起1年。

4.7 过 失

过失与保护人身和财产不受妨害有关。侵权中故意妨害的典型例子是侵犯人身、货物或者财产,非故意并且过失妨害的典型行为是过失侵权:*Letang v. Cooper* 一案。过失是违反谨慎的法律义务,结果对原告造成非故意的损害。其必须具备以下三个要素:(1)

被告对原告负有谨慎的法定义务；(2) 被告违反该法定义务；(3) 因违反该法定义务而使原告遭受人身伤害或者财产损失。

谨慎之法律义务

原告必须证明被告对其负有法定的谨慎义务。试图将谨慎义务合理化的最常见的援引是 Atkin 勋爵在 Donoghue v. Stevenson 一案中的以下陈述："你必须采取合理谨慎措施以避免你可以预见的有可能伤害你的相近的人的行为或者疏忽。"Atkin 勋爵把相近的人定义为"受到我的行为紧密的、直接影响的人，当我决定进行这些产生问题的行为或者疏忽时，我必须合理考虑他们将受到这样的影响"。

在下面的案件中，消费者饮用的啤酒中有一只已经部分腐烂的蜗牛尸体，这家姜味啤酒的生产商对因饮用这瓶啤酒而严重生病的消费者承担责任。该消费者是购买者的一个朋友，合同的相对性免除了购买者的过失责任，设立了生产商对最终消费者负有责任的制度，直至 1987 年《消费者保护法》（见第 16 章）形成生产商责任的基础。

法院认为过失的领域永无止境，这意味着"相近的人"规则随着新情况的产生将不断得到适用。因此，在 Lewis v. Carmarthenshire County Council 一案中，法院判决教育局对与马路邻接的托儿所的孩子负有合理监督义务，防止这些孩子跑到马路上。在 Barnes v. Hampshire County Council 一案中，法院判决地方教育局对孩子在学校允许其家长接其之前离开学校承担责任。在 Bermingham v. Sher Brothers 一案中，Fraser 勋爵认为救火员无疑是房客的"相近的人"，因此，房客对已经知道或者应当知道的意外危险负有提醒其注意的义务。在 Ogwo v. Taylor 一案中，由于房间内的火灾因房客的过失而导致，因此，该房客对救火员在火灾中遭受的人身伤害承担责任。

过失的实际受害人可能遭受身体上和精神上的伤害。在 Page

v. Smith 一案中，原告在因被告过失而发生的车祸中受伤，导致其忍受20多年折磨的肌痛性脑脊髓炎（ME）变成慢性和永久的，其将不能继续工作。上诉法院允许对以伤害不能合理预见为由作出的损害赔偿判决提起上诉。上议院判决：一旦被告负有避免引起原告人身伤害的谨慎义务，人身伤害、精神伤害以及人身和精神伤害就没有区别了。既然已经确定被告应当合理预见原告遭受人身伤害，那么就不必考虑其是否应当预见受打击遭受精神伤害的可能性，因而原告即使没有持续的外部身体伤害也不影响精神伤害赔偿。

在他人人身伤害导致的精神伤害索赔方面存在问题。实际受害人是第一受害人，其余受害人是第二受害人。他们可以是家人、朋友、救助人和与其雇主过失产生的事故相关的人。在 Page v. Smith 一案中，上议院区分了第一受害人和第二受害人的地位，第二受害人受制于第一受害人不适用的控制机制。

最初，以可预见性为基础来确定对第二受害人的责任。在 Bourhill v. Young 一案中，一辆超速驾驶的汽车与另外一辆汽车发生事故。在不远处一个安全的地方，一怀孕妇女因听到撞车的声音而受到惊吓，导致其生病并致使其后来生了死胎。法院判决：由于该妇女处于可预见的危险范围之外，因此，被告对其不负有谨慎义务。与此相同，在 King v. Phillips 一案中，出租车司机在粗心地倒车时压过一辆小男孩的三轮车，该小男孩发出尖叫。其母亲在楼上的房间，听见尖叫声冲到窗前看见在出租车下面的三轮车，因认为儿子受伤而受到惊吓。法院判决：司机对其可能合理预见到的可能因其过失而受到伤害的人负有谨慎义务，但对本案中的母亲不负有谨慎义务。

但在 Boardman v. Sanderson 一案中，被告在过失倒车时碾过原告儿子的脚，并知道其父母在听力所及的范围而且有可能跑到现场。原告获赔严重惊吓的损失。在 Dooley v. Cammell Laird & Co Ltd 一案中，原告正在操纵的一架吊车的吊索突然断裂，使货物掉进其他工人正在工作的船舱中，原告索赔因担心工友安全而导致的严重惊吓的损失。在 *McLoughlin v. O'Brian* 一案中，当一位母亲的丈夫和其三个孩子卷入一次严重的汽车事故时，其在两英里以外的家里。这位母亲的一个女儿当场死亡，后来其又在医院看见其他家庭成员，遭受了严重的持续不断的紧张刺激。法院判决对这位母亲赔偿损失。Scarman 勋爵指出："适用合理预见性的标准时，应当衡量的因素有地点、时间、距离、所受伤害的性质以及原告与事故受害人之间的关系，但这并非法定的限制。"

Alcock and Other v. Chief Constable of South Yorkshire Police 一案限定了可预见性的标准。在该案中，上议院裁决在山城足球体育场的比赛中死亡和受伤的人的亲属和朋友因发生大灾难而提出的精神损害索赔。上议院陈述道：合理预见精神损害是不够的，还应要求索赔精神损害的人和遭受灾难的人之间有亲近关系。这包括建立在爱情和亲情基础上的与父母和配偶这种关系相当的一切关系。对于更远的关系，原告负有证明其存在亲近关系的责任。上议院判决：失去儿子和未婚夫的父母在亲近关系范围之内，但是因不存在明显的紧密爱情和亲情联系的证据，兄弟、丈夫或者妻子的兄弟（扩展到姐妹以及丈夫和妻子的姐妹）被排除在外。

此外，精神损害还必须是通过看到、听到事件或者灾难直接后果引起的，观看电视机屏幕不符合构成精神损害赔偿的要求。Ackner 和 Oliver 勋爵赞同上诉法院 Nolan 大法官的这一意见，但是，认为与灾难同时播报的广播可以与实际看到、听到事件或者灾难直接后果相同，并强调灾难后果的直接性。灾难发生后八九个小时进行最早的辨认或者事故后以辨认为目的到达太平间，都被排除在"灾难直接后果"定义之外。Ackner 勋爵强调精神伤害必须是因看到、听到恐怖事件而突然引起的惊吓。

在 *McFarlane v. EE Caledonia Ltd* 一案中，原告索赔在 Piper Alfa 灾难中作为站在救助船上的旁观者的精神损害，但没有成功。

在前一个案件中，Ackner 和 Oliver 勋爵虽然都没有取消对旁观者的谨慎义务的扩展，但是建议这种恐惧将仅发生在最镇定的观众都可能受到精神创伤的情况。Keith 勋爵陈述道："'旁观者'的精神伤害没有规律，我认为其应当在合理预见的范围内，但是，如果距离其很近的地方发生非常可怕的大灾难，其将不被完全排除在外。"勋爵也重申原告和第一受害人之间必须存在充分密切的亲情和爱情关系。在 Vernon v. Bosley (No. 1) 一案中，父亲和孩子乘坐的汽车驶离马路，两个孩子被淹死，父亲看到整个救助过程，上诉法院准许其获得由于遭受严重精神刺激的损害赔偿。在高等法院，这位父亲还请求赔偿其后来生意败落的损失，该索赔被驳回。

同一标准不能适用所有种类的第二受害人。在 Frost and Others v. Chief Constable of South Yorks 一案中，原告是警官，向其索赔在山城体育场灾难中遭受的精神损失。上诉法院判决原告暴露在恐怖事件中是因其雇主的过失引起违反谨慎义务而造成的。

对于救助人，法院还参考一种类似谨慎的义务。在 Chadwick v. British Transport Commission 一案中，因被告过失而发生火车碰撞，原告主动参与救助工作，之后其索赔精神损害。法院判决由于被告应当预见人们可能参加救助，所以被告负有谨慎义务。Ward v. T. E. Hopkins & Son Ltd 一案集中两个问题。被告从事打扫污井的工作，并使用一台汽油驱动抽水机。下到井底的两个受雇人被浓烟熏晕，请来援救的医生后来也同样被熏晕，造成这三人都死亡。由于被告违反不将其受雇人置于不必要的危险中的法定谨慎义务，并且因试图营救是可以预见的而过失导致医生的死亡，因此，被告承担两种赔偿责任。

法律委员会报告"精神病赔偿责任"（1998 年 3 月 10 日《法律委员会报告》第 249 页）和《过失（精神病）法案草案》建议除去在身体和时间上接近事故和其知道事故的方式的限制，但仍保留了"有密切亲情和爱情关系"这一限制要求。

谨慎义务的限定范围

Alcock and Others v. Chief Constable of South Yorkshire Police 一案是对于限制谨慎义务作为公共政策内容的典型的进步。Oliver 勋爵在其判决中陈述道：对政策的考虑影响法院关于"充分接近"的理解。20 世纪 80 年代，谨慎义务的范围在一定数量的判决中得到扩大。在 Ross v. Caunters 一案中，被告是一个律师，被判决不仅对其客户而且对第三人都负有谨慎义务。在这个案件中，被告在为原告提供关于草拟遗嘱方面的建议时出现过失，没有提醒原告1837 年《遗嘱法》第 15 条规定的给予遗嘱证人的遗产和遗赠无效。虽然 Megarry 法官承认律师对非其客户的人不负有普遍义务，但是，其认为在此类案件中律师对第三人及其客户都负有适当谨慎地提供法律建议的义务。与此相同，在 Yianni v. Edwin Evans & Sons 一案中，房屋互助协会打算向原告提供贷款，建议对原告进行一次独立检查，但实际上被告并没有进行该检查，法院判决被告因疏于为房屋互助协会进行检查而承担责任。在 JEB Fasteners Ltd. v. Marks, Bloom & Co. 一案中，原告在收购公司过程中信赖被告为其提供的账目。法院判决：既然被告知道公司需要外界经济支持，那么，就应当预见接管是获得经济来源的方式，并且实施接管的人在发出要约时可能依赖这份账目，因此，被告对其提供账目时出现的过失应承担责任。在 White and Another v. Jones and Others 一案中，7 月 17 日，律师收到遗嘱人的新指示，直到 8 月 16 日才由常务书记官转交到遗嘱检验部门。常务书记官第二天就去度假了，其回来后安排 9 月 17 日见遗嘱人，但是遗嘱人于 9 月 14 日死亡。上议院判决：律师由于其撰写的遗嘱和遗嘱附录没有并入遗嘱人的新指示，因而其对两个失去遗产的受益人承担侵权责任。

拒绝扩大谨慎义务的范围是以"水门讨论"为基础的。在 Hill v. Chief Constable of West Yorkshire 一案中，Peter Sutcliffe（the 'Yorkshire Ripper's）最后受害人的母亲提起诉讼的理由是警察出于过失而没有更早逮捕罪犯，法院判决警察对普通公众不负有预防和侦察犯罪的谨慎义务。在 *Elguzouli – Daf v. Commissioner of Police of the Metropolis* 一案和 *McBrearty v. Ministry of Defence* 一案中，原告分别以强奸和爆炸罪被控告，在分别因上述罪名被拘禁22天和85天后，被告由于缺乏证据而被放弃起诉。尽管达到可预见性标准，上诉法院驳回原告以公共政策为由对王座控诉部门（CPS）过失的起诉。*Barrett v. Enfield LBC* 一案涉及公共政策豁免权，原告主张地方当局违反其作为保护人和表现出负责的保护人标准的照顾的谨慎义务，被法院以公共政策为由驳回。在 *Capital and Counties plc v. Hants CC* 一案中，上诉法院以相同的理由判决三个独立的上诉案件，判决消防队仅仅负责留心注意和扑灭火灾，对房屋所有人和房产占有人不负有谨慎义务，但其应当在由于其行为而引起损失增加的情况下承担责任。在第一个案件中，由于消防队员作出关闭洒水装置的决定而使得建筑物完全毁灭，因此，消防队应承担责任。该判决后来适用于 *OLL Ltd v. Secretary of State for Transport* 一案，判决海岸巡逻队不负有对紧急呼叫作出反应的可执行的私法义务，如果其作出反应，则除非该反应直接引起的损害比其根本不干预将造成的损害更大，否则，即使其反应出现过失也不承担责任。

疏忽性错误陈述的责任

在 *Hedley Byrne & Co. Ltd v. Heller & Partners Ltd* 一案中，被告银行高级职员粗心大意地给原告提供信贷消息，原告基于对其信赖进行行为，并且当客户公司破产时损失已超过17000英镑。因为作出建议的专家与接受建议的人之间的关系足够亲近，从而被告知道将基于对此信赖进行行为的人以及行为的方式，所以上议院准许原告索赔因疏忽性错误陈述而引起的经济损失。

Caparo Industries plc v. Dickman 一案明确了疏忽性错误陈述的责任。审计员准备审计决算时出现过失，尽管可以预见人们以审计

决算为基础决定是否购买股票,而且如果决算不精确这些人将遭受经济损失,但这并不足以构成谨慎义务。原告和被告之间还必须具有足够的亲近关系,法院确认一项谨慎义务时必须作出平等和公正地考虑。作出建议和提供信息的人必须充分注意到预期的交易的性质,而且原告将信赖该建议或者信息。法院认为审计员的目的是将股东作为一个整体来使用审计决算并作出共同的决定,而并非为了股东个人作出关于是否作公司股票交易的个人的决定,因此,判决公司的审计员对信赖这些审计决算的股东或者购买股票的公众成员不负有谨慎义务。在 James McNaughton Paper Group Ltd v. Hicks Anderson & Co. 一案中,原告在投标接管公司集团时信赖被告为该集团准备的账目。法院裁决当事人之间不存在充分的亲近关系建立谨慎义务,因而被告对原告不承担责任。

因此,只有当具备下列要件时才可以索赔经济损失:(1) 疏忽性错误陈述;(2) 专家意见;(3) 谨慎义务;(4) 特殊关系;(5) 知悉合理信赖; (6) 可预见损失。在 Galoo Ltd v. Bright Grahame Murray and Another 一案中,账户是用来作为决定购买公司股票的基础,因为被告已经注意到确定的投标人将依赖该审计决算,所以对确定的投标人负有谨慎义务,因其准备账户中出现疏忽而承担责任。

违反谨慎义务

是否违反义务是一个事实问题,并以处在这种情况下的一个通情达理的人的客观标准为基础。法院考虑下列因素:(1) 损害的可能性;(2) 危险的严重性和严重损害的危险性;(3) 当主张发生过失时被告行为的有用性和重要性;(4) 危险和所采取措施之间的关系。

损害的可能性

谨慎义务的要求随着被告行为产生损害的可能性的增加而增加。如果只存在损失的间接可能性,则即使某人没有避免他人所遭受的损害，只要其合理行为就不承担责任。在 Bolton v. Stone 一案中，原告站在高速公路上被被告的板球俱乐部打出来的球打伤。由于在过去的28年中只有6次球被打出场地外，从而这种伤害的可能性是不能被一个神智健全的人预见到的，因此，原告对俱乐部提起的诉讼败诉。

危险的严重性和严重损害的危险

当被告注意到需要更加谨慎时，谨慎的标准也更高。在 Paris v. Stepney Borough Council 一案中，原告是一个独眼机械师，当其在被告的汽车下面工作时，一块小金属碎片掉进其好眼睛里使其完全失明。法院判决：尽管为视力正常的工人提供防护眼镜不是通常惯例，但对于独眼的受雇人就应当负有更高的谨慎义务，因此，原告获得赔偿。在 Haley v. LEB 一案中，被告在人行道上挖了一个坑，并通过警示标志和闪光灯提醒注意。原告掉进坑里并且受到伤害，法院判决：被告对盲人步行者应当负有更大的谨慎义务，因而应承担该损失赔偿。

被告在相关时间从事行为的社会重要性

法院将考虑被告在相应时间的行为对社会的价值。在 Watt v. Hertfordshire County Council 一案中，一个消防队员被从货车上掉下来的起重机砸伤，这辆货车不适于装载这么重的设备。但是，由于该货车是当时惟一可以使用的将起重机运送到一个妇女被困的遇难现场的交通工具，因此法院判决地方当局不承担责任。Denning 勋爵陈述道："当事人将得到的结果必须与危险相适应"，并且，"赚取利润的商业结果与人类救助生命和肢体完全不同"。

危险和所采取措施之间的关系

为避免损害发生所采取的措施必须与危险发生的可能性相适应。在 Latimer v. A. E. C. Ltd 一案中，一场意外的暴风雨淹没了工厂，在地板上覆盖一层粘糊糊的水和油的混合物。尽管原告已经作出防范使地板安全，但其出于过失没有关闭车间从而仍然遭受了损失,法院判决在这种危险状态下采取该极端措施是不正当的。

举证责任和事情不言自明

除非适用事情不言自明原则（事件发生的本身足以证明），否则原告负有证明被告违反谨慎义务的举证责任。因此，适用事情不言自明原则时，原告只需证明遭受的损失出于被告过失的初步证据，之后被告必须反驳该证据。适用上述原则必须符合下列条件：
(1) 必须不可能证明过失行为或者不履行法律责任行为导致损害；
(2) 必须是如果已经履行适当谨慎，则伤害将不可能正常发生；
(3) 被告必须已经控制原告声称的导致伤害发生的事件。

适用上述原则的例子是 *Scott v. London and St. Katherine Docks Co.* 一案和 *Chaproniere v. Mason* 一案。在前一案件中，原告路过被告家的房屋下时，被掉下来的6包糖打伤；在后一案件中，原告被由被告供货的巴思圆面包里面的小石头磕掉1颗牙齿。

Gee v. Metropolitan Railway Co. 一案体现了事情不言自明原则的第3个适用要件，在该案中，原告在火车离开火车站几分钟之后从一个不适当关闭的门处掉下并受伤，公司根据该原则承担责任。但是，在 *Easson v. L. & N. E. Ry. Co.* 一案中，由于法院判决"不可能说从爱丁堡到伦敦的特快列车的门持续不断的受铁路公司单独控制"，因此，原告的索赔失败。

在 *Pearson v. North-Western Gas Board* 一案中，因大雾而使煤气总管破裂后发生的爆炸导致原告的丈夫死亡，其房子也遭到毁坏。法院判决：由于被告有待命处理煤气泄漏的专门小组，但是却没有采取预防和防止煤气爆炸的措施，因此拒绝过失推定。另一方面，在 *Ward v. Tesco Stores* 一案中，原告在购物的时候踩在洒溅的酸奶上滑倒。酸奶可能是其他顾客洒的，但由于被告不能证明其具有防止酸奶溢出的设备，因此，被告应承担责任，

因过失行为或者不履行法律责任而产生的伤害或者损失

损失必须与违反义务有关而不是其他事情的结果。在 *Barnett*

v. *Chelsea & Kensington Management Committee* 一案中，守夜人被送到医院，医院嫌弃该病人呕吐并拒绝检查，负有过失，该病人几个小时后死于砷中毒。法院判决：由于该病人无论如何都将死于中毒，该病人的死亡不是由过失引起的，因此，医院对于病人的经济损失不承担责任（见下文）。

4.8 过失行为的抗辩
免责条款

一般合同法确定除外责任条款的有效性和范围。此外，根据1977年《不公平合同条款法》第2条第1款，当事人不能免除其因商业过失而导致他人受伤或者死亡的责任。

在 *Thompson v. T. Lohan (Plant Hire) Ltd and Another* 一案中，A向B出租挖土机和司机。出租合同的条款规定："司机……在工厂工作过程中应当被视为出租人的受雇人或者代理人……司机本人应当对发生的所有索赔负责"。由于司机的过失导致B的一个工人死亡。该案件确立了如下规则：尽管第2条第1款禁止当事人排除自己的责任，但可由当事人承担部分分配责任。

对自愿者不构成侵权（同意）

如果当事人同意接受意外伤害的风险，则也同样可以阻止其以过失为由提起诉讼。该规则在许多案件中都很重要。

同意和观众

如果一项体育竞赛的组织者已经为防止可预见的风险提供合理保护措施，则"同意"构成一项抗辩理由。在 *Hall v. Brooklands Auto Racing Club* 一案中，两辆汽车在比赛中相撞，其中一辆被撞出挡在跑道边上的铁栏杆，使原告受伤。由于这是过去23年以来第一次发生这种事故，该危险是被告不需要预见到的，因而原告必须承担这类事故的风险，所以法院判决被告不承担责任。在 *Murray v. Harringay Arena Ltd* 一案中，一个小观众被冰球打中眼睛，即使观众是未成年人，这一事实也不影响法院判决被告不承担责任。

同意和救助案件

不负有救助义务的当事人如果在救助过程中受到伤害，就面临这种抗辩理由。该抗辩理由的成功与否将取决于救助者行为的合理性。如果其行为合理就不存在同意接受风险，当人的生命而非财产受到威胁时，即使接受更大风险也被认为是正当的。在 Haynes v. Harwoods 一案中，一警察试图治服一些逃跑的马，从而防止旁观者受到伤害，该警察在此过程中受伤，本案即不能适用该抗辩理由。但在 Cutler v. United Dairies (London) Ltd 一案中，原告在帮助重新治服一匹先前逃跑的马过程中受伤，由于原告受伤时马正在田野里安静地吃草，因此，原告败诉。

同意和受雇人

原告自己不能充分知悉有关危险的信息；其还必须已经同意该风险，尤其在工作中的危险。在 Baker v. James Bros. 一案中，被告提供给其受雇人一辆启动装置有缺陷的汽车。原告多次抱怨但仍继续使用这辆汽车。由于原告明知存在缺陷但不默示同意接受危险，因此，被告关于"同意"的抗辩理由失败；在 Smith v. Charles Baker & Sons 一案中，原告知道运送大石头的起重机在其头部上方时，仍然继续工作，其和其雇主都注意到石头可能掉下来的风险，因此，本案也不能适用该抗辩理由。但如果受雇人为接受风险得到额外金钱，则结果将有所不同。

自愿者和共同过失

在 Dann v. Hamilton 一案中，原告在自愿乘坐被告驾驶的汽车时受伤，并且，原告知道被告严重酗酒，因此，自愿的抗辩理由被驳回。Morris v. Murray and Another 一案的情况有所不同。在该案中，原告整个下午都在和另外一人喝酒，在恶劣天气中同意成为由另外一人驾驶的私人飞机的乘客。法院将此案区别于"原告正在和一个司机进行普通的户外郊游，……司机直到很晚才醉酒，当时其不触犯被告就很难使自己解脱出来"的 Dann v. Hamilton 一案。该案情况"与本案中原告和死者进行的……醉酒的恶作剧几乎没有相同点"。现在，Dann v. Hamilton 一案的损失将以共同过失为由予以扣减（见第 5 章）。

4.9　占有人责任

占有人的责任由 1957 年和 1984 年《占有人责任法》规定。占有人责任是有关占有人保护他人免受房屋固有危险义务的过失法的一个方面。该法将房屋定义为"任何固定和移动的建筑物，包括船舶、汽车或者航空器"：第 1 条第 3 款。其包括建筑物、土地以及包括门楼、跳水板和正面看台在内的任何竖立在土地上的事物，还包括起落装置和脚手架。

占有人的定义

占有人通过在房屋出现或者对房屋进行行为的一定程度控制是占有的标志，但并不必须排他占有。在 Wheat v. E. Lacon & Co. Ltd 一案中，被告是酒吧所有人，而经理及经理妻子实际占有房屋，被告与经理及经理妻子是房屋的共同占有人。在 Stone v. Taffe 一案中，A 拥有一家旅馆，B 是旅馆经理。由于旅馆楼梯上的夜间灯光暗，旅馆的客人 C 从楼梯上摔下来并死亡。法院判决：由于被雇佣在房屋进行工作的独立缔约人可以成为占有人，因此，经理和所有人都是占有人。在 Hartwell v. Grayson, Rollo and Clover Docks Ltd 一案中，将船舶变为军队运输船的订约人是船舶的占有人。

所有人如果失去房屋，则尽管其可能继续承担 1972 年《房屋缺陷法》规定土地所有人负有的关于修理房屋的责任，但其不再是占有人。该土地所有人和其他人一样对侵犯土地承担责任。

被保护的人

法律将出现在房屋的人分为两组：经允许的拜访者和侵入者。拜访者的责任由1957年《占有人责任法》规定，侵入者的责任由1984年《占有人责任法》规定。

对拜访者负有一般注意义务

1957年《占有人责任法》第2条第1款规定：通常情况下，占有人对所有的拜访者都负有同样的义务。该义务在第2条第2款中被定义为"在合理可见拜访者以被邀请和允许进入房屋的理由为目的合理安全使用房屋的所有情况下采取谨慎"的义务。这是"一般注意义务"。在 Cotton v. Derbyshire DC 一案（《泰晤士报》，6月20日）中，被告没有在悬崖放置警告标志，由于危险对于行使合理谨慎的徒步者而言应当很明显，因此，被告没有违反其注意义务。关于进入房屋以任何目的行使法律授予的权利的人，无论其是否获得占有人的同意，都被视为经占有人允许为该合法目的进入房屋：第6款。

有两种拜访者受特殊规则调整：（1）对于儿童有更高的注意义务，（2）对于为执行工作进入房屋的人在有关被邀请的原因的危险方面有减少的谨慎义务。

儿　童　第2条第3款规定："占有人必须对'儿童不如成年人那样小心谨慎'有准备"。占有人对于儿童的义务是非常严格的，其负有"不仅不给儿童挖陷阱，而且不引导儿童受迷惑"的义务。这意味着占有人在其土地上不得拥有可能作为对儿童产生引诱或者诱惑的事物。在 Glasgow Corporation v. Taylor 一案中，一个7岁的小男孩因在公园吃长在有毒的灌木丛里的浆果而死亡。法院判决浆果在表面上引诱儿童，而且公园知道其是危险的却没有采取任何措施警告儿童采摘其的危险性。诱惑的概念包括的含义有"隐蔽和惊奇，在掩盖真实损害的境况下具有安全的外表"。这段引言来自 Latham v. Johnson & Nephew Ltd 一案，在该案中，一个儿童在玩一堆石头时受伤，由于石头不能被视为诱惑，所以不存在责任。儿童掉进地面的洞里的 Perry v. Thomas Wrigley Ltd 一案也作相同判决。

如果孩子非常小，则被告可以其已合理期待这个孩子将由一个可靠的人陪伴为理由来逃避责任。这在 Phipps v. Rochester Corporation 一案中得到允许，在该案中，一个五岁的原告（由他7岁的姐姐陪伴）掉进在被告土地上的一个9英尺深的电缆沟里并摔断腿。在 Coates v. Rawtenstall BC 一案中，法院把14岁的儿童看作可靠的人。

关于财产上有专业资格的人　根据1957年法第2条第3款第2项，占有人"可以期待应其邀请进入房屋的人将意识到并警惕任何一般易对其发生的特殊风险，只要占有人给其自由这样作"。在 Roles v. Nathan 一案中，被告雇佣两个扫烟囱的人抬高中央加热系统的暖气管，在这两人正在进行此项工作时锅炉被点燃，两人被聚积的一氧化碳气体炸死。上诉法院作出有利于被告的判决的一个原因是这是易于在这两人职业中发生的危险，这两人应当警惕危险的发生。

确定房屋的占有人是否已经根据相关法案解除其义务取决于所有情况，因此：

1) 如果损害是由占有人已经警告过其的危险引起的，则在足以使外人合理安全的情况下，占有人的警告将免除其责任（这是 Roles v. Nathan 一案的另外一个因素，占有人的代理人向扫烟囱的人提醒过危险）；

2) 如果损害是因占有人雇佣的独立缔约人的过失而导致进行任何建筑、维修保养、修理工作的危险引起的，则只要……占有人在将这项工作委托给一个使其确信缔约人胜任工作的独立缔约人时已经合理行为，而且工作已经适当的完成，占有人就不承担责任。在 Cook v. Broderip 一案中，当B的清洁工C将真空吸尘器插头插入由 D（一个有资格的电工）安装的新插座时受伤，但插座是被粗心大意地安装的。只要 B 没有理由相信 D 对其工作不熟练，B 就不对作为独立缔约人的 D 的工作承担责任。电工 D 将对此承担过失责任。

一般谨慎义务并不使得占有人承担拜访者主动接受的危险，而且可以适用事情不言自明的抗辩理由。此外，占有人还受到 1945 年《法律改革（共同过失）法》的保护。因此，在 Bunker v. Charles Brand & Son Ltd 一案中，原告的受雇人为连接伦敦地下铁路系统的维多利亚线的建筑作为被告的分合同人挖掘隧道。其受伤并起诉被告赔偿损失。依照法案规定，被告是占有人。由于法院判决"知道存在危险"不是同意，因此，被告以同意为由的抗辩失败。但是，原告的赔偿金因其共同过失被减少 50%。占有人可以通过在房屋门口显示出显著的、适宜的语言表达性通知来限制、修改或者排除其责任：第 2 条第 1 款。该规定受到 1977 年《不公平合同条款法》的限制。因此，在以商业目的占有情况下就不可能排除过失导致人身伤害和死亡的赔偿责任：第 2 条第 1 款。在其他损失和损害的情况下，限制和排除责任都必须符合"合理性"标准：第 2 条第 2 款。所以非商业占有人仍然可以排除人身伤害和死亡的责任。1984 年《占有人责任法》的规定使 1977 年《不公平合同条款法》发生了变化，其规定："除非房屋占有人准许以娱乐和教育为目的进入房屋的人是为占有人的商业目的而进入房间，否则房屋占有人对该人违反责任或义务产生的责任不是占有人的商业责任，但占有人对房屋危险状态的原因所产生的损失和损害承担责任"。

侵入者的责任

1984 年《占有人责任法》要求占有人采取合理措施保护合理预见的侵入者不会由于可以合理预见的危险受到伤害。危险是那些"由于房屋的状态或者对其作过的和疏忽没有作的事情导致的"：

第1条第1款。伤害包括"死亡和人身伤害，包括任何疾病以及身体和精神状态的损害"：第1条第9款。在下列情况下产生占有人责任：(1)"其已经注意到危险或者有合理理由相信存在危险"；(2)"其知道或者有合理理由相信他人正在有关危险的附近……或者可能接近危险"；(3)"风险是在案件所有情况中其将合理期待提请他人防止出现的危险"：第1条第3款。

负有的义务是"采取案件中所有情况下合理谨慎注意……其不会在房屋中由于相应的危险遭受伤害"：第1条第4款。占有人可以通过提醒注意相应危险，或者通过阻碍他人招致危险的发生来解除该项义务：第1条第5款。这里不包括主动接受的危险：第1条第6款。占有人对于财产损失或者损害不负有责任：第1条第8款。

4.10 妨害

妨害侵权适用严格责任，即无论该人的行为是故意还是过失，其都应当承担责任。其必须区分为公共妨害和私人妨害。

区分公共妨害和私人妨害

在私人妨害方面，原告必须证明妨害其占有财产或者享有财产的权利，例如采光权、对不动产的权利、私人通行权、造成对土地的物理损害或者实质上妨害使用或者享有土地或者土地的利益，这些妨害都被认为是不合理的。其包括烟、振动、热、噪音、烟雾和树木悬垂的树枝和树根引起的妨害。以妨害公共秩序为基础的索赔并不必须和土地相联系。

私人妨害可能产生于妨害个人权利，但是，公共妨害是一种严重影响女王陛下国民的合理舒适和方便生活的作为或者不作为。仅影响一两个人的事情不是公共妨害。公共妨害的例子有经营妓院、阻塞公共高速公路或者水路、存在普遍威胁公众的危险事件、出售不纯的食品。有人提出：只有妨害公共权利已经持续一段相当长的时间，才构成公共妨害。但是，在 Midwood & Co. Ltd v. Manchester 一案中，法院判决一次突然的爆炸构成公共妨害。妨害不是爆炸本身，而是在一段时间内持续的"事件的状态"导致爆炸：即内部的气体证明判决的正当性。

公共妨害是一种犯罪，而私人妨害则不是犯罪。

如果原告能体现其已经遭受的损失超过其他社会成员遭受的损失，则该公共妨害仅是侵权行为。在 Campbell v. Paddington Corporation 一案中，被告在爱德华三世葬礼之时立起一座架子阻碍公路，其因公共妨害承担责任。由于架子阻挡原告在窗户上的视线，并导致观众不能看到原告的房子，因此，原告能索赔损失。在 Castle v. St. Augustine's Links 一案中，C 正在沿路驾驶其汽车，一高尔夫球打碎其挡风玻璃，其中一块碎玻璃进入其眼睛。这个高尔夫球是一个运动员从平行于 C 行驶的主干道的高尔夫球场打出的。法院判决高尔夫球场的位置构成公共妨害。

妨害和过失

（私人和公共妨害）与过失有重合的地方，尤其在遭到抗议的妨害涉及从房屋中排放出某些东西时更是如此。可预见的可能导致亲近的人遭受损失的持续状态产生妨害责任。在 Bolton v. Stone 一案中，一个越过俱乐部的墙打到马路上的板球击中徒步者，确定公共妨害的一审法院法官陈述道："妨害公共秩序的主要依据是……引起或者允许事件的状态可能产生损失。"而终局判决以过失为理由，俱乐部不承担责任（见上文）。在 Miller v. Jackson 一案中，原告起诉板球俱乐部，请求赔偿其打进花园的板球所造成的财产损失。法院判决：由于受伤的风险既是可预见的，也是已经预见到的，因此，打板球构成妨害，被告为其过失承担责任（见下文）。

私人妨害的种类

私人妨害可能导致财产遭受重要损失或者实质性地妨害对财产权益的享有。

直接妨害导致财产严重损失

必须存在普通人无需科学证据就能看到的物质消耗和财产价值的减少。"财产"不仅包括土地本身，而且还包括储藏或者保存在土地上的动产，并扩展到在土地上经营的商业的价值损失。在 St. Helen's Smelting Co. v. Tipping 一案中，原告的灌木丛被来自被告的炼铜厂的浓烟损坏，结果导致财产价值严重减少。在 Spicer v. Smee 一案中，被告平房里的有缺陷的电线导致平房被烧为平地，并且毁坏了原告邻近的平房，构成妨害。

妨害对财产权益的享有

妨害必须"本质上妨害人类生存的一般人身舒适，而不仅仅取决于优雅或高雅的生活方式和生活习惯"，从这个意义上说，妨害必须是实质性的。但是，妨害并不必须导致损害身体健康，损失一个晚上的睡眠可以构成"实质性妨害"。

确定妨害时考虑的因素

法院将会检查被控诉的行为，并衡量被告行为的性质以及实际情况与给原告带来的妨害性质和范围之间的关系。标准是客观的，法院将考虑很多因素，其中包括被告的目的和动机。

被告恶意

在 Christie v. Davey 一案中，被告敲打界墙、吹口哨、大声敲盘子、在播放音乐教程时或者在原告（其邻居）演出时大声喊叫。其恶意激发噪音是妨害，应当区别于原告发出的声音。在 Hollywood Silver Fox Farm v. Emmett 一案中，被告使得在自己的土地上开枪射击成为可诉的妨害。

被告行为的社会价值

如果所谓的"妨害行为"的社会价值越高，则判决其不合理的可能性就越小。法院对发电所和工厂的要求就比对摩托车赛场和跑马场的要求宽松。但是该行为的社会价值并不禁止其被起诉。

地点的适宜性

在 St. Helen's Smelting Co. v. Tipping 一案中，上议院判决：即使被告在适当的工业地区开展其业务，也不允许其逃避承担责任。但是，在 Pwllbach Colliery Co. Ltd v. Woodman 一案中，所谓的妨害是沉淀在屠宰场和里面的肉和香肠上的煤尘。上诉法院在免除被告责任时考虑地点的因素。在 Sturges v. Bridgman 一案中，在判决制糖厂的噪音打扰附近的病人的行为是可诉的妨害时，法院注意到该区域被广泛应用于医疗专业的事实，认为：在 Belgrave 街区的妨害行为如果发生在 Bermondsey 街区，就并不一定构成妨害。

在 Adams v. Ursell 一案中，原告五年前购买的房屋的隔壁有一食杂店开业，尽管该食杂店位于工人住宅区并为满足公共需要，但是，法院仍向其签发禁令。在 Dunton v. Dover District Council 一案中，法院判决运动场赔偿损失并向其签发限制其开放时间和在那里玩的孩子的年龄的禁令。在 Bone v. Seale 一案中，上诉法院判决：原告因其忍受来自邻近的养猪场的味道而获得赔偿金。

避免妨害的花费

法院将考虑被告是否可能防止或者避免妨害行为。如果通过花费合理数目金钱可以避免妨害行为的发生，则表明其进行不合理行为。

原告的敏感性

在 Robinson v. Kilvert 一案中，储存在原告的房屋里独特、敏感的纸被来自被告的酒窖的热气损坏，由于这个酒窖对敏感性差的货物不会造成损害，因此，原告在私人妨害诉讼中败诉。在 Bridlington Relay Ltd v. Yorkshire Electricity Board 一案中，原告因其要求异常不改摆脱干扰的自由——经营电视中继服务而败诉。

私人妨害中的原告

只有当一个人对被妨害行为影响的土地享有利益时，其才可以起诉。这将诉讼限制在拥有土地的人，例如所有人和承租人，但不包括经他人同意在他人土地上而并非承租人的被许可人。在 Malone v. Laskey 一案中，被告的房子出租给一家公司，该公司将房子转租给另一家公司，原告的丈夫是这家公司的受雇人，其住在这栋房子里获得正式工资之外的额外补贴。隔壁被告的电发动机的振动使得房子里厕所的冲水蓄水池变松而不安全。被告粗心大意地修理水池，后来水池砸到原告身上，原告受伤。由于原告仅仅是一个被许可人，因此，其以妨害为由提出的索赔请求失败。尽管其以过失为由提出的索赔也没有得到支持，但是这一判决被推翻。在 Hunter v. Canary Wharf Ltd 一案和 Hunter v. London Docklands Development Corporation 一案中，第一个案件有关妨害接收电视广播，第二个案件有关建筑公路引起沉积尘土。在这两个案件中，上议院否决土地占有人起诉妨害行为的权利，并重申只有一个对土地享有利益的人才可以起诉的原则。对于第一个案件，上议院判决：所有人有权在其土地上如其希望的那样进行建筑，但受计划控制约束，如果没有设置地役权或者协议，则该所有人对其建筑物妨害其邻近的人享有土地的权利不承担责任。

有时，享有所有权的人可能在其对土地的利益已经受到妨害时起诉。如果房东能证明存在永久性的损害而非暂时的妨害，则其可以向承租人起诉有关出租的财产损失。

目前尚没有关于是否可以获得人身伤害赔偿的权威说法，关于货物损害的案件是不确定的。在 Halsey v. Esso Petroleum Co. Ltd 一案中，晒衣绳上的衣服的损失可以赔偿，但是，在 Cunard v. Antifyre Ltd 一案中，家具的损失索赔却遭到拒绝。

妨害责任的被告

最典型的被告是作出妨害行为的房屋占有人，但是，如果土地所有人导致妨害行为，然后其将房屋出租给承租人，或者其明示或者默示准许承租人引发或者继续妨害行为，或者其在出租房屋之前知道或者应当已经知道妨害行为，其可以与占有人共同承担责任。

因此，在 *Harris v. James* 一案中，土地所有人以挖掘采集石灰为目的出租其田地，其为妨害行为承担责任。但在 *Smith v. Scott* 一案中，法院判决：由于地方政府没有准许被告进行妨害行为，因此，地方政府对允许无礼的、不受欢迎的、其知道可能会引起妨害行为的承租人进入房屋不承担责任。

雇主将为其受雇人在受雇期间引发的妨害行为承担替代责任。

占有人甚至可能为侵入者引起的妨害行为承担责任，这要看其是否知道或者应当已经知道该妨害行为；如果占有人已经注意到或预见到危险，则其对于由原占有人或者前任占有人引起的妨害承担责任；例如，由前任占有人播种或者种植的树木给邻居造成的妨害。

作为妨害抗辩的时效

妨害行为的特殊抗辩是主张因妨害行为已连续不断地进行了20年而获得进行该妨害行为的权利。在 *Sturges v. Bridgman* 一案中，原告控诉被告（糖果制造人）制造的噪音，由于这20年仅从原告将诊室搬到花园的末端邻接制糖厂之日开始起算，即自其第一次注意到噪音之日开始起算，因此，该抗辩失败。

4.11 *Rylands v. Fletcher* 一案中确立的规则

在 *Rylands v. Fletcher* 一案中，被告是一个工厂主，雇佣独立承包人在其土地上建造蓄水池。承包人发现了连接原告在毗邻土地上的矿井的废弃矿井通道。承包人因疏忽而没有将管道密封住，当蓄水池充满水时，矿井被淹没。在 Blackburn 法官的判决中，被告承担责任的基础通过下列词句陈述道："我们认为法律真正的原则是，为自己的目的在土地上带来、收取和保存某些品的人，如果因疏忽而造成损害，则其必须自己承担风险，否则就构成其对因物品逸出而导致的自然损害结果承担全部责任的初步证据。"上议院限定被告在非自然使用土地情况下改善其土地时的责任，从而对这一陈述加以限制。

根据 Relands v. Fletcher 一案，承担责任有以下四个要件：(1) 被告必须为自己的目的改善其土地；(2) 如果行为出现过失，可能造成损失；(3) 使用土地必须是非自然性的；(4) 该行为出现过失。

改善其土地

被告并不一定是土地的所有人：承租人甚至被许可居住人都可能承担责任。在 Charing Cross Electricity Supply Co. v. Hydraulic Power Co. 一案中，该规则适用于享有法定地下铺设电缆权的公司。

行为必须改善土地上某些事物。如果该事物自然存在于被告的土地上，则被告可以不为其过失承担责任。因此，被告对过失引起的 Giles v. Walker 一案中的杂草、Stearn v. Prentice Brothers Ltd 一案中的害虫、Pontardawe RDC v. Moore - Gwyn 一案中的石头以及 Whalley v. Lancashire and Yorkshire Ry. Co. 一案中的洪水都不承担责任。对自然发生的事物的过失可以构成私人妨害甚至过失。在 Leakey v. National Trust 一案中，被告因未从其土地上搬走自然产生的土块和碎片而承担妨害行为责任。在 Goldman v. Hargrave 一案中，闪电划燃的火从被告土地上的树木蔓延到邻近财产，被告因没有扑灭火而构成过失，因此，其为造成的损失承担责任。

如果行为出现过失，则可能产生损失

该规则已适用于气体、电和爆炸，也适用于树叶。在 Crowhurst v. Amersham Burial Board 一案中，被告种植紫杉木，长出的树叶穿过栅栏被原告的马吃了，马因此而死，法院判决原告获得赔偿金。在 Shiffman v. Venerable Order of the Hospital of St John of Jerusalem 一案中，被告在海德公园建立账篷，用绳索绑在杆子上。由于孩子们的妨害行为，杆子倒下使原告受伤，原告有权根据对方过失和 Rylands v. Fletcher 规则获得赔偿金。在 Hale v.

Jennings Bros 一案中，被告开动的"飞机椅"上的一把椅子和上面坐的人突然离开，使在邻近土地拥有一家射击场的原告受到伤害。

过失可以与带到土地上的事物存在某种联系。在 *Musgrove v. Pandelis* 一案中，被告对由在其土地上的汽车的汽油箱火花而引起在附近土地上发生的火灾承担责任。在 *Att. Gen. v. Corke* 一案中，一堆废弃的砌砖的主人允许人们在那个位置建临时住宅并居住在那里，当居住者把附近的土地当作卫生间时，其承担责任。

使用土地必须是非自然性的

在 *Rickards v. Lothian* 一案中，将非自然性使用定义如下："必须是增加其他人特殊使用土地的危险，而且必须不仅仅是一般使用土地或者适当地为社会广大利益而使用土地"。这里排除了大部分家庭使用的农用土地和包括矿业劳动的农用土地。

非自然使用包括大量储存气体、水或者电，在 *Smeaton v. Ilford Corporation* 一案中，因考虑到社会利益，其还包括下水道污水。社会利益因素已经限制该规则的适用。在 *Read v. J. Lyons* 一案中，一些上议院高级法官认为：在战争时期经营军需品工厂是自然使用。在 *British Celanese v. A. H. Hunt (Capacitors) Ltd* 一案中，被告生产电器元件的社会利益致使使用土地和储存金属条的行为不构成自然使用土地。但在 *Cambridge Water Co. v. Eastern Counties Leather plc* 一案中，Goff 勋爵陈述其"甚至不能在小工业联合体中接受雇佣的产生，其自身足以确立构成自然或者普通使用土地的特殊使用"。Cambridge Water 公司起诉经营制革厂的被告，理由是在制革过程中使用的有机氯杀虫剂多年以来从制革厂地板中渗漏到土壤中，污染了原告取水的钻井。由于在这种情况下，被告不能合理预见溶液的渗漏可能引起原告的钻井的污染，因此，被告反对承担责任的上诉得到支持。该案例将适用该规则的严格责任范围限制在被告知道或者应当已经预见如果其出现过失将产生损失的情况下。

行为出现过失

在 *Read v. J. Lyons & Co Ltd* 一案中，原告在一家工厂的炮弹供应商店工作，被爆炸的炸弹炸伤，由于缺少过失要件，上议院拒绝原告人身伤害损失的索赔请求。从被告占有的土地到在同一区域内的原告占有的土地上的过失也足以构成过失：*Hale v. Jennings Brothers* 一案。过失可以是从房屋的一个房间到另一个房间。在 *Sochacki v. Sas* 一案中，自原告房间开始燃烧的大火蔓延到被告房间并毁坏了被告的家具。由于没有人知道火是如何引起的，不能适用事情不言自明原则，因此，原告并不存在过失责任。既然火是自然的，与过失问题无关，那么该诉讼不能适用 *Rylands v. Fletcher* 规则。

原告和可提出索赔的损失

在 *Read v. J. Lyons & Co Ltd* 一案中，MacMillan 勋爵陈述该原则"源于邻接的或者附近的土地的所有人的共同义务"，强调必需的要件应当是将过失附到原告享有利益的土地上，原告只能索赔土地和土地上的动产的损失。在早期判决中还曾经对人身伤害判决赔偿金，但在 *Read v. J. Lyons & Co Ltd* 一案之后就没有过了。

Rylands v. Fletcher 一案的抗辩理由

不可抗力

这是指人的预见不能防止其发生的事件。在 *Nichols v. Marsland* 一案中，意外的降雨引起被告土地上的人工湖洪水泛滥，该案成功地适用了该抗辩理由。但是 *Greenock Corporation v. Caledonian Ry. Co.* 一案对该判决产生置疑，原告在河床建造儿童划水池，阻挡天然水流。法院判决：尽管降雨"可能……是异常的和……空前的"，但被告对因河水泛滥而造成原告的财产损害承担责任。

陌生人的行为

即过失是由于陌生人不可预见的行为引起的——而非雇佣人、

家人、独立合同人和可能的客人。在 Rickards v. Lothian 一案中，当原告的房屋被水淹没时被告房屋的水龙头是打开的，由于原告不具备证明过失和"这是某人恶意行为"的证据，所以其不能获得损失赔偿。

共同过失

现在没有这方面的判决，但无疑这是一个有效的抗辩理由。

法定授权

如果将某物带到土地上并储存的行为有法定授权，就可以排除该原则。在 Pearson v. North Western Gas Board 一案中，原告在爆炸后失去丈夫并毁损房屋，但由于被告负有供应煤气的义务，所以原告在有关人身伤害的诉讼中败诉。

原告同意

默示同意有两种情况。在房屋所有人和承租人的关系中，承租人在租赁关系开始时已经同意接受在房屋内存在的事物。在 Peters v. Prince of Wales Theatre Ltd 一案中，被告将其电影院内的一家商店出租给承租人，当电影院洒水系统解冻、商店被水淹没时，原告没有理由提出控告。第二种情况是原告和被告不存在房屋所有人和承租人关系，而是两者共有一座楼房，某些东西从被告占有的楼房的一部分泄漏到原告占有的部分。在 Collingwood v. Home and Colonial Stores Ltd 一案中，被告房屋内电配线故障引起的火灾蔓延到被告的房屋，损坏原告的商店，并且没有进行救助。辩论以共同利益为基础，但是真正的原因一般被陈述为：原告接受房屋的原样，就必须忍受这些结果。

间接损失

Cambridge Water Co. Ltd v. Eastern Counties plc 一案判决后，这明显是一个抗辩理由，在该案中，上议院确定损害的可预见性是承担责任的先决条件。

和其他侵权之间的关系

在 *Cambridge Water Co. Ltd* 一案中，Goff 勋爵赞同 Newark 教授在 19 世纪后期对法律界的批评："妨害行为的概念的界限变得模糊，没有做到仅遵循妨害行为的惟一案件——*Rylands v. Fletcher* 一案"。Goff 勋爵在案件的判决中评论道："从其背景看，没有理由推定 Blackburn 法官希望建立比妨害法建立的责任更为严格的责任；尽管如此，其也一定希望如果其指出的特定情况发生，则应当专门针对产生损失的单独过失存在一项责任。"在 *Hoare & Co. v. McAlpine* 一案中，被告的打桩机给原告旅馆的地基带来振动和损害，法院判决被告根据 *Rylands v. Fletcher* 规则承担责任。尽管该案作出如此判决，但 *Rylands v. Fletcher* 规则扩展到噪音和振动过失的可能性仍然不大。在妨害行为方面，对独立合同人的行为不存在自动适用的责任，否定的典型案例就是 *Rylands v. Fletcher* 一案。

在过失侵权方面，根据 *Rylands v. Fletcher* 规则，一个人可能没有过失却承担责任。谨慎或者不谨慎都不是影响因素。在另一方面，显然法院对严格责任的概念并不热衷，已经允许根据该规则提出的索赔适用那些根据过失提出的索赔中的抗辩理由，尤其适用根据 *Cambridge Water Co. Ltd* 一案现已成为严格责任必要条件的可预见性的概念。

推荐读物

《侵权》（Alastair Mullis and Ken Oliphant, Macmillan Professional Masters, 1993）。

《侵权教科书》，第 6 版（Michael A. Jones, Blackstone Press Ltd）。

问题

1. 原告必须证明的过失侵权三要素是什么？

2. "水门讨论"如何？为什么要试图减少谨慎义务？

3. 一般而言，除非符合疏忽性错误陈述和其他6个要件，否则不能索赔纯经济损失。这6个要件是什么？

4. 什么情况下适用"事情不言自明"原则？

5. "对自愿者不构成侵害"的抗辩理由是如何适用的，其与共同过失有何联系？

6. 在占有人责任方面，适用两种特殊规则的"拜访者"分别是谁，这些规则有什么区别？

7. 公共妨害和私人妨害之间有何区别？

8. 法院在确定妨害行为时应考虑一些特定因素。这些因素有哪些？

▼
▼
▼
5

合同和侵权的司法救济

学习目标
通过本章学习了解以下内容：
1. 违约和侵权可以运用的补救方式：赔偿损失、衡平法上的救济和恢复原状的救济
2. 侵权和违约间接损害原则的运用
3. 原告应当减轻侵权或违约造成其损失的重要性

所有承认合同法和侵权法的法律体系都必须解决根据二者产生的请求竞合的可能性问题。这两种解决方法是：（1）强迫请求人依据合同提出请求；（2）允许其选择其喜欢的救济方式。普通法国家的法律在诉讼法框架下发展，并且法律按照诉讼形式分类。直到 1852 年《普通法程序法案》废除这种分类后，重新进行的实体分类才将债法分为合同法和侵权法，但在 20 世纪后期之前，很少考虑以二者为依据提出索赔的请求权竞合问题。

最初，法院采用第一个解决方式，判决：如果因律师的疏忽而造成损失，则对律师提出的索赔请求必须依据合同，*Groom v. Crocker* 一案就严格遵循上述方式。在 *Bagot v. Stevens Scanlon & Co. Ltd* 一案中，Diplock 大法官在对建筑公司提出的索赔中采用了类似方式。

这个问题不仅仅具有学术上的意义。如果没有竞合责任，以合同为基础的索赔可能甚至在当事人注意到其之前，其法定诉讼时效就已届满。专业人员疏忽的结果只能在发生违反合同的行为6年之后才能体现出来。1986年《潜在损害法》将原告起诉时间的开始推迟到其知道相关信息后，但仅限于过失侵权。

合同和侵权的竞合救济最早的、也是最重大的进展出现在 Hedley Byrne & Co. Ltd v. Heller & Partners Ltd 一案中，这为重新考虑责任竞合问题提供了机会。Esso Petroleum Co. Ltd v. Mardon 一案发生了观点的变化，原告的受雇人与被告（可能成为一个汽油站的承租人）在进行合同前磋商时作出关于汽油站通道汽油流量的陈述。当流量低于预计流量时，被告遭受严重损失。上诉法院判决其有权以违反保证条款或者过失虚假陈述为由要求对方当事人赔偿损失。Denning 大法官摒弃了 Groom v. Crocker and Bagot v. Stevens Scanlon & Co. Ltd 一案的裁决，判决：除了违约责任之外，原告还应当承担过失侵权责任。Batty v. Metropolitan Property Realisations Ltd 一案也遵循了这个判决。

在 Midland Bank Trust Co. Ltd v. Hett, Stubbs & Kemp 一案中，法院判决律师可以依据侵权或者违约对其客户承担过失责任，赋予请求人更有利的诉因产生的时间优势。Oliver 法官陈述道："现在没有、也从未有过任何法律规则规定享有选择性请求权的人必须以一个或者另一个诉因提起诉讼。"最近的阐述是上议院在 Henderson and Others v. Merrett Syndicates Ltd ect. 一案中作出的。该案是涉及劳埃德这一"名称"的几个案件其中之一。参加了能签发保险单的辛迪加的人，即使所保险事件发生也可以不受任何限制地继续维持生存。当其遭受巨大损失时，其可起诉其代理人和复代理人要求赔偿损失。Goff 勋爵驳回保险代理人提起的上诉，并判决：从侵权角度看，保险代理人负有注意劳埃德这一名称的义务，同时合同条款也没有排除对该名称负有该项义务，所以劳埃德有权以违约或者侵权为由进行诉讼。由于劳埃德的名称与其保险代理人之间的关系是 *Hedley Byrne* 所适用的一类规则中的典型例子，因此，其有权索赔纯经济损失。

除了关于诉讼时效的原则不同之外，合同和侵权这两个领域的法律的救济方式也存在明显差异：特定履行和违约金仅限于违约责任；适用于间接损失和精神痛苦的标准不同；共同过失和惩罚性损害赔偿仅可以在侵权赔偿中适用；侵权比违约更易于适用恢复原状。

司法救济重在减轻原告的痛苦而不是惩罚被告，但是，侵权中的惩罚性损害赔偿金的例外除外。尽管可以将获得法律救济作为权利，但衡平法救济方式——例如特定履行、禁令、更正和废除合同——是法院自由裁量的。可以适用的救济方式有损害赔偿金、衡平法救济和恢复原状。

5.1 损害赔偿金

合同中的补偿性损害赔偿金

其目的是将原告置于如同合同已经得到履行那样的地位。这被称为预期损失，原告可以如下文所述索赔金钱损失。

没有交付、接收货物或者提供服务

如果货物很容易在其他地方买到，则损失即是合同价格与应当送货时的市场价格之间的差额。即使买方为购买替代货物支付的货款高于市场价格，其也不能索赔高出的额外货款。如果买方拒绝送货，则卖方出售货物价格低于市场价格时，也不能索赔不足的货款。

当不被接受的货物没有可以出售的市场时，可以索赔预期利润损失。在 *Thompson (W. L.) Ltd* v. *Robinson (Gunmakers) Ltd* 一案中，被告一天后否认购买汽车的合同，因为市场没有对该汽车的需求，因而原告获得该交易预期利润的损失赔偿。但在 *Charter* v. *Sullivan* 一案中，在相同情况下，由于买方比汽车供应者多，因而法院没有判决赔偿预期利润损失。在 *Lazenby Garages* v. *Wright* 一案中，买方否认购买二手汽车的合同，后来卖方以更高价格将汽车卖出。卖方主张如果不是买方拒绝合同则其将卖出两辆汽车，法院驳回了卖方索赔预期利润损失的请求。

对于提供服务，损失是合同价格和在法院所确定的时间替代服务的价值之间的差额。

提供有缺陷的货物和服务

损失是合同约定和实际送货之间的差额，以恢复价格（将缺陷恢复正常）或者价值上的减少为准。除非原告没有表现出进行恢复工作的意图，否则一般准许采用恢复价格。在 *Tito v. Waddell*（No. 2）一案中，被告已经允诺在小岛上进行采矿生产之后将重新种植树木。由于岛上居民没有明显重新种树的意图，所以法院判决损失赔偿为岛上有树木和没有树木的价值之间的差额。在 *Radford v. De Froberville* 一案中，原告出售一块土地给被告，被告的代价是在上面建起一面隔离墙，因为法院确信原告意欲建造这面墙壁，所以判决原告的损失为建造墙的价值而非价值的差额（实际几乎没有差价）。在 *Ruxley Electronic v. Forsyth* 一案中，原告为被告修建深度为 7'6" 的潜水用游泳池。完工的游泳池深度仅达到 6'9" 自然潜水点为 6'。一审法官判决游泳池的价值没有区别，但需要 21000 英镑将现状恢复到符合原要求，而被告进行这项改建工程几乎是不可能的，也是不合理的。法院判决被告赔偿原告在建筑物舒适方便方面的损失 2500 英镑。上诉法院推翻该判决并裁决完整的恢复价格。上议院支持一审判决。该判决反映了 21000 英镑的损害赔偿金将对被告构成过多补偿的观点，所以必须找到一个数字，用该数字加上游泳池的可用价值，恰好等于原告应当获得的利益。

利润损失

原告可以在被告预见的合理范围内索赔利润损失。

机会损失

即使在损失很难估算时，也应裁决损害赔偿金。在 *Chaplin* v.

Hicks 一案中，法院裁决赔偿丧失预约演出中一部分被试听的机会损失，以此作为比赛的奖金。与此相同，在 Simpson v. London and North Western Rly Co. 一案中，被告没有为展览会及时送货，尽管不可能精确估算损失数额，原告还是获得失去对主顾信誉的损失赔偿金。

裁决将考虑除掉原告获得这些利益时所负担的税务：Beach v. Reed Corrugated Cases Ltd 一案和 British Transport Commission v. Gourley 一案。

预期损失的另一种形式是：原告可以索赔基于对被告所作允诺的信赖进行的行为所发生的损失。在 McRae v. Commonwealth Disposals Commission 一案中，索赔为根本不存在的船舶残骸进行的准备救助工作的费用；在 Anglia Television v. Reed 一案中，被告违约不再参加演出，索赔电影先期制作费用损失。所有的案件都表明损失必须在被告可预见的合理范围之内。

当难以证明可预见的预期利益时，可以适用信赖损失。在 CCC Films v. Impact Quadrant Films 一案中，原告的索赔并不以利润损失为基础，而是索赔在对一般录像机销售权方面的原始投资损失。如果表明无论如何信赖利益都将丧失时，则不得进行索赔。因此，承租人以期限为 6 个月的可展期许可证租用财产，其不能索赔改进该财产所花费的费用损失：C & P Haulage v. Middleton 一案。

5.2 间接损失和意外损失

原告可能遭受与可预见损失相同的损失，但由于违约，损失可能不够直接显而易见。因此，根据合同义务提供有缺陷的货物可能对人身或者财产造成损失，不公平地解除合同的结果将扩大到养老金领取权、免费健康保险、公司的汽车等等。

在 Jackson v. Horizon Holidays Ltd 一案中，原告索赔由于很糟糕的假日导致其及其妻子、孩子失望的精神损失。在 Jackson v.

139 *Chrysler* 一案中，法院裁决赔偿因重复出现的汽车故障破坏假日而造成的"不方便和失望"损失。除非"被违反的合同本身是一个提供平静心情或者减除忧愁痛苦的合同"，否则一般的商业合同对烦闷和恼火的精神损失不予赔偿。在 *McLeish v. Amoo - Gottfried & Co.* 一案中，高等法院判决：由于律师粗心大意地为原告进行抗辩，所以律师应当赔偿痛苦和精神焦虑的损失。法院陈述道：合同真正的实质是通过采取适当步骤确保其平静的心情，而且可以预见——如果律师行为疏忽，则原告将遭受精神痛苦。但法院没有将破坏名誉作为一种独立的损失给予赔偿金裁决。

雇佣合同索赔因不正当解除合同而造成痛苦的损失：见 *Addis v. Gramophone Co. Ltd* 一案（见第 12 章）。

5.3 合同的间接损失

即使是在违约产生损失的情况下，如果与产生灭失或损坏的因果关系太远，则原告的索赔请求也有可能得不到支持；在 *Hadley v. Baxendale* 一案中创设了检验标准。原告操纵一台压榨机，当压榨机的机轴断裂后与被告承运人订立合同，要求被告第二天将机轴作为样品送到一个生产厂以便制作替代品。直到一周后机轴才送到，压榨机停工时间比预期长。该案件确定对于下列损失应当承担赔偿责任：（1）违约行为自然产生的损失；（2）"订立合同时当事人预期可以合理推定的违约将可能导致的损失"。因为不难想像工厂可能备有替代品，因此，该案延长压榨机停工时间提出的索赔请求既不是违约的自然后果，也不在当事人公平合理的可预见范围之内。

在 *Victoria Laundry (Windsor) Ltd v. Newman Industries Ltd* 一案中，对可赔偿损失的标准再次界定为："订立合同当时可以合理预见的一旦违反合同所需承担的责任"。被告承担普通利润损失的赔偿责任，是因为干洗店闭店期间长于预期替换锅炉耽搁的时间，而不是因为原告被迫拒绝的例外的染色合同造成损失。

除非对方被明示或者默示地告知或者推定其已经知道货物将被转卖，否则以转售货物为目的的买方不能请求赔偿预期利润损失。这同样适用于承运人迟延或者没有交付货物造成损失的情况。在 *Koufos v. C. Czarnikow Ltd*，*The Heron* II 一案中，托运人缔约运送将在到达巴士拉后出售的食糖。托运人的违约致使食糖迟到了9天，而食糖价格下跌，其承担利润损失的赔偿责任。

5.4 减轻损失

一个人不能索赔其可能已经合理避免的损失，原告负有使其损失最小化的义务。被不公平地解除工作的受雇人必须寻求替代性工作：*Brace v. Calder* 一案，尽管这并不意味着接受地位更低下的再度雇佣：*Yetton v. Eastwoods Froy Ltd* 一案。面临解除合同的货物卖方必须努力找到第二个买方：*Lazenby Garages v. Wright* 一案（见下文）。关于预期违约损失：*White & Carter（Councils）Ltd v. McGrdgor* 一案（见第3章）。

5.5 共同过失

在 *Barclays Bank plc v. Fairclough Building Ltd and Others* 一案中，原告针对"将合同义务的抗辩扩展到共同过失上的判决"提起上诉。原告雇佣被告完成的工作包括清理用弄皱的石棉板制成的房顶。由于承包人的过失，石棉尘把房屋弄脏了，需要进行价值400万英镑的补救工作。因为该项工作是由原告的财产服务部门监督管理的，所以被告主张共同过失。1945年《法律改革（共同过失）法》第1条第1款规定：部分由于原告过错、部分由于被告过错产生损失的情况，减少被告承担的赔偿金。"过错"一词在第4条规定，包括"过失、违反法定义务、其他行为或者将会导致侵权责任的不履行法律责任、除该行为外还将引起共同过失抗辩"。

法官判决被告违反合理照料的默示合同义务,而且侵权法也有同样广泛的义务,所以适用1945年《法律改革(共同过失)法》。上诉法院判决共同过失不能构成建立在严格责任合同上的索赔的抗辩理由。即使被告可能由于同一行为还相应承担侵权责任,违反合同约定时产生的责任也不适用共同过失。

5.6 非补偿性损害赔偿金
预定违约赔偿金和未确定数额的损害赔偿金

合同可能约定"处罚条款",阐明如果发生违约应当以赔偿金形式支付的数额。仅在该条款是对违约可能产生的损失的进行的真实的提前估算情况下,其才将作为合同预定违约赔偿金而无需证明实际损失,在协议上是可执行的。当法院判决该条款仅是威胁或者恐吓性的勒索其他当事人的威胁时,该条款不能被信赖,当事人必须证明其损失。证明一个条款是惩罚性条款而不是未确定的损害赔偿金的举证义务由被告承担。作出判决时,法院遵循了 *Dunlop Pneumatic Tyre Co. Ltd v. New Garage Ltd* 一案确立的规则。

有关预定违约赔偿金的规则如下:(1)如果其总数额超过合理范围,或者违约后自由决定的数额可能与最大损失相当,则其无效。(2)如果由于违约应当支付的赔偿金不是支付一定数量的金钱,并且损失数额更大,则其无效。(3)在遵循前两条规定的前提下,只有当发生明显的和确定的违约时产生赔偿金,其才有效:*Law v. Redditch Local Board* 一案。(4)如果规定发生一个、多个或者所有的几个事件时应当支付损失赔偿金,其中一些事件可能导致严重损失,但其他事件将产生不严重的损失,则推定作为惩罚条款的赔偿金无效:*Ford Motor Co. v. Armstrong* 一案和 *Campbell Discount Co. Ltd v. Bridge* 一案。

如果预定违约赔偿金的条款有效,则尽管原告将遭受更大损失,该条款也将被执行。在 *Cellulose Acetate Silk Co. Ltd v. Widnes*

Foundry Ltd 一案中，被告安装设备迟延 13 个星期，原告索赔因此导致的 5850 英镑实际损失的主张被驳回。根据合同中的条款，原告有权获得每周 20 英镑的赔偿。

象征性损害赔偿金

如果违反合同权利但并没有可以计量的损失，则法院将裁决象征性损失赔偿金：见 *Lazenby Garages v. Wright* 一案（见下文），原告获得 2 英镑赔偿金。在 *Surrey County Council v. Bredero Homes Ltd* 一案中，对同一块建房用地给予被告两个独立的开发计划，其与原告缔约按照第一个计划开发用地，但是实际按照第二个计划完工，而且建造 77 间房屋而不是 72 间。原告索赔被告违约造成的利润损失，但因为原告没有遭受损失，所以法院判决象征性损害赔偿金。

5.7 侵权中的补偿性损害赔偿金

损失可以分为一般损失和特殊损失。一般损失被认为是侵权行为的结果，然而特殊损失将不得不被原告特别证明。一个遭受永久的身体和精神上的伤害的人可以被判决获得多种名目的损害赔偿金。一般人身伤害可以分为：（1）疼痛和痛苦；（2）失去享受生活和福利设施的快乐；（3）失去对生活的希望；（4）失去收入（实际的和预期的都包括）。

由于被告不正当的行为致使原告获得利益，原告必须为此付款，但是某些间接利益免除付款，其中包括通过慈善事业获得的金钱和保险收益：见 *Parry v. Cleaver* 一案，原告索赔人身伤害赔偿金没有减除从残疾保险获得的保险收益。该案的论据就是因为其已经用自己的钱支付保险费所以无需再付款。这个产生双份赔偿的规则遭到批判。该规则现在已经通过 *Hopkins v. Norcros plc* 一案（见第 12 章）案延伸至适用于合同法。自从 1987 年以来，法院对人身伤害索赔案件使用构造支付的方法，即赔偿金通过免税付款进行支付。1996年《赔偿法》推动促进了这种判决。

5.8 侵权中的间接损失

间接损失的旧标准是在关于 *Polemis and Furniss Withy & Co.* [1921] 一案中确立的，即被告承担由于其过失而产生的一切直接后果，而无论这些后果是否可以预见。这被 *Overseas Tankship (UK) Ltd v. Morts Dock Engineering Co. Ltd*, *The Wagon Mound* (No. 1) 一案有力地否决了，在该案中，被告粗心地将其船上的油泄漏到悉尼港。油扩散到200码以外的原告的码头，当时那里正在进行焊接工作，并且是在得到继续工作的安全保证之后继续工作的。一个火星点燃了漂在水面上的棉絮，使得水中的油燃烧，导致码头严重损坏。因为被告不能合理地预见到当其过失将油泄漏到海港时，原告的码头将被火灾毁坏，所以被告不承担责任："这是民事责任的一个原则……一个人必须考虑到对其进行的行为可能产生的后果承担责任。要求其过多就是苛刻的规则，要求其太少又是忽视'文明的法律要求遵守最低行为标准'的规则"（Simonds子爵）。

在后来的判决中逐渐形成以下观点。第一，只要进行过失行为之时可以合理预见人身伤害的种类，无需必须预见其发生的方式和损害的范围。在 *Hughes v. Lord Advocate* 一案中，一个侵入他人住宅的年轻人在突发爆炸中受伤，该爆炸是煤油灯掉进敞开的下水道出入口时引起的。被告认为烧伤是不可预见的，不是爆炸产生的伤害。法院判决"这次事故是由一个为人所知的危险源引起的，虽然其发生方式是不可预见的，但我认为这不是抗辩理由。"在 *Vacwell Engineering Co. Ltd v. BDH Chemicals Ltd* 一案中，被告因为没有给化学品贴标签警示该化学品容易在水中爆炸，承担赔偿责任。一次较小的爆炸产生损失是可以预见到的意味着对于比可以合理预见到的更广泛的损失，其都应当承担责任。在 *Muirhead v.*

Industrial Tank Specialities Ltd 一案中,提供有缺陷的抽水机的供应商为原告存放在鱼塘里的所有龙虾的全部损失承担责任。Goff 大法官陈述道:"如果其已经发现这类损失是可以合理预见到的,则其他关于整个鱼塘的全部龙虾受损的原因、鱼死亡速度更快、数量更大这些事实都不重要,除非……这些事实构成引起灾难发生的单独或者共同的理由。"

下列案件强调身体伤害的种类。在 *Bradford v. Robinson Rentals Ltd* 一案中,被告的受雇人暴露在严寒中驾驶汽车后被冻伤,因为该冻伤是与伤风、肺炎或冻疮属于一类的可以合理预见到的伤害,所以被告为其受雇人的冻伤承担赔偿责任。但在 *Tremain v. Pike* 一案中,原告因接触鼠尿而感染一种罕见的疾病,其在诉讼中提出索赔请求,该请求因其完全不同于预见到的结果(鼠咬和食物中毒)而没有得到支持。但其与一般规则的内容相违背,一般规则为如果由于特别的弱点受害人遭受超过合理预见范围外的伤害,则被告应当为所遭受的伤害承担责任。在 *Smith v. Leech Brain & Co. Ltd* 一案中,一个特殊的易受癌症感染的人在工作时被融化的金属打到嘴唇,并因此感染癌症导致死亡。其遗孀获得对其死亡的损失赔偿。在 *Robinson v. Post Office* 一案中,原告因其雇主的过失而遭到较小伤害,然后其接受预防破伤风注射,但由于过敏反应发展为脑炎,结果造成永久性大脑损伤和残疾,被告对此承担责任。

间接损失原则并不排除其对非常富有的人或者薪金很高的人造成伤害所负有的赔偿责任,也不排除对具有异常价值的物品如大师的版画而非复制品的赔偿责任。另外,与合同法中的间接损失的标准相比,侵权法要求具备较低程度的可预见性: *Koufos v. Czarnikow Ltd , The Heron* II 一案。

在 *Doyle v. Olby (Ironmongers) Ltd* 一案中,法院驳回了原告提出因索赔诈骗而造成的间接损失,Denning 勋爵陈述道:"被告必须赔偿欺诈性诱因所直接产生的所有实际损失。"该判决在 Smith New Court Securities Ltd v. Citibank N. A. 一案中得到上议院的赞同。该案涉及购买股票合同的欺诈性虚假陈述。Browne – Wilkinson 勋爵为确定原告被所购买财产的欺诈性虚假陈述诱骗所遭受损失规定下列七条规则：(1) 被告必须为交易直接产生的所有损害承担责任；(2) 虽然这些损失不必须是已经预见到的，但其必须是由交易直接产生的；(3) 在估算这些损失过程中，原告有权索赔……其已经支付的完整价格，但其必须折减因此获得任何利益的部分；(4) 作为一般原则，其得到的利益包括获得物在获得当日的市场价值；但如果适用该一般原则将使其不能获得完全补偿时，则不再适用一般规则；(5) 一般规则……一般将不适用于下列情况：获得财产当日之后虚假陈述仍然保持发生作用以至于诱使原告保留财产，或者原告由于欺诈的原因受困于该财产；(6) 原告有权索赔由交易产生的间接损失；(7) 一旦原告发现欺诈，其就必须采取所有合理措施以减少损失。在 Royscot Trust Ltd v. Rogerson 一案中，法官对于根据 1967 年《虚假陈述法》采用道尔方式估量损失没有发表明确意见。

关于交易日期原则，Steyn 勋爵陈述道："如果这个方法不合适，则法院有权仅根据交易来直接估算损失，……只要符合最高补偿原则的要求，就无需参考交易日期。"但勋爵一再重申减少损失的限制原则在欺诈情况下没有特殊例外，该原则可以适用于其他国际侵权。

5.9 介入原因

当介入自然事件破坏因果关系链时，侵权责任受到限制。因此，在 Carlogie SS Co. Ltd v. The Royal Norwegian Government 一案中，原告的船舶在碰撞中受损，修理后开往美国，由于恶劣气候而大面积受损。上议院判决：因为损失不是碰撞的后果，所以被告对该损失不承担责任。但是,如果无论在任何情况下事件都将发生,则该事件仅加重损害的要素,但不破坏因果关系链。船舶出租人提供一艘速度非常慢、并且存在缺陷的货船,如果船舶被耽搁,遭遇例如战争爆发的大灾难,则船舶出租人仍然承担赔偿损失的责任:Monarch SS Co. Ltd v. Karlshamns Oljefabriker 一案。

有关当事人干预行为的特例是新行为的介入,此时,如果被告能够证明原告遭受的伤害是原告本人或其他人的破坏伤害和其侵权行为之间的因果关系链的干预事件的结果,其就可以摆脱侵权责任的承担。在 Davies v. Liverpool Corporation 一案中,有轨电车乘务员在车内梯阶上,当原告上车时,该乘务员允许另外一个乘客按铃,该乘客的行为没有破坏乘务员的不正当行为和原告遭受的伤害之间的因果关系链,因此,被告代替承担乘务员的过失责任。但是,在 McKew v. Holland and Hannen and Cubitts (Scotland) Ltd 一案中,原告由于雇主的过失受工伤,导致其腿出乎意料地残疾,其腿残疾之后,一次在登上没有扶手的楼梯时摔倒,法院判决其行为破坏了因果关系链,是不合理的。只要原告的行为不是不合理的,因果关系链就不被破坏。在 Wieland v. Cyril Lord Carpets Ltd 一案中,原告以前曾经由于被告过失在工作中受伤并不得不戴一种脖套,妨碍其佩戴双焦点眼镜,导致后来其从家里的楼梯上摔倒,因此,原告在其摔倒后得到伤害赔偿。

5.10 扣减损失

损害赔偿金除掉应当扣减的损失,所以当被告被挑拨、激怒时进行诽谤的损害赔偿金应当被扣减。扣减损失还适用于因原告自己的行为而增加其遭受损失的情况。在 Luker v. Chapman 一案中,原告在部分由于被告过失而导致的事故中失去其右腿。其不能继续从事电话技师的工作,但由于钱少拒绝文案工作并开始从事教师培训的职业。因为原告本可以接受文案工作,所以被告不承担原告从事教师培训工作期间遭受的全部收入损失的赔偿责任。但在 Moore v. D. E. R. Ltd 一案中，在因被告受雇人过失而引起的事故中，原告一辆已使用3年的汽车报废，其可以索赔一辆新汽车以及在等待新车期间租用汽车的费用。法院支持原告在工作中必须有可用汽车的主张，这似乎与减少损失的相关法律相违背。

5.11 共同过失

1945年《法律改革（共同过失）法》规定："如果当事人遭受的损失，一部分是由于自己造成的，另一部分是由于其他人造成的……则因此提出索赔的损害赔偿金应当在法院考虑请求人应承担的损失赔偿数额的基础上，在认为公平和平等的范围内相应扣减。"：第1条第1款。法院根据案件的具体情况进行判决，如果被告遭受损失的情况是由于原告引起的，则原告应因此承担责任，但是赔偿数额应当按照原告对其所受的损失中自己分担的份额比例进行扣减。

下列情况下产生共同过失：（1）原告的行为对事故的发生有影响——例如，事故发生时原告和被告驾驶汽车都有过失；（2）原告使得伤害或者损失更加严重——例如，在汽车里面没有系安全带或者骑摩托车没有戴安全帽：O' Connell v. Jackson 一案。

从 Sayers v. Harlow UDC 一案中可以看到共同过失这项制度的实施。在该案中，原告被关在公共厕所里面，试图把脚踩在手纸滚轴支架上爬出封闭的卫生间。手纸滚轴转动，原告摔倒并受伤，但是因为其踩在手纸滚轴上的共同过失，赔偿金扣减25%。在 Froom v. Butcher 一案中，由于原告没有系安全带，其赔偿金被扣减20%。在 Owens v. Brimmells 一案中，由于原告知道被告在喝酒的情况下驾车，所以，其损害赔偿金被扣减20%。

为欺诈承担责任的当事人无权以其和受害方当事人对侵权行为有共同过失为由抗辩：Alliance & Leicester Building Society v.

Edgestop Ltd 案、Same v. Samra 案和 Mercantile Credit Co. Ltd v. Lancaster 案。

5.12 纯经济损失

原告可以索赔的赔偿金有：（1）人身伤害以及损失因果关系不是很远时的精神痛苦和紧张不安；（2）因被告的过失而造成的、可预见的对其财产造成的物质损害的金钱损失，但除非过失虚假陈述的情况，否则不包括纯经济损失。

上述（2）和纯经济损失之间的区别体现在 Spartan Steel and Alloys Ltd v. Martin & Co. Ltd 一案中，被告的受雇人因过失而损坏地下电缆，切断原告工厂的电源，致使熔炉中融化的金属灌注并失去生产时间。原告获赔金属损失及其损失的利润，但没有获赔作为纯经济损失的生产利润损失。不允许索赔纯经济损失的理由在于有关"水门讨论"的公共政策。在 Ultramares Corp v. Touche 一案中，Cardozo 法官认为：允许索赔纯经济损失将导致"在不确定的时间内赔偿不确定种类的不确定数额赔偿金"的责任。

法院已经准备同意在下列两种侵权情况下索赔纯经济损失：（1）过失虚假陈述的责任；（2）阻止即将发生的对生命和财产危险所必须花费的费用的索赔。这两种例外引起了 20 世纪 80 年代时期一系列前后不一的判决，有关纯经济损失的原则开始被逐渐改变。最著名的案件是 Junior Books Ltd v. Veitchi Co. Ltd 一案，法院判决被告承担因安装有瑕疵的门而产生的纯经济损失的赔偿责任。

上议院从很大程度上减少了过失虚假陈述的例外。其以 Anns v. Merton London Borough Council 一案的判决为基础，排除了上述第二个例外。在该案中，房屋所有人在遭受损失的前提下出售房屋，并在上诉法院向地方当局索赔损失。上议院判决替代或者修理有瑕疵的产品的费用索赔是合同索赔，只有有瑕疵的产品引起损害时才可以依据侵权索赔损失。在强调仅当发生过失虚假陈述情况下可以索赔纯经济损失时，上议院拒绝将索赔种类扩大到包括纯经济损失，并声明这是立法机关的责任。在 *Murphy v. Brentwood District Council* 一案中，地方当局批准一项有缺陷的建筑计划——在不适当的地基上进行建筑，导致建筑物沉降和建筑缺陷，上议院驳回了以第一个例外为由的索赔。

5.13 侵权中的非补偿性损害赔偿金

非补偿性损害赔偿金可以是象征性的、歧视性的、加重性的和惩罚性的。在没有损失证据但本身可以起诉侵权的情况下判决象征性损害赔偿金例如侵入土地和诽谤中伤。除非陪审团不支持诬蔑诽谤案件中的胜诉原告，指出原告至多只需要通过技术上的知识来证明其权利遭受侵犯，否则很少判决作出歧视性损害赔偿。在法院认为公正的情况下判决加重赔偿。在 *Bisney v. Swanston* 一案中，被告恶意地将拖车停放在原告位于公路边上的小餐厅的汽车停车场里，严重妨碍原告的生意，因此，法院判决加重赔偿。惩罚性损害赔偿的意图在于警告或者惩罚被告。在 *Rookes v. Barnard* 一案中，上议院将裁决惩罚性损害赔偿的案件限制在下列情形：（1）原告是政府官员独裁和压迫行为的受害者：*Arora v. Bradford City Council* 1990 一案；（2）被告故意赚取超过原告损失的利润；（3）法定赔偿。在 *Cassell & Co. Ltd v. Broome* 一案中，该书的出版商和作者知道将赚取的钱可能超过以文字毁损名誉的行为造成的损失，法院裁决在 14000 英镑补偿性损害赔偿金之外，又判决 25000 英镑惩罚性损害赔偿金。

5.14 合同中的衡平法救济方式

违约方面，可以采用指令解除合同、更正合同、特定履行和禁令等衡平法救济方式。更正合同见第 3 章。

解除

解除允许由于虚假陈述、胁迫、受到不正当影响或者某些使合同失效的要素导致合同可撤销时,受害的合同当事人可以撤销合同,并且回复到其订立合同之前的地位。在下列情况下,不能适用该救济方式。

受害方证实合同

在知悉使合同无效的所有要素后,受害方宣布其受合同约束或者通过某些行为默示确认该合同。时效届满可以作为确认合同的证据。

期间终止

根据"迟延阻止公平",解除合同的请求可能被驳回。在 Leaf v. International Galleries Ltd 一案中,法院认为 5 年的迟延期间太长;在 Allcard v. Skinner 一案中,法院也认为 8 年的迟延期间太长。可以接受的期间可以是几周。

不可能恢复原状

当事人可以回复到其订立合同之前的地位,但是,如果完全恢复原状是不可能的,则法院可以裁定在支付公平的损害赔偿金的前提下解除合同。

产生第三人权利

在 Phillips v. Brooks 一案中,善意典当商一旦善意获得戒指,珠宝商就不能向基于欺诈性虚假陈述取得戒指的买方索还该戒指(见第 13 章)。在索赔因虚假陈述诱骗而进行股票买卖的合同中遭受的损失时,如果公司已经进入清算,则其将丧失该救济方式:Oakes v. Turquand and Harding 一案。

特定履行

指法院裁定违约当事人执行合同。但在下列情况下,不得作出特定履行裁决。

损害赔偿金是充分的救济

一般而言，只有在合同调整特殊对象的情况下才可以适用特定履行，例如土地、艺术品或者船舶。特殊货物的范畴已经扩展到包括买方在其生意中需要的并且在其他情况下不能获得的货物。因此，在 Sky Petroleum Ltd v. VIP Petroleum Ltd 一案中，法院裁定油类公司在汽油短缺期间向修车场提供汽油。

个人劳务合同

法院不得强迫受雇人按照特定履行合同的裁定或者禁止违反合同的禁令进行工作。

没有充分对价的合同

这也适用于通过实施行为具有法律拘束力的合同：Cannon v. Hartley 一案。该规则的含义是：公正不能帮助自愿者。

需要法院监督合同的履行

法院拒绝执行土地所有人要求守门人一直值班的义务：Ryan v. Mutual Tontine Association 一案。但在 Posner v. Scott Lewis 一案中，法院特定执行了提供常驻守门人的合同。在 Co‑operative Insurance Society Ltd v. Argyll Stores (Holdings) Ltd 一案中，对于为确保在正常营业时间保持开业而特定履行租赁合同裁定，因其需要法院不断地监督，所以上议院将其撤销。如果被告被迫在受损情况下经营买卖，则法院允许原告借助被告的费用使其富足也是不公正的。分期建造或者交付货物的合同不得特定履行。

没有相互关系

如果不能同时保证原告能特定履行其未履行的合同义务，则法院将不得裁定被告特定履行合同。因此，如果 B 允诺为 A 工作 10 年，A 就允诺转让房屋给 B，因为 B 未能特定履行自己允诺的工作，所以 B 将不能得到 A 对其作出的特定履行。

此外，只有当"这样作是公正而且平等时"，才可以适用这种救济方式。在下列情况下，禁止适用该救济方式：（1）合同不平等；(2) 原告已经不合理地进行行为；(3) 被告将遭受不适当的苦难；(4) 被告善意地、合理地出现错误；(5) 在寻求救济方面存在不适当的延误。

法院可以裁定由赔偿金代替特定履行或者在特定履行之外支付赔偿金：1981 年《最高法院法》第 50 条。

禁　令

禁令既可以是禁止性的——命令制止一个人做某事，也可以是命令性的——强迫其从事某行为，例如拆毁一座违反限制性协议的房屋：*Wakeham v. Wood* 一案。如果为了防止已经作出的不正当的事情继续，则可以签发禁令。但是，尽管当前并没有发生什么事情，同样可以签发禁令以阻止已经意识到的不法行为：这是出于畏惧的预防禁令。禁令可以是临时禁令或者最终禁令。临时禁令在诉讼早期阶段签发，一般情况下直到案件审理之前明确保持效力。中间禁令与此相同，一般在请求临时禁令未决的紧急情况下签发。最终禁令在案件作出终局判决或者审判时签发。禁令是用来执行合同中消极的允诺，例如不建造或者不完工的允诺。其即使在合同只有默示否定约定而不包括明示消极约定时也适用。

如果是排他劳务合同，则法院将仅执行明示消极约定，鼓励但不强制执行合同。因此，在 *Lumley v. Wagner* 一案中，被告同意 3 个月内在原告的戏院演唱 2 次，还允诺在此期间内不在其他戏院演出，因此，法院作出禁令阻止被告在其他地方演出。在后来的 *Warner Bros. Pictures Inc. v. Nelson* 一案中，原告请求法院签发禁止 Bette Davis 为其他工作室工作的禁令，以阻止其违反和原告签订的排他劳务合同。法院判决：既然 Bette Davis 是一个有多项才能的女性，那么其拥有工作的选择机会，因此，不强迫其为原告工作。在 *Page One Records Ltd v. Britton* 一案中，法院认为既然被告（流行音乐组合 "The Troggs"）所能够作的就是作为一个组合履行合同，因而其实际上将被迫为原告工作，所以，法院拒绝对被告签发阻止其为原告以外的其他人工作的禁令。禁令禁止违反商业合同的信用和制约。

侵权的衡平法救济

禁止性禁令适于阻止侵权持续或者重复，适用于任何侵权。但是禁止性永久禁令一般适用于涉及妨碍和侵犯土地的行为。

在妨碍秩序方面，法院行使签发禁令的权利非常谨慎。例如，对于爆破、改造或者修理等建筑工程引起的暂时噪音和干扰，只要工作时合理考虑照顾邻居就不构成侵权行为。但在 De Keyser's Royal Hotel Ltd v. Spicer Brothers Ltd 一案中，原告获得禁止被告在晚上10点至早上6点半之间从事打桩机操作的禁令。在 Kennaway v. Thompson 案中，上诉法院把对在原告家附近河上进行的摩托艇和滑水比赛将造成的干扰进行赔偿的判决替换为限制比赛行为和小艇噪音指数的禁令。但是，在 Miller v. Jackson 一案中，由于受到妨碍的房子是后来建在极易受到干扰的地方的，并且，原告在买房时已知道人们在这块草坪上打板球，因此，上诉法院拒绝签发禁止在村庄的草坪上打板球的禁令。该驳回裁决也是把村庄作为整体考虑的结果。

5.15 恢复原状的救济

恢复原状指返还获得的不公正的财富，包括结算利润以及为了所拥有的和获得的金钱、可归还的损失进行行为。其本质是被告已经获得利益或者通过节省否则将产生费用的消极获利，这种财富的获得来源于违反合同或者侵权。

合同中的恢复原状救济

这包括返还金钱或者在准合同中给予补偿。

返还金钱

下列情况下，支付的金钱可以被返还：（1）合同不存在完全的对价；（2）合同被撤销；（3）根据1943年《法律改革（履行落空合同法)》规定；(4) 合同无效，例如因错误无效。

在准合同中给予补偿

在下列情况下，可以为所提供的货物或服务获得对方支付的合理数目的付款：

1) 如果提供货物或者服务的合同没有确定价格，则销售者或供货者有权获得合理价格或报酬，见1979年《货物买卖法》第8条第2款和1982年《提供货物和服务法》第15条（见第13章）。该条也规定合同因不确定而无效。

2) 当事人已经在无效的合同中商定报酬：*Craven Ellis v. Canons Ltd* 一案。

3) 合同履行落空。

4) 法院不顾合同价格，裁定支付合理数额，例如，已经向未成年人出售和交付必需品：1979年《货物买卖法》第3条。

5) 完成合同的例外情况。

侵权中的恢复原状

为拥有的或者获得的金钱进行诉讼

其最常适用于侵占侵权，即被告从原告的财产或者收益中获取利益。此外，其还适用于侵占货物和土地。因此，在 *Oughton v. Seppings* 一案中，郡司法行政官不正当地逮住一匹马，后来把马卖出，原告有权索赔出售这匹马的收益。

恢复原状的损害赔偿

在 *Strand Electric Engineering Co. Ltd v. Brisford Entertainments Ltd* 一案中，法院裁决原告获得赔偿金，代表在被告不适当地占有使用财产期间合理出租财产的租金。在 *Penarth Dock Engineering Co. Ltd v. Pounds* 一案中，原告获得的赔偿金以被告没有将其浮桥移离原告的码头（被告具此成为侵犯者）获得的利益为基础估算。在 *Swordheath Properties Ltd v. Tabet* 一案中也采用类似的方法，侵权赔偿以出租财产的一般价值计算。

利润说明

该衡平法补救方式可以适用于侵犯知识产权、专利权、著作权、商标权以及骗取和违反信用的案件（见第9章）。

推荐读物

《侵权和违约的救济》，第 2 版（Aburrows，Butterworths，1994）。

问题

1. 在预期损失和信赖利益损失这两种违约救济方式之间有什么区别？
2. 什么时候原告可以索赔"烦闷和恼火"违约损害赔偿金？
3. 什么是预定违约赔偿金？其证明规则是什么？
4. 违约和侵权补偿性损害赔偿金都受到间接损失原则的约束。二者是如何区别的？各自以哪些判例为基础？
5. 侵权的非补偿性损害赔偿金包括象征性损害赔偿金、歧视性损害赔偿金、加重性损害赔偿金和惩罚性损害赔偿金。这些损害赔偿金之间有什么区别？何时作出有关裁决？
6. 涉及哪些救济方式时产生恢复原状？
7. 在违约方面，衡平法救济方式的特定履行和禁令是如何交叉重叠的？
8. 什么情况下发生准合同诉讼？

第三编

商事组织

6

法律制度概要

学习目标

通过本章学习了解以下内容：
1. 商事组织的不同形式：个体经营者、合伙和注册公司
2. 注册公司的不同形式：无限公司、保证有限责任公司和股份有限责任公司
3. 公共股份有限责任公司和私人股份有限责任公司的本质区别
4. 注册公司作为独立法人的含义和公平合法地揭开法人面纱的情形
5. 合伙与注册公司的本质区别

6.1 英国商事组织

英国的商事组织包括个体经营者、合伙和注册公司。不同形式的公司具有其各自的优点和缺点。注册公司形式最重要的特征是：如果某人选择注册一个公司，则该公司就是法人或者拟制的人，除了法律明确规定的例外情形之外，其具有与自然人相同的权利和义务。但个体经营者和合伙的成立并不能导致独立法人的产生。注册公司最重要的意义在于其为其成员提供了有限责任的保护。

6.2 个体经营者

个体经营者当然可以使用雇工,但企业经营成功与失败的责任全在该个体经营者自己身上。该个体经营者通常需要以其个人财产——如房屋、人身保险单或者股票——作为担保从银行筹集借贷资金用于经营。个体经营者有权保留全部利润,但同时也必须对企业的全部损失以其全部个人财产承担责任,并在所有对企业提起的与企业经营有关的诉讼中成为被告。企业的经营可以以一个企业名称的名义进行,在这种情况下,应该遵守 1985 年《商业名称法》的规定(见第 7 章)。

个体经营者享有较大的经营自由权,但其不利之处在于:(1)资金有限;(2)借款有限;(3)节假日和疾病将带来一些问题;(4)扩展企业规模的范围有限。这些问题并不一定会随着法人组织的成立而必然得到解决。

6.3 合 伙

合伙的形式考虑到扩大资金基础、增加贷款以及减少因节假日和疾病所带来的问题的需要。合伙应依据 1890 年《合伙法》(PA1890)组成和管理,该法律将合伙定义为"人们之间为了获取利润从事经营活动所产生的关系":1890 年《合伙法》第 1 条第 1 款。组成合伙必须要有两人以上,"经营活动"包括任何"交易、专业或工作":1890 年《合伙法》第 45 条。法律对于利润的规定意味着合伙这种形式不能用于慈善或其他非商业性的目的。

合伙不是法律所规定的独立法人,合伙人对合伙债务及其他责任共同承担无限责任:1890 年《合伙法》第 9 条;并且对于合伙人或合伙的雇员所实施的侵权行为承担连带责任:1890 年《合伙法》第 12 条——即使该合伙人并未积极参与合伙的经营管理活动(即所谓的"隐名合伙人")。因此,合伙这种形式对于那些只是想对合伙投入资金而不愿意进一步承担风险的人来说是不适合的（见第 7 章）。

6.4 注册公司

1985 年《公司法》（CA1985）规定："任何两个以上的人，为了任何合法目的结合起来，通过在组织章程上签字，并在其他方面遵守该法对注册要求的规定，可以成立一个有限或无限责任公司。"：1985 年《公司法》第 1 条第 1 款。但是，尽管有第 1 条第 1 款的规定，个人仍然可以依据 1992 年《公司（一人有限责任公司）条例》，成立一个私人股份有限责任公司或者私人保证有限责任公司：1985 年《公司法》第 3 条第 1 款。该条例旨在执行《欧共体公司法》第十二号指令。一人公司不是英国公司法创设的结果，其自 *Salomon v. Salomon*（1897）一案以来就已经实际存在（见下文）。

无限责任公司

由于在合伙关系中，合伙成员需对公司的债务承担完全的责任，因此，合伙成员对公众不承担披露义务。但有限责任公司则有义务通过向公司注册署递交年度报表来向公众披露公司的有关信息，并对其账簿进行年度审计。这是在享受有限责任所带来的好处的同时所付出的代价，但如果该有限责任公司维持在法定的规模标准之内，则其仍可以享有该披露和审计义务的免责（见下文）。现在，隐私权已适用于小型有限责任公司，这个事实使得成立无限责任公司的主要理由已不存在，而现实中这种公司也已经十分稀少。

有限责任公司

尽管公司必须始终对其债务承担完全的责任，但公司的成员对公司的债务及其他责任则只承担有限责任。有限责任公司有两种形式：保证有限责任公司，股份有限责任公司。其中只有后者适于贸易。

保证有限责任公司

此种公司成员需向公司缴足股款,并在公司停业清理时承担其承诺分担的资金责任。这种形式的公司主要用于慈善、教育或者其他类似的目的:例如,反残酷运动组织、英国滑雪联盟和伦敦市政厅大学。其可以在其名称中省去"有限"二字,但其准确身份必须在信笺头衔上和其他文件中披露出来。

私人股份有限责任公司和公共股份有限责任公司

成员的责任限于"其各自所持有的未缴足的股份数额":1985年《公司法》第1条第2款。这是所有贸易公司最通常采用的形式,也是惟一能以私人和公共公司存在的公司形式,其他的公司形式只能成立私人公司。

私人公司不能邀请公众人士认购该公司任何股份或债权证(证券)。因此,其只能从公共渠道或通过财产转让协议或者向股东的家庭成员或公司雇员出售股份的形式筹集资金。公众公司需在章程中声明本公司为公众公司,而法律对私人公司的定义则为非公众公司:1985年《公司法》第1条第3款。由于需要对一般公众赋予更多的保护,因此,法律对公众公司的管制也更为严密。

公众有限责任公司和私人有限责任公司的区别包括:

1) 私人公司以"有限责任公司"(Ltd)作为其名称的最后一个单词,而公众公司名称的最后则是"公众有限责任公司"(plc)。

2) 私人有限责任公司在成立之时即可开始其经营活动,而公众有限责任公司则必须获得证书证明其已筹集了公众公司注册所需要的最低资本(5万英镑)才可以开始进行经营。

3) 私人有限公司可以只有1个董事,但公众公司必须有至少两个董事。

4) 私人公司的董事没有年龄的限制,除非该公司是一个公众公司的子公司。

5）担任私人公司的秘书不需要具有某些正式的资格，但公众公司的秘书则需要具有这些资格。

6）法律对私人公司的管制没有对公众公司的管制那样严格，包括：向股东发放贷款的限制以及对筹集和维持资本充足的规定。

7）如果某私人公司属于"小型"或"中型"的公司，则法律对公司年度收入的披露要求没有对公共公司的要求那样繁杂（1985年《公司法》第246条第9款，见下文）。

8）私人公司可以享有法定会计审计的豁免（见下文）。

大多数的公司在一开始是以私人公司的形式成立的，当其规模充分扩展，对于筹集资金扩大规模有了更大的需求时，其就会向公众公司的方向发展。很多公众公司寻找机会进入金融市场。公司证券有两个市场，由证券交易所对市场准入进行管理。那些希望加入伦敦证券交易所上市公司名单的公司必须符合伦敦证券交易所对于公司资金规模、交易记录长度和公众持股比例——至少持有公司25%的股票——的严格要求。此外，还有选择性投资市场（AIM），该市场对于公司资金规模、交易记录长度和公众最低持股比例没有限制。如果公司的证券已在AIM进行交易，则其可以在两年后申请加入上市公司名单。有限责任公司中绝大多数是私人公司。

6.5　公司形式的转化

有限责任公司可以转化为无限责任公司，反之亦然，但只能转化一次。转化的程序须遵守1985年《公司法》第49条至第51条的要求。股份有限公司从私人公司转化为公众公司是很普遍的，但仍有一些公众公司重新注册为私人公司，如*Virgin Records Ltd*。重新注册为公众公司或私人公司必须遵守1985年《公司法》规定的程序。私人公司可以依据1985年《公司法》第43条第4款的规定重新注册为公众公司，公众公司可以依据1985年《公司法》第53条第5款的规定重新注册为私人公司。

6.6 公司集团：控股公司和子公司

"集团"一词用于描述一系列相关的公司。控股公司位于公司集团的顶端，其他公司均属于该控股公司的子公司。控股公司和子公司之间的关系十分复杂。Maxwell 公司集团是其中一个典型的例子。

关于子公司的法律定义规定在 1985 年《公司法》（后被 1989 年《公司法》代替）第 736 条之中，即如果另一公司符合下列情形之一，则该公司即为其子公司：（1）拥有该公司绝大多数的表决权；（2）是该公司的成员，并且有权委任和撤销其董事会的绝大多数人；（3）是该公司的成员并且依照其与其他股东或成员的协议，单独控制公司绝大多数投票权，或者该公司是某一公司的子公司，而此公司本身就是另一公司的子公司。

如果一家公司除了另一公司、另一公司拥有全部股权的子公司或者代表另一公司或其拥有全部股权的子公司行事的人之外，设有任何成员，则该公司就是另一公司拥有全部股权的子公司。

控股公司必须置备集团账目，其中控股公司和子公司的资金状况是连为一体的，仿佛其是一个人：1985 年《公司法》第 227 条。子公司并不一定是控股公司的成员：1985 年《公司法》第 23 条；其不能向意欲从控股公司处购买股份的人提供经济支持：1985 年《公司法》第 151 条（见第 8 章）。

6.7 合伙和公司的一般区别

这两种组织之间有很多区别，因此，成立一个企业之前，必须仔细分析其各自的优势和劣势再作出决定。

手续要求

成立合伙不需要履行任何手续，但通常合伙会准备一些正式起草的条款甚至是一个协议。合伙可以以口头的形式成立，从事实中

默示推定的合伙也可以得到承认。而成立注册公司则必须符合 162
1985年《公司法》第1条规定的注册要求，包括：（1）2个以上
的人在公司备忘录上签名（如果是私立股份或保证有限责任公司，
则只需1个人的签名）；（2）提交一系列公司章程细则（如果没有
提交公司章程细则，则适用《1985年公司（A表至F表）条例》
A表中的内容）；（3）提交第一任公司董事和秘书以及注册登记地
说明书；（4）由参与公司成立的律师所作的注册要求的符合声明；
（5）缴纳注册登记费（20英镑）。

登记官员签发的公司成立证书是公司完成登记手续的最终证
明，任何口头证据都不能对在成立证书上记载的日期的真实性提出
质疑：*Jubilee Mills Ltd v. Lewis* 一案。

公司章程大纲是公司的主要宪法性文件，其规范公司与外界的
关系，包括：（1）公司名称；（2）公司是否为一个公众公司；
（3）注册登记所在地（在该地设立住所）；（4）公司的目标；（5）
成员的责任；（6）公司的注册资本：1985年《公司法》第2条。
公司章程细则规范公司内部的关系，包括股东的权利和董事的积极
资格、消极资格、退职以及换届等有关问题。公司章程细则将公司
的管理事项委托给董事会进行，并可以将董事会的一些剩余权利授
予全体股东大会。

独立法人

英国法上的合伙不是一个独立的法人，而公司则是从股东中分
离出来的独立法人。这项原则由著名的 *Salomon v. Salomon & Co.
Ltd* 一案加以确立。该案原告是一个生产靴子和鞋子的制造商，其
投入4万英镑的注册资本成立了一个公司接管其经营，该公司即本
案被告。当时的法律要求成立公司至少要有7人以上，因此，原告
和其妻子以及5个孩子共同成为出资人，并且分别拥有公司的一份
股份。后来原告向该公司出售了自己的企业，作价39000英镑，作
为回报，其得到了2万英镑的股份和1万英镑的现金（其中9000

163 英镑用于清偿先前企业的债务及其他负担）和 1 万英镑以公司财产作为担保的债券。公司倒闭时，这些债券由原告为使公司能持续下去而向之借款的银行持有。在法庭上，法官认为公司对原告的这一行为不承担责任。公司章程上的签字仅仅是被原告指定的人，该公司是以原告的另一个形式存在的，是原告的代理人。将公司作为其代理人和信托人的观点被上诉法院所肯定。但是，上议院的判决是"公司在法律上是一个与在公司章程上签名者相独立的人：而且……公司在法律上并不是该签字者的代理人或信托人"。因此，原告对公司的债权人不承担责任。该案在 O. Kahn - Freund 一案中被称为"灾难性判决"，并从此在法律上对"一人公司"予以承认。

在一个独立合同下，个人可以同时成为公司的拥有者、执行董事和雇员：Lee v. Lee's Air Farming Ltd 一案。这一"公司面纱"原则将公司的成立者和公司本身分离开来。公司面纱原则也同样适用于公司集团中各公司之间的关系，即每一个公司都被看作是一个独立的法律实体。在 Lonrho Ltd v. Shell Petroleum Co. Ltd 一案中，原告要求被告公司承担披露其子公司文件的请求被法院驳回。

合伙财产属于全体合伙人共同所有，但是，公司拥有的是其自己的财产，其成员对该财产不享有任何利益。该理论使得诉讼的结果难以预料并给人们带来困扰。在 Macaura v. Northern Assurance Company 一案中，原告是一家位于蒂龙郡的大型木材场的所有人，其成立了一个以其作为主要股东的公司，公司其他股份由其指定的人持有，其将上述木材场转让给了自己成立的公司。木材场被大火烧毁。其凭记载了自己名字的保险单向保险公司索赔。法庭的判决是：由于该木材场属于公司所有，因此，作为公司的股东和债权人，原告对该木材场不具有保险利益。在 Tunstall v. Steigman 一案中，被告拥有两家商店，自己经营其中一家，另外一家租给了原告。被告想要终止租赁关系从而将自己经营的那家商店并入第二家。其必须证实其需要该营业地由自己进行经营。在早些时候，被告曾经将自己经营的那家商店转让给以其作为控制者而成立的公司。由于这家商店是由被告成立的公司而非其自己拥有和经营，因此，法院驳回了被告的请求。

作为该原则的例外，"法人的面纱"也可以基于正当和合法的理由而被揭开或者刺穿。这并非忽视公司的存在，而是拒绝承认股东和公司以及母公司和子公司之间的法律地位的独立性。

基于合法的理由揭穿公司面纱

有时法院会无视公司的独立法人身份，这与事先提到的情形不同，并且有相反的判例予以支持。上诉法院曾经试图为揭穿公司面纱的情形寻找理由；此外，还有一些更加具体的情形使得法人的面纱被合法揭穿。

Adams 一案判决的例外　　就在 1985 年，上诉法院宣布："我们认为，这些案件说明如果有需要获得公正，法院应该运用自己的权力揭穿公司的面纱，而不考虑公司结构所具有的法律效用"：关于 A Company 一案。但上诉法院在 Adams v. Cape Industries plc 一案中又放弃了这种方法，在该案中，法院试图为何时运用这种方法寻找依据。这个案件是关于一个试图执行在美国获得的判决。其中包括确定一个在英国注册的公司是否通过其完全拥有的一个子公司作为代理在美国出现。法院认为，需要在子公司和母公司之间揭穿公司的面纱。法院考虑了各种情形，认为在以下三种情况下应该揭穿公司面纱：(1) 公司是一个"独立的经济实体"；(2) 公司仅是"假象"；(3) 公司是另外一个公司的代理人。

关于上述第一种情况，法院将揭穿公司面纱的情形局限在仅涉及对法律、合同或其他文件的解释上。在 The Roberta 一案中，因为子公司"仅在名义上和可能为了避税的目的上"是一个独立法人，所以母公司被判决对其子公司签发的提单承担责任。在 Holdsworth & Co. v. Caddies 一案中，被告主张：因为母公司和子公司都是独立公司，所以，作为母公司的管理董事，其不应被命令将其精力完全投入子公司的事务中。法院因其理由太过技巧化而予以驳回。在 Revlon Inc. v. Cripp & Lee Ltd 一案中，法院将母公司看作是商标的所有人，该商标实际上是以一个其完全拥有的子公司注册的，法院判决该商标"是 Revlon 公司集团作为一个整体的财产"。法官进一步说明："我认为，这并不构成我们有时所谓的揭穿公司面纱的情形；其仍肯定不同公司由于其间的相互关系而产生的法律及事实上的地位。"

关于上述第二种情况，如果公司结构只是一个伪装并被用于使公司实施欺诈或逃避合同义务的行为，法院就应揭穿公司面纱。在 Gilford Motor Co. Ltd v. Horne 一案中，被告曾是原告公司的雇员并受到交易条款的制约，该条款禁止其在离职时招揽其客户。然而其在离职时通过任命成立了一个公司企图规避该条款。法院判决：该公司只是一个伪装，无论被告还是其公司均应对上述合同条款负责。关于该规则的另外一个案件是 Jones v. Lipman 一案，在该案中，被告为了逃避履行合同义务出售土地而将该片土地转让给另一家公司。在关于 FG (Film) Ltd 一案中，某公司制作了一部影片，想要将其注册成英国影片。该公司拥有100份每份1英镑的股份，而另外90%的股份由另外一家美国公司拥有，并由该美国公司对该影片提供资金支持。法院判决英国公司只是美国公司的代理人，因此该影片是一个美国影片。这也可以看作是一种伪装的情形。

关于上述第三种情况，法院认为子公司可以作为母公司的代理人，在这种情况下，母公司应对子公司的行为负责。但法院仍指出，在没有明确的协议时很难确立这种代理关系。这是为了防止法官仅仅以一个公司被另一个公司控制的事实推定出一种代理关系，从而导致法院任意行使其权利而使公司的面纱被频繁地揭穿，进而产生法律的不确定性。在 Smith, Stone and Knight Ltd v. Birmingham Corpn 一案中，原告公司的一项业务由其完全控股的子公司在其出租给该子公司的土地上进行，出租期限为1年。后来公司强制要求收回这片土地而拒绝对子公司的营业损失进行赔偿，理由是租赁期太短。法院认为原告是通过其子公司作为代理人进行该项经营的被代理人，从而支持其请求。但这项判决看上去是有失公正的。

在 Cape Industries 一案中，法院拒绝在任何理由下揭穿公司面纱。该案不涉及出于上述第一种情况的目的对合同、法律及其他文件进行解释；尽管该案中的公司是一个被完全拥有的子公司，但其仍是一个自我管理的独立公司实体，因此也不属于上述第二种情况中所列的情形；同时，其不是作为其母公司的代理人，而是在其位于美国的固定的营业地从事经营，从而也排除了适用上述第三种情况中所列情形的可能性。

关于上述第一种情况所列的例外，在 D. H. istributors Ltd v. Tower Hamlets LBC 一案中，法院指出该案涉及补偿的相关法律规定。在该案中，被告拥有两家其完全拥有的子公司。母公司操作资金并进行经营；公司在其中一家子公司拥有的土地上经营，另一家子公司则负责运输。当地政府强制征收上述土地并支付了补偿金，但因为母公司只是基于许可而非租赁使用该土地，所以拒绝对母公司的经营损失进行赔偿。Denning 勋爵在上诉法院指出："基于目前的目的，这三个公司应被看作是一个整体，母公司只是其中的一家。"Goff 法官认为："在这种情况下，法官有权考虑到案件事实而揭穿公司的面纱。"

上述判决在其后的一个案件中受到批评，理由是"只有在公司的存在完全是一种掩盖事实真相的伪装的特殊情况下，揭穿公司面纱才是适当的"：Woolfson v. Strathclyde Regional Council 一案。法院在 National Cock Labour v. Pinn & Wheeler Ltd and Others，（LEXIS）一案中也表现了同样的态度。

在 Creasey v. Beachwood Motors Ltd 一案中，根据欧共体第十五

号指令、《最高法院规则》第7条第2款，在原告对其子公司提起的非法解雇赔偿诉讼中，被告替代其子公司而成为被告，替子公司清偿了债务（原告的债务除外）并接管其资产。子公司已经依据1985年《公司法》第652条的规定解散而终止。被告和其子公司都由相同人员控制。但是，在 Ord and Another v. Belhaven Pubs Ltd 一案中，上诉法院认为 Creasey 一案是对揭穿公司面纱的错误适用和对适用关于《最高法院规则》有关替代原则的权力滥用。在 Adams 一案中，Slade 法官指出："无论是在这种类型还是在其他类型的案件中，法院都不能仅仅因为其认为这么做是公正的就无视 Salomon v. Salomon & Co. Ltd 一案确立的规则。"该观点在 Yukong Line Ltd of Korea v. Rendsburg Investments Corpn of Liberia (No. 2) 一案中得到了重申，在该案中，公司的控制者在租船合同中是未披露的负责人，其所控制的公司对于签订该租船合同是表示反对的，并且其随后将该公司的财产转让给其控制下的另一家公司，从而使原告试图获得玛瑞瓦禁令的要求落空。因此，法官拒绝揭穿公司的面纱。

其他的例外情形 在战时，为了根据公司主要股东的国籍确定公司的国籍，法院也将运用揭穿公司面纱的原则。在 Daimler Co. Ltd v. Continental Tyre and Rubber Co. (Great Britain) Ltd 一案中，因为被告公司的股东（只有一个除外）是居住在德国的德国国民，因此，其被认为是敌国公司。在 The Polzeath 一案中也采用了同样的方法。

法院将基于一个公司的住所在其实际管理地的事实，从而按该住所地的法律确定公司的税负。在 Unit Construction Co. Ltd v. Bullock (Insector of Taxes) 一案中，在肯尼亚注册的三个公司为注册地在英国的公司的子公司。因为母公司实际控制和管理这些子公司，所以，这些子公司都是"住所在英国"的公司，并且适用1953年《金融法》：第20条第9款。

揭穿公司面纱理论也被用于确定公司的侵权和刑事责任。这时，公司的意思被作为确立该责任的证明。依据"同一论"，法院将作为公司同等看待的人的意图和知悉视为公司的意图和知悉。其代表性案件是 Lennard's Carrying Co. Ltd v. Asiatic Petroleum Co. Ltd 一案。在该案中，船舶所有人被起诉对因锅炉缺陷使船舶不适航，导致船舶触礁着火的货物损失予以赔偿。如果认为船舶所有人可以证明损失非其"实际过错"从而免责。上诉法院判决：如果某人的过错是公司的"直接意思"，则可以确定该过错是公司自身过错。由于公司的董事无法证明自己不知道船舶不适航，因而也就无法反驳上述关于责任的假设。

在 H. L. Bolton (Engineering) Ltd v. T. J. Graham & Sons Ltd 一案中，公司的地产主想要占用企业用房。Denning 勋爵认为："公司如同自然人一样，其有头脑和神经中枢控制其行为；其有双手握住工具并按照中心的指令行事。公司中有些人即为公司的双手为其工作，而其他指挥和管理者则代表公司的指挥头脑和意志，并控制其行为。管理者的意志状态即为公司的意志状态，并由法律加以确认。"

"同一论"于1944年确立公司的刑事责任时第一次予以运用。同年，在 DPP v. Kent and Sussex Contractors Ltd 一案中，公司被判犯有欺诈罪；在 R v. ICR Haulage Ltd 一案中，公司被判共谋欺诈罪。上议院减轻了董事、总经理、公司其他高级官员以及受公司委任有权独立按指令行事的人的责任。在 Tesco Supermarket Ltd v. Nattrass 一案中，法院并未判决分部经理根据1968年《商品说明法》作为公司代表对误导定价承担责任（见下文）。

公司不能被判谋杀罪而成为人身监禁法律惩罚的主体，但其仍可以被判犯有过失杀人罪：R v. HM Coroners for East Kent, ex parte Spooner 一案。该案由 Herald of Free Enterprise 的灭失引起，将近200名乘客丧生。公司及其5名高级管理者被指控过失杀人罪。但检察官无法证明任何单个管理者具有成立该罪所必需的犯意。法院拒绝将多个董事的知悉和意图集合成为公司的意图，使得该案对公司的指控没有成功。在 R v. P & O Ferries (Dover) Ltd 一案中，一家经营活动中心的公司在其组织的独木舟旅行中导致四名少年死亡，使得公司第一次被判决犯有过失杀人罪；在 R v. OLL Ltd 一案中，强调了大公司较之小公司更易于逃避责任的事实。在 Re British Steel plc 一案中，公司由于违反了1974年《保障健康安全工作法》而对其雇员的死亡承担责任。公司主张：其已经按照该法第3条的要求将工作委派给有经验的分包合同人，以确保雇员不致遭到危险，从而尽到了谨慎的注意义务，因此，其雇员的死亡不涉及公司的直接意图。上诉法院驳回了公司的上述抗辩理由，判决公司不得以其在会议室中建立安全工作体系为由逃避责任。

法律委员会已经建议创建一种公司犯杀人罪的新罪名，即如果某项死亡后果是在公司有组织有计划的行为中由于疏忽而导致，则该后果视为公司行为所导致，只要公司行为远远超过可以合理预见的程度，该公司就可以被判有罪。法律委员会还建议该罪行应该适用于不需对公司个人定罪的情形。这样才能使大公司和小公司获得平等的地位。

法定揭穿公司面纱的情形

法定例外情形规定在1985年《公司法》的第24条。由于个人私人公司的存在，这一条的作用已十分渺小。该条规定，一个公司，除非其是一个私人股份有限责任公司或者私人保证有限责任公司，由至少两个人经营至少6个月，否则，任何人如果同时符合下列情况，将对该公司在上述时期内的债务承担连带责任：（1）在该段时间内为其成员；（2）知道该经营至少有2人进行。如果成立公共公司的董事由于没有筹集到成立公司的法定最低资本而从公司登记官员处获得证书，其也必须对在这期间公司的经营承担责任。1985年《公司法》第117条。但这一条的实际作用也很小，其他的例子还有 1985 年《公司法》第 349 条第 4 款（见第 8 章）；1986 年《破产法》第 212 条、213 条和 217 条（见下文）。

有限责任

合伙所有成员均对合伙企业债务承担无限责任：1890 年《合伙法》第 9 条，惟一的例外是 1907 年《有限合伙法》规定的合伙人的有限责任，但这种情形是极少数的，只有有限责任公司才允许人们向公司投资而对其他损失不承担风险。在一些小型公司中，公司股东同时也是公司董事，由于银行和卖方只会向由董事作为担保人和/或对其进一步信誉提供保证的公司贷款或供货，因此，有限责任公司所体现的有限责任的实际优势就会小一些。

另外，依据 1986 年《破产法》第 212 条（滥用职权）、第 213 条（欺诈交易）和第 214 条（非法交易）（见第 9 章），法院可以判令公司董事对公司债务承担超过其股份限额的责任，公司无权免除董事的上述责任，1985 年《公司法》第 310 条，但现在董事们一般会对其责任投保。依据第 310 条第 3 款，可以领取这种保单并由公司支付保费，但必须在董事记录中予以披露。

营业改变

合伙人可以从事经合伙同意的任何经营，还可以无需任何手续而改变合伙企业的营业项目，而公司则受制于公司备忘录中的目标条款。但是，依据 1985 年《公司法》第 3 条第 1 款，公司可以注册为"一般商业公司"，使其有权开展任何对于其正在进行的营业为辅助性和有益性的经营。依据 1985 年《公司法》第 4 条，公司通过特别决议而改变其目标的权利不受限制。

依据"越权行为"理论，超越公司目标的合同无效。但由于代表公司签订合同的董事其地位超过公司授权范围，因此该理论也已被否定。

永久继承

除非合伙协议另有规定，否则，合伙企业可能因为其中一位合伙人的死亡、破产或者通过其发出的通知而解散：1985 年《公司法》第 32 条。合伙人的退出也可以导致合伙企业的终止：1890 年《合伙法》第 26 条第 1 款。合伙还可以因为其他原因被法院宣布解散：1890 年《合伙法》第 35 条。除非公司依 1986 年《破产法》的规定而停业清理，否则其以独立法人身份存在而不受其个别甚至全部成员死亡的影响。公司成员的改变对公司的继续存在也没有影响，这使得公司的控制权只可能通过合并或收购的方式改变。

参与管理

合伙企业的所有成员均有权参与企业的管理：1890 年《合伙法》第 24 条第 5 款。公司的管理权授予董事会：A 表，第 70 条，这使得公司投资者可以不承担公司的管理责任。但是由于董事可以被股东大会的普通决议所撤销，因此，股东对公司管理的参与权就成了一个问题：1985 年《公司法》第 303 条。

Bushell v. Faith 一案提供了解决该问题的一个方法，在该案中有 3 个各持有 100 份股份的股东。因为公司章程规定：在通过一项从董事会驱逐某一名董事的决议时，该董事所持有的每一股份在表决时拥有 3 个投票权而不是通常规定的一股一权，所以，其中两个股东试图通过普通决议将另一个股东驱逐出董事会而未获成功。如果没有该项规定，则被排除出董事会的准合伙公司的董事有权依照 1986 年《破产法》第 122 条第 1 款第 7 项的规定，请求对公司进行公正解散；或依照 1985 年《公司法》第 459 条，以上述驱逐为"对成员利益的不公正歧视"为由请求法院命令其他成员或公司依据第 1985 年《公司法》461 条第 2 款第 4 项购买该成员的股份，其价值由法院决定（见第 8 章）。

公众查阅

合伙事务属于私人事务，而有限责任公司则需要向公司登记官员递交年度报告，年度报告置于公司登记处并对公众开放。这些要求对于符合法定标准的小型私立有限公司和组织要相对宽松一些，对中型私立有限公司和组织的要求也可以适当放宽。

公司要想获得免于提交年度收入义务的资格，必须连续2年符合1985年《公司法》第248条所规定的三条标准中的任意两条标准，该免责对于私立有限责任公司集团同样适用。

标准	小型	中型
营业额	280万英镑	1120万英镑
资产	140万英镑	560万英镑
雇员	50	250

查阅的另一个方面是对账目进行审计的需要：1985年《公司法》第235条。依据1994年《审计免除条例》，营业额在9万英镑以下或者负债总额在140万英镑以下的公司，可以完全不受法定的年度账目审计的限制：1985年《公司法》第249条第1款第1项。从同一天起，营业额在9万英镑至3.5万英镑以下或者负债总额在140万英镑以下的公司，也可以获得该项豁免：1985年《公司法》第249条第1款第2项。尽管董事可以使公司获得法定审计的豁免，公司股东仍有一定的保障。任何成员或成员组成的团体，只要拥有公司发行的任何种类股票的10％，均可以要求公司进行审计，如果这些成员提出了审计要求，则公司必须在年末的前1个月进行书面的通知：1985年《公司法》第249条第2款第2项。某些公司，无论其规模如何，均不得享有该项豁免。这些公司包括：公众公司、银行和保险公司（包括保险经纪人）。根据1986年《金融服务法》授权的任何一人或母公司和子公司：1985年《公司法》第249条第2款第1项。

公司要想获得该项豁免，其董事还必须在账目中申明公司完成了必需的要求，特别是公司账目记录准确、观点正确公正，并且没有董事提出审计要求：1985年《公司法》第249条第2款第4项；[1994年《1985年〈公司法〉（审计免除）条例》]

新合伙人和成员的加入

合伙人转让合伙的份额需征得全体合伙人的同意。这意味着：除非合伙协议有明确相反的规定，否则，每个合伙人对于新成员的加入都享有表决权。这使得合伙人转让其合伙份额十分困难。有限公司的一个明显的优势在于其财产被分成可以自由转让的份额；而其不利之处即拥有公司份额的人对于成员的改变无控制权。然而，在实践中，多数小型私人公司通过在公司备忘录中加入优先购买权条款的方式限制股份的转让，其规定为：成员在转让其股份时需取得其他成员的同意；该条款还可以要求公司成员对于企业以外的人拥有对转让份额的优先购买权；该条款甚至还可以规定其他成员或董事有义务购买所有股份：*Rayfield v. Hands* 一案。私人公司的条款经常赋予董事绝对的权利以拒绝对股份转让进行登记，在这种情况下，除非董事恶意行使该权利，否则法院不能进行干预而命令进行该登记。关于 *Smith & Fawcett Ltd* 一案的判决要求进行登记的成员要对董事恶意行使权力进行举证。

筹集贷款

合伙企业只能通过确定抵押权的方式对所筹集的资金进行担保，但公司可以以其全部或部分资产（包括诸如股票和债权等流动资金等），作为担保设定浮动抵押（见第 10 章）。

规模限制

非专业性合伙最多只能拥有 20 个合伙人，但法律对于公司股东的数量则没有限制。

推荐读物

《公司法》，第 3 版（J. Dine, Macmillan Professional Masters, 1998）。

问题

1. 设立有限责任公司的目的是什么？你能举出几种采用这种

公司形式的例子吗？

2．列出私人股份有限责任公司和公众股份有限责任公司的五点区别。

3．为什么 Salomon v．Salomon & Co. Ltd 一案的判决被称为"灾难性判决"？

4．上诉法院在 Adams 一案中指出在哪些情况下其准备揭穿公司的面纱？

5．何时应该适用"人格否认"原则？

6．为什么有限责任并不总是有限责任公司的"真正"优势？

7．有限责任公司要承担公众查阅的义务，这种查阅的形式有哪些？存在哪些例外？

8．在小型有限责任公司里，股东和董事如何确保其参与管理公司权利的行使？

7

合 伙 法

学习目标

通过本章学习了解以下内容：
1. 合伙的性质和组成
2. 合伙人的权利和义务
3. 合伙人基于合同享有的约束合伙企业的权力
4. 合伙人的合同责任和对于合伙企业的其他责任，以及合伙人对其他合伙人实施的侵权行为承担的责任
5. 合伙企业解散的方式
6. 有限责任合伙

7.1 合伙的性质

合伙是人们之间为了盈利的目的进行经营而形成的一种关系，1890年《合伙法》第1条第1款确立了判断合伙是否成立的实质性标准：（1）营业的存在；（2）共同经营；（3）以营利为目的。该定义强调合伙是一种关系而非一个拥有自己独立法律人格的组织。合伙组织没有法律人格，同时也不承担有限责任，这使得合伙问题的处理十分复杂。公司可以依据《最高法院规则》以自己的名义起诉和应诉，但是任何针对合伙的判决只能约束合伙人。此外，依据1994年《破产合伙指令》（SI1994/2421），合伙可以作

为一个实体，如同有限责任公司一样，与债权人签订合同（见第19章）。更为复杂的是，位于苏格兰的合伙是具有独立法人人格的实体，而其合伙人仍承担无限责任。

有关合伙的法律规定在1890年《合伙法》中（除非另有说明，否则本章所指法律均出自该法）。除第23条以外，该法大部分内容属于宣告性的，既没有使法律成文化也不属于强制性规定，并且必须与判例法结合起来理解。该法律规定的有关合伙人的权利和义务可以通过合伙人的一致同意而改变，而且该法的许多其他方面的内容也可以以合伙的相反意思表示而排除适用。

成立合伙无需履行任何手续，合伙人可以订立正式的合伙协议或书面条款，合伙也可以以口头或默示的方式成立。在 *Reid v. Hollingshead* 一案中，原告是一位伦敦商人，其委托利物浦的一家经纪公司购买1000捆棉花，并答应以该笔生意利润的1/3代替佣金支付。在后来的信件中，双方之间的关系被表述为"共同的账户"、"共同的企业"、"共同的利害关系"、"共同购买"、"共同的投机买卖"和"共同的棉花企业"。该经纪人为棉花投保并负责仓储，并且还以该棉花为其向被告的贷款设定抵押。原告起诉要求返还该批棉花，法院判决：因为该经纪人为原告的合伙人，所以被告为合法所有权人。在 *Walker West Developments v. F. J. Emmett* 一案中，法院认为：因为双方的开发合同中规定分享开发土地的利润，所以土地所有人和建筑商之间的经营形成一种合伙关系。至于双方对于营业损失的分配没有规定这一事实并不重要，在没有协议的情况下，双方之间的份额可以依据1890年《合伙法》的规定进行确定。

经营的存在

合伙必须具有商业目的——而注册公司可以以慈善或其他非商业目的而成立。营业包括"任何交易，工作或职业"：第45条，但某些职业不允许以合伙方式进行，例如律师业。这一点的实质是必须存在一些商业性企业。因此，其排除了那种仅共有某一财产而不存在对任何共同的商业企业加以经营的关系；在第 2 条第 1 款中，无论出租人或所有权人是否分享使用其财产的利润，"共同租赁"、"共同出租"、"共同共有"、"按份共有"这些词语本身都不能设立合伙关系。

在 Keith Spicer Ltd v. Mansell 一案中，被告和另一发起人试图成立一家公司，接管和经营由被告拥有的一家餐馆。其以拟成立公司的名义在银行开户，但在公司名称上增加了"有限责任"一词。另一发起人以拟成立公司的名义向原告订购了一批货物。该公司始终未成立。原告因货物价款起诉被告，理由是这两个人之间是合伙关系。上诉法院判决：被告和另一发起人筹建成立公司，但不符合《合伙法》规定的"为了盈利的目的共同经营"。如果其确实以对公司成立的预期开始了经营活动，那么判决结果很可能就不一样了。

合伙可以仅为了完成一项交易的目的而成立：Mann v. D'Arcy 一案。

共同经营

经营活动必须至少要有 2 人以上进行。在某些方面与经营有关和积极参与经营是有重要区别的。在 Britton v. The Commissioners of Customs & Excise 一案中，因为妻子仅在丈夫的经营中起到帮助的作用，这种帮助源于家庭关系而非任何由合伙产生的关系，所以法院拒绝在丈夫和妻子之间确认合伙关系的存在。在 Saywell v. Pope 一案中，原告和被告为合伙人，他们的妻子为该合伙也都做了一些工作。1973 年该企业扩大规模以后，两位妻子更加积极地参与了该企业的经营。公司的会计建议 4 人拟定一份合伙协议；该合伙协议起草以后，其直到 1975 年 5 月才在上面签字。在 1973 年至 1975 年 5 月期间，银行的授权始终只对原告和被告作出，而债权人和客户对于公司组成人员的改变也从未得到任何通知，两位妻子也从未对企业投入任何资金。1973年和1974年，两位妻子曾各自分配到了一份利润，但始终没有支取。1973年4月，有人曾向两位妻子解释加入企业的重要性，其对于承担企业债务没有表示拒绝。因为在签订合伙协议之前，两位妻子从未从事过属于合伙人的工作，因此，法院同意税务局的观点，认为两位妻子从未加入该企业，其直到1975年才成为合伙人。

以营利为目的

合伙成立的一个主要标准就是对利润的分享。在 Cox v. Hickman 一案以前，只要有利润的分享就足以成立合伙。在该案中，合伙遇到资金困难，债权人允许合伙经营企业，自己则作为托管人进行监督。其每年将从合伙中获得一定比例的利润直到其债权得到满足。法院判决，债权人不是该企业的合伙人。上议院判决的依据是第2条第3款，该款规定"某人从企业中获得利润只是其为该企业合伙人的初步证据，但获得该利润或者获得依企业利润而确定和浮动的报酬，其本身并不能使该人成为合伙企业的一员。"

Britton v. The Commissioners of Customs & Excise 一案也遵循了这一标准。在该案中，企业利润存入了一个由企业账户和妻子支取的家庭账户组成的共同账户中。法院判决："企业利润归原告所有，而其妻子亦有权使用。"分享利润本身并不能产生合伙。在 Saywell v. Pope 一案中，除非存在比仅仅对该账户享有支取的权利更为有力的证据，否则妻子未支取分配利润份额的事实是其未收到该利润的证据。分享利润之外还需要有共同的经营。尽管分享利润本身并不足以导致合伙的产生，有时还需要其他的证据予以证明，但是对损失的分担则是确立合伙关系的有力证据。在 Northern Sales (1963) Ltd v. Ministry of National Revenue 一案中，这一点十分重要，但在 Walker v. Hirsch 一案中则不是这样，该案原告和被告签订了一份合伙协议，规定原告应获得180英镑和净利润的八分之一，并承担八分之一的损失。其还向企业贷款1500英镑。协议规定任何一方解除合同应在4个月之前通知对方。被告在4个月之前向原告发出通知,但仍被起诉对企业的解散承担责任,并被主张具有合伙人身份。法院判决被告只是企业的雇员;上述协议只是一个雇员在离开公司时还清贷款的借款协议。

《合伙法》第2条第3款试图对此阐明其立场,并确定了以下五种不能确立合伙成立的特定情形:

1) 从合伙利润中进行分期还款;

2) 从合伙利润中向雇员和代理人支付报酬;

3) 从合伙利润中向已故合伙人的妻子和子女支付年金;(注:依1978年《法律解释法》第6条第2款,该条款还适用于死亡的女性合伙人的丈夫);

4) 对企业的预付货款;在这种情况下,出借者还应收到:

● 随利润变动的利率;或者

● 在合同是书面形式并由所有成员签字时的利润。

5) 从合伙利润中以年金的形式或以企业对买卖的善意而向卖主支付的报酬。

正如以上第2条第3款第1项和第2项所述,区分合伙人和债权人十分重要。第一项没有什么问题,但关于第2项,法院则主要依据合伙人的意图。在关于 *Megavand (ex parte Delhasse)* 一案中,Delhasse 向企业贷款1万英镑,但只有在企业解散时才能获清偿。合同明确规定,其不是合伙人,但从合伙利润中分享一定的份额,并有权查阅公司账户并解散公司。法院判决其是合伙人,理由是其"贷款"事实上构成了企业的资金。在 *Pooley v. Driver* 一案中,贷款合同中涉及合伙人借用出租人的房产,出借人需遵守合伙协议的约定并拥有与合伙人同等的执行合伙协议的权利,该点以及对利润的分享使其成为合伙人。在关于 *Young, ex parte Jones* 一案中,Jones 和 Young 签订一份合同,约定由 Jones 借给 Young 500英镑,以每周3英镑的利息从利润中偿还。Jones 在办公室帮忙,并掌握资金。其有权预先支取汇票。其同时还有权在7个月内加入合伙。但法院判决其不是合伙人。

上述第四项是对法官在关于 *Fort, ex parte Schofield* 一案中的附带意见进行的文义解释。Smith 法官认为："如果卖主想要得到这一部分的利益，那么，其必须在合同的附件中明确写明"。

在 *Pratt v. Strick* 一案中，执业医生将其营业转让，条件是其必须在其进行工作的房间内居住3个月并接收患者，并且有权收取在该段时期内一半的利润，同时承担一半的费用。这不存在合伙；该营业从转让之日起就已经移交给了购买人。

在上述第4项和第5项的情形下，收款人要让位于合伙的债权人：第3条；即只有当企业其他所有债权人得到清偿以后，其债权才能得到满足：第3条，关于 *Fort, ex parte Schofield* 一案。

对企业总收入的分配也不能导致合伙的产生：第2条第2项。在 *Cox v. Coulson* 一案中，被告为一家剧院的承租人，其与一个巡回演出团签订合同，在该剧院进行一场演出。被告提供场地并支付灯光和广告的费用，同时收取票房收入的60%作为报酬。原告在演出过程中遭枪击受伤，被告被判决无需承担责任。

7.2 合伙的成立

合伙人的资格

经公司组织备忘录的授权，有限责任公司可以成为合伙人：*Newstead (Inspector of Taxes) v. Frost* 一案。但敌国公司不能成为合伙人。

未成年人可以成为合伙人，而且，其在其未成年时期的任何时候或者在之后的一段合理时间内都可以否认该合伙合同；但是，除非其完全没有获得对价，否则其无权要求返还其根据合伙协议已经缴付的出资。在 *Steinberg v. Scala (Leeds) Ltd* 一案中，原告购买了被告公司的股份，在公司提出请求和进一步的电话通知后就缴付了出资。由于后来无法再接电话，其在未成年时期否认了合同并要求返还已付出资。由于原告已经得到了签订合同时的预期利益，并非没有获得对价，因此，其返还出资的请求被法院驳回。在 Corpe v. Overton 一案中，当原告还是一名未成年人时，即同意加入一个合伙并存入了 100 英镑作为适当履行合同的担保。后来其在合伙成立前取消了该合约，并且由于其完全没有得到对价而获得了出资的返还。未成年人无需对企业在其未成年期间的损失承担责任，但企业可以要求其在成年之后对此进行追认：1987 年《未成年人合同法》。未成年人投入的资金可以被用于偿还企业债务。即使未成年人没有缔约能力，其也可以成为企业及其他合伙人的代理人。

如果神智不健全者能够证明其在签订合伙协议时神智不健全，并且其他合伙人知道其可能无法理解该协议的性质，则该神智不健全者可以无需对合伙协议负责。合伙人神智不健全的事实可以成为其他合伙人请求解散合伙的理由。

领薪合伙人

在许多律师事务所里，有许多人被称为"领薪合伙人"，其名字记录在公司的信纸上，但不分享利润。《合伙法》没有对这些"合伙人"的地位予以规定。在 Stekel v. Ellice 一案中，Megarry 法官对"领薪合伙人"进行了讨论。如果合伙的某一雇员与除了分享一定利润的合伙人之外的全体合伙人签订了合伙协议，则其将仅仅因为自认而成为合伙人，而上述分享利润的合伙人即指领取固定薪水的合伙人。在这种情况下，如果领取固定薪水的人有权在公司解散时分享利润，那么其就是真正的合伙人。Megarry 法官总结道：在我看来，有必要看清楚合伙的每一个条款以确定是否真正成立了合伙。在 National Building Society v. Lewis 一案中，被告是独立执业的律师，W 以领薪合伙人的身份加入，W 的名字也加入了信头上。被告为原告成功处理了一场纠纷，但在给其最后报告上却显示了被告和 W 两人的名字。W 主张自己不是合伙人，不应对被告的过失行为负责。法院依据第14条第1款的规定作出判决，认定W是合伙人，因而应承担责任，但该判决被上诉法院推翻。

合伙企业和合伙企业名称

"成立合伙的人被共同称为合伙企业"：第4条。该企业没有独立人格。然而，依据《最高法院规则》，合伙可以企业的名称起诉和应诉，但法院作出的针对该企业的判决也将针对全体合伙人。合伙人可以任何其喜爱的"企业名称"进行经营，但是，如果企业名称不是由其自己名字组成，则其名称应：(1)依照1985年《商业名称法》；(2)依照普通法中有关假冒的侵权法。

1985年《商业名称法》

如果企业以某一名称进行经营，而该名称并不包含任何一个合伙人（自然人或公司）的姓名，那么在该名称上就必须使用一些特定的词语，以使他人知道该企业是全国性的还是地方性的：第2条第1款；此外，在该名称上对特定词语的使用必须获得许可：例如，银行、建房互助协会、信托等等：第3条。使用企业名称时，公司信纸等等必须包含各合伙人的名字和地址，并且要将这些信息在营业地的显著位置表示出来：第4条第3款。对于拥有20个以上合伙人的企业，可以将合伙人的名单置于其主要营业地并允许公众查阅，从而代替有关在信纸上作出披露等的规定。在原告违反第4条第1款、第2款和第5条时，法庭有权行使自由裁量权驳回任何由原告依合同提起的诉讼，而不必遵守《合伙法》的规定：第5条。

假　冒

企业名称不得与现存其他企业的名称类似，以免在公众中产生混淆。在 *Ewing v. Buttercup Margarine Co. Ltd* 一案中，原告以 Buttercup Dairy 的名称在英国北部从事奶制品贸易，其成功地获得了对在伦敦注册的被告公司的禁令。在认定假冒行为的存在时，法律通常要求两家企业必须从事相同的营业，但这也不是绝对的。在

Annabel's (Berkeley Square) v. G. Schoek(trading as Annabel's Escort Agency)一案中，原告为阻止被告使用相同的名称，以免损害其夜总会的名誉，成功地获得了对被告的禁令。

只要不是为了使公众产生混淆而做广告或标明其产品，则不论是否存在混淆的可能，企业名称都可以适当地包含某些合伙人的名字。法院禁止人们为了欺骗公众而用自己的名字从事贸易：Croft v. Day。但是，个人可以以其后来得到的名称或者昵称从事贸易：Jay's Ltd v. Jacobi。

7.3 非法合伙

如果合伙所从事的营业非法，则该合伙也是非法的，例如在 Foster v. Driscoll 一案中，在禁酒时期将酒运往美国的行为违反了友好外国的法律；如果合伙的营业是以非法手段进行的，则合伙为非法。在 Dungate v. Lee 一案中，原告和被告以出版商的身份成立一个企业。只有被告获得了出版许可，而原告则不与客户接触。法院判决依据1960年《赌博法》，合伙人不必全部获得许可，只有部分合伙人获得许可，该合伙仍然是合法有效的。如果合伙的人数超过法律规定的最大限额——从事贸易的合伙最多不超过20人，则该合伙就是一个非法组织。律师、会计师和经纪人组成的合伙则不受该限额的约束：1985年《公司法》第716条；许多专业公司，包括专利代理人、鉴定人、拍卖人、评估人、房地产经纪人、地产经纪人、精算师、顾问工程师、建筑设计师和损失理算人，也已通过法定形式免除了这一义务。

7.4 合伙和与之进行交易的人之间的关系

合伙人约束合伙企业的权力

为了实现合伙营业的目的，每一个合伙人都是合伙企业及其他合伙人的代理人；除非合伙人实际上对于企业某一特定事项并没有得到授权，并且与之交易的人即使知道其没有此项权利，也不知道或不相信其是该企业的合伙人，否则，在通常的经营活动中，任何合伙人所从事的属于合伙业务的任何经营行为对合伙企业和其他合伙人均具有拘束力：第5条。因此，如果第三人想要企业承担责任，则：（1）该行为必须与企业的经营活动有关；（2）该行为必须是在企业通常经营活动过程中进行的；（3）该行为必须是以合伙人的身份而非以个人的身份实施的。

关于上述第一种情况，第7条规定："除非合伙人在事实上已得到了其他合伙人的特别授权，否则，其为了与公司通常经营事项明显无关的目的，以合伙的信誉担保，合伙企业无需对其行为负责。"但是，该条保留了合伙人的个人责任。

上述第二种情况可以从 *GoLdbergs v. Jenkins* 一案中得到阐释。在该案中，合伙人以每年60%代替6%－10%的一般利息借了一笔钱。公司对之不承担责任。在 *United Bank of Kuwait v. Hammoud* 一案中，上诉法院判决：对于律师事务所而言，代表客户向银行提供担保属于其经营业务的通常形式，即客户在公司账户中的资金将转入银行。法院从律师协会的前任主席处找到该判决证据。进一步而言，如果合伙协议规定：任何限制应体现在合伙人的行为对于企业的拘束力上，那么，任何个人在知道该限制的情况下所实施的与协议相抵触的行为都不能约束合伙企业：第8条。在 *Watteau v. Fenwick* 一案中，原告向一位酒店管理人以赊账的形式供应雪茄，而酒店明确规定不得以赊账的形式购买物品。由于雪茄是酒店经常会买到的商品，并且购买此类商品属于在企业经营活动中酒店管理人的权力范围，因此，法院判决被告承担责任。

7.5　合伙人实际权力和通常权力的区别

尽管合伙协议通常不会具体规定合伙人的实际权力，但我们仍会经常看到一些对低级合伙人在一定范围内缔结货物或服务合同的限制。合伙人的通常权力更为重要，其依据该企业是否为一个贸易企业。在 *Wheatley v. Smithers* 一案中，Ridley 法官认为："贸易意味着购买或销售"，并在此基础上判决拍卖人不属于贸易商。这种区分在 *Higgin v. Beauchamp* 一案中得到支持，该案中的电影经营商被判决不是一个贸易性合伙。以下的内容包含了合伙人的通常权力。

贸易型合伙

在没有明确的禁止规定时，合伙人有权：（1）销售合伙货物；（2）抵押合伙货物；（3）以企业资金购买货物；（4）以企业名义贷款；（5）以企业名义签订贷款协议；（6）以企业资金还款；（7）接收和签发借款收据；（8）支取、制作、签发、背书、接受、转让、流通和折价承兑可转让证券；（9）以企业的土地或房屋创设衡平法上的抵押；（10）雇佣和辞退雇员；（11）聘请律师实现到期债权或在对公司提起的诉讼中进行抗辩；（12）雇佣律师为对公司提起的诉讼进行抗辩。

在 *Mercantile Credit Co. Ltd v. Garrod* 一案中，被告是一家从事车库租赁和汽车修理的合伙企业的隐名合伙人。合伙协议禁止销售汽车，但显名合伙人 P 向一家信用公司出售了一部汽车，使该公司可以向其客户开展分期付款贸易。P 对该汽车没有所有权，原告向被告要求支付 700 英镑。法院判决 P 拥有出售汽车的默示权利。

非贸易型合伙

合伙人不得接受、制造或签发支票以外的可转让证券，并不得借用或抵押合伙财产。

没有默示权利的行为

无论是在贸易型合伙还是在非贸易型合伙中，合伙人均不得享有以下默示权利：（1）执行合伙合同，但由合同授权的除外；（2）

以企业名义提供担保；(3) 将争议提交仲裁；(4) 接受财产以代替金钱偿还企业债务；(5) 使某一合伙人成为其他合伙的合伙人；(6) 在诉讼或其他程序中授权第三人使用合伙名称。

7.6 对债务及合同义务的责任

每一合伙人对其在合伙期间因企业经营而产生的所有债务承担连带责任，只要这些债务尚未得到清偿，则即使合伙人死亡，其财产在偿还其个人债务之后仍要对这些债务负责：第9条。

连带责任意味着合伙人对合伙的共同债务人的责任是互相依存的，而不是独立的（或分别存在的）。这首先说明，对于企业的债务只存在一个诉权，并且，如果该权利已经对某一个或几个合伙人而非对合伙人全体或合伙企业行使，那么，即使判决金额没有完全获得满足，债权人也不得再对其他未涉诉的合伙人起诉。1978年《民事责任（分配）法》第3条规定："确定某人对某项债务或损害承担责任的判决不得成为申请停止对同一债务或损害与该人承担连带责任的其他人提起的诉讼的理由"。但是，该法律第四编又规定了"费用的批准"，鼓励合并诉讼。

然而，一些与企业进行交易的人通常会在合同中规定合伙人应承担连带责任，这是因为当合伙企业破产时，其可以同其他独立的债权人一起对企业的共同财产、特别是对单个合伙人的财产享有平等的请求权。这比依据《合伙法》第9条的规定享有比独立的债权人延搁的请求权要好得多。如果一个合伙银行委任协议规定了承担连带责任，则即使不在同一分行里，银行也可以享有对单个银行特有的账户抵消预期结余的权利。

7.7 侵权及其他违法行为的责任

合伙企业应对合伙人的一般侵权行为承担责任：第10条；合伙人应对第三人实施的金钱和财产的滥用行为承担责任：第11条。

合伙人还需依据一般普通法规则对其雇员实施的侵权行为承担替代责任（见第12章）。对于合伙人在合伙期间实施的侵权行为，所有合伙人都承担连带责任：第12条。

替代责任

只有在合伙人的行为同时符合以下情形时，合伙企业才承担责任：（1）合伙人的行为是在企业的通常经营过程中实施的，或者合伙人的行为得到其合伙人的授权；（2）产生的损失或伤害是针对非合伙人的。在 *Hamlyn v. John Houston & Co.* 一案中，被告公司的一名合伙人为了取得另一竞争公司的秘密信息而向该公司的职员行贿，从而导致该竞争公司遭到损失。由于无论获取有关该竞争公司信息的方式是否合法，其行为都是在经营活动的一般过程中实施的，因此，上诉法院判决被告应对该合伙人的不法行为负责。但是，在 *Arbuckle v. Taylor* 一案中，某合伙的一名合伙人被另一名合伙人声称盗窃了其财产而被提起刑事诉讼，法院判决：尽管该案涉及合伙财产，但因为该行为在企业活动的通常范围之外，所以，其他合伙人无需对此负责。

合伙人也可能对其他合伙人的非法行为承担刑事责任。在 *Parsons v. Barnes* 一案中，某合伙人由于疏忽作了错误陈述（见第16章）。同时，合伙人只有在某些例外的情况下才对其他合伙人的欺诈行为承担刑事责任。由于承担刑事责任要求不法行为人具有犯意，或其实施的行为加重了不法行为的性质，因此，如果合伙人完全基于自己的随意行为而实施了犯罪，则"无辜的合伙人"不必承担刑事责任。

如果某一不诚实的合伙人滥用了第三人的金钱或财产，则无辜的合伙人需对第三人证明的损失承担连带的赔偿责任。该责任在以下两种情况下产生：（1）如果该合伙人在其明显的授权范围之内行事，接受第三人的金钱或财产并滥用之，则合伙对该损失承担责任：第11条第1款；（2）如果合伙人在其经营过程中接受了金钱或财产,而某一个或几个合伙人在保管该金钱或财产期间滥用之,则合伙对该损失承担责任:第11条第6款。

在实践中,上述两种情况之间几乎没有区别。在 *Rhodes v. Moules* 一案中,原告为其财产设定抵押。律师事务所的一名合伙人告诉原告抵押权人需要额外的保证,于是原告交给其一些股份证书,该证书被该合伙人滥用。因为股份证书是由企业在通常的经营过程中接受的,所以该律师事务所应依据第11条第6款对此负责。在 *British Homes Assurance Corpn Ltd v. Patterson* 一案中,原告指定合伙人中的一位律师在一次抵押交易中行事。后来该律师通知原告其吸收被告组成了新的合伙,并且改变了公司名称。其后,原告公司将一张支票以旧的公司名称寄给了该律师,该支票被滥用,原告依据第11条第1款起诉被告。法院在该案中判决:原告是以其个人律师身份而非以企业中合伙人身份进行交易的,因此合伙对此不承担责任。在 *Cleather v. Twisden* 一案中,受托人将一些无记名债券存放于律师事务所的一名合伙人处,该合伙人滥用了这些债券。由于接受这些证券并妥善保管并不是公司经营活动的一部分,而且,其他合伙人也并不知道存在着这项寄存物,因此,其他合伙人对此不承担责任。

如果合伙人不当使用受托财产,那么只有当其他合伙人知道该行为时,合伙才对该财产的损失承担责任。

7.8 自认:准合伙人的责任

第14条第1款规定:"任何人如果通过口头语言、书面陈述、行为表明或者有意使别人表明自己是某合伙的合伙人,则其必须以合伙人身份对任何依对该表明的信任而向合伙贷款的人承担责任"。但是,仅仅是不小心或者过失并不构成自认。由于旧的合伙名称只能构成先前合伙的一部分,因此,在某一合伙人死后对该名称的继续使用不能使该死亡的合伙人承担责任:第14条第2款。

已退伙的合伙人如果有意使自己以前的入伙状态被看作是继续存在的，则其需承担合伙责任。

在 *Bass Brewers Ltd* v. *Appleby and Another* 一案中，A 作为一个特许会计师在森德兰以自己的账户进行执业，并以合伙的名义 Latham Crossly & Davis 获得了破产执业者证书，该合伙是依据其与另外几个在英国各地从事业务的人签订的"集体管理协议"而成立的，因此，其有权使用该合伙名称。A 向原告出售了一项财产，原告律师将一张用于向合伙支付程序费用的支票交付给 A。尽管该支付是支付给客户账户的，但后来却转到了 A 的透支执业账户上并再未予以偿还。原告获得了一项针对 A 和集团管理协议的胜诉判决，并被授权对集团管理协议的成员执行该判决。其成员提出的抗辩理由是：A 不是合伙的成员，钱是由 A 以其个人名义收取的，尽管向执业账户进行支付构成对信托的违反，但只有当其知道这一违约行为时，其才能依据第 13 条之规定承担责任。法院判决：由于支取的支票是对合伙支付的，并且被支付到以合伙作为名称的一个账户上被合伙接受，因此，A 已经允许自己被视为合伙成员。法院还判决该笔金钱是根据第 11 条而非第 13 条被 A 滥用的。

第 14 条第 1 款的责任基础由 *Lynch* v. *Stiff* 一案确立，并由上诉法院在 *National Building Society* v. *Lewis and Another* 一案中加以重申。在该案中，一名律师事务所的领薪合伙人的名字出现在该律师事务所的信头上，因而被告必须对其雇员提交的一份其名字作为合伙人出现在信头上的过失报告负责。上诉法院推翻了高等法院的判决，判决：如果没有证据表明客户是依赖该自认行事，被告就无需责任承担，并且即使可以推断出存在这种依赖，也应由权利请求人承担举证责任。

7.9 退伙及入伙的合伙人责任

退伙的合伙人对其退伙之前合伙企业产生的债务仍应承担责

任：第17条第1款，而新入伙的合伙人对其入伙之前产生的债务则不承担责任：第17条第2款。但是，一个转换协议则可以使原合伙人不再对先前债务负责，这些债务将转移给替代原合伙人而成为新合伙人的人：第17条第3款。

在某些情况下，退伙的合伙人也要对其离开合伙之后产生的债务承担责任。其是否承担责任取决于是否遵守《合伙法》中关于向合伙的现有客户送达真实通知的规定：第36条第1款；以及是否采用在London Gazette一案中刊登广告的方法向将来潜在的客户作出了建设性的通知：第36条第2款。

第36条第3款的重要性在于使公司不必向那些尽管过去没有与合伙从事交易、但知道该合伙以及退伙合伙人存在的人作业第36条第2款规定的通知。该规定也排除了第1款和第2款对死亡或破产的合伙人的适用。在 *Tower Cabinet Co. Ltd v. Ingram* 一案中，被告和Christmas于1946年1月设立了一个名为"Merry's"的家具企业。该合伙依据两人的协议于1947年4月解散，被告通知了企业的银行并安排Christmas在其离开时通知合伙的客户。其没有作出London Gaztte一案中的广告，Christmas继续经营该企业并于1948年从原告处订购了一批家具，订购单由一张印有被告名字的文件加以确认，而被告对此并不知情。原告获得了一个针对Merry's的胜诉判决并申请依据第14条和第36条第2款的规定对被告予以执行。法院判决：由于在合伙解散以前原告并不知道被告是合伙人，因此，被告无须依据第36条第2款对此承担责任。

7.10 合伙人之间的关系

任何合伙协议的条款都会以优先于或不同于1890年《合伙法》条款的内容确定合伙人之间的关系：第19条。但是，当合伙协议内容不完整时，1890年《合伙法》就必须得到适用。

合伙协议的条款可以通过明示或默示的方式予以修改：第19

条。因此，当合伙以与合伙协议的明确条款不同的方式经营达到一定的年限时，视为该条款已经由实践加以修改。在 *Pilling v. Pilling* 一案中，一位父亲及其两个儿子成立了一个合伙。合伙条款中有一条规定，即父亲的资金、工厂和机器不应被当作合作财产，其每年应在计算合伙利润之前得到其资产的 4% 的利息。10 年间，每一合伙人均以该资产作为利息信贷，法院判决这是新的协议产生的证据，而工厂和机器也应算作合作财产在合伙解散时予以分配，通过默示方式的更改甚至可以适用于正式的合伙协议。

7.11 合伙财产

合伙财产由合伙人拥有，合伙人只能为了合伙的目的并按照合伙协议的规定对其进行使用（第 20 条）。合伙财产包括最开始购买的和因为合伙企业以及为了合伙的目的在经营过程中取得的财产。该财产包括土地时，该土地必须依照 1996 年《土地信托和指定受托人法》的规定取得并依据《合伙法》第 22 条之规定以信托方式持有。

当存在明确的合同时，除非该合同如先前所讨论的那样被改变，否则合伙企业的财产并不难确定；如果合同没有规定，则按照《合伙法》确定合伙财产的所有权。该法规定：财产不能一开始即推定归合伙所有，但即使用合伙资金购买的财产是以某一合伙人的名义转让或者获得的，其也被视为合伙财产。在 *Miles v. Clarke* 一案中，原告是一名自由摄影师，其加入了一个从事摄影的合伙。协议只规定了平分利润和支付给原告的薪金。经营结束后，原告主张对合伙财产的份额，包括由被告租赁的房屋及购置的其他设备，法院判决：租赁物及其他设备属于合伙，而原告保留其个人商誉产生的价值。经营中产生的存货和其他由合伙购买的消费性商品构成合伙财产。在 *Wray v. Wray* 一案中，父亲、其两个儿子及第三人组成一个合伙进行经营，父亲死后，其妻子成为合伙人。其曾用合伙资金购买了一幢房屋，但财产转让都是以"William Wray"的名义进行的。法院判决：该房屋属于合伙财产，上述四个合伙人作为共同的房东拥有所有权。也可参见 *Waterer v. Waterer* 一案。

除非执行令是依据一个针对合伙企业的判决作出的，否则其不能针对合伙财产签发：第23条第1款。但是，高等法院或郡法院，可以应胜诉债权人的申请，作出以合伙人对合伙财产利益支付判决确定的债务的扣押令。法院还可以指定一名接管官接收与合伙企业有关的合伙人的利润份额及任何由其获得的财产，并作出任何其他的命令或指令，如同其是应胜诉债权人的请求由合伙人作出的对该债权人有利的指令：第23条第2款。上述指令作出之后，其他合伙人可以在任何时候赎回该利益，并在命令出售某财产时对之进行购买：第23条第3款。

当某合伙人对其在合伙财产中的份额设定抵押时，其他合伙人可以要求解散合伙：第33条第2款。

7.12 合伙人之间的内部权利

第24条赋予合伙人可依据合伙协议中不同于法律规定的内容确定其关系的权利。

1）全体合伙人对于企业的资金和利润享有平等权利，并且必须对企业损失平等地承担责任：第24条第1款。

该规定不仅指某一合伙人以资金形式出资而其他合伙人以"专有技术"出资时，如果合伙解散，则合伙人就合伙资金进行分配，而且指，尽管各合伙人以数量不等的资金出资，各合伙人也仍对合伙的利润享有平等的份额并对企业的损失承担平等的责任，包括资金的损失。例如：A、B和C组成一个合伙企业，A、B各出资1万英镑和5000英镑，C以"专有技术"出资。如果合伙解散时，在清偿债务以后的剩余资产为6000，而损失为9000英镑，则A、B、C均需承担3000英镑的损失。如果其中某一合伙人破产并且无法承担资金损失，则参照 *Garner v. Murray* 一案的判决结果确定如何分配利润及损失（见下文）。

在 *Popat v. Shonchhatra* 一案中，原、被告双方为合伙人，以其共同的名义租赁房屋从事经营。原告出资为 4564 英镑（其中 2700 英镑是从被告处获得的贷款）；被告出资 23064 英镑，合伙终止后，被告继续自己经营合伙，其购买了该房屋并获得其所有权，后来其将其营业出卖并获利。原告起诉要求对上述企业的资金和利润与被告享有平等的份额。郡法院按其出资比例在其之间分配了利润和资金份额。但上诉法院判决：在没有明确的协议时，其应享有平等的份额。

2）合伙企业必须对在下述情况下作出的支付或产生的个人责任对合伙人承担责任：

● 在企业通常和适当的经营活动中；或者

● 为了保存企业的经营活动和财产作出的或与之有关的必要行为：第 24 条第 1 款第 1 项和第 2 项。

3）合伙人如果超过其依合同应缴出资而多缴出资，有权每年就上述多缴部分获得 5% 的利息：第 24 条第 3 款。

4）合伙人对于依合同缴付的出资不得收取利息：第 24 条第 4 款。

在实践中，合同协议通常规定，在分配合伙利润之前需支付资金利息，该利息将不考虑各合伙人的出资比例而在合伙人之间平均分配。

5）每一合伙人均可参与企业管理：第 24 条第 5 款。

6）任何合伙人均不得对其在合伙经营中的活动要求支付报酬：第 24 条第 6 款。

积极参加企业经营的合伙人获得报酬是很正常的，但该支付必须在计算净利润之前进行。通过这种方式，经营合伙人获得比那些并未将其全部时间投入合伙事务的合伙人更多的回报。

7）未经全体合伙人的同意，任何人不得以合伙人身份加入该合伙：第24条第7款。

8）合伙经营中产生的有关通常事项的争议需由大多数合伙人决定，但改变合伙经营性质的决定需征得全体合伙人同意；第24条第1款，*Highley v. Walker* 一案。

9）合伙账簿应置备于合伙的营业地，每一合伙人都有权查阅并复制其中的任何内容：第24条第9款。

在 *Bevan v. Webb* 一案中，法院判决：该项查阅权可以委托给一位核定者以及任何别人不能对之提出合理的反对理由的人，并且其行使该权利的目的在于为整个合伙的目标和利益服务。

合伙人的开除

除非合伙人之间有明确的协议授权，否则即使取得了大多数人同意，合伙也不能开除任何合伙人：第25条。

当合伙协议声明："如果合伙人犯罪或行为不当，其他人就可以将其开除"时，该项权利不能仅由一名合伙人单独行使：关于 *A Solicitor's Arbitration* 一案。开除某一合伙人的权利必须善意行使，但法律允许以书面开除的形式通知被开除的合伙人而不必给予其警告或解释的机会：*Green v. Howell* 一案。

7.13 合伙人的责任

提交真实的账目和全面的信息的义务

合伙人之间存在一种相互信任的关系，其之间的合同也要求做到对信息的充分披露。该项责任应由其他合伙人及其法定代表人承担：第28条。在 *Law v. Law* 一案中，双方既是兄弟，又是合伙人，原告卖掉了其合伙中的份额，但后来其发现还有合伙中的某项财产没有向其披露，结果其在对被告提起的错误陈述的诉讼中获胜。

详细报告秘密利润的义务

每一合伙人都必须向合伙企业详细说明：其从与合伙财产有关

的交易中或通过对合伙财产的名字或经营网络的使用中，未经其他合伙人同意而获得的任何利益：第 29 条第 1 款。在 *Bentley v. Craven* 一案中，原告是作为被告的粗盐加工合伙企业的合伙人。被告低价买进粗盐并将之以市场价售与该合伙企业。法院判决，企业有权获得被告的经营活动产生的利润。该条还适用于由于某一合伙人死亡而导致合伙解散之后和在企业财产清算完成之前所发生的交易：第 29 条第 2 款。在 *Pathirana v. Pathirana* 一案中，双方是位于锡兰的一个加油站的合伙企业的合伙人。R 发出了终止合伙的通知，但在合伙终止日期之前，其与石油供应商又签订了一份新的合同，并将其自己作为合伙惟一的代理人。其后来继续以自己的名字在同一个厂房内从事经营。A 发现了新合同，并主张分享由此产生的利润。枢密院判决其有权根据第 29 条第 1 款的规定提出上述主张，该条规定合伙人应对其未经其他合伙人的同意使用合伙财产而获得的利润进行说明。在 *Thompson's Trustee in Bankruptcy v. Heaton* 一案中，原告和被告为合伙人，并共同享有一块农场的租赁权。合伙经其共同的同意而解散，农场由被告占有并随后由被告和其妻子共同控制的一家有限责任公司占有。在被告死后，原告主张享有该租赁物一半的份额，在同一年，被告的遗嘱执行人获得了该土地的完全的所有权并将之出售。原告的破产管理人成功地获得了一个证明上述执行人是作为其自己和原告的共同受托人持有土地的宣告。

如果交易不可能对合伙企业产生影响，则不必对此进行说明。在 *Aas v. Benham* 一案中，被告是一家经纪公司的成员，其在一家船舶建造公司的成立中，运用其在从事经纪人工作时获得的经验和信息对之提供帮助，并多次使用合伙的信笺，其通过支付一笔费用成为公司的董事。其他合伙人要求被告对上述费用和薪金进行说明，但遭到法院的拒绝，理由是为了经营范围之外的目的使用从合伙中获得的信息是被允许的。这与 *Boardman v. Phipps* 一案的判决结果是相反的，该案上诉人是在另一家私人公司中持有股份的信托公司的代理人。利用作为受托人而获得的信息，该代理人事先未征得其他受托人的同意而购买了几乎所有公司对外发行的股票，并且由于受托人管理有方，其股份升值并使得托管人和其均获利。在信托公司的一名受益人提起的诉讼中，上议院判决：由于该代理人获得该利润的机会是因为其是作为信托公司的受托人的代理人而产生的，因此，其应对信托公司说明其取得的利润。

后一判决与 Aas v. Benham 一案判决结果不一致，但与早先的一个关于获得秘密利润的判决一致，根据法院在 Island Export Finance Ltd v. Ummuna 一案中的判决结果，该利润必须本身是可以看见的（见第 8 章）。

不得与公司竞争的义务

如果一个合伙人在未征得其他合伙人的同意的情况下，经营与合伙企业性质相同或相竞争的营业，则其必须向合伙披露其在该营业中获得的所有利润，并将该利润转归合伙：第 30 条。合伙协议通常会禁止经营上述营业，或者以违反该条为理由开除该合伙人或终止合伙。

转让合伙份额的权利

任何合伙人对其合伙财产的转让，无论是完全的转让还是通过抵押或可回赎抵押的方式使他人获得合伙份额，均不能使受让人享有参与合伙管理、经营和要求查阅账薄的权利，但其仍然并且只享有转让其享有的获得合伙利润份额的权利，并且受让人必须接受经合伙人同意的利润分配方案：第 31 条第 1 款。受让人不得反对合伙善意支付给某些合伙人的薪金，尽管这样会极大地减少其实际将获得的利润份额：关于 Garwood's Trusts Garwood v. Paynter 一案。

在合伙解散时，受让人同转让者一样享有从合伙财产中获得份额的权利，并且为了确定该份额，受让人有权查看合伙从其解散之日起的账薄。

7.14 合伙的解散
非基于法院命令的解散
由于期限届满或通知而解散

依据合伙协议，合伙可以依据1890年《合伙法》第32条的规定解散：(1) 如果有确定期限，则该合伙自该期限届满之日起解散；(2) 如果仅从事一项营业，则该合伙自该营业结束时起解散；(3) 如果没有确定期限，则该合伙自任意一名合伙人向其他合伙人发出意欲解散合伙的通知时起解散。

在上述第三种情况下，解散自通知之日起生效；如果不存在上述日期，则解散自通知之日起生效：*McLeod v. Dowling* 一案。如果合伙"只能通过共同的安排"而解散，则单个合伙人仅仅发出解散通知并不能导致合伙有效解散：*Moss v. Elphick* 一案。通知一旦送达，除非全体合伙人同意，否则不得撤回：*Jones v. Lloyd* 一案。

由于合伙人死亡、破产或清偿而解散

合伙协议可以规定，每一个合伙人均同意因其任何合伙人的死亡，或破产而解散：1890年《合伙法》第33条第1款。合伙协议的条款通常规定：当某一合伙人死亡时，剩下的合伙人可以继续进行营业。如果某一合伙人允许以其合伙份额进行抵押，则其他合伙人有权解散合伙：第33条第2款。

由于明确的规定而解散

只要合伙协议有明确的相关规定，下列情形就可以成为合伙解散的理由，包括合伙人意志不健全、残疾、不胜任、不诚实（无论与营业范围有关还是在其范围之外），在 *Carmichael v. Evans* 一案中，法院判决：由于合伙协议对于公然违反合伙义务的行为有明确规定，因此，合伙可以开除一名由于未购车票搭乘火车而被判有罪的合伙人。

由于非法行为而解散

如果发生了任何导致从事合伙的经营或其成员完成合伙经营成为非法活动的事件,则所有合伙人需自动解散合伙:第34条。*R* v. *Kupfer*(敌国公司)一案和 *udgell*,*Yeates & Co.* v. *Watson* 一案(律师的执业证书失效)。

通过法院的命令而解散

依据第35条,法院有权在下列情况下依合伙人的申请作出解散合伙的命令。

精神错乱

在此种情况下,法院行使权力的依据是1983年《精神健康法》第七编:第94条第2款。

长期不能胜任

指除了由于精神错乱以外的原因:第35条第1款。

实施损害营业的行为

如果合伙人因从事与合伙性质有关的行为而被判有罪,则法院认为该行为构成了对企业经营活动的损害:第35条第3款。在 *Essell* v. *Hayward* 一案中,由于一个合伙人需对其欺诈违反信托的行为提起的公诉中承担责任,因此,合伙可以进行解散。在 *Snow* v. *Milford* 一案中,尽管信贷公司中的合伙人被判通奸罪,但由于其行为并未对合伙的经营造成损害,因此,合伙不必解散。

长期违反合伙协议

"如果某一合伙人一直故意从事违反合伙协议的行为,或者自己实施与合伙的经营有关的其他行为,那么,其他合伙人就没有合理和可行的理由与其一起实施该行为"(第35条第4款)

亏损经营

如果合伙的经营只能在亏损的基础上进行,则法院可以命令该合伙解散:第35条第5款。"企业不具有盈利的可能"必须是一种客观存在的事实:*Handyside* v. *Campbell* 一案。

公平和正义的理由

这些原因包括合伙人之间的关系破裂以及其他类似情形。公司法中关于准合伙解散的案件有 Re Yenidje Tobacco Co. Ltd 一案，在该案中，一方当事人对另一方当事人提起了错误陈述的诉讼，从而导致控股股东之间的关系完全破裂，法院因此作出了解散公司的命令。

解散自法院作出命令之日起生效。

由仲裁员解散

如果合伙合同包含有将争议提交仲裁的条款，而争议又涉及请求解散合伙，则仲裁员有权向法院那样作出解散决定：Vawdrey v. Simpson 一案。当某一合伙人向法院起诉要求解散合伙时，仲裁庭拥有决定对该争议进行审判或将之移送仲裁的自由裁量权：Olverv. Hillier 一案和 Belfield v. Bourne 一案。

7.15 合伙解散的后果

为了对公司进行清理，合伙人在某些事项上享有一定权利并可以委托他人行使。在合伙解散或某一合伙人退伙时，任何合伙人都可以发出通知，并要求其他合伙人为了实现上述目的在一切必要的时候进行合作并作出适当的行为：第37条。只要是清理合伙事务所必需的以及为完成在解散时已经开始但尚未完成的交易，任何合伙人就可以继续行使其权利。在 Welsh v. Knarston 一案中，律师事务所与原告缔结合同，约定由该律所代表原告起诉第三方，律师事务所解散以后没有履行完该合同，使得诉讼时效过期。法院判决该律师事务所对其疏忽产生的损害后果负责。合伙人对于新产生的交易不对合伙承担责任：（第38条）。在关于 Bourne 一案中，Bourne 和 Grove 经营一家合伙企业。Grove 死时，企业仍欠有其银行的贷款。Bourne 继续经营了18个月。其保存了合伙财产的所有权契据，以保证在清理合伙时透支的需要，结果在其死时合伙破产。在

Bourne 的破产管理人和银行的诉讼中，法院判决：银行可以认为其死后的交易是出于清理公司的目的，企业对于破产合伙人的行为不承担责任，除非：（1）其表明是作为合伙代表；或（2）其明知合伙将其作为代表，尽管其破产仍为合伙人，而不反对。

任何合伙人均有权为了清偿合伙的债务及责任的目的使用合伙财产，并有权以剩余的财产支付应属于合伙人个人的债务，但必须事先从其拥有的合伙剩余份额中扣除。为了达到该目的，合伙人可以向法院申请对合伙及合伙事务进行清算：第39条，该条赋予合伙个人对于共同合伙人及其代表行使监督权。

如果合伙人在加入合伙时已经支付了固定期限的保险费而合伙在该期限届满前解散，则法院可以指令合伙支付其保险费的全部或一部分，只要其认为这样做是公平的。但法院在下列任何一种情况下都不得指令支付任何保险费：（1）合伙的解散是完全或主要由于该支付了保险费的合伙人的不当行为造成的；（2）合伙的解散是基于一个不包含有返还任何保险费的条款的协议；（3）合伙的解散时由于合伙人的死亡：第40条。

7.16 合伙解散时对财产的处分
合伙可以作为一个营业中的企业被出售

非合伙人和其他合伙人均可以收购合伙。出售合伙时，购得人可以继续使用企业名称，拒绝原合伙人继续留在企业中，并招揽企业原来的客户。合伙人可以再组成合伙并与购得者竞争，但不得申请禁令阻止购得者招揽先前的客户并声明其是被出售的合伙的实际经营者。

合伙财产可在合伙人之间进行分配

任何合伙人都可以继续使用该合伙企业名称，但需独自承担责任。合伙人之间就分配无法达成一致意见时，法院可以命令出售合伙。

7.17 解散时的财产使用

如果没有相反的约定,则财产按如下顺序分配:(1)向非合伙人清偿债务;(2)偿还合伙贷款;(3)返还出资;(4)在合伙人之间按分配利润的比例分配剩余财产:第44条第2款。

如果合伙财产不足以清偿债务,合伙人预付和出资的财产,则不足部分应按以下方式补足:

(1)从上一年获得的利润中补足;(2)以合伙资金补足;(3)从合伙人个人财产中按其应当获得利润的比例补足。

如果某一合伙人破产,而合伙财产不足以清偿合伙债务及贷款,则该差额由有支付能力的合伙人按其应获利润比例补足。

当合伙财产不足以返还所有合伙人的出资时,每一合伙人应按其分享利润的比例承担差额的一部分,如果某合伙人破产,则其他合伙人仅承担其各自的份额,破产合伙人的差额部分由有偿还能力的合伙人按其最后出资的比例进行承担:*Garner v. Murray*一案。例如,A、B和C为合伙人,最后同意的资金为6000英镑、4000英镑和7000英镑,清偿债务以后,剩下的资金为8000英镑:即,资金亏损为2700英镑。因此,每一合伙人应承担900英镑的责任。C没有清偿能力,无法支付亏损,同时丧失了其700英镑出资的返还请求权,但仍有200英镑的亏损需要承担。这200英镑亏损由A和B按其最后同意的出资份额进行分摊。因此,A承担120英镑,B承担80英镑。最后A得到4980英镑,B得到3020英镑的剩余资金。

7.18 关于企业解散以后清算完成之前获得的利润

合伙解散或某一合伙人退伙之后,如果活着的或继续经营的合伙人,以合伙的财产或者资金在账目结算之前从事经营,则其他合伙人或其财产有权获得:

1)自合伙解散以后获得的利润的份额,如同法院判决那样,作为使用其在合伙财产中的份额的回报：见 *Pathirana v. Pathirana* 一案以及 *Popat v. Shonchhatra* 一案；或者

2）其份额数的每年5%的利息：第42条第1款；*Manley v. Sartori* 一案。

7.19 合伙协议的解除

如果合伙协议因为某一合伙人的欺诈行为或错误陈述而被解除，则受到损害的合伙人有权：

1）监督合伙的剩余财产，以偿还其为购得合伙份额而支付的出资，以及其支付的额外资金；

2）代为行使企业债权人的权利，要求其支付与企业有关的债务；

3）要求该合伙人替其承担企业的所有债务；第43条。

7.20 无偿还能力的合伙的解散

1986年《破产法》第420条第1款允许大法官将破产法的该条规定在裁定中加以明确并适用于与破产合伙有关的案件中。这直接导致了1986年《破产合伙指令》（SI 1986 No. 2142）的出台。1994年《破产合伙指令》已对该指令加以补充（SI. 1994/2421），使合伙有权以实体的身份与其债权人签订合同。但先前的每一合伙人必须就自己的利润和责任作出安排，如果某一个合伙人没有这样做，则合伙将被命令解散。

1986年《破产合伙指令》最主要的变化在于：现在，依据1986年《破产法》第五编的规定，合伙作为一个未注册的公司在公司法庭进行清算；并且，对两个以上合伙人独自提出的破产申请也必须向公司法庭提出。该变化的重要意义在于：现在合伙人必须依据1986年《公司董事资格丧失法》承担消极资格所产生的责任。（见第8章）

196　　　第 420 条允许可以适用的情况是在关于 *Rudd & Son Limited and Foster & Rudd Limited* 一案中出现的"明显的空缺",即:在其成员均为有限责任公司的合伙破产的情况下,没有任何关于优先债权的逻辑体系。

7.21　英格兰和威尔士的有限责任合伙

在 *ADT Ltd v. BDO Binder Hamlyn* 一案中,被告于 12 月 7 日对 Britannia Securifies Group(BSG)的账目进行了审计,原告对得到 BSG 十分感兴趣,被告的一位代表与原告的一名董事见面并证实 BSG 的审计结果"真实公平",于是,原告购买了 BSG。后来,原告发现 BSG 的真实价值为 4000 万英镑,而并非如会计建议的 1.05 亿英镑。原告请求补偿 6500 万英镑以及 4000 万英镑的利息。被告的责任保险可以赔偿判决余额的 7100 万英镑。但是合伙人的个人责任则介于 15 万英镑和 25 万英镑之间。其他的诉讼仍在进行之中,包括由于 BCCI 的倒闭而对 Price Waterhouse 提起的诉讼(至 1996 年 1 月,PW 已经花费了 3500 万英镑的法律费用)。一家主要的律师事务所——Clifford Chance 也将面临 6.1 亿的赔偿。

专业机构指出:现在合伙使用的无限责任、共同责任和合伙人的连带责任已经不能适应大型专业合伙企业的需要。创立有限责任合伙(LLPs)是一种解决方式。依照 1907 年《有限责任合伙法》,建立的现行体系只能保护不参与企业经营的合伙人。1995 年 12 月 11 日,泽西州议会宣布了一个允许设立有限责任合伙的立法计划。在同一日,曾参与该立法起草的两个主要的会计公司——Ernst & Young 和 Price Waterhouse,即宣布一旦实施该立法,其将注册为有限责任合伙。继特拉华州最先引进有限责任合伙之后,美国各州大范围地采用了有限责任合伙。1997 年《有限责任合伙法》(泽西州)的立法即受此影响。针对主要专业公司大规模移出的状况,Michael Heseltime(后成为商务部部长)和 Big Six 会计公司在英国就有限责任合伙的引进发表讲话：一份咨询书——有限责任公司——专业组织的新形式于1997年4月1日公之于众，建议时间截止于5月16日。建议中的有限责任合伙将享有独立法人资格，其合伙人是一个企业而非其他合伙人的代理人，其经营活动由企业进行，并由企业而非由合伙人对其成员实施的与经营活动有关的过失行为负责，但成员个人仍需对其过失或疏忽行为承担个人责任。至于该法律能否被通过尚不清楚，但劳动部已经表示将不会反对该设想的实施。

进一步解决该问题的方式是对改变连带责任进行调查。法律委员会所作的报告——《关于连带责任的可行性调查》（NMSO.1996）对该建议持反对态度。

推荐读物

《合伙法》，第4版（Geoffrey Morse, Blackstone Press, 1998）。

问题

1. 合伙人与合伙债权人之间非常容易区分：有的债权人尽管不是合伙人，但由于其与企业之间关系的性质，而在企业进行清算时成为延期偿还的债权人。延期偿还债权人包括哪些人？

2. 法院在Garner v. Murray一案中所确立的规则是什么？该规则在什么情况下运用？如何运用？

3. 某会计公司的协议对公司以及合伙人承担的责任设置了4000英镑的限额，合伙人P以公司名义签订合同，分别以7000英镑购买了有关软件包和以1000英镑购买了高尔夫球棒。公司应对上述合同负责吗？

4. 合伙人应对共同合伙的债务负责，并对企业的侵权行为承担连带责任，这种连带责任的意义何在？

5. 在何种情况下，某人应作为准合伙人或者显名合伙人承担责任？二者之间的区别何在？

8

注册公司

学习目标

通过本章学习了解以下内容：

1. 公司章程大纲和公司章程细则的性质及作用
2. 公司的缔约能力和董事对越权合同及超过其授权缔结的合同承担的责任
3. 公司股份资本的性质，以及为了保护债权人而对有关资金筹集和资本维持的管理
4. 公司可发行的股票的种类以及对股东各种权利的控制
5. 公司董事的任命、轮换退职及其资格取消，董事对公司承担的义务及履行
6. 为保护少数股东免受大多数股东权力滥用的损害的有关普通法及成文法规

8.1 注册公司的组成

注册公司的组成由公司章程大纲和公司章程细则规定。公司章程大纲涉及公司的外部关系，而公司章程细则从属于章程大纲，涉及公司的内部管理。1985年《公司法》第2条规定了章程大纲的内容，第3条则规定了公司的管理形式；1985年《公司（A表至F表）条例》，B表和F表。本章所提到的所有法条，除非另有说

明，否则均指该法。

公司章程大纲的内容

私人股份有限责任公司的章程大纲必须说明以下内容：(1)公司名称；(2)公司注册登记地是位于英格兰、苏格兰还是威尔士；(3)公司目标；(4)承担有限责任的成员的义务；(5)公司拟定注册的资本总额及将其分成确定数额的股份的方法。

章程大纲必须由发起人签字，其必须同意承担与其各自的姓名相对应的股份数额的缴付义务——每人至少一份：第2条第5款。公众有限责任公司的章程大纲还包含另一条款（第2款）说明其为一个公众有限责任公司。

名称条款

根据其具体情况（如果注册登记地在威尔士，则依照威尔士的相关法律），注册公司名称的最后一个词语还必须有"有限责任"或"公众有限责任公司"的字样：第25条。并且，任何非以有限责任公司形式成立的其他企业均不得使用上述字样作为其名称的部分：第34条。在限制的形式或对使用某些词语需要获得的许可上，对公司的名称还有其他限制。《公司法》绝对禁止注册下列名称（第26条第1款）：(1)任何"有限责任"、"无限责任"或"公众有限责任"字样或其在威尔士的相应名称，但写在名称末尾的除外；(2)任何这些词语的缩写，但写在名称末尾的除外；(3)与注册处的索引中已注册名称相同的名称；(4)国务大臣认为其使用可能构成一项犯罪行为的名称；(5)国务大臣认为具有侮辱性的名称。

下列词语如果用作公司名称的一部分则需要获得许可（第26条第2款）：

(1)给人以该公司与英国政府或任何地方政府有关联的印象的词语；(2)在1981年《公司和企业名称条例》中明确规定的名称或表达方式。

公司董事或影子董事在公司进入破产清算之前的 12 个月以内不得使用下列名称：（1）该公司被人们所知悉的名称；（2）与该公司十分相近的、以至于引导人们将其与该公司相联系的名称：1986 年《破产法》第 216 条。除非得到法院的解除许可，否则该限制可以自公司清算开始之日起持续 5 年有效，并且，上述董事还不得：（1）成为以该被禁止的名称被人们所知悉的其他公司的董事；（2）无论以何种方式，直接或间接地介入或参与该公司的设立和管理活动；（3）无论以何种方式，直接或间接地介入或参与使用被禁止的名称的公司所从事（否则应由一个公司进行）的经营活动中的有关活动。违反这些条款将导致这些董事对公司的债务承担个人责任：第 217 条。该立法在于消除"长生鸟公司"现象，即公司控制者一方面将公司置于停业清理的境地，另一方面又立即以同样或类似的名称并且通常就是以相同的公司财产成立另外一个公司开始经营活动。

名称的变更

公司可以通过特别决议自愿变更其名称：第 28 条第 1 款。此外，在下列情况下，登记署可以命令公司变更其名称：

1）在公司进行登记时，该名称与出现在索引中的某一公司名称完全相同或过于类似。此种情况下，变更名称的命令只能在登记日起 12 个月之内作出：第 28 条第 2 款第 1 项和第 2 项；

2）如果为了以某一特定名称注册公司的目的而作出了误导性的信息，或者为了上述目的而没有符合有关的保证或担保的要求，则国务大臣可以在 5 年之内命令公司变更其名称：第 28 条第 3 款；或者

3）公司已注册的名称对其所从事的活动的性质产生了误导性的指示，以至于有可能对公众产生损害：第 32 条。

名称的变更自新公司成立证书签发之日起生效：*Oshkosh B' Gosh Inc* v. *Dan Marbel Inc. Ltd & Craze* 一案。（见下文）

选择名称的普通法限制

如果公司名称与某一现有公司或企业的名称十分类似，则法院可以发出禁令，禁止公司在上述名称下从事经营：*Ewing v. Buttercup Margarine Co. Ltd* 一案。但是，如果公司以某一通常使用的词作为其名称的一部分，则法院不得阻止其他公司使用该同样文字：*Aerators Ltd v. Tollitt* 一案。

公司名称的公布

公司必须以十分清晰可辨的字母在其所有营业地的外部（第348条第1款）、在其公章（如果有）（第350条第1款）和所有信笺、发票等物件上（第349条第1款）向公众公布其名称。否则，公司及任何公司高级职员将被处以罚款。更为重要的是，公司的高级职员将对汇票、本票、支票或金钱及货物订购单的持有人以记载于上的金额承担个人责任（除非该票据已由公司支付）：第349条第1款。不仅没有显示公司名称将承担责任，而且，如果公司名称错误地被显示也将导致法律责任产生。在 *Hendon v. Adelman* 一案中，由于公司某高级职员在支票上将"L. R Agencies Ltd"印成了"L&R Agencies Ltd"而被判承担个人责任；在 *British Airways Board v. Parish* 一案中，被告由于在提取支票时漏掉了"有限责任"一词而被判承担个人责任。法律允许对某些词语进行简化。在 *Banque de l'Indochine et de Suez S. A v. Euroseas Group Finance Co. Ltd* 一案中，法院对于以"Co"和"Ltd"代替"公司"和"有限责任"的做法以及其他类似的诸如以"ms"代替"保险"等普遍确立的缩写的使用表示接受。

在 *Durham Fancy Goods Ltd v. Michael Jackson (Fancy Goods) Ltd* 一案中，由于原告开出的汇票已经由被告公司的董事以错误的公司名称的名义接受，因此其再次对被告公司董事提起的诉讼构成了"禁止反言"。但是，在 *Rafsanjan Pistachio Producers Co-operative v. Reiss* 一案中，被告接受了原告公司开的5张支票的支付请求,其中2张已提示并由公司支付,法庭判决被告对其他3张承担个人责任。

疏忽不能构成抗辩的理由:*Blum v. OCP Repartition SA* 一案;但拼写错误则可能构成抗辩理由:*Jenice v. Dan* 一案。在 *Oshkosh*(以上所引)一案中,法院判决:《公司法》要求公司在其名称上逐一附加有关内容,而非仅仅授权签订定货单。

公众公司条款

如果是公众有限责任公司,则公司章程大纲必须以一个独立的条款表明该事实(第2款)。公司可以由公众公司转化为私人公司,也可以从私人公司转为公众公司,但这些行为必须遵守《公司法》的有关规定(见第6章)。

注册住所条款

该条款用于确定公司的住所地或国籍,其只表明公司的注册住所是位于英格兰、苏格兰还是威尔士,但并没有指出公司的具体地址,具体地址在公司登记注册时单独向注册署提供。公司注册住所的地点不得改变。公司成立证书中表明的注册住所为绝对证据:第13条。如果公司成立证书表明注册住所位于英格兰,但其实际住所位于苏格兰,则视该公司为在英格兰注册的公司:关于 *Baby Moon(UK) Ltd* 一案。

注册住所也是法律文书、通知及其他消息被正式送达的法定地址。下列法定账簿必须置于该处,并供公司成员在办公时间免费查阅,开放时间每天不得少于2小时(债权人可以免费查阅抵押登记册;股东大会成员可以在支付规定的费用之后查阅以下账簿,但存在一些例外):(1)成员的登记簿;(2)抵押登记簿;(3)创设可登记抵押权的证券复印件;(4)会议记录;(5)董事和秘书的登记簿;(6)董事在公司股票和债券中享有利益的登记;(7)债券持有人登记簿;(8)重大持股人登记簿;(9)董事服务协议的登记簿;(10)会计记录。

目标条款

该条款是对公司所从事的经营的进行的陈述,但由于在 *Ashbury Railway Carriage & Iron Co. v. Riche* 一案中对注册公司引入了"越权行为"理论,导致目标条款无法更改时超过公司目标所签订的合同无效。因此公司创立者开始采用"复合目标"条款使公司确立许多目标,并明确规定了一系列以前由法院默示决定而享有的权利,仿佛这些权利也是公司目标之一。法院拒绝将分条款中列出的目标看作独立的目标,并且在公司已放弃其主要目标的时候就发出停业清理命令,主要目标通常通过公司的名称加以确认:关于 *German Date Coffee Co.* 一案。

如果分条款的订立使得每一个分条款中的目标均构成平等和独立的目标,则其也可以成为公司的目标,这一点在 *Cotman v. Brougham* 一案中得到支持。并且,如同 *Bell House Ltd v. City Wall Properties Ltd* 一案所承认的那样,已经普遍确立了将这些目标与主观目标相结合成为公司目标的原则,在该案中,分条款是这样表述的:"从事任何其他的贸易经营,而该贸易和经营在董事会看来与任何上述经营或公司的一般经营为有关或附属性的,并且由公司从事这些经营是有优势的"。

目标条款通常禁止实施无偿支付或慈善及政治捐款等越权行为,但该行为是善意的并直接附属于公司经营的除外。在 *Evans v. Brunner, Mond & Co.* 一案中,一名化学制造商向多所大学分发10万英镑用于进一步科研教育和研究,法院判决:由于该行为对于公司的主要目标是附属性的和指导性的,因此其是合法的。在 *Simmonds v. Heffer* 一案中,反残酷体育运动联盟向工党基金捐赠了两笔款项。第一笔款项用于为该组织致力于动物福利所作出的工作进行宣传,属于其默示权力范围,但第二笔款项用于无条件捐赠却被判决属于越权行为。在关于 *Horsley & Weight Ltd* 一案中,法院确认了公司目标不必局限于纯粹的商业目的的事实。现在还有一条默示条款，对公司出于恩惠而向其雇员或以前的雇员作出的额外支付安排进行认可：第719条。

公司目标可被注册为"作为一般商业公司来经营业务"（第3条第1款），在此种情况下，（1）公司目标是经营任何贸易或业务；（2）公司有权从事其经营贸易或业务的附属性和指导性行为。但是，由于上述第1项和第2项内容都不能使公司处分其全部业务，因此，公司应被赋予特定的权利，如应明确规定其有权作出赠与、发放养老金、或为其他个人、合伙人或公司提供担保或保证。

公司特别决议可变更公司目标，而不受任何限制（第4条），但是，在作出决议之后的21日内，不少于公司发行股份资本15%份额的持有人可向法院申请撤销该决议（第5条）。

责任条款

该条款说明公司成员是承担股份有限责任还是保证有限责任，在公司存续期间，该条款只能进行一次更改（见第6章）。

资本条款

该条款说明公司的注册资本及将资本划分为具有固定票面价值的股份的情况，但不包括实际筹集的资本。其确定了一个资本上限，公司如果超过这个限额增加注册资本则必须通过一项决议；公司通过普通决议可以增加、合并、细分或取消其划分的股份，或者将股份转化为债券：第121条。

章程大纲中的补充条款

如果章程大纲中的某条款也可以规定在章程细则中，则其可以通过特别决议予以更改，但持有公司已发行股票15%以上的持有人有权在决议通过起21日之内对此表示拒绝：第17条。但该权利不包括章程大纲明确规定或禁止进行上述更改的情形，例如其更改将涉及等级权利的改变或取消。如果涉及等级权利的更改，则必须符合1985年《公司法》第425条和第125条，以及其他有关等级权利更改的规定（见下文）。

8.2 公司章程细则

股份有限公司可以对章程细则进行登记，如果没有登记章程细则，则自动适用1985年《公司（A 表至 F 表）条例》A 表中的条款。公司可以完全适用 A 表，或者自己制定规则完全排除 A 表的适用，还可以对 A 表进行修改后加以适用。如果公司自己制定的规则在某方面规定不全面，可以由 A 表进行补充：第8条。章程细则必须是：(1) 打印的；(2) 附有日期；(3) 分成编号的段落；(4) 在至少有一个证人的情况下由章程大纲的发起人签字：第7条第3款。公司章程细则规定其成员的权利义务、公司的管理形式并规定以下内容：

- 股本和权利变更；
- 股份的质押和催缴；
- 股票的转让和传递；
- 股票权利的丧失；
- 股票转化为债券；
- 资本的减少；
- 股东大会；
- 股东大会的程序及表决权；
- 股东大会对董事会的权利；
- 董事的任命、退职、轮换和消极资格；
- 董事会的权利及权利的授予；
- 董事会的程序；
- 公司秘书。

公司章程细则的变更

公司章程细则可以在符合《公司法》的规定及章程大纲所包含的条件的情况下通过特别决议加以变更：第9条第1款。此外，其还可以通过成员一致同意的非正式决定形式加以变更：Cane v. Jones 一案；私人公司可以通过有权参加会议并进行表决的所有公司成员亲自或委托他人以自己名义签字的书面决议而变更章程细则：第381条第1款，但必须由审计师对之进行监督：第381条第2款。私人公司通常在其章程细则中规定采用书面决议以避免受到第381条第2款的监督。

上述变更不得：(1) 与《公司法》相冲突；(2) 违反章程大纲的任何限制性规定；(3) 非法；(4) 对章程大纲进行扩充或修改；(5) 剥夺成员依《公司法》获得的保护，例如第125条第7款（见下文）；(6) 要求某成员接受或认购更多股份或未经其书面同意而增加其出资责任；(7) 构成对少数成员的欺诈。

章程细则的变更不得构成对少数成员的欺诈

法庭禁止滥用多数成员的权利变更章程细则，因此该变更必须是出于"为了公司整体利益的善意目的"：Allen v. Gold Reefs of West Africa Ltd 一案。关于对这一点应从主观方面还是客观方面进行解释存在着争论。在第一个案件中，法官可能会因为变更客观上有利于公司而判决存在善意，但在第二个案件中，法官则可能仅仅要求股东在对该变更进行表决时必须诚实地相信其是为了公司的利益而善意行事的。

从主观方面进行解释被确认为正确的解释方法。只有在多数成员被证明是恶意行使权力时，法院才能介入案件。在 Shuttleworth v. Cox Bros. & Co. (Maidenhead) Ltd 一案中，法院认为"惟一的问题就是股东是否诚实地为了公司的利益而行使其权利"，因而法院支持了变更决议，并进一步指出董事应该在对其他所有董事的书面请求上签字。在 Greenhalgh v. Arderne Cinemas Ltd 一案中，公司章程细则包含了一个优先购买权条款，该条款规定：只要公司成员愿意以一个公平的价格对该股份进行购买，就不得将股份转让给公司以外人员。大多数股东为了能将股份出售给公司以外人员，通常通过一份决议允许将股份通过一般决议的形式转让给任何人。法院判决通过特别决议进行的股份转让是合法的。Evershed 大法官陈述道："很明显，'为了公司整体利益的善意'是指股东必须实施那些其真正认为是为了公司整体利益的行为，而'公司整体'意味着将公司作为一个总的机构。如果特别决议旨在在多数股东和少数股东之间造成歧视，从而赋予前者一种优势并使后者被剥夺这种优势，那么这种特别决议的合法性就是值得怀疑的。"在 Clement v. Clement Bros. Ltd 一案中，持有公司55%股份的股东通过了一项增加公司资本使得其他股东的持股比例从45%下降到25%的计划，法院判决该计划并不是为了公司的利益。在这种情况下，最通常的救济方式是：依据第459条的规定，少数成员对其受到的不公平损害请求赔偿（见下文）。

更改章程细则的权力不得受到限制

公司更改其章程细则的自由不得受到限制，公司也不得通过合同的形式剥夺其成员通过特别决议更改章程细则的权利：Punt v. Symons & Co. Ltd 一案。但是，如果公司所作的更改违反了其承担的某一合同义务，则受损害方有权请求赔偿。在 Southern Foundries (1926) Ltd v. Shirlaw 一案中，被告被指派为公司的总经理，任期为10年。章程细则规定总经理的提前撤换问题"依据其（总经理）和公司之间的任何合同条款"进行解决，并且如果其不再是董事，则其也就当然不再是总经理。后来，公司采用了新细则，允许通过一个由两位董事和公司秘书签字的书面文件而撤换董事。根据新细则，被告被撤换出董事会。被告提出违约赔偿请求。因为合同的默示条款表明在被告被任命为总经理的期限之内不得被撤换，所以被告胜诉。但是，法院仍强调公司并没有丧失更改细则的权利，因此被告不能获得禁令。上述观点在 Cumbrian Newspapers Group Ltd v. Cumberland & Westmorland Herald Newspaper & Printing Co. Ltd 一案中得到重申。法官指出，禁止公司更改细则的协议不能是默示的，但其同时指出，如果公司确已签订了不得更改细则的协议，那么其就很可能无权召集公司大会进行更改。

8.3 公司章程大纲和公司章程细则的法律效力

已登记注册的公司章程大纲和公司章程细则对公司及其成员均具有拘束力，如同每一成员已在上面签字盖章一样，并且每一成员均负有遵守其规定的合同义务：第 14 条第 2 款；但是，在关于 *Compania de Electricidad de la Provincia de Buenos Aires Ltd* 一案中，Slade 法官注意到了这样一个事实，即：第 14 条第 1 款并不意味着公司章程大纲和公司章程细则由公司签字之后，其成员依此所负的债务就仅仅只是一项合同债务。

公司章程条款不能适用一般的合同法规则，因此也不可能对之进行修正：*Scott v. Frank F. Scott (London) Ltd* 一案并不能适用关于错误和胁迫的一般规则。在 *Bratton Seymour Service Co. Ltd v. Oxborough* 一案中，法院判决：条件不能被默示为章程的一部分以确立成员的意图。

公司对其成员的可执行权利

在 *Hickman v. Romney Marsh Sheepbreeders' Association* 一案中，公司章程规定有关公司及其成员之间的争议提交仲裁解决，因此，当公司某成员对公司提起诉讼时，法院作出了中止诉讼的裁定。但是在 *Beattie v. E. & F. Beattie Ltd* 一案中，公司章程也已规定争议提交仲裁，但在某董事对公司提起诉讼时，因为该仲裁条款只适用于公司及其成员之间的争议，而这是一个董事具有原告资格的争议，所以法院驳回了公司的中止诉讼请求。

成员对另一成员的可执行权利

在 *Rayfield v. Hands* 一案中，一家私人公司的章程规定："每一位欲转让其股份的成员均应通知董事可以公平的价格认购这些股份"。董事拒绝履行该认购义务,法院判决:依据该章程条款,董事负有该认购义务,该义务是一项可以由其他成员直接执行的个人义务。

公司成员对有限责任公司的可执行权利

公司成员可以执行其成员权利,包括投票权: Pender v. Lushington 一案,以及要求以现金支付股息的权利: Wood v. Odessa Waterworks Co. 一案。其还可以执行其宪法性权利,要求公司通过适当的机构进行管理;在关于 H. R. Harmer Ltd 一案中,法院判决:作为公司董事及股东的原告有权作为由董事会进行经营的公司的成员执行其权利。

公司成员一般不得对于单纯属于公司章程细则之外的权利申请执行。在 Eley v. Positive Govt. Sec. Life Assurance Co. 一案中,尽管原告是公司的股东,但其却不能要求执行关于其应成为公司终身律师的条款。这种人为的限制受到了批评,但仍被实践普遍接受。即使基于此目的的董事权利被视为外部的权利,董事也不能执行包含在公司章程中的薪金请求权。而且,尽管更改不具有溯及既往的效力,但这些条款仍极易在一些通常的事件中被更改: Swabey v. Port Darwin Gold Mining Co. 一案。但是,如果一个董事基于公司章程中规定的报酬而任职,则该条款可以被默示为该董事和公司之间合同内容的一部分:关于 New British Iron Co. 一案。如果总经理依据独立的合同而被委任,那么就会存在一个默示的条款,即:总经理不能在该合同期间内被解除董事职位: Nelson v. James Nelson & Sons Ltd 一案和 Southern Foundries (1926) Ltd v. Shirlaw 一案。

8.4 公司发起人

发起人是"为了一个确定的项目从事公司的成立,促成其经营并采取必要的步骤完成上述目的的人": Twycross v. Grant 一案。该定义排除了那些在其专业领域内从事与公司成立相关活动的人,如律师、会计师等。

发起人无权从公司获得报酬,并应对公司成立的费用承担个人责任。公司成立之前签订的任何支付报酬的合同都是无效的,并不得被成立之后的公司所承认。因为合同的对价存在于过去,所以公司成立之后,如果发起人签订该合同,则必须以契据的形式进行。公司章程大纲通常赋予董事享有决定是否向发起人支付费用的自由裁量权,而发起人也通常就是第一任董事。

发起人的信托义务

发起人与公司之间存在着一种信托关系,因此其不得接受任何贿赂或获得秘密利润。其还必须保证账目的正确性并充分披露各项利益。无论是对独立的董事会,还是对通过发起书或其他方式产生的公司成员,只要发起人进行了充分的披露,其向公司出售其财产获得的利润就可以保留。如果发起人违反其信托义务,则公司可以对任何由于该违反行为而产生的有关损失请求损害赔偿。如果发起人没有披露其向公司出售其财产而获得的利润,则公司可以否认该项交易。在 *Erlanger v. New Sombrero Phosphate Co.* 一案中,一个以 E 公司为首的辛迪加联合企业购得了一块土地的租赁权并成立了一个公司从事租赁。其将该租赁物出售给了公司并获得了一笔可观的利润,但并未将此予以披露,因此,公司可以解除该合同。如果公司选择不解除合同或者其丧失了该项权利,则公司可以要求从发起人处获得该项利润: *Gluckstein v. Barnes* 一案。

普通法和成文法上的义务

当未上市公众公司通过招股说明书的方式向公众发出认购公司股份或债券的要约邀请,或者当上市公司在其上市细则中发出上述要约邀请时,如果这些文件包含有错误的陈述或者要求陈述的事项被遗漏,则发起人应对此承担责任。该责任的法律依据为普通法或 1986 年《金融服务法》。

公司成立之前的合同

公司对其成立证书签发之前以公司名义签订的合同不承担责任，并不得被要求其成立后对此予以承认。但是，如果合同中有相反的规定，并且签订该合同的人旨在为了公司或作为其代理人行事并承担相应的个人责任，那么旨在于公司成立之前以公司名义或代表公司签订的合同就具有法律效力：第 36 条第 3 款。该条在 *Phonogram Ltd v. Lane* 一案中被广泛地解释为：包括任何由某人代表根本不存在的公司行事、甚至对于该公司的成立从未采取任何措施的情形。

对于将该条的范围扩大到适用于任何由某人代表当时并未合法成立的公司而签订合同的情形的尝试仍旧没有成功。在 *Oshkosh B'Gosh Inc. v. Dan Marbel Inc. Ltd and Craze* 一案中，原告试图让董事对在公司成立证书签发以前以新公司名称签订的合同承担个人责任，但是没有获得成功。上诉法院是以第 18 条第 1 款和第 3 款为依据作出该判决的，即：无论公司名称有何改变，公司都继续存在。在 *Badgerhill Properties Ltd v. Cottrell* 一案中，法院判决：代表 Badgerhill Properties 有限责任公司签订合同的人不承担个人责任。在 *Cotronic(UK) Ltd v. Dezonie* 一案中，法院拒绝将第 36 条第 3 款扩大适用于董事以依据第 652 条已解散的破产公司的名义签订的合同（见第 19 章）。

8.5 公众公司签订的临时合同

在登记署签发公司已筹集法定最低资本（5 万英镑）的证书之前，登记时即为公众公司的公司不得开始经营活动：第 117 条。因此，在这之前签订的合同是暂时性的，公司及其高级职员的过失行为将受到罚款。尽管合同仍然有效，但如果公司在被要求履行该条规定的义务后的 21 日之内仍不履行，则董事需对由此产生的另一方的任何损失或损害负责。

8.6 越权合同和对公司以外人员的保护

现在，公司发起人通过制定目标条款赋予公司近于无限的权利，从而完全避开了"越权行为理论"，而公司以"一般商业公司"的形式设立又更加减少了越权问题的产生：第3条第1款。为了保证该理论不至于对与公司进行交易的人产生影响，1989年《公司法》在对1985年《公司法》增加的条款中废除了该理论。

越权行为理论的外部废除

这是通过第35条第1款的规定实现的，即："公司实施的行为的合法性不应取决于公司依据章程大纲的规定不具有实施这些行为的能力。"其中，"行为"包括慈善性和政治性捐赠及其他慷慨性的金钱支付；如果是一项交易，则"实施"一词指公司完成的任何行为不能再受到非难。而"依据章程大纲的规定不具有实施这些行为的能力"则意味着比公司的目标范围更广。该条规定意味着：无论是公司还是与公司进行交易的公司以外人员均不得以"越权行为理论"作为抗辩。

越权行为理论的内部保留

除非"该行为的实施是为了完成由于公司的前一行为而产生的法律义务"，否则公司成员可以申请禁令"禁止实施某项如果不是第1款的规定则超出公司能力范围的行为"，因此，《公司法》仍然保留了对公司缔约能力的限制以及在公司内部对越权理论的运用：第35条第2款。董事"遵守任何产生于公司章程大纲规定的权利限制"的义务也同样被保留下来，尽管免除董事的义务仍需进一步的特别决议的同意，但公司可以通过特别决议对任何超过其目标的行为加以承认：第35条第3款。承认的重要性与第322条第1款第4项和第5项的规定有关：见下文。公司以外人员没有义务询问某行为是否被公司章程大纲所允许：第35条第2款。要求"公司的登记文件应表明禁止交易人以对'越权行为'的事实疏忽为由进行抗辩"的原则已因第711条第1款的实施而废除。

8.7 未被授权签订的合同及对公司以外人员的保护

公司的管理事务是交由董事会负责的（第70条，A表），通常允许董事会进一步授权给总经理和个人董事（第72条，A表）。公司章程细则可以对董事会、总经理及个人董事作为代理人签订的合同设定数额上的限制，在交易中超过该限额的部分只有通过股东大会或董事会的分别同意才能对公司产生拘束力，从而对上述人员的缔约权利加以限制。当存在上述权利限制时，对超过其授权部分的权利由代理制度的一般规则加以管理，有关的合同只有通过股东大会的承认才具有法律效力：在 Bamford v. Bamford 一案中，股东大会确认了一个不适当的股份分配方案。但是，公司应该依据成文法及普通法规则在没有进行承认时承担责任。现在，成文法规则处于极其重要的地位，有可能替代普通法规则。

成文法的保护

对公司以外人员的新的成文法保护由1989年《公司法》加以规定，即"为了善意的与公司从事交易的人的利益，任何由董事们决定的交易被认为是在公司能力范围内的交易，并且公司董事们约束公司的权利被认为是不受公司大纲规定的限制条件限制的"：第35条第1款第1项。如果其在公司为一方当事人的任何交易或其他行为中成为另一方当事人，其就被认为是与公司"从事交易"，除非其明知该行为依据公司章程超越了董事的权限，否则不得被视为具有恶意；除非有相反的证据加以证明，否则其应被视为以善意行事：第35条第1款第2项。董事依据公司章程所受的权利限制包括：因公司股东大会或任何类型的股东会议所作出的决议而产生的限制，以及因其与公司成员或任何等级的股东之间的协议而产生的限制（第35条第1款第3项），因此，其范围不限于仅在公司章程细则中所列出的项目。公司章程的严格性在公司内部得以保存,除非董事的越权行为行为是为了完成因先前行为而产生的法律义务,否则公司各成员都可以提起诉讼禁止该越权行为,:第35条第1款第4项。除非公司通过普通决议加以免除,否则董事由于越权而对公司承担的责任仍然得到了保留:第35条第1款第5项。

公司意图通过限制董事会及由董事会授权的人的权利,有效地保护自己免于承担责任是十分困难的;同时,判断何人不应被视为善意行使权力也是十分困难的。上述观点被以下事实证明,即:与公司从事交易的一方当事人,对于董事会约束公司的限制以及董事会授权他人约束公司的限制不负有查询的义务:第35条第2款。

为了控制自我服务的董事对该体系可能产生的滥用行为,《公司法》规定:当董事越权行使章程规定的权利时,公司与董事、董事的配偶或与董事有关联的公司所签订的合同是可撤销的:第322条第1款(见下文)

有关未授权签订合同的普通法规则

对越权合同的成文法保护,可能导致为保护公司以外人员而发展的普通法规则变得多余。在某人与公司中未经董事会授权的董事或代理人签订合同时,因为第35条第1款没有扩大至适用于该情况,所以普通法规则仍可得到适用。在普通法上,存在公司须对其代理人的越权行为承担责任的两种情形:(1) Turquand's 一案确立的规则;(2) 表见代理理论(自认)。

Turquand's **一案所确立的规则**

在 *Turquand's* 一案中确立的规则是:与公司从事交易的人可以假定所有公司内部规则均已得到了执行。因此,当董事要求董事会通过决议或股东大会通过一般决议作出事先的对公司有拘束力的同意时,即使没有获得该同意,该规则仍可使该交易有效。该规则认为:如果某人没有查询公司的登记文件,就不得主张自己对相关内容一无所知,从而该规则也限制了推定通知理论的适用。由于没有必要再去查询公司的登记文件,因此也无需再证明该规则的正当性。

该规则最早开始只保护那些在与公司的代理人进行交易之前即已阅读公司章程细则并依赖其授权行事的公司以外人员，但后来，只要公司章程细则与其请求的内容一致，该规则就扩大适用于保护那些在交易之前从未阅读过公司章程细则的人：*Freeman & Lockyer v. Buckhurst Park Properties(Mangal) Ltd* 一案（见下文）。

该保护只适用于公司以外人员，但这一限制并非总是得到严格适用：*Hely – Hutchinson v. Brayhead Ltd* 一案（见下文），并且，其所适用的交易必须是在董事通常的代理权限范围之内进行的：*Kreditbank Cassel GmbH v. Schenkers Ltd* 一案。如果公司以外人员不具有善意，则将丧失该规则的保护：*Rolled Steel Products Ltd v. British Steel Corporation* 一案。以前，法院判决在文件被伪造的情况下，不得运用该规则约束公司：*Ruben v. Great Fingall Consolidated* 一案。而现在情况似乎并不是这样，如果公司高级职员在其实际或表面授权范围内对该伪造行为作出确认的，则该公司仍需要承担责任。

如果公司中某一地位低于董事的人得到了相应的授权，那么该规则将使公司对其所谈判的合同承担责任，如新《公司法》第35条第1款所述。这是公司默示授权内容的一个方面。

表见代理权的代理规则

总经理是公司的代理人，但董事则不是公司的代理人。只有在获得董事会的授权或者被视为具有代理权时，董事所实施的行为才能对公司产生拘束力。如果公司允许某一董事以总经理的身份行事从而使其被其他人视为公司的总经理，则其可以被视为已得到了公司的默示委派并如同其具有实际授权一样对公司产生拘束力。在 *Hely – Hutchinson v. Brayhead Ltd* 一案中，第二被告在事实上以总经理的身份行事，其同意作为被告的公司对原告承担以公司银行账户提供担保的赔偿责任，但被告拒绝承担该责任。上诉法院判决第二被告具有约束公司的实际代理权。

在下列情况下，公司将同样通过默示代理权的方式承担责任：（1）存在代理人具有必要授权的陈述；（2）该陈述是由公司作出的；（3）第三人本着对该陈述的信赖行事；（4）该合同是代理人在其一般权限范围内代表公司签订的。

在 Freeman & Lockyer v. Buckhurst Park Properties(Mangal)Ltd 一案中，公司的经营由四个董事之一进行，尽管其实际上并未被如此指定，其仍以总经理的名义行事。为了进行房地产开发，其与一建筑公司（即原告）签订合同，但因申请开发许可证遭到拒绝，该计划随之失败。该董事随后出国。被告公司认为该董事没有缔约的权利从而拒绝承担责任。法院判决：由于该董事已被视为公司的代理人，因此，公司应对其行为承担责任。因为公司章程细则中已规定将董事会的权利授予总经理，所以，关于原告事先并未阅读公司章程细则并不重要。

8.8 公司的股份资本

对公司股份可作出如下分类：名义资本又称注册资本，指在公司章程大纲的资本条款中规定的法定注册资本；其表明公司在需要增加其注册资本之前可以筹集到的资本最高额。名义资本中已经分配出去的部分被称作"已发行资本"，剩下的部分则称作"未发行资本"。当资本以全额支付的方式发行时，已支付资本与已发行资本是相同的。股份可以以部分支付的方式发行，但公众公司在其募集了至少1/4的名义资本并支付了全部红利之后才可以分配股份：第101条。当部分支付的股份发行后，未支付的部分被称作"未缴股本"。公司可以在其愿意的任何时候予以催缴，也可以在章程细则和发行条件中确立一个在将来某一确定日期内的支付安排。公司可以规定未缴股本只有在公司停业清理时才予以催缴，在这种情况下的资本被称作"储备资本"：第120条。这一部分股份资金可以作为对某一特定债权人的担保而予以抵押。

资本充足和资本维持理论

既然有限责任公司只能以其资本作为其信用的担保，那么，资本就是对债权人的担保资金。而且，"考虑到公司经营的净价值的变动，其就成为一种名义资本，并且成为衡量公司必须一开始就筹集并在经营中予以维持的净资产的最低价值的严格尺度"（Gower）。为此目的，公司法规则必须确保公司已实际筹集到了已缴资本，并且为了公司的经营合理使用而不得用于偿还股东。

股份不得折价发行

筹集资本的基本规则是不得折价发行股份，这对私人公司和公众公司均适用：第100条。在有关包销佣金的支付上允许存在例外，但佣金的数额被限定在发行价格的10%以内或由章程细则规定的任何数额较少的数目：第97条。由于公司可以以非现金对价的方式发行股票，即向公司转让某些财产，包括有形财产和无形财产，因此就产生了一个更为重要的潜在法律漏洞：第99条第1款。这些股份只有该财产实际交付之后才能被视为已支付，但是，股份不能以没有对价或为了获得过去的对价的方式发行：关于 *Eddystone Marine Insurance Co.* 一案。

非现金对价方式发行的股票，在公众公司中比在私人公司中得到更加严格的管制。

对私人公司的管制

如果对对价的估价没有成文法方面的规定，则法院只有在该对价表面上不充分或者有证据表明存在欺诈的情况下才能介入案件：关于 Wragg Ltd 一案。某人保证将来为公司提供其个人服务也可以成为股票发行的对价。关于转让财产或提供服务的履行期限法律没有限制，法律也没有关于股份分配之前需要支付最低数额的规定。法律对公司的投资者和债权人的惟一的保护就是要求公司向公司登记署提交相关的报告从而对上述人员进行提醒：第88条。

对公众公司的管制

对公众公司的管制主要有以下四点:

1) 公众公司不能以某人保证为公司或任何其他人工作或提供服务作为对价而向其分配股份: 第99条第2款。

2) 如果公司因某人保证向其或由其指定的人转让非现金财产而对其以全部或部分支付方式分配股份,则该保证在股份分配之日起5年以内必须履行或可以履行: 第102条第1款。

3) 除非某项对价已依据第108条的规定单独进行估价,并在股份分配前6个月以内将股价报告立即交予公司(接受分配者保留复印件),否则公司不得分配股份: 第103条第1款。报告和估价必须由独立的、有资格以公司审计员身份行事的人作出。该报告必须披露: 股份的名义价值和根据该股份支付红利的安排(如有);关于对价的描述;估价的方法;估价日期;股份的名义价值及其红利可以视为全额支付的程度;股份分配时已支付或将要支付的现金的数额: 第108条。该报告必须与第88条所规定的报告同时进行登记。

4) 除非1/4的名义价值和所有的红利(如果有)都已得到支付,否则公司不得分配股份: 第101条第1款。

如果某公司设立为公众公司,并在依据第117条的证书签发之日起两年以内向公司章程大纲的认购人以代表公司现已发行的股份的1/10以上的价值的非现金对价的方式发行股票,则相应的估价规定应得到适用: 第104条和第109条。该估价规定还适用于寻求重新注册为公众公司的私人公司: 第104条第3款。

在违反上述规则时,接受分配者必须以现金方式支付股份及任何红利: 第99条第3款、第100条第2款、第101条第4款、第102条第6款、第103条第6款和第105条第3款。除非购买者是善意的,否则受让方对此承担连带责任: 第112条。公司及其高级职员也将受到处罚: 第114条。

《公司法》规定无论是否有相反规定，任何担保都是可执行的：第115条。因此，分配受领者仍有可能获得免责：第113条。

股票溢价发行

在市场允许的情况下，公司可以以超过股票票面价值的价格发行股票。以现金和非现金对价发行的股票，其溢价发行的总数都必须划入股票溢价发行账户：第130条第1款。因而，转让财产中超过已发行股票的票面价值总额的部分，必须支付到该股票溢价发行账户之中：Henry Head & Co. Ltd v. Ropner Holdings Ltd 一案。Shearer v. Bercain Ltd 一案的判决属于一个例外，该案涉及到公司的合并：第131条。

资金一旦存入了股票溢价发行账户，就受到资本维持规则的制约：第130条第3款。但是，在下列例外情形下可以使用该账户（第130条第2款）：

（1）用于向成员支付股票发行的额外津贴；（2）用于冲销：①公司最初的费用，或者②在已支付佣金或允许折价时，发行股票或债券的费用；（3）用于在兑换债券时，作为支付利息的准备。

股价溢价发行账户是资本的非正常形式，这是因为：（1）其不涉及红利的支付；（2）其不能分配给任何股东；（3）其不是名义资本的一部分；（4）一般投资者不会视之为资本。股价溢价发行账户是一个准资本账户。任何股价溢价发行账户均是在名义资本的基础上计算的，其也是在公司清算时债务清偿以后剩余的资产中可以分配给股东的资金。名义资本总额存在公司股本账户中。

关于资本维持规则

公司不得购买自己的股份，这是一个基本原则，以免减少已发行资本的数量。该项规则是以成文法的形式规定的："依据下列规定，股份有限公司不得（无论通过购买、认购或其他方式）获得自己的股份"：第143条第1款。在有些情况下，也会存在一些例外，即以严格管制下的许可代替完全的限制。

该规则还适用于公司的被指定人获得公司股票的情形。当公司向其被指定人发行股票或者从第三者手中获得部分支付的股票时，该股票应视为由该被指定人持有，公司对其不得享有任何利益。并且，如果被指定人没有在股份催缴之日起 21 日之内支付股款，那么：(1) 如果其是公司发起人，则其他发起人将对此承担连带责任；(2) 如果股份是以其他方式获得的，则公司董事将对此承担连带责任。尽管《公司法》规定上述发起人或公司董事在其诚实合理地行事时可以免责，但其必须对此承担举证责任：第 144 条。该一般规则的例外情形包括：(1) 依据《公司法》第五编第 7 章的规定回赎或购买任何股票；(2) 依据第 135 条的规定合法的减少资本时获得的股份；(3) 依据法院按照第 5 条、第 54 条或第十八编第 459－461 条的要求作出的命令而购买股份；(4) 在未缴足有关该股份的数额时，依照公司章程细则的规定放弃股票权利或交出股票（A 表，第 19 条；第 143 条第 3 款）。公众公司获得股份必须在 3 年或 1 年之内注销该股份或减少其股本，在该段时期内不得行使该股票上的投票权：第 146 条。

回赎自己股份的权力

只要章程细则允许（A 表，第 35 条；第 159 条第 3 款），公众公司和私人公司就均可回赎任何类型的股票，但如果在发行股票时不存在不可回赎的股票，公司就不得发行可回赎股票：第 159 条第 2 款。只有已缴足的股份才能被回赎：第 159 条第 3 款，其只能从"可分配利润"中或从新股发行的收益中回赎；任何回赎费用必须从可分配利润中进行支付：第 160 条第 1 款第 1 项和第 2 项。这是依据第 160 条第 2 款的规定——如果可回赎的股份是以溢价的形式发行，则回赎股份时可以发行新股的收益支付溢价部分，其数额可以相当于以下二者中的较小数额：(1) 股份回赎时由公司获得溢价总额，或者 (2) 公司现行的股份溢价发行账户的数额。私人公司可以用其资本回赎或购买股份：第 171 条。股份回赎时应视为该股份被注销：第160条第4款。

在回赎股份时，如果全部或部分以可分配利润支付，则公司必须将股份票面价值总额转入资本回赎储备金中。这是按照资本维持规则的要求设立的一个资金账户，其只能用于：（1）分配已缴足的红股；（2）经法院批准的资本回赎；（3）从资本中进行股份回赎或购买：第170条。资本回赎储备金反映了保护公司的债权人免受公司资本基础减少影响的需要。当股份公司的回赎是从新股发行的收益中支付时，因为新资本已代替了原先的资本，所以不必遵循上述要求。

股票将要或可以回赎的日期或截止日期应当在章程细则中规定，如果章程细则没有规定，则由董事在股票发行之前予以确定。在其他情况下，回赎或允许回赎股份则必须在章程细则中加以规定。可支付的数额必须在章程细则中规定或由章程细则决定，如果其由章程细则决定，则章程细则不得规定该数额由任何有关的人以其自由裁量或意志决定：第159条第1款。

公司通常会通过发行可回赎优先股筹集资金，由于持有该优先股的股东没有投票权，因此这不会影响到公司的权利平衡。回赎是一项权利或选择说明，如果公司一开始就以更高的红利比例发行股票，而不是等到以后利率下降才证明这样做是正确的，则公司可以回赎股份并以一种更低红利的股份取代之。

购买自己股份的权力

无论该股份是否可以回赎，只要遵循了资本维持规则，公众公司就可以购买自己的股份。私人公司可以以其可分配利润或其资本购买（或回赎）其股份。当该购买是全部以资本支付时，相当于其票面价值总额的资本必须转入资本回赎储备金：第170条。

如果购买不是以资本支付的，则在有关可回赎股份的一般规则之外，还因该购买是在市场外进行的购买还是从市场上进行的购买而存在一些专门的规则。

市场外的购买

拟订立的合同条款必须由公司通过特别决议予以批准：第164条第2款。对于公众公司，该项批准还应规定一个失效日期，该日期不得迟于决议之日起18个月：第164条第4款。上述权利可以通过特别决议予以更改、撤回或续展，但是，如果该决议仅仅是由与该决议有关的公司成员行使投票权而通过的，则上述转让、改变、撤销或者续展权利的特别决议无效：第164条第5款。只有在该合同的复件或者合同的书面备忘录在决议之前15日内置于公司登记处或在决议大会上可供人查阅时，该决议才产生效力：第164条第6款。相同的规则还可以适用于不确定的购买合同，在这种情况下，公司可以拥有是否购买自己股份的选择权：第165条。

从市场上的购买

由于该种购买活动是由市场管理的，因此公司只需通过普通决议予以批准：第166条第1款。公司可以以一般的形式或者限定于对某一种类股份的购买的形式对股票购买予以批准；并可以决定是否附带条件：第166条第2款。该项批准必须说明其购买股票的最大数额，决定购买价格的上下限，并且确定批准失效的日期：第166条第3款。该批准还可以被更改、撤回或者续展，但该授予或续展批准的有效期不得超过18个月：第166条第4款。

私人公司可以从其资本中对于回赎或购买其自己的股份所需的资金进行支付：第171条。该支付取决于公司章程细则中是否作出了这样的规定，股份必须全额支付，并且在回赎或购买股份以后的股份发行中必须保留一部分不得回赎的股份。只有在首先用完可分配的财产后，公司才能从其资本中支付回赎的股份。此外，支付还需符合以下条件：（1）获得公司特别决议的许可：第173条第2款；同时，还需受到与该项支付有利害关系的人的投票结果的约束：第174条第2款；（2）董事必须依法作出公司偿付能力声明，该声明表明公司有能力进行支付并且在下1年仍有该偿付能力：第

173 条第 3 款；（3）审计师必须作出报告对法定声明的正确性予以证明：第 173 条第 5 款；（4）决议必须在法定声明作出后 1 个星期之内通过，支付必须在决议通过之日起 5 个星期之后 7 个星期之前完成：第 174 条第 1 款；（5）决议必须在 1 个星期之内在政府公报和一个适当的国际性报纸上向公众予以公布：第 175 条；（6）法定声明和审计师报告的复印件必须向登记署递交。

没有投赞成票的任何债权人以及公司成员可以在 5 个星期之内向法院申请撤销拟支付的决议：第 176 条。如果公司在支付后 1 年内进入清算程序，则出卖股票者和在法定声明上签字的董事有义务将短少的资金补足至其原始支付的数额。

减少资本

公司可以依据第 135 条至第 140 条的规定减少资本。该项权利必须规定在公司章程细则之中，由公司通过特别决议并且在获得法院的许可后予以行使：第 135 条第 1 款。《公司法》列举了公司可能会意图减少资本的如下三种情形（第 135 条第 1 款）：

1）股份未获全额支付时免除或减少该股份之上的责任；

2）注销任何遗失或没有代表可用资产的已缴股本，而无论该股本上的责任是否已被免除或减少；

3）支付任何已超出了公司需要的已缴股本，而无论该股本上的责任是否已被免除或减少。

在上述第一种和第三种情况下，减少资本是由于公司已决定不再需要未缴付的资本或已缴资本超出了公司的需要。在前一种情形下，公司可以通过取消股东进一步缴纳股款的责任和减少其股份的票面价值的方式减少公司的名义资本。在后一种情形下，公司可以减少其股份的票面价格，并将减少部分转入股东已在新的票面价格上支付的资金中。在上述第二种情况下，减少资本是由于公司的贸易损失导致了资本的损失。公司只能通过将股票的票面价格减少到其真实价值的方式抵消上述损失。这种情况下股东缴纳股款的义务并没有减少,股东也不得要求返还股款。对于需要支付红利的公共公司,采取这种减少资本的方式是很必要的。

由于第一种和第三种所述的情形将直接影响到债权人的担保资金的数额,因此只有在公司所有的债权人都对该方案表示同意时,法院才会对此予以批准。法院将有权表示反对的债权人一一列出,公司必须在获得其同意或者确保其对公司的反对主张已得到解决后才可以实施上述方案:第136条。法院在同意公司的减资要求之前可能会附加一些条件:第137条第2款;该命令只有经过登记才产生法律效力:第138条第2款。如果公众公司将其资本减至法定最低资本额以下,则除非该减资决定由法院作出或该公司事先是以一个私人公司的身份注册的,否则登记署对该减资决定不得予以登记:第139条第2款。法院可以允许该公司不必按照第53条的要求通过一个特别决议而重新注册为私人公司。如果某债权人有权对减资表示反对而没有这样做,则当公司不能支付其债权或损害赔偿时,股东在其减少的资本范围内仍须承担责任:第140条。

如果公司成员没有批准减资或作了不适当的批准决定,则公司有责任证明其提出的方案是公平的,或者在有人试图确认该方案不公正时予以反证:关于 *Holders Investment Trust Ltd* 一案。

如果公司拥有一种以上的股票,即普通股和优先股,则其可以决定通过购进所有的优先股减少其资本。这被称作选择性减资。如果选择性减资没有涉及所减少股份的等级权利的变更,就不需要获得被减少股份的该等级股东的批准:*Prudential Assurance Co. Ltd* v. *Chatterley – Whitfield Collieries Ltd* 案、*Scottish Insurance Corp. Ltd* v. *Wilson & Clyde Coal Co. Ltd* 案、*Re Saltdean Estate Co. Ltd* 案和 *House of Fraser plc* v. *ACGE Investment Ltd* 案(见下文)。

8.9 红利的支付

公司只能从专门用于分配的利润中进行利润的分配:第263条

第 1 款。这些被称作"减去先前在恰当的减资或资本重组中未被抵消的累积实现利润,以及先前未被用于分配或资本化的累积实现利润":第263条第3款。由于公众公司进行利润分配将使其净资产减少至少于已缴资本总额,并减少其还未进行分配的储备金,因此,法律对公众公司的减资设定了更多的限制。"净资产"是指公司的总资产减去总负债;未进行分配的储备金指:(1)股票溢价发行账户;(2)资本回赎储备金;(3)本条所适用的股份事先没有因资本化而被使用时,公司累积的未实现利润超过其累积的未实现亏损(只要事先在公司的减资或者重组中没有被注销)的数额;(4)法律或公司章程规定的不得用于分配的公司任何其他种类的储备金。

对公众公司设定的额外限制旨在确保公司资本得以维持,而股票溢价发行账户及资本回赎储备金的重要意义就尤其值得重视。将升值储备金视为未分配资本的内在原因是为了防止公司分配未实现利润。

如果股东知道或者有合理的理由相信某分配方案违反了《公司法》的规定,则其有义务返还其所获得的利润:第277条。在 Precision Dippings Ltd v. Precision Dippings Marketing Ltd 一案中,法院判决:除非公司以其可分配利润支付红利,否则该分配为越权行为。

8.10 公司获得自己股份的经济资助

公众公司和私人公司不得对某人提供经济资助使其获得该公司或其控股公司的股份:第151条。法律对于经济资助一词没有给出明确的定义,但其包括捐赠、担保、保证或保障,以及以贷款的形式进行的经济资助:第152条。该项禁止涉及直接的或间接的,同时的或连续的多项资金资助。因此,公司不得以向某人提供贷款等方式使其得以购买公司自己的股份:第151条第1款,如果其已经获得了这些股份，则公司不得减少或免除其在获得该股份时产生的责任：第151条第2款。法律并不禁止母公司向其子公司提供经济资助，同时也允许一个外国的子公司在购买其英国母公司的股份时提供资金资助：*Arab Bank plc v. Mercantile Holdings Ltd and Another*一案。

公司如果违反了关于经济资助的法律规定将会受到处罚，并且所有失职的公司高级官员将被判入狱或受到处罚，或者予以数罪并罚：第151条第3款。该股份购买交易本身是有效的，但任何违反法律的合同和任何违反法律而发行的证券则是无效的：*Heald v. O'Connor*一案。但是，法院仍然可以将该交易的非法部分从整个交易中分离开来，并对任何不受该非法部分影响的内容赋予法律效力和执行力：*Carney v. Herbert*一案。

一般原则的例外

主要目标的例外

问题最关键的部分在于公司提供某项经济资助的主要目的，以及提供该资助是否是善意的。因此，如果提供经济资助的主要目的并不是为了获得股份，或者，如果是为了获得股份，这也只是公司另外一个更大的目的之外的附带目的，并且提供该资助是为了公司的利益善意作出时，则法律对此是允许的：第151条第1款。如果提供经济资助的主要目的并不是为了减少或者免除某人购买公司股份而产生的责任，或者，如果是为了上述目的，但这也只是公司另外一个更大的目的之外的附带目的，并且提供该资助是为了公司最大的利益善意作出时，则法律对此也是允许的：第153条第2款。该项例外是遵循*Belmont Finance Corpn Ltd v. Williams Furniture Ltd* (No. 2)一案而提出的，其使公司以提供经济资助作为一个附带的目的而进行的善意的交易有效——例如，为了使卖主能购买公司的股份，公司善意购买某项财产。在*Brady v. Brady*一案的判决中，上议院对该项例外的适用作出了严格的限制。在该案中，由两兄弟控制的公司集团因其关系破裂而分立成两个独立的企业。上议院否决了高等法院和上诉法院所采取的处理方法,即不承认构成公司重组一部分的经济资助或者为了避免公司出现管理僵局而作出的经济资助是合法的。该判决强调在适用该项例外的同时,还强调其主要目的和附带目的必须是完全可以识别的。

一项富于技巧性的例外涉及对依法产生的红利的分配、股利的分配、依据第137条的规定作出的减资以及股份的回赎和购买:第153条第3款。另一项例外涉及公司在通常经营活动中发放贷款的行为:第153条第4款第1项。公司不得以出借作为其主要的目的进行经济资助,也不得仅仅为了购买公司的股份而发放贷款: *Steel v. Law* 一案;仅仅为了实现公司的目标不足以使公司拥有出借资金的权利。此外,还有一项例外是允许公司为了自己的利益善意作出的规定:为了实施雇员股份分配方案或者使涉及雇员、以前的雇员或其配偶、已故雇员的配偶、其未满18岁子女或者继子女的股份交易更为便利而对其提供的经济资助:第153条第2款第2项。公司对其善意雇佣的员工(董事除外)提供贷款从而使其获得本公司或作为受益人对该公司进行控制的控股公司的已缴股份:第153条第4款第3项。对于公众公司而言,依据第153条第4款的规定提供经济资助只适用于其净资产没有减少或者以可分配利润提供该资助的情形:第154条。

私人公司的免责

私人公司可以依据第155条至第158条的规则对股份购买提供经济资助。董事必须依法作出声明,表明有关公司提供了该项经济资助以后立即所处的状态以及将来的状态(无论是继续经营还是发生清算事由):第156条。该资助必须由公司的成员通过特别决议予以批准,持反对意见的少数股东有权申请法院撤销该决议:第157条。此外,对该资助的支付不得早于自特别决议通过之日起4个星期,并不得晚于自法定声明作出之日起8个星期。如果有人提出了撤销该决议的申请，则除非法院作出了另外的命令，否则公司只有在法院对该申请作出了最后决定之后才可以进行支付。

因经济资助而产生的民事责任

公司不得起诉要求返还其依据合同已经支付的资金，因为这是违法的。但是，如果是董事违反了其对公司的受信托义务，则其有义务对此向公司作出说明。此外，如果某人在董事实施的对公司财产的非法滥用行为中成为共犯，则其有责任以推定受托人的身份对此向公司作出说明。在违反受信托义务的行为中以共犯的身份承担责任要求该共犯具有欺诈的故意，而无论董事本身是否具有欺诈的故意。因此，如果董事听从了一个不诚实的第三方的意见而自认为诚实地行事，从而导致了滥用公司财产的结果时，则第三方有责任对公司作出说明，而董事则无需对此承担该责任：*Royal Brunei Airlines Sdn Bhd v. Tan Kok Ming* 一案。此外，如果任何第三方明知是被滥用的公司财产或资金而仍予以接受，其也应作为公司的推定受托人而承担向公司说明的义务。但是，究竟这种知悉需达到何种程度时才能以推定受托人的身份确立其责任仍是不明确的。在 *Baden Delvaux & Lecuit v. Societe Generale pour favoriser le developenment du commerce et de l'industrie en France SA* 一案中，Peter Gibson 法官对此确认了五种精神状态：（1）实际知道；（2）故意对明显的事实置之不理；（3）故意或过失没有进行一个诚实的和通情达理的人应该进行的询问；（4）一个诚实的和通情达理的人知道的应该会显示某些事实的情况；（5）一个诚实的和通情达理的人知道的应该会促使其进行询问的情况。无论在前三种情况的哪一种情况下，都要求推定受托人承担责任需有知悉的存在——即必须有实施不法行为的故意。任何以推定知悉或推定注意［第（4）种和第（5）种］为基础的赔偿请求都是不能得到支持的。此外，公司可以对董事的共谋行为请求损害赔偿：*Belmont Finance Corpn Ltd v. Williams Furniture Ltd* 一案。公司少数股东可以依据普

通法对 *Foss v. Harbottle* 一案规定的例外提起派生诉讼，或者依据第 459 条有关非法交易的规定进行申诉。

8.11 公司在自己股份上设定的抵押

公众公司不得接受在其自己的股份上设定的抵押：第 150 条。该条的例外情况主要有：公司的通常经营活动包括出借资金，或在分期付款买卖的情况下以其股份作为支付货物的信用或担保。

8.12 股份和股东

股份表示了一种所有权关系。股东是公司的所有人，但对公司的财产不享有所有权，公司的财产是公司以单独和独立的法律实体的身份享有的：*Macaura v. Northern Assurance Co.* 一案。公司的股东有权在公司从事经营时以红利的形式从公司的利润中获得自己的份额，有权在公司清算时获得一份财产，并享有成员的所有其他利益。股份的定义为"以一定数量金钱衡量的公司股东的利益，包括一系列由全体股东内部签订的互相赔偿损失的协议规定的以及在章程细则的合同中包含的各种权利"：*Borland's Trustee v. Steel Bros & Co. Ltd* 一案。股份也是衡量某一成员在公司中享有利益的计量单位。每一股份必须以一定数额的资金支付其票面价值。

股东的权利和责任

股份是许多权利和责任的集合体。股东的主要义务是支付股票的名义价值或任何溢价款。股东主要的权利有：（1）当公司是一个全面营业的企业时，如果公司适当申报红利，分取红利的权利；（2）在成员大会上表决的权利；（3）在公司清算时，在偿付债务之后，接收公司的一部分资金或者参加公司财产分配的权利。

记名股票和不记名股票

CREST 的登记和转让制度允许上市股票以电子文件的形式由所有人持有。私人投资者可以持有股份或者通过其经纪人成为

CREST 的赞助成员，从而成为记名持有人并通过其赞助者转让其股票。股份也可以由 CREST 成员的指定公司为其持有，例如一家银行。没有股份证书抵押股份是十分困难的。因此，证明与该证书有关的材料所表示的所有权关系也是十分困难的。

股票通常是记名的，如果公司想发行不记名股票的权利，则必须在其章程中对此权利作出相应的规定：第 188 条。记名股票的所有权决定于其持有人的名字是否列入了公司的成员登记簿中，如果持有人转让该股票，必须将该股票的受让人的名字代替出让人的名字列入成员登记簿中。股份证书是股东拥有所有权的初步证据：第 186 条。对于不记名股票而言，股票是以股份证书的形式发行的，该证书可以包括支付红利的息票。这是股票的所有权证书，股票以交付该证书的形式转让，因此其是一种可转让证券。如果受让方没有注意到出让方的所有权瑕疵而善意有偿获得了股票，则其对该股票拥有合法有效的所有权，如同其是通过正当程序获得该股票一样。不记名股票的持有人不得自动成为公司的成员：其是否成为公司的成员由公司章程细则决定。

股票的抵押

股票可以作为某项贷款的担保而被抵押（见第 10 章）。

股票的种类

初步而言，所有股票享有同等的权利，当公司将其股票分为不同的种类时，这种平等性的假定则必须被明显改变。如果公司已经将其资本分成了种类不同的股份——当然其这样做必须有公司章程细则的授权——则其有权依其认为适当的方式赋予这些不同种类的股票以不同的权益，而不同公司之间的这种权益分配是不同的。现在，所有的股票都可以以可回赎股票的形式发行。我们通常提及的股票有普通股、优先股和后配股。

普通股

普通股在法律规定的默示权利及义务之外没有其他明确的权利

和义务。除非另有规定,否则公司发行的所有股票都被推定为属于普通股。法律规定的普通股股东的默示权利有:(1)当公司获利并宣布分红时有权获得无限额的、不得累计的红利,但该项支付必须在支付了任何优先支付的红利之后才能进行;(2)有权得到公司召开股东大会的通知、参加股东大会并在大会上投票;(3)在公司清算时有权要求返还出资并分享公司的剩余财产。

优先股

优先股股东享有始终优先于普通股股东而获取确定的红利的权利。此外,在公司清算时其还可能享有优先返还出资的权利。法律推定对红利的分配是累计的:*Webb v. Earle* 一案。尽管如此,只有当公司宣布分红时才可能产生分红的权利,而对于公司未宣布支付的累计的红利欠款在公司清算时则是不能予以确认的。如果公司章程细则规定了未宣布支付的红利也应予以支付,则其应在支付公司债务以后从公司的剩余财产中进行支付。

如果股票被赋予了优先权,则表明其可以完全享有上述权利。优先股所享有的红利的确定性是指其不得参与对普通股股东进行的红利的进一步分配:*Will v. United Lankat Plantations Ltd* 一案。与此相同,在公司清算时享有优先返还出资的权利也使得其不得对公司清算后的剩余财产提出任何权利要求:*Scottish Insurance Corporation Ltd v. Wilsons & Clyde Coal Co. Ltd* 一案。在该案中,上议院认为:"无论某人是以7%的利率向公司贷款还是以上述利率认购公司的可获得累计优先红利的股票,如果公司作出对其偿还的计划,其都无权抱怨该计划对其不公。"

在公司减资时,享有在公司清算时优先返还出资的权利的股票必须先行予以支付:关于 *Chatterley - Whitfield Collieries Ltd* 一案和 *Prudential Assurance Co. Ltd v. Chatterley - Whitfield Collieries Ltd* 一案。这使得享有优先权的股东将受到公司选择性减资的影响,并且,只要该股东在减资时享有其在公司清算时所同样享有的权利,那么其等级权利就不会发生变化，其也无权对减资方案提出反对。优先支付的风险是"不同等级股东之间的协议的一部分，同时也是组成优先股的权利集合体中构成其性质及所受限制不可分割的一部分"：关于 Saltdean Estate Co. Ltd 一案和 House of Fraser plc v. ACGE Inv. Ltd 一案，该规则由上议院在关于 House of Fraser plc 一案中加以肯定。但是，在关于 Northern Engineering Industries plc 一案中，公司章程细则规定依附于股票的权利应该被认为是可以通过"减少已经由股份缴足的资本"而改变。公司拟通过支付优先股并将其予以注销的方式减少其资本。上诉法院遵循了上议院的判决，拒绝批准公司的减资计划，理由是该计划在未征得股东的同意的情况下改变了股东的等级权利。

后配股

后配股又被称作"管理人股"或"发起人股"，其通常享有多重投票权，并且在公司向普通股股东支付了确定的最低比例的红利以后才有权获得没有数额限制的后配红利。对这些股票的资本偿还也通常是在偿还了其他的股票之后进行的，在这种情况下后配股股东对剩余财产享有排他权利。招股章程必须说明任何后配股所包含权益的详细内容。公司一般很少发行这种股票，大多数后配股最后也转化成了普通股。

股东权利的改变

关于何人才能享有拥有改变股东权利的权力，这取决于公司是仅仅拥有一种股票还是拥有两种以上的股票。在第一种情况下，股东享有的是公司成员的权利；在第二种情况下，股东享有的是等级权利。当公司只有一种股票时，改变股东权利的公司权利取决于公司的章程大纲或章程细则中是否对此作出规定。如果该权利规定在公司章程大纲中，则除非公司对此予以禁止，否则依据第17条的规定对股东权利予以改变；如果该权利是规定在公司章程细则中，则依据第9条的规定对股东权利予以改变。

等级权利的改变

有关等级权利改变的规则取决于该权利是在公司章程大纲中规定还是在公司章程大纲以外的文件中规定的,《公司法》第 125 条第 7 款也对此进行了规定。如果某权利是在公司章程细则或者发行条件中规定的,则其通常成为等级权利改变的依据,并需要在该等级股东大会上通过非常决议予以批准;并且,如果通过这种方式改变股东权利,则公司还应该对此制定一定的程序性规定。如果公司没有制定这样的规定,则还有相应的法定程序加以参考,即:通过该等级 3/4 的股东的书面同意,或者在单独的该等级股东大会上通过一个非常决议对此加以批准:第 125 条第 2 款。

如果该权利规定在公司章程大纲中,则存在以下三种可能:如果章程大纲禁止作出这种改变,除非依据第 425 条的要求重新对此加以规定,否则股东权利不得予以改变;如果在公司成立时公司章程细则就制定了改变程序,则该权利只能依照该程序予以改变;如果公司章程大纲和公司章程细则均未对此规定相应的程序,则对该权利予以改变需要公司所有成员的一致同意:第 125 条第 5 款。

不论该权利是规定在公司章程大纲中还是公司章程细则中,在任何一种情况下,如果改变涉及董事依据第 80 条的规定发行股票的权力或者依据第 135 条的规定减少资本,那么,不论公司章程大纲或者公司章程细则规定了怎样的程序,持有已发行的该等级股票 3/4 以上的股东必须对该项改变作出书面同意,或者必须由该等级股东大会通过非常决议对此予以批准。在所有需要通过决议的情况下,私人公司都可以依据第 381 条第 1 款的规定采取一致同意的书面决议方式进行。如果是依据第 425 条的要求通过重新规定的方式获得选择性权利,则依据第 126 条的规定。

无论等级权利是根据公司章程大纲或者公司章程细则规定的程序进行改变,还是依据第 125 条第 2 款的规定予以更改,持有已发行的该等级股票的 15% 以上的持异议股东(即对该更改没有表示同意）都可以该决定作出的 21 日之内向法院申请对该变更计划予以撤销，在这种情况下，只有在法院作出了同意的决定之后，该更改才能产生法律效力。

等级权利变更的定义

227
依据变更环境的不同，法院将等级权利的变更区分为等级权利的直接变更和等级权利的间接变更。在后一种情况下，等级权利视为没有产生变更。在 *White v. Bristol Aeroplane Co.* 一案中，公司资本增加使得现有的优先股股东等级的控制权被弱化，但这不属于其等级权利的变更；同样，公司拟增发普通股也不会使优先股股东丧失其对投票控制权：关于 *John Smith's Tadcaster Brewery* 一案。此外，由公司分别享有 10% 和 50% 股份的均享有投票权的两个等级的股东一起作出的一项决议，即将其中所含的 50% 的股份分成了 5 份每份 10% 的股份，从而使原告丧失了原来以其所持有的 10% 的股份在特别决议上所享有的控制权，这也不构成等级权利的变更：*Greenhalgh v. Arderne Cinemas Ltd* 一案。同样，依据股东的持股比例减少公司资本也不会对优先股股东的分红权利产生影响：关于 *Mackenzie & Co. Ltd* 一案。现在需要考虑的问题是：股东能否以这些决议作为理由而依据第 459 条的规定进行申诉。

在 *Cumbrian Newspapers Group Ltd v. Cumberland & Westmorland Herald Newspaper & Printing Co Ltd* 一案中，原告公司获得了被告公司至少 10% 的股份，后被告变更其章程细则，通过赋予原告公司特别权利使其可以阻止被告公司在未征得其同意的情况下被接管。法院认为原告获得的这种权利属于公司成员的权利，并不是属于附属在任何特别等级股票上的权利，但法院判决当公司成员在其能力范围之内被赋予了某些特别的权利时，则该成员当时所持有的股票就构成了一种"股票等级"，其被赋予的权利也成了一种以第 125 条规定为目的的等级权利。在 *Harman and Another v. BML Group Ltd* 一案中，公司拥有 19 万份 B 股，由 B 持有，31

万份A股，其中26万份由H和M持有。股东协议规定：除了公司特别规定的优先购买权以外，这两种等级股票所享有的权利是平等的，除非B股股东或者其代理人出席股东会议，否则股东大会不符合法定人数要求。在依据第371条的规定对该判决提起的上诉中，上诉人认为法定人数可以由公司任意两名成员构成，所以判决B在法定人数中出现的权利是一种不能被第371条规定推翻的等级权利。

8.13 成为公司成员

任何人都可以通过以下方式成为公司成员：（1）配股；（2）股份转让；（3）股份传递（A表，第29-31条）；（4）签署公司章程大纲；（5）禁止反言（自认）。除了通过签署公司章程大纲之外，成为公司成员还必须具备以下两个条件：对其成为公司成员表示同意，以及在成员登记簿上予以记载。传递股份是指前任股东死后将其股份传给另外一个人，而禁止反言的产生则是由于某人允许将其名字出现在成员登记簿上而不要求对该记载予以更改。

8.14 停止成为公司成员

任何人都可以通过以下方式停止成为公司成员：（1）转让其所持的股份；（2）丧失或放弃成员身份（A表，第18-22条）；（3）公司依据其享有的留置权出卖其所持股份（A表，第8-11条）；（4）股份传递（A表，第29-31条）；（5）公司回赎其可回赎股票。

8.15 股票的转让

除非公司章程细则另有规定，否则任何股份的持有人都享有自由转让其股份的权利：第182条。在所转让的合法证券被交付之前，公司不得对该转让进行登记：第183条第1款，在完成转让登记并将受让者的名字记入成员登记簿之前，受让人只能享有衡平法上的所有权。股份证书是持有人享有所持股份所有权的初步证据：第186条，对于依照该证书善意行事的人而言，公司对其任何股份转让证券所颁发的证书都应视为公司所出示的文件，此文件是在上述股票中所指示股份的所有权的初步证据：第184条第1款。如果他人依据公司由于过失而错误颁发的证书行事，则公司应承担其由于欺诈而颁发该证书时所承担的相同责任。法律对股份转让进行管理的内容包含在A表第23－28条中。公司有义务在股份分配或者作出转让股份声明之日的两个月之内做好颁发所有股份证书的准备：第185条第1款。公司及其所有没有履行其职责的高级官员都应承担因未履行第185条第1款的义务而产生的责任：第185条第5款。

转让股份的限制

私人公司的章程细则可以允许董事拒绝对股份转让进行登记。如果该拒绝不是基于特别的理由，则该董事不需说明拒绝的理由；除非有证据证明其没有善意行事或者对该问题根本没有进行考虑，否则对该拒绝不得进行质疑：关于 Coalport Chins Co. 一案。如果公司赋予其董事拥有不需任何理由拒绝进行转让登记的绝对权利，则该权利仅仅受制于董事必须承担的为公司最大利益而善意行使权力的义务：关于 Smith & Fawcett Ltd 一案。证明董事没有善意行使权力的责任应由主张董事具有恶意的当事人承担：Charles Forte Investments Ltd v. Amanda 一案。

除非该股份在证券交易所或者选择性投资市场（AIM）上进行交易，否则公众公司可以对股东自由转让股份的行为进行限制。公司最常设定的限制是制定优先购买权条款，规定只要公司现有成员意欲以一个公平的价格购买，其持有人就不得将该股份转让给公司以外人员。如果章程细则规定股份在可以向公司以外人员转让之前必须首先向现有成员发出要约，那么，在成员不知道的情况下向公司以外人员作出的股份转让行为是无效的：*Tett v. Phoenix Property & Inv. Co. Ltd* 一案。

公司章程细则可以规定当某成员转让其股份时，其他的成员有义务购买该股份：*Rayfield v. Hands* 一案。并且，公司在依据留置权而执行其出售权时也必须遵守该条款：*Champagne Perrier - Jonet SA v. H. H. Finch Ltd* 一案。

8.16 股份证书下的禁止反言

股份证书包含对下列两项事实的声明：登记持有人的姓名，以及该股份的缴付程度。如果公司颁发的证书内容不正确而该声明又被第三人所信赖，则公司不得否认该声明的真实性。这种情况可能是由于有人向公司提交了伪造的转让文件而产生的。在关于 *Bahia and San Francisco Rly Co.* 一案中，T 是 5 份股票的登记持有人，其将股份证书留在了其经纪人处。后来，一份为了 S 和 G 的利益而拟由 T 履行的伪造转让证书送交公司进行登记，公司向 S 和 G 颁发了证书。其后二者又将股份出售给 B。法院裁定：公司在成员登记簿上恢复 T 的名字，而 B 也从公司处获得赔偿，理由是公司不得否认 S 和 G 是公司股份的合法持有人。

构成对错误陈述的依赖必须要有行为的实施，因此，公司不需要对已接受股份证书的所有人承担责任。但是，在 *Balkis Consolidated Co. v. Tomkinson* 一案中，被告基于对股票的虚假所有权的信赖行事，并签订了出卖其股票的协议。当公司拒绝对该转让进行登记时，其购买了更多的股票以兑现该合同。最终，其在对公司提起的赔偿诉讼中胜诉。尽管提交伪造转让证明的人是完全无辜的，公司对其也可以不承担责任：*Sheffield Corporation v. Barclay* 一案和 *Yeung Kei Yung v. Hong Kong & Shanghai Banking Corpn* 一案。在 *Bloomenthal v. Ford* 一案中，公司以其拥有的 1 万份每份 1 英镑的已缴股份作为担保向原告贷款。后来法院以禁止反言为由裁定：公司应将该原告的名字从有关未缴付股票捐助者的名单上删去。在 Ruben v. Great Fingall Consolidated 一案中，法院判决公司无需对其秘书签发的伪造股票证书承担禁止反言的责任。但是现在，法院则认为公司应对其授权的高级职员在其授权范围内签发的股票证书承担责任。

在 Longman v. Bath Electric Tramways Ltd 一案中，B是公司的已登记的股票持有人，但以其名字签发的两份证书至今未对其交付，在同一日，B向公司秘书提交了向H和M转让股份的证明并要求公司秘书签发证书。随后，该秘书错误的将原来的股票证书交还给了B，而B又将该证书交给了L作为一份贷款的担保。在L要求登记成为股票持有人的诉讼中，法院判决：只有在股票受让人向公司提交其持有的股票证书要求证明时，公司才承担谨慎的义务，而该案中导致L损失的原因是B不正当使用股票证书。

8.17 成员的登记

每一个公司均必须置备成员登记簿，登记簿中记载的内容规定在第352条中。该登记簿必须存放于公司的注册登记地或者其被制作的地点，并且要向公司登记官员通知其存放的地点：第353条。登记簿必须对公众予以开放，公司成员在支付了一定的费用以后可以复印登记簿的全部或者一部分。公司也可以不对成员开放该登记簿，但每年不开放的时间不得超过30天并且要通过通知的形式进行公告：第358条。法院也有权对登记簿内容进行更改：第359条。信托通知不得进入登记簿或者由登记官员予以接收：第360条，登记簿是证明其所登记内容的初步证据：第361条。

8.18 重大持股人的登记

法律对于享有不受限制的表决权的重大持股人的披露有相应的规定。如果某人获得或处分了其持有股份票面价格至少3%的利息,则其有义务在2天之内以书面的形式向公司通知该项事实。公司必须在3天之内在特别登记簿上对其予以记录:第198条至第219条。

8.19 公司董事

董事包括"任何占据董事位置的人而不论其是如何被称呼的":第741条。这就包括被合法任命的董事(即"法律上的董事")和没有被如此任命但行使董事职权的董事(即"事实上的董事")。此外,还有所谓的"影子董事",即"公司董事习惯依其指示或命令"行事的人:第741条第2款——但是不包括那些在其专业范围内提供建议的人及子公司的母公司。1986年《公司董事资格丧失法》第22条也有关于董事(第4条)和影子董事(第5条)的类似定义,1986年《破产法》(第251条)对此也有相应的规定。但是,在这些情况下,影子董事的定义都包括了母公司作为子公司董事的情形。

在关于 Tasbian Ltd (No. 3) 一案中,法院没有区分事实上的董事和影子董事,Balcombe 大法官指出:上诉人既是作为影子董事同时又是作为事实上的董事而被取消董事资格的。但是,在关于 Hydrodam (Corby) Ltd 一案中,该案涉及主张控股公司(并且可能就是董事)应该成为其子公司的影子董事,Millett 法官认为:事实上的董事和影子董事是可选择性的,并且其"在大多数甚至是在所有的情况下是互相排斥的"。事实上的董事是由公司自认的,尽管其从未实际上或从未正式地被如此任命,但其却被主张或者声称是公司的董事。成为事实上的董事还需要证明其承担了有关公司的一些只有董事才能适合执行的职责。如果仅仅表明其参与了对公司事务的管理或者承担了一些可以由其他管理者完成的任务,则是不够的。相比较而言,影子董事并不主张其董事身份,也不由公司自认为其董事。主张影子董事身份必须证明:(1)谁是公司的董事

——事实上的还是法律上的;(2)被告指示公司董事如何行动或者被告就是行为人之一;(3)公司董事依上述指示行事;(4)其已习惯了这样行事。

曾经有过试图确认银行作为影子董事而败诉的案件:关于 A Company 一案。在 Kuwait Asia Bank EC v. National Mutual Life Nominees Ltd 一案中,因为银行只是从董事会的五名董事中任命了两名董事,所以银行不能成为影子董事。公司也可以成为董事:第289 条第 1 款第 2 项。

董事的任命

在第一任公司董事和秘书声明上出现的人被视为是被任命的董事:第 10 条第 2 款。随后的任命由章程细则决定,章程细则通常规定董事由股东大会通过普通决议而任命(A 表:73-80),董事会一般都有权填充董事临时空缺(A 表:79)。

只有因轮换而退职的董事才能被指定为年度股东大会的董事,除非:(1)其由其他董事推荐;或者(2)在股东大会召开以前的 3-12 天,由一名意图推荐其享有表决权的公司成员向股东大会发出通知说明对该董事登记所需要的细节:第 289 条,并且由愿意被指定为董事的人向股东大会发出通知(A 表:76)。股东大会召开以前 3 至 12 天内提交的通知必须向所有有权获得股东大会通知的股东发出,并在该通知上说明董事所推荐的候选人以及依照 A 表 76:已经获得了上述通知的人员名单(A 表:77)。该通知还必须包括拟进行董事登记所需要的该人的其他具体情况。

公众公司任命董事必须由董事逐一表决,除非大会已经一直同意放弃该规则,否则其作出的任命是无效的:第 292 条。董事可以指定他人作为可选择性董事为其行事:A 表:65-9。

董事的数量

对于私人公司而言,至少要有一名董事,而对于公众公司而言,则至少要有两名董事:第 282 条。如果公司只有一名董事,则其可以不需要成为公司的秘书：第283条第2款；即使是法人人格机制也不得免于受到该条的限制：第283条第4款。公司有权通过普通决议增加董事的数量（A表：64）。

董事的退职

在第一届年度股东大会上，所有的董事均需退职，在随后的每一届年度股东大会上，1/3或最接近该数目的董事必须退职，存在自被任命或再任命以来任职时间最长的董事（A表：73）。当有人在同一天被任命时，将要退职的董事则由抽签决定（A表：74）。如果该空缺在年度股东大会上没有被填充，则除非公司决定不再填充空缺或者没有通过重新任命董事的决议，否则这些董事被认为是被再任命的（A表：75）。在年度股东大会上，退职的董事仍保留其职位，直到大会任命了其他替代人或者大会结束时止。

董事的年龄限制

如果某私人公司不是公众公司的子公司，则该公司的董事不受董事年龄的限制。但是，对于公众公司而言，如果某人的年龄超过了70岁，则其不得被任命为董事或者在其70岁生日之后的年度股东大会结束时必须空出其职位：第293条，除非公司章程细则规定公司有权不受该标准的限制或者公司通过特别决议任命一名超过了该年龄限制的董事：第293条第7款和第5款。该限制通常是没有实际作用的。

董事资格的丧失

董事资格可以因为成文法的规定或者公司组织大纲的规定而丧失。尽管仍有人批评那些应该丧失资格的人因为贸易产业部的监管松懈而得以逃脱，但近来丧失资格的董事数量越来越多。在此方面，成文法规定的资格丧失成为更加重要的法律领域。

成文法规定的资格丧失

依据1986年《公司董事资格丧失法》（CDDA），法院可以

（依据第6条则必须）使某人丧失董事资格。未经法庭许可，被取消资格的人不得成为公司的董事、清算人或管理人、公司财产的接管人或经理人；并且在特定期限内，其不得以任何方式（无论是直接的还是间接的）与公司的发起、设立或管理有关或参加公司的发起、设立或管理活动：1986年《公司董事资格丧失法》第1条。

该法允许法院行使自由裁量权而对某一董事作出部分取消其资格的裁定，即：取消其成为某一个或几个公司董事的资格，但仍然允许其继续成为另外一个公司的董事，但法律对此作出了一些限制：关于 Mathews Ltd 案、关于 Majestic Recording Studios Ltd 案、关于 Lo-Line Electric Motors Ltd 案以及关于 Chartmore Ltd 案（见第19章）。

实施了可以提起公诉的犯罪行为　如果董事在公司发起、设立、管理、清算以及公司财产的接受或管理活动中实施了可以提起公诉或通过简易方式提起公诉的犯罪行为，则法庭可以取消此人的董事资格。取消此资格的最长时间可以达到5年（简易方式下）或者15年（公诉情况下）：1986年《公司董事资格丧失法》第2条。在 R v. Goodman 一案中，上诉法院判决：根据1986年《公司董事资格丧失法》第2条第1款，内幕交易构成与公司管理有关的犯罪行为。

持续违反公司义务的行为　如果董事违反了将有关公司报告书、会计账目或其他文件在公司登记官员处归档、向之提交或向其通知等有关事项的义务，则法庭可以取消其资格：1986年《公司董事资格丧失法》第3条。如果董事在5年内出现了3次以上的怠职行为，则其也构成持续违反义务：第3条第3款。取消董事资格的期间最长可达5年。

在公司清算时进行欺诈或其他行为　如果董事实施了下列行为之一，则法院可以对其作出取消其董事资格的裁定（1986年《公司董事资格丧失法》第4条）：

1）实施了其应根据1985年《公司法》第458条（即欺诈性交易行为）承担责任的犯罪行为（无论是否被提起公诉）；

2）实施了与公司有关的欺诈行为或者违反了其义务（包括影子董事）。取消董事资格的期间最长可达15年。

因简易定罪取消资格　在与将公司报告书、会计账目或其他文件归档有关的事务中，法庭可以作出取消董事资格的裁定：1986年《公司董事资格丧失法》第5条。取消董事资格的期间最长可达5年。

取消不适合的破产公司董事的义务　如果某人是或者早已是已经陷入破产的公司的董事，并且，其作为董事所实施的行为（包括其作为其他公司董事的行为）使其不适合参加公司事务的管理，则法庭必须对其施加至少两年的资格限制：1986年《公司董事资格丧失法》第6条。附表1第二编将"不适合"定义为对陷入破产的公司或者可撤销的优先支付交易承担责任：第9条。法院还会考虑其他的事实，包括持续以高负债经营公司：*Re Dawson Print Group* 案、*Re Stanford Service* 案、*Re Churchill Hotel (Plymouth) Ltd and Others* 案、*Re Lo-line Electric Motors Ltd* 案和 *Re Sevenoaks Stationers (Retail) Ltd* 案；还包括根据客观标准判断董事一般违反其注意义务：*Re Bath Glass* 案、*AB Trucking and BAW Commercials* 案、*Re DKG Contractors Ltd* 案、*Re Civicia Investment Ltd* 案和 *Re Crestjoy Products Ltd* 案（Lexis）。同时，法院还对一些可以减免责任的事实予以考虑：*Re Rolus Properties Ltd & Another* 案（依赖专业性建议）和 *Re Chartmore* 案（年轻）。

尽管取消董事资格的申请只能由国务大臣提出，但在公司被法院宣布清算时，则可由国务大臣指示清算管理官员提出申请。除非取得法庭的许可，否则，申请必须在公司破产之后的两年内提出。如果有人向法院请求延期，则法院必须考虑：（1）延期时间的长短；（2）延期的理由；（3）所提出的取消董事资格理由的力度；（4）由于该延期决定将对董事造成损害的程度。在法院考虑这些事实之前，如果申请人提供的情况太不具说服力而完全不至于导致取消某董事的资格，则法院应当驳回该请求：关于 *Polly Peck International plc*（*No. 2*）一案。公司的清算人、管理人或者管理接受人负有向国务大臣报告董事不适合管理公司的证据的成文法义务：第7条第3款。"董事"包括影子董事。取消资格最长可达15年。

在关于 *Sevenoaks Stationers（Retail）Ltd* 一案中，上诉法院将上述15年的期限划分为了三个等级：在特别严重的情况下为10年以上；相对不太严重的情况为2至5年；严重的情况为6至10年，不得超过10年。在 *Re Seagull Manufacturing Co. Ltd*（*No 2*）一案中，法院判决：尽管法律的一般原则只适用于英国人或者在英国的外国人，但由于第6条第1款所指的公司包括被英国境外的人所控制的外国公司，因此，英国国会一定有意将第6条规定延伸适用于在英国管辖范围之外的外国人以及在英国管辖范围之外发生的行为。

调查公司之后的资格取消 依据第432条的规定，在贸易工业部调查员对公司作出调查以后，或者依据第447条和第448条所获得的文件中所提供的信息，如果董事符合法院依据附表1第一编所规定的不胜任的条件，则该董事可能会被取消其董事资格：1986年《公司董事资格丧失法》第8条。上述情形包括实施不当行为、违反信托或其他义务；导致产生金钱或其他财产的说明义务的滥用、扣押等其他行为；没有遵守有关登记的成文法规定等。只有国务大臣才能提出取消资格的申请。在关于 *Looe Fish Ltd* 一案中，董事为维持对公司的控制机制而实施的股份分配行为构成了第8条规定的不适合为董事的证据。

在 *Re Blackspur Group plc* 一案中，依据第6条至第8条，国务

大臣请求法院取消申请人（申请人之一）的董事资格。该申请人接受了初步证据事实，由于如果该主张被证实，其有可能被取消10年的董事资格，因此其申请法院中止诉讼并担保不再担任董事或以任何方式参与公司的管理。法院判决：担保不能与依据1986年《公司董事资格丧失法》作出的裁定具有同等的效力，如果法院中止该诉讼就犯了原则性的错误。国务大臣对此表示反对，而上诉法院则对此予以肯定。

参与非法交易 依据1986年《破产法》第213条和第214条的规定，承担该责任的董事可以被取消至少十五年的董事资格：第10条。取消该董事资格无需事先提出申请。

已清偿的破产公司 除非获得法院的许可，否则公司董事不得直接或间接地参与公司的发起、设立或者管理、或者参加与公司的发起、设立或者管理有关的活动：第11条。这是一种承担严格责任的不法行为。在 R v. Brockley 一案中，被告主张其已从破产中解除了债务，这也是其当时的事务律师对其提出的建议，但被告仍被判决对其作为董事时的行为承担责任。该规则同样适用于没有依据郡法院行政命令作出支付的情况：1986年《挪用资金法》第429条和第12条。

违反的后果

违反取消董事资格的裁定（或者作出了第11条和第12条的犯罪行为）将受到刑事处罚：第13条。如果法人实施的犯罪行为是由其高级官员默许、同意或者疏忽而导致的，则可以对该官员提起诉讼：第14条。违反该条款的人对公司的债务承担连带责任：第15条。国务大臣处保存有消极资格令登记簿，任何人在支付了一定的费用以后有权对之进行查阅：第18条。

章程细则下的资格取消

公司章程细则通常规定：如果董事心智不全，或在规定的一段时间之内没有出席董事会会议，则该董事应该空缺其职位（A表；

81）。董事可以被要求持有资格股，但其必须在被选任之日起2个月内获得成为董事所必需的股份数量；如果其没有这样做，或者其随后对该股份进行了处置，则其将自动不再成为公司的董事：第291条。在董事自动离职或者对其选任无效的情况下，无论对其选任是否无效以及其是否不具备董事资格，该董事所实施的行为都是有效的：第285条。

董事的辞职和解职

只要董事将辞职决定通知了公司，其辞职就是有效的，并且除非得到有权选任新董事的人的同意，否则董事不得撤回其决定。尽管公司章程细则规定了采用书面形式，董事在股东大会上口头作出的辞职决定仍是有效的。

公司股东可以通过普通决议并向董事发出特别通知而对董事予以解职：第303条。决议的复印件必须送达该董事，该董事有权向公司成员提交一个长度合理的书面陈述并在股东大会上发表意见：第304条。公司应在决议通过之前至少21日之内以向股东大会发出通知（或者通过在报纸上公布或者公司章程细则规定的其他方式）的方式公布该决议的内容：第379条第2款。"终身"或"永久"董事则依据第303条的规定予以解职：*Pedley v. Inland Waterways Assoc. Ltd* 案和 *Bushell v. Faith* 案。

有关董事的公开

公司可以在其注册登记地保留一份董事和秘书登记簿。其记载的信息具体规定在第289条（董事）和第290条（秘书）之中：第288条。该登记簿必须在十四日之内予以更新，并且在营业日内每天不少于两个小时的时间内对外开放，公司成员可以免费进行查阅；其他人在支付了一定的费用以后也可以对之进行查阅。

8.20 董事的义务

董事对公司承担成文法上的义务，同时，作为公司的一个机关,其还负有善意地为了公司的利益而行为的普通法义务。此外,作为一个自然人,其还负有与公司有关的受信托义务。从传统上说,董事只对公司负有受信托义务,而对于公司股东,不论是单个股东还是股东集体,均没有该义务。但是,该原则也存在着一些例外。在某些情况下,董事还需对公司的债权人承担受信托义务。

对公司个人股东不承担信托义务

在 *Percival v. Wright* 一案中,原告拟以一个明确的价格向公司的董事出售其股份,后来其发现:与此同时,董事正与第三人谈判,由第三人以更高的价格购买公司的股份。于是,原告请求法院撤销其与董事之间所从事的股份买卖协议。由于董事只对公司而不对公司任何个人成员承担信托义务,因此,法院驳回了原告的请求。该规则的例外情形是:董事将自己显示为股东的代理人: *Allen v. Hyatt* 一案。在 *Heron International Ltd v. Multinational Gas and Petrochemical Services Ltd* 一案中,上诉法院判决:当董事所处的公司是两个竞争性收购要约的目标公司时,可以使其对其股东承担义务。但是,在 *Multinational Service Ltd* 案、*Dawsons International plc v. Coats Patons plc* 案和 *Stein v. Black* 案中,Dillon 大法官却仍坚持了传统的观点。

对公司债权人可能承担的信托义务

在 *Winkworth v. Edward Baron Development Co. Ltd* 一案中,Templeman 法官认为:"董事对公司承担义务和对债权人承担义务是为了确保公司事务得到适当处理,以及公司财产不会以损害债权人利益的方式而被董事以其本人的利益为目的予以利用或处分。"以债权人利益为出发点也被 Nourse 大法官在 *Brady v. Brady* 一案中作出说明:"在公司拥有大量财产而债务甚微的情况下,认为债权人的利益不需要给予特别的重视是合理的。相反,如果公司已丧失清偿能力,或者只是可能不具有清偿能力,则公司的利益事实上就仅仅是其现存的债权人的利益"。如果董事违反其对债权人义务的行为得到证明，那么，债权人就有权依据1986年《破产法》第212条的规定对其不法行为提起诉讼。在关于 *Purpoint Ltd* 一案中，公司董事在公司已破产后依据一个分期付款购买合同购买了一辆汽车，有证据证明该辆汽车与公司的经营活动没有任何关系，而是为了该董事的一个新企业而购置的，因此，法院作出了不利于该董事的裁定。在 *Kuwait Asia Bank EC* v. *National Mutual Life Nominees Ltd* 一案中，关于"董事是否应对公司债权人承担义务"这一问题引起了争论，这使得该理论将如何发展变得难以预知。

对公司雇员的信托义务

在成文法上，董事有义务对公司雇员的利益加以关注：第309条第1款。虽然该义务并不是直接指向公司雇员的，但其仍以与其他受信托义务相同的方式予以履行：第309条第2款。

信托义务

董事的受信托义务源于其在公司财产方面作为公司准受托人的地位。公司所有的董事，包括非执行性董事，均负有该项义务。

董事承担信托义务的性质

在下列情况下，董事可以不承担一般受信托义务：（1）善意地为了公司整体利益而行为；（2）为了其所赋予的目的而行使其权利；（3）避免其对公司的义务与其个人利益相冲突；（4）不从董事职位中获取秘密利润；（5）不滥用公司的机密信息；（6）不束缚自己的判断力；（7）注意、技能及勤勉义务。

善意地为了公司整体利益而行为的义务

董事负有为了公司整体利益而非为了其他个人或者团体的利益而善意行事的义务。在关于 *W & M Roith Ltd* 一案中，公司管理董事修改了公司章程细则，从而使公司向董事、雇员及其遗孀支付养老金，并且在董事身体状况不佳时，与其签订服务合同保证其在职死亡时其遗孀将获得养老金。清算人主张：因为该服务协议是为了R夫人的利益而不是为了公司的利益而签订的，所以已故管理董事的遗孀不得就该笔养老金而成为公司的债权人。法院作出了有利于清算人的判决。但也有人认为应采取主观标准予以判断，即：考察董事自己是否认为该行为是为了公司的利益，而非法院是如何认为的：关于 Smith & Rawcett Ltd 一案。

不得滥用权力的义务

董事必须在公司章程细则的授权范围内为了适当的目的行使其权利。分配股份的权力不得被用于创设或消灭多数派或者使董事权力得以永续。在 Piecy v. S. Mills & Co. Ltd 一案中，董事分配了公司未发行的股票从而使原告试图成为董事的计划落空；在 Hogg v. Cramphorn Ltd 一案和 Bamford v. Bamford 一案中，因为董事认为收购公司的要约不符合公司的最大利益，所以相同的权利均被用于挫败该收购要约。在这些案件中，法院允许公司对这些权利的行使予以批准。在 Howard Smith Ltd v. Ampol Petroleum Ltd 一案中，董事向原告发行股票，其宁愿公司被原告接管，也不愿意公司被被告公司和另一家公司控制，并试图使该公司成为其完全控制的子公司的关联公司接管。由于第 80 条对董事分配股票的权力已经作出了限制，而第 81 条也对公司现存股东对新发行股票的优先购买权做了规定，因此，这种权利滥用行为是绝对不允许的；但是，私人公司可以不适用这些规定，而公众公司也可以对这些法律的适用作出限制。

避免利益冲突的义务

Aberdeen Rly Co. v. Blaikie Bros 一案所确立的旧普通法规则的效力已被大大削弱了。在该案中，法院判决：信托义务是如此之强大，以至于"没有人可以被允许签订这样一个合同，该合同中有或者可能有其个人利益，而该利益与其有义务保护的利益相冲突或者很有可能会相冲突"；并且，如果公司的董事长是某合伙的合伙人，则即使没有证据显示该公司与合伙之间有利益冲突，该公司与合伙之间的合同也无效。公司章程细则通常允许董事通过直接或间接的方式与公司签订合同,并保留其从中获得的利润或佣金:A 表第 85 条。惟一的限制性影响就是成文法中规定的当该合同最开始签订时向董事会披露其利益:第 317 条,并需要符合公司章程细则中关于在决议的通过方面所享有的投票权的规定。因此,A 表第 94 条规定:董事不得在与其有直接或间接利益关系的事项上投票,第 95 条规定,如果该董事没有投票权,则其不得计入大会法定人数之中。公司也可以不对董事的投票权予以限制。

如果董事在公司签订的某个合同中享有利益,该合同仍是可以得到批准的,而享有利益的董事可以作为股东进行投票: North - West Transportation Co. Ltd 一案。如果董事没有依法履行披露义务则可能使合同无效: Hely - Hutchinson v. Brayhead Ltd 一案;披露必须对整个董事会而非仅仅是对董事委员会作出: Guinness plc v. Saunders 一案。即使公司的董事会只有一名成员,也要求对上述利益进行披露: Neptune (Vehicle Washing Equipment) Ltd v. Fitzgerald 一案。

不得获取秘密利润的义务

如果没有在股东大会上取得公司同意,则董事不得通过其职位所获得的机会获取个人利益。除非董事已经向股东大会对其秘密利润予以披露并且得到了普通决议的许可,否则其必须向公司承担说明该秘密利润的义务。

直至今日,英国法才对此确立了非常高的标准,但是一种更加灵活的方式似乎正在出现。这方面的代表性案件是 Regal (Hastings) Ltd v. Gulliver 一案。在该案中,Russell of Killowen 法官强调:善意、不存在欺诈以及其获得利润是否应归于公司都与董事的说明义务无关,"该责任仅仅产生于已获得利润的事实。即使获得利润的人是诚实和善意的,其也不能避免对公司承担说明该利润的责任。"这项严格原则在 Industrial Development Consultants Ltd v. Cooley 一案中也得到了体现,该案的被告是公司的一名管理董事，其违反义务与公司签订了一份合同，尽管公司自身永远也不可能成功地获得该合同，但法院还是判决该董事因该合同所获得的全部利润对公司承担说明义务。

这就产生了董事从公司的机会中取得个人优势的问题。因为董事通常负有义务向公司报告其获得的任何利润或者被视为与公司签订了信托，因此上述行为就可能具有欺诈性。在 Cook v. Deeks 一案中，三位董事代表公司进行合同谈判，随后其以自己的名字签订了合同，并运用其作为控股股东的权利批准了一项决议使得公司在该合同中没有获得任何利益。尽管其是为了公司的利益而订立该合同，但其所称的批准仍构成了对公司少数股东的欺诈。

在 Canadian Aero Service Ltd v. O'Malley 一案中，董事会主席和执行副主席代表公司签订了一份合同，其辞职后为了新公司的利益获取了该合同，法院判决其对此承担责任。导致法院作出该判决的下列因素包含了该理论未来发展的一些重要信息：（1）转归董事的合同是公司的一个"成熟的商业机会"；（2）其是代表公司进行该合同的谈判的；（3）其辞职的动机在于获取该合同的利益；（4）其获得合同不是出自于一个新的动机而是由于其在公司中所处的位置。

如果公司善意拒绝某商业机会，则董事可以以个人身份自由取得该机会。在 Peso Silver Mines Ltd v. Cropper 一案中，被告取得了一个曾经被原告公司拒绝的关于采矿的要约。法院判决该董事没有义务对此向公司（现由另外的人控股）作出说明。法院是受到董事没有滥用任何秘密信息的事实以及 Greene 法官在上诉法院判决的 Regal (Hastings) Ltd v. Gulliver 一案中关于一个假设情形的附带意见的影响。

关于公司机会理论更灵活的处理办法出现在 Island Export Finance Ltd v. Umunna and Another 一案中。Umunna 是原告公司的管理董事，1976 年其代表公司与喀麦隆邮政当签订了供应邮政信箱的合同。由于对公司不满，其于 1977 年辞去董事职务，随后建立了自己的公司并以该公司的名义从喀麦隆邮政当局取得了订单。IEF 有限责任公司声称 Umunna 有责任对其违反信托义务及保密义务的行为向公司作出说明。关于是否违反信托义务，法院认为即使董事离开公司其仍负有对公司的信托义务。但是，法院还是考虑了这样一个事实，即：尽管 Umunna 试图将喀麦隆邮政当局当作一个未来潜在的商业机会，但这并不是其辞职的主要的和最重要的动机。此外，实际上，无论是在 Umunna 辞职时还是在其与其他董事一起签订合同时，IEF 有限责任公司获得将来订单的可能性都不能被看作是一个成熟的商业机会。法院还认为获取该合同是 Umunna 的新动机的结果。因此，法院判决 Umunna 不承担说明义务。

在 *Balston Ltd v. Headline Filter Ltd* [1990] FSR 385 一案中，Head 先生为建立自己的企业终止了与公司的雇佣协议，并在 17 年后辞去了原告公司的董事职位。其说当时其对于未来企业的性质并不十分清楚。不久，原告的一位客户与其联系，并告诉其有迹象表明原告公司正在中断过滤管的生产，而其一直是从该公司购买该产品的。直到这时，Head 才开始生产该过滤管并向原告公司以前的客户进行销售。法院判决 Head 转归自己的机会并不是成熟的商业机会，因而公司的前任董事建立一个与其先前服务的公司相竞争的企业是没有过错的。十分有趣的是，对于"成熟的商业机会"的强调却使法院在 *Industrial Development Consultants Ltd v. Cooley* 一案中作出了相反的判决。

只要利润的获得是善意的，作为公司股东的董事就可以以其股东身份行使其投票权，批准一项其可以从中获取秘密利润的交易；否则该项批准将构成对公司少数股东的欺诈而导致少数股东提起诉讼。因此，在 *Regal*（*Hastings*）一案中，法院在附带意见中声称：如果对该利润予以披露并经公司股东大会批准，那么就不会产生说明的责任。然而在 *Cook v. Deeks* 一案中，董事试图获得的批准却被判决无效。上述两案的区别似乎在于董事是否具有善意这一点上。

保密义务

以前人们对于"法律并不禁止公司董事同时担任另一家竞争公司的董事"这一规则是可以接受的。现在,尽管该规则对于非执行性董事仍是适用的,但在 Hivac Ltd v. Park Royal Scientific Instruments Ltd 一案的判决出现以后,该规则对于公司执行性董事的适用性就受到了质疑。这使得以前法院在 London and Mashonaland Exploration Co. Ltd 一案和 Bell v. Lever Bros 一案中的判决现在也受到了质疑: Abby Glen Property Corpn v. Stumborg 一案。

因此,明显存在着这样一个问题,即董事从一个公司获得的秘密信息总是可以被带到另外一个公司。法官在 Export Finance Ltd v. Umunna and Another 一案中确认:董事在其任职期间获得的信息属于在 Faccenda Chicken Ltd v. Fowler 一案(见第12章)中确立的关于公司雇员获取的那一类信息。法官强调:对持续信托义务性质的范围不能作如此的扩大,以至于将前任董事对公司经营信息及在其工作过程中所获得的技能的任何使用都视为对其义务的违反,否则上述规则将构成对贸易的限制。

不束缚其自由决断权的义务

董事不得束缚其自由决断权或者仅仅作为执行他人指令的傀儡。在 Selangor United Rubber Estate Ltd v. Cradock (No. 3) 一案中,公司的董事是由公司控股股东提名并遵照其指令行事的,法院判决:该董事提出的建设性意见具有欺诈的意图,其有责任对其在一项构成非法经济资助的交易中从公司银行账户上提取的资金予以说明。但是,在 Fulham Football Club and Others v. Cabra Estates plc 一案中,足球俱乐部的董事向被告保证运用其作为公司的董事和股东所享有的权利支持被告的足球场发展计划,法院判决:由于该董事的行为不构成束缚其自由决断权，因此其没有违反其信托义务。

注意、技能和勤勉的义务

关于注意义务有两个问题。首先，因为该义务是由衡平法庭发展的，所以董事预期注意的标准与公司受托人的标准类似。因此，尽管有迹象表明最近的一些案件正在朝"合理的生意人"的标准发展，但其标准仍是以对一个"诚实的外行人"而非一个"合理的生意人"的标准衡量的。其次，疏忽行使权力的董事可以通过公司对其行为加以批准而免于承担责任。注意义务在关于 City Equitable Fire Assurance Co. Ltd 一案中得到了描述，该案确立了以下内容：（1）董事无需承担比人们从与该董事知识、经验相当的人身上所能合理预期履行的技能运用程度更高的义务履行要求；（2）董事无需将其全部时间和精力投入到公司事务之中；（3）如果公司管理事务被合理地委托他人行使，则在没有怀疑根据的情况下，董事有权相信其他高级职员已诚实地履行了其职责。

该义务的主观性质导致对不同的董事应采用不同的标准。那些具有与公司经营活动相关的专业资格的人将以相关的专业标准进行衡量。"董事无需将其全部时间和精力投入到公司事务之中"的声明只适用于非执行性董事。执行性董事将依据其与公司之间的服务合同成为公司的雇员，并接受公司全天候的指令。非执行性董事按照与执行性董事的相同标准进行衡量的案件是 Dorchester Finance Co. Ltd v. Stebbing 一案。

即使公司的大多数股份是由董事持有的，疏忽行使权力的董事也仍然能够以"公司股东大会通过普通决议对其疏忽行为予以批准"的方式免于承担责任。然而，对这一点的疑惑在关于 Horsley v. Weight Ltd 5 一案中表现出来，该案公司五名董事中的两名董事为一名退职的董事购买了一份退职养老金保险。公司一年后进入清算程序，法院认为上述两名董事购买该保险的行为明显超出了其授权范围，而其行为只有在公司批准以后才有效。但由于这两名董事是公司惟一的股东，并都对该交易表示了赞同，因此，法院判决：该项交易是有效的，并不得受到清算人的质疑。该案件似乎在缺乏授权的行为和不法行为之间作了区分，因此，Templeman 大法官陈述道："如果存在一个针对不法行为的判决，我并不认为董事为自己寻找的借口可以说服我，即其中的两个人持有公司发行的所有股票并作为公司股东批准了自己作为董事的完全疏忽行为。"但是在 Multinational Gas & Petrochemical Co. Ltd v. Multinational Gas & Petrochemical Service Ltd 一案中，法官们在其附带意见中却否认了这种疑惑，其认为尽管不法行为和疏忽行为之间存在区别，即不法行为不仅仅是疏忽行为，但作出这种保留仍然是没有根据的。法院在该案中判决：因为股东对公司承担了注意的义务，所以公司董事在执行股东指令时也不得疏忽。在 Re D' Jan of London Ltd 一案中，公司清算人起诉 D' Jan 先生签订保险投保单时存在疏忽，导致公司的库存货物被一场大火毁坏，保险公司拒绝承担责任。Hoffman 大法官认为跨国原则需要公司的股东正式或非正式地对该行为作出命令或者予以批准。仅仅假设股东们在公司清算之前即知道该行为或者如果其对该行为作出考虑就有可能对之予以批准是十分不够的。因此，法院判决：即使 D' Jan 拥有公司 99% 的股份也不能构成足够的抗辩理由。

注意义务和非法交易

1986 年《破产法》第 214 条有关从事不法交易的规定确立：如果公司已陷入破产清算程序，或者在公司停业清理开始之前，该董事即已知道或者应当推断出公司已经没有任何可以避免进入破产清算程序的合理希望，则该公司董事在承担主观义务的同时还应承担客观义务：第 214 条第 2 款。在这种情况下，董事负有制定法上的对于公司债权人的注意义务，法院可以判决董事在公司清算时对公司财产的减少承担责任（见第 19 章）。

将第 214 条的规定发展成为关于董事疏忽行为的一般法律似乎正在进行之中。在 Norman v. Theodore Goddard (A Firm) 一案中，Hoffman 法官声称，其愿意认为对董事注意义务的检验应该以该董事在其他人担任这个职务时所期待拥有的知识、技能和经验之外所拥有的知识、技能和经验为准。在关于 D'Jan of London Ltd 一案中，该观点作为法律建议得到了重申。这一标准可能超越了在关于 City and Equitable 一案中确立的标准。

8.21 董事义务的法定执行

禁止董事与公司直接或者间接签订合同的衡平法规则正在逐渐受到质疑，因此，成文法中明确规定了一些对董事行为的法律限制。

禁止向董事支付免税的报酬

无论是以董事的身份还是以其他人的身份，公司向董事支付免税的报酬都是非法的：第 311 条。

支付岗位损失赔偿

未经股东大会批准，就董事行使职责中的损失和退职而向董事支付赔偿是非法的：第 312 条。除非得到批准，否则即使某项支付是与企业的全部或者部分转让有关，该支付也是非法的：第 313 条。董事代表公司所作的任何非法支付均被视为其基于信托而作出：第 313 条第 2 款。

在公司收购要约中，公司董事必须采取所有合理的步骤保证拟支付的明细和股份购买要约通知均送达至公司成员：第 314 条。如果董事没有履行该项职责将被处以罚款：第 314 条第 3 款。作为要约的结果，董事代表股票出卖人所作的不符合第 314 条规定的支付将被视为基于信托而作出：第 315 条第 1 款。董事需对因其上述支付而产生的费用承担责任：第 315 条第 1 款。

但是，因违反服务协议而对董事承担的损害赔偿则不受上述条款的约束：*Taupo Totara Timber Co. Ltd* v. *Rowe* 一案。

董事披露合同中的利益
这一点已在上文中予以讨论。

对董事的服务协议的开放
公司必须将董事的服务协议的复印件保留在任何适当的地方，包括公司的注册登记地或者主要营业地。公司还必须将上述地点以及作出的任何更改通知公司登记署，上述合同必须每天在营业时间中至少对外开放2个小时：第318条。

董事服务合同的期限
如果雇佣合同的期限持续或者可能持续超过5年，并且：（1）不得由公司以通知的形式终止；或者（2）只能在特殊情况下予以终止，那么该合同必须得到公司股东大会决议的批准，否则合同无效：第319条。

涉及董事的重大财产交易
当公司的某项财产具有必不可少的价值时，法律禁止公司作出使董事或者相关联的人获得该财产的交易安排，除非股东大会对此予以批准，否则反之亦然。该条款将价值2000英镑以下的交易排除在外，其只约束超过10万英镑或者价值为公司10%以上财产的交易，并禁止公司向董事低价销售商品或者从董事处以过高的价格购买商品。这一条款也存在着例外：第321条。除非存在特定的条件，否则依据第322条，违反第320条的交易是无效的：第322条第2款。董事、与该董事相关联的人以及授权进行该项交易的任何董事均负有义务对获得的任何利润向公司作出说明，并且赔偿公司因此而受到的任何损失：第322条第3款。但是，其可以依据第322条第5款和第6款的规定享有免责。在关于 *A Company* 一案中，D公司从O公司购买了一项自由保有的财产，而O公司由D公司的一名董事及其妻子所有。该笔交易得到了D公司董事会的批准，但没有得到其股东大会的批准，法院判决该交易违反了第320条的规定。在关于 Duckwari plc 一案中，D 公司依据第322条第3款第2项的规定请求法院判决对其损失予以赔偿。D 公司在房地产开发市场价格上涨的时候购买了一块土地，但该市场随后崩溃。D 公司要求获得价格损失的赔偿、购买费用、使得该购买得以进行的银行贷款利息、投资利益的损失以及由于占有该财产而产生的其他附带费用。法院判决违反第320条的主要救济是使该合同无效。如果公司不能或者不愿意使该合同无效，那么能够得到补偿的损失就应该包括交易日当天的市场价格与已支付或者已接收的价格之间的差价。原告没有因保有该项财产而产生任何损失。而且，因为原告在交易日支付的价格并没有超出当时的市场价，所以原告也没有因该项交易而遭到损失。因此，原告没有权利对其后的价格损失请求补偿。同样，如果公司以一个公平的价格向其董事出售某项财产，而该财产随后增值，则公司也不得要求该董事对增值的部分向公司作出说明。在 BRDC Ltd v. Hextall Erskine & Co 一案中，对于 B 有限责任公司和第二原告 S 有限责任公司组成合伙企业的事项，原告的律师因疏忽而没有事先建议其依据第320条的规定取得股东大会的批准。由于废除该项交易已不可能，因此原告要求被告对随后的损失进行赔偿。法院判决：因被告的疏忽而使得原告公司丧失了获得股东大会批准的保护，因此，被告应对原告进行损害赔偿。如果董事因疏忽而作出了一项不利的投资计划，则法院不得依据共同过失理论要求董事对公司的损失分担责任，以免与第320条的机制和目的不一致。

董事及其亲属进行的股票交易

法律禁止进行股票选择买卖并对此设定了监禁和/或罚款的惩罚：第323条。对于公司、子公司以及控股公司持有公司股票或者债权的情况以及任何股票和债权的出售和购买情况，董事必须在5日之内向公司作出书面的通知（表13，第二编）：第324条。违反上述规定将导致刑事责任的产生：第 325 条，见表 13，第四编。依据第 327-328 条，该条延伸至适用于董事的配偶及子女。上市公司必须就上述情况向股票交易所发出通知：第 329 条。所有上述规定也适用于影子董事。

涉及董事的某些无效交易

如果公司所从事交易的当事人包括：（1）公司的董事或者控股公司；或者（2）与该董事有关联的人或者与该董事相联系的公司，并且董事会的人数超过了公司章程规定的限额，则公司可以宣布撤销该项交易。无论撤销与否，任何当事人以及对此进行授权的董事都有责任对任何直接或者间接获得的利润进行说明，并对由此导致的公司损失承担责任：第 322 条第 1 款。对于一人公司的相应规定包含在第 322 条第 2 款中。

向董事提供贷款的限制：第 330 条至第 346 条

私人公司不得向公司的董事或其控股公司提供贷款，也不得对其向第三人获得的贷款提供担保或者进行保证。公司向其子公司的董事提供贷款不受上述规定的影响，同时，其还可以向将要成为公司董事的人提供贷款。上述限制同样适用于影子董事。

关联公司（私人责任公司或者包含有私人责任公司的公司集团中的私人公司）不得向其董事或者与其相关联的人提供贷款、准贷款或者分期付款交易，也不得对上述人从第三者获得的贷款提供担保或保证。上述与董事相关联的人包括：（1）配偶、子女或者继子女；（2）与董事有关联的公司（董事或者与其相关联的人拥有公司至少五分之一以上的普通股或者在股东大会上行使或控制五分之一以上的投票权）；（3）如果受益人中包括该董事、上述（1）或（2）人员，或者如果公司条款为了董事、上述（1）或（2）人员的利益而赋予受托人行使权利，则包括任何信托中的受托人；（4）该董事或者上述（1）、（2）、（3）中所指的人的合伙人：第 346 条第 2 款。

贷款和准贷款

允许提供贷款的相关例外有：（1）不超过500英镑的小额贷款。（2）集团内部交易（只适用于关联公司）。如果关联公司是某一公司集团的成员，则公司法并不仅仅因为该集团成员的一个董事与另一个成员相关联而禁止公司对该集团的其他成员提供贷款：第333条；公司也可以向其控股公司提供贷款：第336条。（3）借贷公司可在其正常的商事活动中发放贷款，但贷款数额和提供的优越性条件必须合理；除非是银行（没有限制），否则关联公司的贷款不得超过10万英镑。此外，借贷公司可以向董事购买或者修缮其主要住宅提供贷款，包括替代董事向第三人提供贷款。这些贷款可以在更加有利的条件上进行，并且可以比公司在通常的经营过程中所能提供的数额更高，公司通常还以与其相似的条款对其雇员提供上述贷款。提供贷款的上限为100万英镑。

第331条第3款对准贷款作出了界定：准贷款包括信用卡公司为其董事或与该董事有关联的人进行的运营。禁止提供准贷款的例外有：（1）公司向董事（不包括与其有关联的人）提供不超过5000英镑的小额贷款，但是必须在两个月之内还清；（2）集团内部交易——公司可以向同一集团内部的另一成员，包括控股公司，提供准贷款；（3）借贷公司在其通常商业活动中可以发放准贷款，其条件不得比其通常提供的条件更加优越，其数额也不得比其通常提供的数额更多。提供贷款的上限为10万英镑，如果该公司为被承认的银行，则不受上述数额的限制。

分期付款交易

分期付款交易规定在第331条第7款中，指董事同意以分期付款的方式向公司作出支付安排而购买公司某项资产。法律设定的例外包括：（1）数额不超过5000英镑的交易；（2）集团内部交易——公司可以以其控股公司债权人的身份进行分期付款交易；（3）在企业通常经营范围内从事的分期付款交易。

为董事在履行职责时的支出提供资金

在提供第一笔预付资金之前,公司必须在股东大会或者在下一年度的年度股东大会上得到批准,如果没有得到此种批准,则此种贷款必须在会议结束之日起 6 个月内还清或者结清。在关联公司的情况下,向每一个董事的支付不得超过 1 万英镑:第 337 条。

违反法律的责任

违反第 330 条的规定所进行的交易可以由公司撤销:第 341 条。不论该合同是否被撤销,董事都应对公司因此而遭受的损失进行赔偿;董事在承担普通法规定的责任之外还需对其获得的利益向公司作出说明:第 341 条第 2 款。对于关联公司,违反上述规定将构成刑事犯罪,公司应对此承担责任:第 342 条第 2 款;故意对该项交易进行授权的董事也将对此负责:第 342 条第 1 款,其责任如同其故意促成这笔非法交易完成的人所承担的责任。

内幕交易

如果公司某内部人员利用其掌握的信息在规范的市场上进行受该信息影响的有价证券的交易,或者作为专业中介或者通过某专业中介进行上述交易,则其行为构成内幕交易犯罪:1993 年《刑事审判法》第 52 条第 1 款和第 3 款。下列行为也将成立该罪名:
(1) 怂恿他人进行上述交易(无论被怂恿者对该情况是否知晓);
(2) 不适当地泄漏了内幕信息。

8.22 免 责

公司不得免除高级职员因疏忽、怠职、违反义务、违反与公司的信托而产生的责任:第 310 条。公司可以购买并主张责任险:第 310 条第 3 款。但董事报告必须对这些内容予以披露:1985 年《公司法》表 7 (5A)。

如果公司高级职员确实是诚实合理地行使其权利,则法院可以全部或者部分免除其因疏忽、怠职、违反义务或者信托而产生的责任：第727条（*Commissioners of Customs & Excise v. Hedon Alpha Ltd*一案）。但是，对于这条保护性规定是否应该延伸适用于依据1986年《破产法》第214条产生的责任则存在争论。在关于*Produce Marketing Consortium Ltd*一案中，法院判决该条规定不能得到适用。但在随后的案件中，法院却没有排除其适用：关于*DKG Contractors Ltd*案、关于*Home Treat Ltd*案和关于*Welfab Engineer Ltd*案。

8.23 公司秘书

每一个公司都必须配备一名秘书：第328条。第一任秘书即公司成立之前向注册署提交的第一任董事和秘书声明中所记载的秘书；此后，秘书由公司董事进行委派。秘书既可以由自然人担任，也可以由公司担任，但是，如果这个公司惟一的董事就是其所在公司的惟一董事，则该公司不得成为其所在公司的秘书：第283条第4款。如果公司只有一名董事，则其不得同时成为公司的秘书：第283条第2款。

私人公司的秘书不需拥有专业资格，但是公众公司的董事则必须采取合理的步骤确保其秘书显示出其具有公司所需的知识和经验，上述公司的秘书可能是在1980年《公司法》第79条生效之前被任命的，也可能是由于其所显示的专业资格（例如受特许的秘书、会计或者律师或者其他条件）而被如此任命，其对董事显示的上述资格使其可以胜任公司秘书的职责。

秘书是公司最主要的行政职员，其义务包括参加董事会和股东大会并进行记录、对某些文件进行认证、对股票的转让进行记录、保存公司的账薄及登记簿并制作必要的年报。*Panorama Development（Guildford）Ltd* v. *Fidelis Furnishing Fabrics Ltd*一案的判决承认：秘书享有表见代理权，其可以签订与公司管理事务有关的合同，"例如雇佣员工、订购汽车等等"。秘书无权代表公司签订商业或买卖合同，公司对秘书以自己名义进行的贷款也不承担责任。

秘书对公司承担与董事相似的信托义务，如果其不履行法定职责则有可能受到特定的刑事处罚。

8.24 董事民事义务的强制执行

Foss v. Harbottle 一案确立的规则即公司大多数股东规则。如果存在对公司实施的不适行为或者所谓的内部管理无规律行为，那么公司的大多数股东就可以对此加以确认，法院不会介入到少数股东提起的诉讼中，其必须接受多数股东的决定。少数股东如果试图改变多数股东的决定，则可以通过普通的民主程序对之进行说服，如果少数股东无法与多数股东达成一致意见，则其可以随时出售其股份。

在 *Edwards v. Halliwell* 一案中，该规则由 Jenlins 大法官以更加现代的术语进行了重申。该规则包含两个方面：（1）对所声称的对公司实施的不适行为提起诉讼的适当的原告首先应该是公司本身；（2）如果所声称的不适行为是公司大多数股东实施的一项可以约束公司及公司所有成员的交易，则公司单个股东不得就该事项向法院提起诉讼。在 *Stein v. Blake* 一案中，上诉法院运用了 *Prudential Assurance Co. Ltd v. Newman Industries Ltd* (*No.2*) 一案的规则，判决：单个股东无权对所声称的其他股东滥用公司财产的行为提起诉讼，只有公司或者公司的清算人才可以就此提起诉讼。

一般规则的例外

该规则受到一系列普通法和成文法规定的例外情形的制约。对"该规则的普通法例外是否已经被成文法规定的例外所压倒"进行思考是十分有趣的。

对 Foss v. Harbottle 一案确立之规则的普通法例外情形

非法行为

大多数股东不得对超越公司权力范围的行为进行追认：Ashbury Railway Carriage & Iron v. Riche 一案。而这项先前的普通法例外现在已经被第 35 条第 2 款的规定所取代。但是，这项例外仍然与其他非法行为有关，例如提供第 151 条规定的经济支持。

需要具备一定资格的大多数股东作出的决定

如果公司的章程规定了某些事项的特定多数原则，那么简单多数股东就不得对公司的决议进行确认：在 Edwards v. Halliwell 一案中，一个商业联盟的规则规定：只有公司代表通过特别决议才能增加其成员的捐助金。如果该联盟试图通过普通决议增加其捐助金，则法院允许其少数股东提起诉讼。

股东的个人权利

公司少数股东可以始终执行其作为股东的个人性权利：Pender v. Lushington 案（见上文）。

存在对少数股东欺诈的情形

对少数股东进行欺诈包括由多数股东实施的滥用权力行为。如果公司多数股东试图强制获得少数股东的股份，则构成针对少数股东的权力滥用；如果多数股东试图为自己的利益剥夺公司的商业机会，那么这种行为构成针对公司本身的权力滥用。在所有上述情况下，公司少数股东可以提起诉讼以：（1）阻止多数股东滥用其权力：Clemens v. Clemens Bros Ltd 一案；（2）重新获得被剥夺的公司财产：Cook v. Deeks 案（见上文）。

少数股东提起诉讼的形式

依据例外情形的不同性质，少数股东提起的诉讼可以采取不同的形式。诉讼形式有以下三种：个人诉讼、代表人诉讼和派生诉讼。如果股东作为公司成员的个人性权利受到侵犯，则其可以提起个人诉讼。如果某个股东等级（包括其自己）的整体利益受到了影响,则公司的这些成员可以提起代表人诉讼。派生诉讼是因董事实施了针对公司的不适行为而提起的。股东代替公司进行诉讼。作为一个初步问题,公司少数股东必须证实以下两点:(1)董事已经实施了针对公司的具有"欺诈"性质的不适行为;(2)实施该不适行为的董事控制了公司。

对公司实施的欺诈行为

"欺诈"一词包括在董事和股东的权力范围之内的权力滥用行为。在 Estmanco (Kilner House) Ltd v. GLC 一案中,GLC 公司建造了一个拥有60套独立公寓的街区。其准备出售这些公寓,并且每一位购买者均可以享有管理公司的一份股份。公司章程细则规定:直至所有的公寓被出售以后,GLC 公司才可以行使关于所有股票的投票权。当公司售出了12套公寓以后,GLC 公司改变了关于该街区的政策,决定将公司的决定权转让给承租人委员会。其中一套公寓的承租人以公司的名义对此提起派生诉讼——寻求接管公司的诉讼。GLC 公司因此召开了公司大会,在会议上其投票停止该诉讼。法院作出了有利于该承租人的判决,即:上述行为充分构成了对大多数股东权力的滥用。

然而,"欺诈"一词并不包括"仅仅是疏忽"的行为: Pavlides v. Jensen 一案。但是,如果该疏忽行为使得对此承担责任的行为人从中获得了利润,则疏忽也可以构成欺诈: Daniels v. Daniels 一案。这看上去似乎是把这种行为归入了滥用权力而非疏忽的范畴中。

实施不当行为的人控制了公司

"控制"意味着对公司投票权的控制。如果仅仅是通过结合公司主要股东和管理职位而实施事实上的控制,则不足以证明其控制地位: Prudential Assurance Co. Ltd v. Newman Industries Ltd (No. 2) 一案,但是法院确实会考虑到通过对董事的指定而实施的控制。

如果公司某位股东对公司提起的诉讼是在合理谨慎的情况下善意进行的,则法院可以裁定公司对其承担责任: Wallersteiner v.

Moir 一案。但在 Smith v. Croft (No.2 & No.3) 案中，法院却拒绝作出这种裁定。在该案中，公司少数股东提起诉讼，主张：董事完全不顾独立报告已因缺乏理由以及与独立的大多数股东的明确意愿相悖而被否决的事实而仍然向其支付了过多的报酬，这看上去似乎对少数股东行使独立起诉权又增加了新的条件。

对于 Foss v. Harbottle 一案确立之规则的成文法例外

成文法规定的例外中最重要的就是对不公平损害进行申诉的权利：第 459 条。由于在关于 A Company 一案中这一点得到了加强，使得其在事实上代替了普通法。在该案中，Hoffman 法官认为：因为申诉人完全可以提起一个派生诉讼，所以原告不得以第 459 条的规定为依据提起申诉。在关于 Charnley Davies Ltd (No. 2) 一案中，该观点得到了 Millett 法官的支持。该案是一个依据 1986 年《破产法》第 27 条的规定提起的诉讼，而 1986 年《破产法》第 27 条正是以第 459 条的规定为模板的，但是采用哪一种方式更加合适则依赖于原告所寻求的救济的种类。如果原告希望返还财产，那么提起一个派生诉讼比较合适，但是如果其想使被告出钱从而放弃自己该权力，则依据第 459 条提起申诉会更适合。

对不公平损害行为提起的申请

第 459 条规定："如果公司事务正在或者已经以一种对公司全部或者部分成员（至少包括其自身）的利益造成不公正的损害的方式加以执行，或者如果公司现实的或将要进行的作为、不作为（包括任何代表其自身的作为或不作为）正在或将要对公司某些成员的利益造成不公平的损害，则公司的任何成员都可以向法院提出申请，要求法院发布任何其认为是适当的命令。"：第 459 条第 1 款。

法院可以对该申请作出任何指令，但是第 461 条第 2 款列举了一些例子。这些例子包括：(1) 调整公司将来事务的处理；(2) 要求公司限制正在进行的行为或不得从事申请人起诉的行为，或者要求公司从事申请人起诉认为公司由于疏忽而没有实施的行为；(3) 授权法院认为适当的人或者根据法律认可的条件以公司的名义提起民事诉讼；(4) 要求公司其他成员或者公司自己购买公司成员所持股份。

如果申请购买股份的指令，则该股份的价值可以因为其是由少数股东持有而以全价按照其所占公司资产的比例或者以打折的市场价进行出售。上诉法院对第一种方案表示赞同：关于 *Bird Precision Bellowas Ltd* 一案。在关于 *Cumana Ltd* 一案中，Vinelott 法官认为应该以申请提出的时间作为确定股票价值的时间，在向上诉法院提出的上诉中，其判决："如何确定对股票进行估价的日期是一个由法官进行自由裁量的问题"。上诉法院还否决了法院裁定中作出的关于"免责条款"应包括当事人无法筹集到购买股票的必要资金之情形的结论。确定不公平损害行为的含义和可能遭受这种损害的成员利益的性质是十分重要的。

不公平损害行为 "不公平损害"一词的含义比 1948 年《公司法》第 210 条中出现的"不公平"一词的含义更加宽泛，而后者的概念已被废除。这就要求申请人证明该行为在实施过程中是"严厉、麻烦和不当的"。此外，申请人可以寻求的救济还包括基于公平和正义的理由对公司进行解散，但申请人必须证明存在解散公司的证据。法院建议其基本标准是公司成员所持股份的价值是否被严重地削减：关于 *A Company* 一案。在关于 *Bovey Hotel Ventures Ltd* (1981) 一案中（该案未予报告），Slade 法官补充道：对不公平的检验标准应该是客观而非主观的。申请人无需证明被申请人在实施该行为时明确知道其所实施的行为是不公平的。如果一个通情达理的旁观者都认为该行为是对申请人实施的不公平的行为，那么该行为就是不公平的。

在关于 *Elgindata* 一案中，法院驳回了原告对董事管理不善行为所提出的申请。Warner 法官引用了 Peter Gibson 法官在关于 *Sam*

253　*Weller & Sons Ltd* 一案中的判决，即："法院通常会很愿意接受管理性决定可以构成不公平损害行为的观点。"Warner 法官随后指出："持有公司股票的股东知道其股票的价格在某种程度上依赖于董事的管理能力，如果董事并没有违反其技能和注意义务，这就是股东没有受到不公平损害的初步证据，其只能说明董事的管理能力不行。"在关于 *Charnley Davis Ltd*（No. 2）一案中，法院依据1986年《破产法》第27条的规定作出的判决重申了该观点，判决管理者处置公司财产的疏忽并不能成为股东提出申请的依据。但是，在关于 *Macro（Ipswich）Ltd* 一案中，法院则认为，如果管理不善是致使公司损失的充分原因，则其可以成为构成为不公平损害行为的基础。

这些救济手段都不是普通法上的救济手段，申请人自己的行为并不能自动阻止其提出申请，但这可能成为一个重要的原因。在关于 *R. A. Noble & Sons（Clothing）Ltd* 一案中，由于申请人疏于行使职责，因此其被驱逐出公司管理层的决定是公平的，所以法院驳回了其申请。但是，在关于 *London School of Electronics Ltd* 一案中，由于其行为是为了与其提出申请的不公平损害行为进行反抗，因此，申请人的行为并未成为法院剥夺其申请资格的原因。

公司成员利益的性质　在1948年《公司法》第210条的规定之后，依据第459条的规定，汇编的第一个判决是在关于 *A Company* 案中作出的，其限制了不公平损害行为对股东造成影响时的申请权的行使。在 *Ebrahimi v. Westbourne Galleries Ltd* 一案（见下文）中，从管理职位上被驱逐仍然成为阻止申请人提出申请的原因。但是，在关于 *A Company* 一案中，Vinelot 法官在其附带意见中说："就我来看，立法机关的意图不太可能是要将在 *Westbourne Galleries* 一案中处于 Ebrabimi 先生处境的股东排除在第459条的范围之外。"在关于 *A Company* 一案中，Hoffman 法官认为："在仅有2至3人投入其资金的小型私人公司的情况下，由于其每一个人为了谋生都必须作为董事来为公司工作，因此，成员利益可以包括其将持续作为董事受到公司雇佣的合法可得权益，如果其被公司解雇或者从其管理职位上被驱逐下来就可以构成对其作为成员的利益的不公平损害"。如果申请人提起诉讼的被公司解职的事实是包含在其他事实之中的，那么被告的责任可以得到减轻（关于 Bird Precision Bellows Ltd 案、关于 Cumana Ltd 案和关于 London School of Electronics Ltd 案）。

在关于 A Company 一案中，法官拒绝依申请人的要求而作出裁定，理由是该申请只与申请人作为卖主和雇员的利益有关。Hoffman 法官陈述着："成员利益并不需要严格限制在其依据公司章程享有的合法权利之内。"而在关于 Sam Weller & Sons Ltd 一案中，公司 37 年来一直遵循同一个分配红利方案的事实，构成了作为公司董事而获得报酬的人实施的对仅仅以该红利作为其收入的公司成员的不公平损害。法院判决股东的利益比"权利"一词具有更宽泛的内容，而同一个等级的股东可以具有不同的利益。在关于申请人的问题上，Peter Gibson 法官认为："由于其只能通过分配红利的方式从公司获得收入，因此不能仅仅因为红利分配方案对其作出了较低的支付就是造成了损害，损害还应该是不公平的。"

在因违反信托义务（包括使自己的利益与公司的利益相冲突）而提起的诉讼中，原告获得了胜诉：关于 Bovey Hotel Venture Ltd 案，1981 年 7 月 31 日（该案件未被汇编）。法院将董事获得过多报酬和权利的问题也视为具有削弱股东利益的企图：关于 A Company 一案和关于 Cumana Ltd 一案。

公平和正义地解散公司

法院享有广泛的自由裁量权，可以应公司成员提出的申请按照 1986 年《破产法》第 122 条第 1 款第 7 项的规定强制公司进行解散。关于该诉讼的范围并不十分明确，Wiberforce 法官在有关的代表性案件——Ebrahimi v. Westbourne Galleries Ltd 一案中强调：一般性词语不应被减少为仅仅包括一些特定的情况，而先前的大多数案件都可以包含在由 Ebrahimi 一案确立的标准之中。在该案中，原告和 N 共同组成了一个合伙，后来二者成立了一个公司并接管了合伙的所有经营活动，并成为公司惟一的股东和董事，每人各持 500 股的股份。不久，N 的儿子加入公司，E 和 N 向其转让了 100 股的股份使其成为公司的董事。后来 Ebrahimi 被逐出了董事会，其向法院申请公平和正义地解散公司。上诉法院判决合法权利的行使必须基于公平的考虑，这种考虑使得该人坚持按照法律的严格要求行使其权利是不公平和不正义的；既然 Ebrahimi 和 N 成立公司的目的在于延续先前成立的合伙，那么，对 E 的驱逐就是不公正的。

Wiberforce 法官建议在出现下列一种或一种以上事实的情况下，将该项救济手段运用到小型私人公司中：（1）其应当是基于成员间的相互关系（包括相互之间的信任）而组成和维持的；（2）必须存在一个所有或者部分股东参与公司管理事务的协议；（3）应当存在对成员转让其股份进行限制的条款。

该判决在许多案件中得到了运用。在关于 A & BC Chewing Gum Ltd 一案中，依据公司章程细则和一份独立的协议，少数股东有权委派一名董事。当公司多数股东拒绝承认其作出的委派时，法院判决强制解散公司。在关于 North End Motels (Huntly) Ltd 一案中，因为公司少数股东在董事会会议的投票中持续胜出，所以法院裁定强制解散公司。在该案中，影响法院作出上述裁定的事实是：申请人在加入公司之前没有得到独立的通知，其在企业的经营方面几乎没有任何经验，而公司大多数股东对于股票的作价享有最后的发言权。

Ebrahimi 一案确立的普通法规则已经在申请解散公司的框架之外的领域得到了适用。在 Clemens v. Clemens Bros. Ltd 一案中，法院裁定公司不得为了削弱原告的持有份额而增发新股。但是，在

Bentley – Stevens v. Jones 一案中，法院则判决董事不得依据 Ebrahimi 案的判决恢复其职位。

不公平损害和公平、正义地解散公司

上述申请之间的联系从关于 R. A. Noble & Sons (Clothing) Ltd 一案中可以很清晰地看出来。在该案中，申请人被驱逐出公司管理层，虽然这对该申请人是一种损害，但并非具有不公平的性质，因此，法院驳回了其依据第 459 条请求获得救济的申请，但是其却得到了一个依据第 122 条第 1 款第 7 项的规定强制解散公司的裁定，即该案采取了 Ebrahimi 一案确定的标准。同样，在 Jesner Ltd v. Jarrad Properties Ltd 一案中，申请人得到了公平和正义地解散公司的裁定，却没有确立不公平损害行为的存在。尽管以不公平损害提起诉讼是最好的结果，但是似乎提出一个基于公平和正义的理由解散公司的申请的权利范围更加广泛。

依据第 459 条的规定提出申请并不仅仅适用于小型公司，但是其在大公司的适用上并不能总是获得成功。在关于 Tottenham Hotspur plc 一案中，因为基于公平和正义的理由解散公司的申请只能适用于小型公司，所以尽管存在一份由 S 任董事会主席、由 V 任董事和首席执行官的协议，法院仍然驳回了 V 提出的复职申请。

英国贸易部的检查

英国贸易及工业部（DTI）可以依据 200 名公司成员或者持有 1/10 以上的公司已发行股份的股份持有人的申请任命调查员：第 431 条；如果有情况显示公司的高级职员有欺诈、非法行为、对成员实施的不公平损害行为、权利滥用行为或者其他不当行为，或者存在对公司成员不适当的隐瞒有关信息的行为，则英国贸易及工业部也可以作出这种任命：第 432 条第 2 款。由于没有最低人数的限制，因此这一条更加实用。如果法院作出裁定，则国务大臣也必须任命调查员进行调查：第 432 条第 1 款。

如果公司少数股东总是难以确立其对公司的管理人员提出的主

张,则调查员可以对公司的董事以及其他高级官员进行询问或要求查看公司的文件。如果上述调查提出了足够的证据,则国务大臣可以继续向法院提出申请要求强制解散公司或者采取第460条规定的以公司成员身份对不公平损害行为提出申请。由调查员完成的报告也可以导致法院作出取消董事资格的裁定。现在,这项调查趋向于用在对公司破产的调查上,因而少数股东不太可能获得该项救济。

推荐读物

《公司法》,第3版(J. Dine, Macmillan Professional Masters, 1998)。

问题

1. 什么是"长生鸟公司"?法律将如何对之进行规制?
2. 公司的章程大纲和章程细则在登记时构成了公司与其成员之间的协议。在这种协议中,当事人的权利和救济在哪些方面比普通合同当事人受到更多的限制?
3. 1990年改革废除了越权理论在公司外部事务上的适用却仍然保留了其在公司内部事务上的适用。其是如何做到的?
4. 在越权合同的情形下,为了保护公司以外人员的利益,法律保护那些与公司善意进行交易的人。那么是什么构成了这里所说的"交易"和"善意"呢?
5. 为什么公司的资金比个人营业者和合伙的资金更加重要?法律如何保护这些作为债务担保的资金?
6. 股票溢价发行账户和资金回赎储备金属于公司的准资金账户。其于何时产生并且为了什么目的而进行使用?
7. 何种权利是符合第125条目的的等级权利?
8. 公司董事如何逃避因疏忽而产生的责任?
9. "成熟商业机会"的概念是如何将先前采用的董事对秘密

利润说明义务的方法进行修改的？

10. 在对有关对公司实施的不当行为提起派生性诉讼之前，必须先确定哪些事实？

11. 依据第459条提出申请的权利与公平和正义地解散公司的申请有什么不同及重合的地方？

12. 在 Ebrahimi 一案中确立的公平和正义地解散公司的标准是什么？

第四编

经营资产、借贷和担保

▼▼▼
9

经营资产

学习目标

通过本章学习了解以下内容：
1. 位于英国的财产分类
2. 不动产的性质和分类，包括已登记土地和未登记土地的区别
3. 无形财产或诉取动产的性质，包括可转让动产和可流通动产的区别
4. 知识产权的不同形式：商标和品牌权、专利权、著作权和注册产品设计权

9.1 经营资产的性质和分类

经营资产可以通过多种形式存在，包括有形资产和无形资产，其对于保障企业经营活动的进行和增加企业贷款能力具有十分重要的作用。有形（或有体）财产包括土地（见第9.2节）和能够从物质上进行占有的货物［称为"占有动产（或占有物）"］（见第9.7节）。如果是货物，则其可以以实际转让的形式获得；而无形（或非物质的）财产权则是通过对所有人的权利进行执行而实现的。无形财产［"诉取动产或（诉取物）"］可以进行转让和流通（见第9.8节）。股票属于诉取动产，股票持有人所获得的利润并不是来源于股票证书

本身,而是来自股票所代表的权益(见第8章)。

　　经营资产还包括保险单、债权以及所有种类的知识产权,即著作权、专利权和商标权（见第9.9章）。知识产权赋予知识产权的商业开发人员在一定时间以内享有一些排他性权利。如果公司开发的新产品中包含了一项发明性的步骤,则其可以通过申请注册专利的方法对之予以保护,而如果是有关书籍、音乐、艺术作品以及产品设计等内容,则公司可以直接运用保护著作权和产品设计的法律对这些成果加以保护。商品和服务的另一个具有独特价值的资产是其可以被识别的特征,其使得消费者可以识别出该类商品和服务并优先选择之。而这些种类的知识产权则是通过有关商标权的法律加以保护的。英国的财产分类可见表9.1。

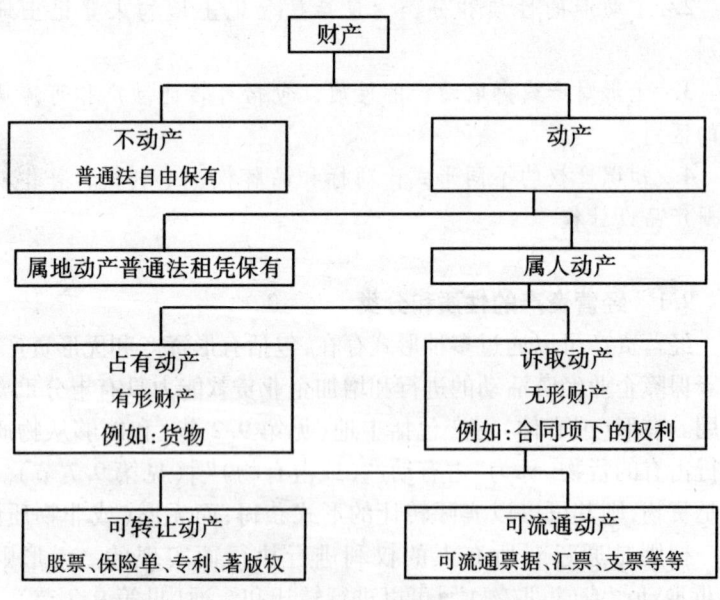

表 9.1

9.2 英国法上的不动产概述

土地的绝对权利是归属于英王的。在此之下，法律区分了"自由保有不动产权人"和"租赁保有不动产权人"。自由保有不动产权人从英王处获得不动产的所有权，其所取得的权利最接近于英国法上的土地所有权。租赁保有不动产权人依据租赁合同而占有某不动产。"不动产"一词描述了自由保有不动产权人和租赁保有不动产权人所享有的权利的性质和期限。该不动产将依据其是自由保有还是租赁保有，以及其是依据普通法取得还是依据衡平法取得而不同。

自由保有不动产权

自由保有不动产权主要是指非限定继承不动产权。"继承"一词意味着该地产是可以继承的，而"非限定"一词指这种继承权没有任何限制。非限定继承不动产权分为绝对的和附条件的。所附条件对所有权的影响依据该条件是前提性的还是附随性的而不同。前一种情况下，在获得该所有权之前必须符合一定的条件。例如："当 AB 达到 21 岁时赋予其非限定继承不动产权。"后一种情况下，如果发生了条件中规定的事实，那么该所有权即丧失。例如："赋予 AB 非限定继承不动产，条件是其永远不得背叛家族。"无条件继承的不动产所有权不受任何限制。

不动产可以是"期待的"或者"占有的"。前一种情况是指占有权只有在被称为财产授予的不动产存续过程的前一个所有权终止以后才能获得。如果土地已被授予 AB 终身享有，并由 CD 在其之后享有纯粹继承的所有权，那么 AB 享有的就是占有不动产权，而 CD 在 AB 生存期间享有的则为期待不动产权。未来不动产权分为剩余不动产权和归复不动产权。因为在 AB 的终身不动产权终止之后，该权利从授予者处直接获得，所以 CD 的不动产权是一种剩余不动产权。如果该权利从未对 CD 授予过，那么这项权利将返还至授予者或其继承人,而其所享有的就是归复不动产权。

在非限定继承不动产权中,最完善和最通常的形式是绝对占有的非限定继承不动产权,其次重要的其他自由保有的不动产权为"限定继承不动产权",即只有最初的承租人的子嗣才可以继承该不动产,如果被继承人死后没有后裔,则该权利至此终止。此外,还有一种"终身不动产权",其通常在被授予该权利的人死亡时终止。

租赁保有不动产权

"定期不动产权"是最重要的租赁保有不动产权,并且是一种在某一确定的可终止期限之内以年或者月加以计算的不动产权,其包括每年可续展的租赁权。定期不动产权也可以分为绝对的和附条件的、占有的和期待不动产权的。其他较为重要的租赁土地保有权有:"任意不动产权"——可以在任何一方的意愿下终止租赁期限;"容许不动产权"——基于在一定年限内保有该不动产的人在期限届满以后仍然占有该不动产的事实而产生的。

衡平法上的不动产权

衡平法上的不动产权可以依据信托或者由于不符合普通法规定的法律手续而使法定不动产权的转让或产生无法得到实现而产生。

依据信托产生的衡平法上的不动产权

按照信托的规定,不动产所有人可以将其土地让与他人并使其为第三人所用。受让人的道德义务只能通过衡平法加以执行。普通法将受让人视为完全的和不受束缚的所有人。最初,法律只能针对受托人强制执行其义务而不能针对受托人的买受人强制执行其义务。但是现在,除非普通法上不动产或者信托买受人是善意有偿并且在实际或推定不知情的情况下获得土地,否则受益人的权利已经可以对受托人的买受人强制执行。

由于信托以外的原因产生的衡平法上的不动产权

这是在因没有符合法律手续而使得普通法不动产的转让无法实

现时产生的一种不动产权，例如：试图转让自由保有不动产权而没有使用正式的契据，或者设定抵押权时没有使用契据。在这些情况下，法院可以行使其自由裁量权裁定当事人强制照约履行，并承认受让人或抵押权人享有衡平法所赋予的权利。

普通法上和衡平法上的不动产权之比较

即使土地的后继买受人并不知道普通法不动产权的存在，其也要受到该权利的约束。相比之下，衡平法上的不动产权则延伸得更远。这意味着受益人的权益已从土地转换成并不知道信托存在的善意买受人有偿出售该土地所获得的利润。

9.3 对他人财产所享有的权利

人们对于他人所有的财产也可以享有普通法上和衡平法上的权利，这些权利可以使其：（1）通过地役权或者孳息利益从他人的土地上获取利益；（2）通过签订限制使用财产的协议限制真正土地所有权人对其财产的使用。

地役权及利益

地役权包括通行权、采光权、取水权和建筑物支撑权（分层式房屋）。其权益包括与射击、钓鱼、放牧、割草皮和伐木有关的权利。1925年《财产法》将其法定权益减少至五种。

限制使用财产协议

限制使用财产协议是一种产权转让合同，但是转让人为了自己的利益限制受让人对转让土地的使用。基于合同的相对性原则，该合同只约束合同的当事人，而对于土地的后继受让人没有法律效力。但是，如果该受让人知道该合同的存在，则衡平法可以对其执行合同：*Tulk v. Moxhay*一案。

9.4 1925年改革

1925年《财产法》将普通法上和衡平法上的不动产权的主要

区别作为此次改革的基础,并将法定不动产权减少为两种:绝对占有的非限定继承不动产权和绝对的定期不动产权。此后,其他不动产权就只能依据信托以衡平法上的不动产权的形式存在。不动产权的法定权益也被减少为五种。1925年《受限土地转让》简化了信托关系产生的来源,将信托财产的转让从依据信托之条款改变为使用两个独立的协议,并规定:在信托财产被出售时,受益人的权利转移到出售财产所获得的金钱上。有人认为这种规定"走过头"了。1925年《土地抵押法》通过在土地抵押登记署进行登记代替衡平法中的"注意"的概念从而保护他人所有的不动产权,如果没有进行上述登记,那么所有人的不动产权不得对抗后继买受人的权利。1925年《土地管理法》使得没有继承人的不动产继承与动产继承的"法定继承顺序"保持一致。1925年《土地登记法》引入了一个土地登记的全新体系,其对土地所有权的登记进行了规定,并且简化了基于股份转让体系而产生的所有权转让体制。1925年《受限土地转让法》现在已经被1996年《土地信托和受托人指定法》所代替,其以单一的所有权转让体制——"财产信托"——代替了以前严格意义上的财产转让和出售信托财产的双层体制,并且废除了依据信托持有的土地进行出售时就转化为个人财产的转化论。新法将适用于所有以后订立的信托以及几乎所有已经订立的信托,但是已经订立的严格意义上的财产转让合同将仍然由《受限土地转让法》进行规制。1925年法(由1997年《土地登记法》修订)规定的土地登记体制将取代以前不经登记的土地体制,其要求对下列未登记土地的转让进行强制登记:(1)对自由保有的不动产的合格转让;(2)期限为21年以上的任何土地租赁权的合格授予;(3)从转让之日起期限为21年以上的任何土地租赁权的合格转让;(4)经同意或者依据自由保有的不动产授权契据或者期限为21年以上的不动产租赁合同而实现的土地处置行为:第123条第1款。如果上述让与、授予或者转让是:(1)有偿的

9　经营资产　321

或者具有其他对价的；(2) 通过赠与的方式进行的；或者 (3) 依据法院的裁定作出的，那么这些土地处置行为就符合法案规定的"资格"：第123条第6款第1项。强制登记也适用于期限为21年以上未登记不动产自由保有权和租赁保有权的法定抵押，上述期限从抵押权得到不动产所有权契据抵押的保护之日起算，登记后的抵押权具有优先于对该土地具有影响的其他抵押权的效力（见第10章）。

9.5　已登记和未登记的财产转让事务

在买卖土地时，卖方和买方之间的合同必须采用书面形式，并且在同一个文件中并人所有明示的条款：1989年《财产（杂项规定）法》第2条。上述合同在双方交换合同时产生效力。在所有权转移之前，卖方的所有权必须得到确认。确认的程序根据该土地为已登记土地或者未登记土地而不同。出售租赁保有不动产是通过转让在租约中剩余的租赁期限进行的。1995年《地主和租户（协议）法》适用于在1996年1月之后产生的新的租赁关系。在该条例生效之前，租户依据租约承担的关于出租等方面的最初责任在其转让其租赁权时终止。如果后继受让人没有向地主支付租金，那么依据合同的相对性原则，最初的租户仍应对此承担责任。

未登记的财产转让事务

在这种情况下，所有权人的权利通过"所有权契据"进行证明，该契据必须证明至少15年"善意来源所有权"的连续性。买受人在土地抵押登记署搜索所转让的所有权从而确定所转让的所有权的清洁性，登记署将影响所有权效力的情况分为了不同的种类：限制性协议［D类 (3)］、没有得到不动产所有权契据抵押保护的法定抵押［普通（即次要的）抵押］［C类 (1)］、衡平法上的抵押［C类 (3)］。含有优先权的不动产合同［C类 (4)］和所有权人的配偶依据1983年《婚姻家庭法》而享有占有权的情况（F

类)。土地的最后转让由买受人的律师起草一份财产转让协议进行。

已登记的财产转让事务

在英国的每一个区域都设有一个登记署,并且每一个登记的所有权都分配有一个所有权号码。每一个登记的权利是由三个独立的登记项组成的:(1)财产登记,其通常借助于地图对所登记的财产进行描述;(2)所有权登记,其是对所有者的名字进行登记,并对其所有权——通常是:其所有权为自由保有还是租赁保有的绝对不动产权——进行描述,但是如果自由保有的不动产权未经登记,则租赁保有的不动产权就是一个"善意的租赁保有的不动产权";(3)抵押登记,其详细记录了财产抵押及经过登记的对该财产提出的其他主张的情况。一旦经过已登记所有人的许可对上述登记进行了查询,买受人可以与原所有人签订契据从而以标准的形式完成财产的法定转让,登记内容也随之更新。无论以何种形式进行转让,买受人都需查询当地政府的现在的或者将来的土地开发计划。如果土地的所有人是一个公司,则有关该财产的任何权益可以通过查询公司置备于公司登记署的档案而得知。

9.6 不动产权以及土地权益的分类:未登记土地和已登记土地

未登记土地

这是依据普通法上和衡平法上的不动产权及其权益的不同特征进行分类的。未登记土地的权益包括:(1)普通法上的不动产权;(2)普通法上的权益;(3)依据信托产生的衡平法上的不动产权;(4)衡平法上的权益;(5)属于衡平法通知原则的衡平法上的权益。

已登记土地

已登记土地的权益包括:(1)可登记权益;(2)已登记抵押权;(3)首要权益;(4)次要权益。

已登记抵押权

这些是已登记的法定抵押权。在这种情况下,土地证书由抵押权人发放的抵押权证书所替代(见第10章)。

首要权益

已登记土地遵循"镜像原则",登记内容精确地反映出该财产所有权的一切情况。首要权益与该原则相冲突,虽然其不能独立进行登记,也不能以任何方式在登记簿上显示,但其却可以约束后继买受人。首要权益中最重要的一项内容有关占有权。在 Williams and Glyn's Bank Ltd v. Boland 一案中,丈夫和妻子用其共同的积蓄购买了一幢别墅,但是该别墅却是以丈夫一人的名字登记的。后来丈夫在没有通知妻子的情况下将别墅抵押给了银行,而银行也没有就此询问其妻子。丈夫没有履行抵押合同,银行因此主张在出售该别墅前对其加以占有。上议院支持了上诉法院的观点,判决妻子享有首要利益从而驳回了银行的主张。妻子所享有的上述权益基于其曾出钱购买该财产的事实。但是,在 Bristol & West Building Society v. Henning and Another 一案中,由于妻子对财产的购买并没有出资,因此,尽管其曾出钱对房屋进行了装修和刷新,法院仍然判决其对该房屋不具有首要权益。

次要权益

如果次要权益还未列入登记簿,那么其就是非过于延伸的权益;但是,一旦被列入登记簿,其即成为过于延伸的权益。过于延伸的权益是依据信托产生的衡平法上的和法定的不动产权产生的,该信托受到所有权登记所设定的限制的保护。如果买受人遵守这些限制的规定,那么这些权益就是过于延伸的——例如,向作为受托人的人支付出售该不动产的价款。最重要的非过于延伸权益是衡平法上的抵押权,其受到的保护有:(1)对抵押权人所安排的交易进行警告,该警告以将试图登记土地交易(抵押权人有权在14日内对该登记进行质疑,如果其不进行质疑,则该警告予以撤销,而登记将继续进行）的有关内容向其通知进行；（2）通过作出抵押土地所有权证书/抵押证书的通知进行保护，其方式与警告所采取的方式相同（见第10章）。

9.7 占有动产

该术语涵盖了所有可以被所有人实际占有的有形（或者有体）财产，即：货物。依据1979年《货物买卖法》，货物可以通过销售予以转让。其他包括出租在内的转让形式规定在1982年《提供货物和服务法》中，而依据分期付款买卖合同提供货物和附条件销售合同则适用1973年《提供货物（默示条款）法》。依据信贷销售合同提供货物则需遵守1979年《货物买卖法》的规定（见第13章和第14章）。

9.8 诉取动产

诉取动产是指通过所有权人对其权利的执行加以实现的无形财产，其可以进行转让和流通。

可转让的诉取动产

无形财产权可以进行转让，而转让既可以是普通法上的，也可以是衡平法上的（正式的或非正式的）。对某些诉取物的法定转让由单独的议会法案进行规制——例如，股票或者人身保险单的转让——但是，有关诉取物转让的法律一般则是1925年《财产法》(LPA1925)第136条。为了使转让行为合法，转让必须符合法律有关转让特定财产的特别规定或1925年《财产法》的规定。依据1925年《财产法》第136条的规定，为了使转让行为合法有效，转让必须：（1）是绝对的；（即同时转让依附于该权利的所有债务）；（2）以附有出让人签名的书面形式进行；（3）由受让人向债务人发出明确的书面通知。

因此，如果A欠了B500英镑，则B可以将请求支付的权利转让给 C。A 是债务人，B 是出让人，C 是受让人。合法的受让人可以起诉债务人以实现其债权，但是债务人可以以其对抗出让人的抗辩同样来对抗受让人，例如主张抵消的权利。因为其不能享有比出让人的权利内容更丰富的所有权。所以，该转让受制于"任何人不能给予其所未有者"（nemo dat quod non habet）原则。如果转让行为是非正式进行的，那么衡平法上的受让人就不得以其自己的名义执行其权利，而必须在任何诉讼中与出让人一起成为共同原告。衡平法上的转让也需要向债务人发出通知并受制于"任何人不能给予其所未有者"原则。

可流通的诉取动产

直至 1873 年《司法组织法》通过之后，诉取动产才可以在普通法上进行转让；而在此之前，所有的转让都是在衡平法上进行的。但是，商人们已经发展出了转让票据的惯例，即：票据代表了依据"汇票"进行支付的权利，并且不需要向最后负有支付义务的人发出通知，该义务人只需在票据到期时向持有人进行支付。为了增强人们对该惯例的信任，该惯例又有了新的发展，即：如果票据在某些条件下被接收，则受让人将从出让人处获得票据权利而不受所有人权利瑕疵的影响。

上述"条件"是指受让人获得票据时应是：（1）有偿的；（2）善意的；（3）对于出让人的所有权瑕疵并不知情。符合该条件的受让人是该票据的"正当持有人"，其对其所持票据的转让不受"任何人不能给予其所未有者"原则的制约。对于汇票、支票和本票，现在由 1882 年《汇票法》加以调整，该法在此之上增加了三项条件（见第 15 章）。

可流通票据

可流通动产包括可流通票据以及：（1）汇票、本票和支票；（2）财政部证券；（3）股份证书和已发行或可以无记名支付的债券；（4）银行汇票；（5）旅行支票；（6）领取股息通知单。邮局汇单和提货单不属于可流通票据。可流通票据不是法定的支付手段（但纸币属于可流通票据），在债务清偿时，债权人可以拒绝接受可流通票据。但是，用可流通票据清偿金钱性义务并不是"不同物品的给付"，交易遵循的规则仍然是"不得通过支付更少金额来清偿债务"：*D & C Builders Ltd v. Rees* 一案（见第3章）。以可流通票据进行支付在承兑时是有条件的；如果不符合一定的条件，最初的责任将重新产生，债权人可以以最初的债务为诉因或者以该可流通票据为依据提起诉讼。采取后一种方式起诉的优势是：债务人没有可以利用的抗辩理由（见第15章）。

在某些情况下，票据的可流通性可以在不影响其可转让性的前提下丧失，但是如果票据丧失了可转让性，则其可流通性也随之丧失："向某人或者凭指示"交付并且在"不得流通"一栏中作了钩记的支票是可以转让但不得流通的。但是"只向某人"支付的支票则既不能转让也不能流通。依据1992年《支票法》和1882年《汇票法》第81条第1款的规定，在"账户收款人（唯一）"或者"收款人（唯一）"一栏中作了钩记的支票只在当事人之间产生效力，票据持有人不得对之进行转让（见第15章）。

可流通票据的特征

可流通票据具有以下特征：（1）其可以仅仅通过交付（或者在可凭指示提取汇票的情况下通过背书并交付）而转让；（2）不需要对转让进行通知，并在出示时直接对票据持有人进行支付；（3）通过票据的流通而转让法定所有权，并且持有人可以以自己的名义诉请执行该支付；（4）所有权自由转让至受让人而无需另外的通知；（5）正当的持有人享有不受出让人的权利瑕疵影响的所有权。

9.9 知识产权
商标权和品牌

商标是指为消费者所知并对其作出反应的名称，其能够影响购买者对其产品价值的认识并同时增加产品的价值。商标的价值在于：其在消费者中造成了一种额外价值的印象，这样产品就建立起了更高的信任度。商标信任度能导致利润的增加：BMW 公司的汽车和 IBM 公司的计算机可能并不比其竞争者所生产的产品优秀很多，但是消费者却愿意为其支付更多的价钱。商标是在最近 100 年才出现的，直到 1890 年大多数国家才拥有了自己的商标立法，将商标作为一种受法律保护的经营资产。在 19 世纪末，产品制造商开始对新发明的大规模生产技术、产品分销网络加以利用并在国际国内范围内为赢得客户进行广告宣传。为了区分其产品，制造商们赋予其产品不同的名称以与当地零售商的"自认标志"进行区别。George Eastman 将其生产的照相机命名为"Kodak"，因为这个名称"短小、生动、不易拼错，并且没有任何含义"。因为要通过匆匆上阵而产生一个新商标是几乎不可能的，所以商标的商业价值导致了一系列由商标所推动的收购交易的产生，收购人需要支付超过目标公司的资产价值以获得具有较高价值的商标名称。因此，Nestlé 公司曾经向 Rowntree Macintosh 公司支付了 25.5 亿英镑——5 倍于其股份票面价值的价款——以获得其拥有的 Kit-Kat、After Eight、Smarties 和 Polo 的商标所有权。

未注册商标适用普通法中有关假冒商标的侵权行为法的规定，而注册商标则受到成文法的保护。

注册商标

有关对注册商标予以保护的法律规定在 1994 年《商标法》中，本条提到的所有法律如未作特别申明则均指该法。该法是为了执行欧共体委员会指令（89/104/EEC）而通过的，此指令旨在使各成员国有关商标的法律更为接近，并使成员国以共同体商标的有关法律为基础确立其与商标管理委员会第 40/94 号文件有关的条款。该法还赋予了 1989 年 5 月 27 日通过的《与商标国际注册有关的马德里协定》的法律效力。该法不适用于有关假冒商标的问题：第 2 条第

2款。

商标是"可以将一个企业与另一个企业的产品或者服务相区别的、能够以图形形式表示的任何标志";其可以"包含文字(包括个人姓名)、图案、字母、数字或者货物及其包装的形状":第1条第1款。

商标可以是公司产品的颜色或者摩托车邮递员的制服、公司运输车的外形或者外卖汉堡包盒子的图案以及任何其他的产品包装,包括具有可区分性的瓶子的形状和气味。商标还包括红色三角,这是在英国注册的第一个商标。Michelin公司成功的将"X"注册为商标,代表含有半径的轮胎。可以区分的字母联合也可以进行注册,例如ICI、ICL、GEC、BP和SDP。对字母联合进行注册带来的问题导致Intel公司将其新设计的"芯片"注册为"Pentium",从而取代了该公司以前一直使用数字作为商标的习惯。

商标法趋向于使用集体商标区分企业联合的成员所提供的商品或服务,并将企业联合而非其组成成员作为商标的所有人:例如,ABTA、FIMBRA:第49条和表1。商标法还适用于证明商标,证明商标是指商标所有人对其所提供货物的原产地、制作材料、货物生产模式或者服务的提供方式、质量、精确性或者其他特征所作出的保证:第50条和表2。

不符合第1条第1款规定的商标不得予以注册,包括所注册的商标缺乏显著性,或者仅由商业活动中可用于标明商品的种类、质量、数量、用途、价值、原产地、商品的生产日期的符号或标志组成的商标,或标明商品或服务的其他特征的符号或标志组成的商标,还包括已成为惯例的符号或标志组成的商标:第3条第1款。由商品本身的特性所决定的,或获得一定技术效果所必需的,或给商品带来实际价值的商品形状组成的标志不得注册为商标:第3条第2款。注册署对于违反公共秩序和善良风俗的商标以及在有关商品或服务的性质、质量或地理来源可能对公共产生欺骗的商标将不予注册：第3条第3款。

如果申请注册的商标与在先的商标相同，并且其所保护的是同一种商品或者服务，或者，如果在相似的商品或者服务上所使用的相似的商标可能在公众中引起混淆，则该商标不得予以注册。该条还适用于由任何法律规则（即有关假冒的法律规则）或者以其他形式进行保护的未注册商标：第5条。

注册商标所有人的权利

商标所有人对于其注册商标享有排他性的权利，未经其同意在英国境内使用该商标将构成对其权利的侵犯：第9条第1款。商标所有人有权阻止任何人未经其同意在贸易过程中使用下列商标：(1)与注册商标相同，使用在与注册商标所注册的相同商品或服务上的任何标志：第10条第1款；(2)与注册商标相同，同时与注册商标所注册的商品或服务相同或类似的任何标志；或者使用与注册商标类似，同时与注册商标所注册的商品或服务相同或类似的，可能会在公众中引起混淆的任何标志：第10条第2款；(3)与注册商标相同或类似，与注册商标所注册的商品或服务不相类似的任何标志，如果注册商标在英国境内享有声誉，但由于无正当理由使用该标志，会给商标显著特征或商誉造成不当利用或损害的：第10条第3款。

构成第1款的使用行为包括行为人：(1)在商品或商品包装上缀附该标志；(2)提供带有该标志的商品将其投入市场或为此目的持有或用该标志提供服务；(3)进口或出口带有该标志的商品；或者(4)在商业文书或广告上使用该标志：第10条第4款。将某标志作为工商业票据使用于用以标识或包装某货物的物质上，或者用于对商品或服务进行广告宣传的人，如果其知道或者有理由相信其使用并未得到该商标所有人或获得使用许可的人的适当授权，则其对该物质的使用将构成侵犯他人商标权：第10条第5款。

关于对其商品或服务已进行注册的另一个注册商标的使用并不构成对某一注册商标的侵犯（第11条第1款），但是如果商标的注册违反了第3条的规定，则该商标可以被宣布无效；在这种情况下，商标视为从未进行过注册：第47条第6款。商标所有人无权制止第三方在贸易过程中使用：（1）其自己的名称或地址；（2）有关品质、质量、数量、用途、价值、产地名称、生产商品或提供服务的时间的标志，或有关商品服务的其他特点的标志；（3）需要用来表明商品或服务用途的标志，特别是用来表明商品零部件用途的商标；只要上述使用符合工商业务中的诚实惯例：第11条第2款。

下列情形不视为是对商标权的侵犯，即：在某一个特定地区的贸易活动中，仅在该地区内使用一个在先的商标（第11条第3款），或者由商标权人或经过其同意的其他人在欧共体范围内在已投入市场的货物上使用该注册商标（第12条第1款），除非商标权人有合法的理由反对商品继续销售的，尤其是在商品投入市场后，商品质量发生变化或损坏的：第12条第2款。

注册申请人或商标权人可以主张对商标任何要素享有排他性使用的权利，或者同意其权利的使用仅限于某特定的地域或受制于一定的条件，这些内容均载入注册簿并进行公告：第13条。

侵权的救济

商标权人可以对侵权行为提起诉讼，并可以使用有关侵犯其他财产权一样的损害赔偿、申请禁令、强制报告等一切救济手段：第14条。其还可以使用以下两项特殊的救济手段。

作出除去违法标志的裁定　　法院可以裁定以违法标志侵犯商标权的人擦掉、除去或者涂掉任何在由其占有、保管或控制的侵犯商标权的货物、材料或商品上的违法标志，或者保证销毁有问题的货物、材料或商品：第15条第1款。

作出交出侵犯商标权的货物、材料或商品的裁定　　第17条对于"侵犯商标权的货物、材料和商品"进行了界定。但是，要求法院按照第16条的规定作出裁定的申请应当在自下列日期起算的6年期限结束之前提出：（1）如果是侵犯商标权的货物，则自该货物或其包装上使用该商标之日起；（2）如果是侵犯商标权的材料，则自该材料上使用该商标之日起；（3）如果是侵犯商标权的商品，则自该商品被制造之日起。

如果注册商标的所有人残疾或者由于他人的欺诈或者隐瞒而无法发现该事实，其有权在上述6年期限届满之后申请法院作出裁定：第18条第2款。

如果侵犯商标权的货物、材料或商品已依据第16条的规定交与法院，则法院可以依申请对其进行销毁或者判罚给其认为适当的人：第199条第1款。如果法院没有作出这种裁定，则在被送交法院之前对该货物、材料或商品完全进行占有、保管或控制的人有权要求返还：第19条第5款。受到毫无根据的侵权诉讼威胁的人有权请求法律上的救济，包括：作出证明该威胁是不公正的宣告、作出制止威胁持续进行的禁令以及对由此产生的任何损失进行损害赔偿。如果其能证明注册是无效的或者在某一相关方面是可以被宣告无效的，则其有权获得法律救济：第21条第3款。除非行为人能够证明其有合理的理由相信其对该商标的使用没有构成对商标权的侵犯，否则在有关货物上未经授权使用注册商标将构成刑事犯罪。法院既可以作出即席判决，判决行为人期限不超过6个月的监禁，或者不超过法定最高数额的罚金，或者实行并罚；也可以对行为人判处罚金和期限不超过10年的监禁，或者实行并罚：第92条。

注册的申请

申请必须向注册署提出，应包括下列文件：（1）商标注册申请书；（2）申请人的姓名和地址；（3）对寻求注册的商品或服务的说明；（4）对商标的陈述。申请时还必须说明该标志已经由申请人或经其同意在有关的商品或服务上进行使用，或者其具有将如此使用的善意意图；同时，申请人还需缴纳申请费和适当的类别费用：第32条。货物和服务应按照规定的分类制度进行分类，有关货物和服务的分类所产生的问题由注册署予以决定：第34条。商标按照特定的货物或货物种类进行分类注册,大多数国家在分类上都遵循《商标注册用商品和服务国际分类尼斯协定》:例如,运动器械属于第28类,服装属于第25类。

在首次提交申请之日起 6 个月内,申请人就全部或部分相同商品或服务享有优先权:第 35 条第 1 款。如果在上述期限之内提出申请,则确立优先权的有关日期为首次提交申请的日期;而在该日期和申请日期之间的期间内,在英国境内对该商标的任何使用将不会对商标的可注册性产生影响:第 35 条第 2 款。在公约的任一成员国内提交相同的申请也将产生同样的优先权:第 35 条第 3 款。

注册署将对以前的商标进行审查,如果不符合注册的有关要求,则注册署必须通知申请人,并给予申请人作出声明或者修改申请书的机会。注册署有权对申请进行批准或者驳回申请:第 37 条。如果同意进行注册,则注册署必须对此项申请进行公告,以使人们有机会在规定的时间内对之提出反对:第 38 条。申请人可以撤回其提出的申请或者限制申请书所包括的商品或服务清单。如果申请业已公告,则撤回的通知也应一并予以公告。否则,申请书只能对申请人的姓名和地址、文字或抄写错误或者其他明显的错误进行修正,并且这些修正不得从实质上改变商标的特性或者扩大申请书所包括的商品或服务清单:第 39 条。

注册商标的有效期是 10 年,可以根据第 42 条的规定进行续展,时间每次为 10 年。如果不对注册商标进行续展,则注册署将从注册簿上对该商标予以注销:第 43 条。除非在商标包含有商标所有人的姓名和地址时可以对该姓名和地址进行改动,否则注册商标在注册或者续展期内不得进行改动:第 44 条。注册商标还可以由所有人放弃、撤销或者宣布无效。

放弃 注册商标可以就商标注册的全部或部分商品或服务放弃注册:第 45 条。

撤销 商标可以因下列理由而被撤销:(1)商标连续 5 年内未

被商标所有人或经其同意在英国境内在注册的商品或服务上没有真正使用,又无不使用该商标的正当理由;(2)商标的使用被无间断地连续拖延了5年,又无如此拖延的正当理由;(3)因商标所有人的作为或不作为,导致商标已成为其注册的商品或服务行业中的通用名称;(4)由于商标所有人或经同意在注册的商品或服务上使用商标,该商标可能使公众对于注册的商品或服务的性质、质量或产地产生误导:第46条第1款。

上述第(3)项具有特别重要的意义,一旦某商标再也无法用于辨别商标所有人的商品或服务,就会随之产生商标被撤销的后果。使商标丧失有效性的最简单方法就是使其成为一种一般性的名称。因此,诸如油毡、留声机、阿司匹林、气垫船和尼龙这些词语均属于丧失了与特定商品制造者生产的产品具有特定联系的标志。"凡士林"如果要成为商标也需要重新确立一些具有可区分性的特征。商标所有人也会对商标的使用制定详细严格的规定。商标应该始终作为一个形容词而非名词而使用,并且应该始终作为一个已注册的和不得加以更改的标志来使用。在任何可能的情形下,其都应该与一般性的描述相结合——例如,"Jif - Cream Cleanser"——其或者应当全部字母大写,或者应当使用词首大写字母。任何对商标进行使用的被许可人必须承担遵守注册使用人协议的义务。

在注册商标下进行销售的商品应该在商品或其包装上标注"注册商标"。在商标的后面在一个圆圈内标上"R"的做法没有任何法律意义,但是其可能被司法承认,并作为一种对其他贸易商的警告,即其已享有了使用该商标的垄断权。对TM标志的使用也将产生相似的效果。此外还有一种方式就是在所保护的标志上标出一个星号,并附上所标出的标志为注册商标的说明。如果谎称未注册的商标为注册商标则构成犯罪:第95条。普通法上的商标是通过语言来识别的:"……"为注册商标。

无效 注册商标可以由第三方向注册署或者法院提出申请而被

宣布无效，如果注册署宣布注册商标无效，则该商标应被视为从未进行过注册。

所有权、转让和许可

如果商标权是向两个以上的人授予的，则除非存在任何明确相反的约定，否则每人对该商标均享有平等的、不分份额的所有权：第23条。注册商标如同其他的动产一样，可以通过转让、遗嘱处分或者对法律的执行等方式进行流转，并且其流转与贸易活动的善意及无因性有关：第24条第1款。转让或流转可以是部分的，即只对已注册的商品或服务的一部分进行，或者只能以特定的方式或在一定的地点进行：第24条第2款。转让必须采用书面形式，由转让人或者其代理人或其个人代表进行签字，如果转让人为公司，则必须加盖公司的印章：第24条第3款。注册商标还可以作为贷款的担保进行抵押：第24条第5款。

《商标法》规定对注册商标将产生影响的交易必须进行登记。应该进行登记的商标包括：（1）对商标或其包含的任何权利进行的转让；（2）对注册商标的使用作出的任何许可；（3）对注册商标或其包含或产生的任何权利的保证利益（无论是确定的还是浮动的）的授予；（4）个人代表对有关注册商标或其包含或产生的任何权利所作出的同意；（5）法院或其他有权的机关作出的转让注册商标或者其包含或产生的任何权利的裁定：第25条第2款。

如果某交易使他人获得了商标所包含或产生的利益相冲突的利益，则除非对该交易进行交易的申请已经提出，否则该交易无效；作为被许可人提出该主张的人不得享有第30条或者第31条所提供的保护。上述申请必须在6个月内提出，如果使法院相信该期限不可行，则该申请可在该期限届满后一旦可行之时提出。转让人和受让人无权对之提出损害赔偿，并无权要求对在转让之日与指定的细节进行登记之日期间所产生的利润作出说明：第25条第4款。登记簿不得记载任何有关委托的通知，并且登记官不得因任何上述通知而受到影响：第26条第1款。

对注册商标进行使用所颁发的许可证可以是普通性的或者限制性的，限制性许可证可以对一部分而非全部已注册的商品或服务进行限制，也可以对使用注册商标的特别方式或者特定的地域进行限制：第28条第1款。许可证必须书面作成，由授予人或其代理人签字，如果授予人为公司，则须加盖公司印章：第28条第2款。《条例》允许获得许可证的人进行再许可，其条款对于许可和再许可同样适用：第28条第4款。排他性许可意味着该许可（无论是普通性许可还是限制性许可）授予被许可人享有以被授权的方式排斥其他所有人——包括授予人自己——使用注册商标的权利：第29条第1款。

如果被许可人的权利受到侵犯，其可以以自己的名义提起诉讼：第30条第1款。除非其许可证另有规定，否则被许可人有权请求注册商标所有人在有关任何影响其利益的事情上提起侵权诉讼：第30条第2款；如果商标所有人在两个月内拒绝或者没有这样做，被许可人可以以其自己的名义起诉，如同其就是注册商标所有人：第30条第3款。如果上述侵权诉讼是由被许可人提起的，则除非真正的商标所有人以原告的身份加入诉讼或者追加成为被告，否则未经法院许可，被许可人无权继续该诉讼。但是，该条规定并不影响法院依据被许可人的单独申请作出中间救济的判决：第30条第4款。

排他性许可可以规定：被许可人在授权期限届满之后发生的事项上享有同样的权利和救济手段，如同该许可证是一个转让合同：第31条第1款。如果制定了上述条款，则被许可人可以以其自己的名义向商标所有人以外的任何人提起侵权诉讼：第31条第1款。排他性许可证下的任何权利和救济手段与商标所有人的权利和救济手段是同时存在的，如果侵权诉讼所涉及的全部或者部分行为与其共同存在的权利有关，那么，直到另一方已作为原告加入诉讼或被追加为被告，否则商标所有人或者上述被许可人未经法院的许可，不得单独继续进行该诉讼：第31条第4款。

形象许可，即授权他人使用与产品或服务有关的肖像，其是从各种主要的媒体资源中所产生的形象的所有人获得利润的主要来源。因此，从电视上产生的形象有：Tom & Jerry, Thunderbirds, Mutant Hero；从印刷物中（包括连环画）产生的形象有：Dennis the Menace；从电影中产生的形象有：Flintstones, Jurassic Park。获得这种许可后，制造商就可以在其生产的衬衫、枕垫、铅笔盒等产品上使用这些形象。Mutant Hero Turtles 的形象所有人从上述权利的许可使用中就赚取了6000英镑的利润。但是，为了使注册簿不至于发生混乱，注册署不愿意对短期商标予以注册，这可以从注册署对关于"Rawhide"一案和"Pussy Galore"一案中的商标拒绝予以注册的例子中看出来，并且注册署还可能在一些类似的情形下拒绝对商标予以注册。

专利权

专利权赋予专利权人在规定的时间内对某一项发明享有排他使用权。专利权的有效期为20年，自专利权人向专利局提交专利申请之日时起算，并自第15年以后每年向专利局缴纳续展专利的费用。1977年《专利法》对由专利权所赋予的权利作出了详细的规定，本条所提到的所有成文法规，除非另有说明，否则均指该条例。

专利申请应向专利局提出，申请时需一并提交一份包含有关发明的详细说明和一系列权利请求的说明书。权利请求对专利权人所寻求垄断的发明的范围作出了说明。在权利请求中所说明的内容就是专利局对是否可获得专利进行审查和今后对发明是否被他人侵权的判断依据。专利局将在相关的技术文献（在先技术）中展开调查以审查所申请的专利是否具有"新颖性"和"创造性"。这种审查包含两个步骤：初步审查和实质审查，申请人需分别缴纳费用。通常申请人将在12至15个月内收到审查结果的通知。

依据审查结果的不同，申请人可以选择放弃申请、对其提交的申请进行修正或者要求进行审查。要求进行审查必须自专利局公布其申请时起6个月内提出。专利局必须在申请人提交申请时起18个月内对申请进行公布。在审查阶段，具有一定技术资格的专利局审查官对上述申请进行审查，以决定其是否符合申请条件。法律赋予申请人在审查阶段拥有一次主动修改其说明书的机会，但是其可以应审查官的要求对其说明书作多次修改。一旦审查程序结束，审查官的所有质疑得到满足，申请人就可以被授予专利权，授权通知将在专利局的定期刊物上予以公布，专利局还将向专利权人签发专利证书。专利权被授予后还可以被撤销。

如果两个以上的申请为申请同一个或相重叠的专利单独提出，则最先提交申请的人享有优先权。依据1833年《巴黎公约》，大多数国家已同意：如果在国内首次提交了专利申请，并在12个月内在其他的成员国内又提出同样的申请，则前一个日期为优先权日。

国际申请程序

在英国专利局提出的申请只能被授予一个英国的专利权。一个英国的专利权只在英格兰、威尔士、苏格兰、北爱尔兰和马恩岛有效。尽管英国的专利权可以在海峡群岛进行注册，但其效力却不能延伸至海峡群岛。如果想使自己的申请在世界多个国家有效，则申请人可以在各个国家分别进行注册或者利用以下两个国际注册体系：《专利合作条约》和《欧洲专利公约》。

《专利合作条约》（PCT） 该条约规定申请人只需提交一份申请，同时指明其所寻求的对其专利进行保护的国家。专利局进行简单审查后，将上述申请分别向其指定的国家送交，并由这些国家根据其各自的国内法进行分别的审查。该体系是由世界知识产权组织（WIPO）进行管理的，并于1978年开始实施。已有31个国家成为该公约的成员国，包括英国、美国和大多数欧洲国家。申请人先向其国内专利局（其也是《专利合作条约》的接收机构）提出申请。依据《专利合作条约》进行申请有两个步骤：国际层面申请的和国内层面的申请。

欧洲专利公约 该公约规定专利申请应向位于慕尼黑的欧洲专利局提出，并且指定了可以寻求专利保护的成员国名单。根据该公约，仅提交一个专利申请就可能获得最多 11 个国家的专利权保护。申请由欧洲专利局进行调查和审查，如果其符合公约的要求，则指定的国家均将独自授予申请人以专利权。除了在授予专利权的头 9 个月之外，对欧洲专利的质疑可以向欧洲专利局提出，但是关于专利有效性和是否造成侵权的争论只能在单独的国内法院进行。所有欧共体成员国（希腊除外）和一些其他的西欧国家均属于该公约的成员国。一旦欧洲专利公告公开了授予专利的事实，上述被申请的欧洲专利即生效。该专利的有效期为 20 年，专利权人需按照规定的比例向所有指定的国家缴纳续展费。大多数申请都是直接向慕尼黑的欧洲专利局而非英国专利局提交的。

可获得专利的发明

发明必须（1）是新颖的；（2）包含有创造性步骤；（3）可以用于工业；（4）没有被可以获得专利的内容所排除。

新颖性 发明必须是新颖的，这意味着在优先日之时其不得构成现有技术的一部分。现有技术包括在此项发明的优先权日期之前任何时候在世界上已以书面或口述形式公之于众的所有技术。公之于众意味着向依法律或者衡平法有权按其意愿自由使用该信息的人进行披露。某些形式的在先披露不会使专利权丧失其有效性：例如，他人违反保密义务或者由发明人在国际展览会上展出其发明。以 Dunlop 一案为例。Dunlop 在 1888 年对其发明的气胎申请专利。不久其竞争者依据 Thompson 在 1845 年获得的专利生产了大量的气胎。这样，Dunlop 的专利就是无效的。另外一个例子与 Biro 先生有关，其申请一个有关原子笔的专利，因为其先前已经对之进行了仿制并将其分给了其朋友和另外一些人，所以该申请没有成功。

创造性 如果一项发明对一个熟悉这门技术的人来说，并不是

278　显而易见的，那么该发明就包含有创造性。

可以用于工业　通过外科手术、治疗或者诊断等方式对人或者动物进行治疗的任何方法，均不得授予专利权。

可获得专利性　1977年《专利法》对不得作为专利的发明进行了非穷尽性的列举。这些发明包括：(1)发现、科学理论或数学方法；(2)文学、戏剧、音乐、艺术作品或任何其他美学作品；(3)从事智力活动、文体游戏或进行业务的方案、规则、方法或计算机程序；(4)信息的表达。

对于动物或植物的任何品种、动物或植物的任何基本属于生物学过程的繁殖方法不得授予专利。微生物学处理方法可以获得专利。

侵　权

任何人未经专利所有人同意而在英国境内实施下列行为的应视为对发明专利的侵权：(1)当该发明为一种产品时，其制造、处理、使用、进口或者为了处置以及其他目的保存这种产品；(2)当该发明为一项工艺时，其在英国境内使用了该工艺，或推荐他人使用该工艺，而其明知，或者十分明显，使用该工艺会侵犯该专利；(3)当该发明为一项工艺时，其处理了，请求让其处理，使用或进口任何从该工艺直接获得的任何产品，或者不论是否为了处理而保存此类产品。专利权人以外的人未经专利权人同意，在英国境内对非被许可人或无权实施该发明的人提供或表示愿提供任何有关发明关键组成部分的手段，使发明得以实现，而其明知或在当时正常的人理应知道这些手段旨在用来使该项发明在英国境内实现，则该行为也构成对发明专利的侵权。

法律对侵犯发明专利的行为还规定了一些限制性的例外情形，包括属于个人行为并且不具有商业目的的行为、与该发明有关的实验性行为、在某船舶或者飞机偶然或者暂时进入英国境内时所需要采取的行为。在优先权日之前已经对该发明进行了使用的人有权再次或者继续实施其在该日期以前所实施的行为。

专利存续

专利局对专利注册簿予以保存并对公众开放。所有依照该专利所生产的商品均需在专利号之后标注"专利品"。如果不能这样做，则应在商品的包装上作出这种标注。如果没有进行标注，那么，在侵犯专利权的诉讼中，只要行为人可以证明在其实施该行为时，其并不知道并且没有合理的理由知道专利权的存在，则只能对其实施了侵犯行为并且明知有该专利权存在之时起所产生的损害进行赔偿。因为其自认商品是已获得专利权的或者当时正在申请专利的，所以这是一种应判处罚金的刑事犯罪行为。一旦专利权耗尽，法律赋予专利权人一个合理的期限逐步停止在其库存的商品上标注任何专利标志。在专利权被授予之后，专利权人必须自第15年以后每年缴纳一定的续展费。续展费在第20年末急剧增加。如果未缴纳续展费则专利权失效。如果公司的雇员没有缴纳续展费，则意味着自该年之后，专利局将不再恢复对该专利的注册：*Re Textron Inc.* 一案。专利权所有人可以放弃其专利权。

侵权的救济

专利权持有人有权申请法院发出禁令，要求侵权人交出所有侵犯专利权的商品以及对损害进行赔偿和对利润进行说明。损害赔偿的金额依据专利权人的利润损失或者依照特许费进行计算。

所有权、转让和许可

专利权可以由发明人、其雇主或者两个以上的共同发明人所有。雇员在其正常的工作过程中所作出的任何发明均属于其雇主所有，除此之外所作出的发明应属于该雇员。在下列情况下应对雇员进行补偿：（1）如果该发明是属于已获得了专利权的雇主的，并且此专利对雇主具有显著的利益，雇员有权要求获得补偿；（2）此发明是属于雇员的，但是其已将其转让给雇主，并且，如果双方对补偿数额不能达成一致，法律对如何计算补偿数额还规定了一定的程序。该事项可由专利局或者法院进行决定。

转让必须以书面形式进行，并由交易双方当事人或其代表签名，否则该转让无效。许可可以是口头的，并可以选择是独占许可还是普通许可。所有的交易必须在注册署予以登记。没有进行登记将受到的处罚包括在以后的交易中丧失优先权和在主张损害赔偿的权利时受到一定的限制。

依据《专利法》，专利权的所有人只能将其专利授权他人使用，在下列情形下，他人可以申请强制许可证：（1）从专利权获得之日起3年期满；（2）此发明尽管可以在英国境内予以实施，但是没有实施或者没有实施至可能的充分程度；（3）在合理的条件下，在英国的需求没有得到满足或者没有得到充分的满足；（4）对该商品的进口使得该发明在英国境内无法予以实施。

如果审查人员对上述所有理由的质疑均得到了满意的答复，则其可以裁定他人依据一个"强制许可证"继续使用该发明，而专利权的所有人必须授予该人以许可证。如果其没有进一步提出合理的条件，则该合同成立。

转让及其他处置行为还有可能触犯国内或者欧共体竞争法（见第17章）。

对作品形式及外观的保护：著作权和产品设计权

著作权存在于所有具有原创性的文学、戏剧或者艺术作品，以及任何不与公共秩序相违背的录音、影片、电视或者声音广播之中。享有著作权的作品依据其不同的性质，在一定的时间内受到保护。这种保护是自动的，随着作品的产生而产生；著作权的取得无需经过任何注册程序或履行一定的手续，除非是对有关产品设计进行登记。著作权所包含的客体范围十分广泛并具有十分重要的商业价值，其中最能体现其商业价值的就是存在于电影、录像、唱片、磁带和CD中的著作权。英国法中有关著作权的内容主要规定在1988年《著作权、产品设计和专利法》（CDPA，1988）中，并且由1995年《著作权期限及权利实施细则》（SI1995NO. 3297）予以修订。对著作权予以保护在国际层面上具有重要意义，许多国家也采取了与英国所提供的对著作权的保护相类似的保护措施。如果其还是 1952 年《国际著作权公约》的签约国，则其将向其他缔约国的国民提供其向其国内国民所提供的同样的著作权保护。

对著作权、产品设计权，产品设计注册以及半导体晶片设计的形式和外观进行保护均要求该作品是原创的。原创性并不要求作品具有发明性，两个人可以对相似的作品主张不同的著作权。

著作权

英国著作权法所保护的作品范围包括：(1) 文学作品；(2) 戏剧作品；(3) 音乐作品；(4) 艺术作品；(5) 版本之版面安排；(6) 录音制品；(7) 影片；(8) 广播和有线传播节目：1988 年《著作权、产品设计和专利法》第 1 条。

文学作品

"文学作品"的定义在第 3 条中规定为"系指除戏剧或音乐作品以外的任何书面、口述或演唱作品"，包括：(1) 作品集或编辑作品；(2) 计算机程序。仅仅以口头或者歌唱的形式表现的以及在演讲、会谈、诗歌朗诵或者对独角戏的现场直播等情景下所包含的著作权也是受到法律的保护的。但是，上述作品在以书面或者其他方式记录下来之前不得享有权：第 1 条第 2 款。书写包括以书面或者其他方式所记录下来的任何形式的符号，而不论采用何种介质以及用何种方式复制或者再现这些符号：第 179 条。只要有下列任何一种记录方式就足够了，包括数据库、磁带、软盘等等。文学作品并不一定要具有文学价值，电视条目表、足球比赛时间表和街道名录等都可以归为文学作品。作品必须具有足够的长度，但是，在与姓名有关的事项上不得享有权：*Exxon Corporation v. Exxon Insurance Consultants International Ltd* 一案（'Exxon'）；*Tavener Rutledge Ltd v. Trexapalm Ltd* 一案（'Kojak'）；书籍名称、广告标语以及歌曲名称也不得作为权的客体：*Francis, Day & Hunter Ltd v. Twentieth*

Century Fox Corporation Ltd 一案。

戏剧作品

法律对"戏剧作品"没有作出定义，只在第3条第1款中明确规定："在舞蹈和哑剧范畴内的作品属于戏剧作品"。戏剧作品不仅仅限于剧本或者电影剧本，其还涉及对表演的指导和对某些表演种类的说明，包括舞蹈动作的设计以及舞台指导。其可以以任何形式记录下来，包括冰上舞蹈演员和花样滑冰演员的电视演出。

音乐作品

关于音乐作品也没有明确的法律定义，但是法律规定："音乐与随乐曲一同演唱或者口述之文字以及一同表演的动作是有区别的"：第3条第1款。音乐作品只有在通过某种方式记录下来之后才能获得保护。

艺术作品

艺术作品包括图画作品、照片、雕塑或拼图，以建筑物或建筑模型出现之建筑作品以及工艺美术作品：第4条。不论其艺术性程度如何，上述作品均得构成艺术作品。这使得法律所保护的著作权的客体扩大到设计图；现在法律对设计图已经不再进行保护，但是在1999年8月法律对产品设计进行保护之前，设计图仍然可以获得过渡性的保护（见下文：产品设计中的著作权）。

文学、戏剧和音乐作品版本之版面安排

法律对第8条所规定的作品的印刷品的纸面设计、安排和外观进行保护，这种保护与对该作品内容本身的保护是相独立的。

录音

录音是指"可从中再现出声音的声音录制品"，或者"文学、戏剧或音乐作品之全部或部分的录制品，对其中声音的复制可以再现出该作品或其一部分"。无论是哪一种情况，采用何种录制介质以及以何种方式复制或再现其中的声音均不影响法律对该录音制品的保护。影片的音带现在也属于法律所保护的录音制品；而在此之前，其是作为影片的一部分一起进行保护的。

影片

影片是指"利用任何介质制作的可借助任何方式从中再现出活动影像的录制品",并包括照片的胶卷、录影带以及影碟。上述录制品不需要具有可视图像,因此,其似乎还可以包括对能使压缩图像在银幕上显示的信号的录制。

广播和有线传播节目

广播是指由在电视屏幕上听到和看到的图像和声音组成的,以及在收音机上和通过无线电传输所听到的内容所组成的条目。有线传播节目服务是指为公众接收之目的、全部或主要地通过电缆系统而非无线电系统传输可视影像、声音或其他信息的服务:第7条。二者之间的区别仅在于传输方式不同。无论所广播的内容是否已受到法律的保护,或者所广播的内容仅仅为新闻转播或者对体育赛事的播送,均不影响其作为广播而受到法律的保护。对广播的独立保护使得其他人不得对广播进行转播或者从广播员的投资和努力中获利。

有线传播节目服务必须具有为公众接受的目的,或者可以使用户在两个以上的地方接收。其包括任何类型的计算机网络,例如数据库或信息服务,但是不包括不与任何其他无线电通讯系统相连的私人(家庭或商业的)电缆系统:第7条第2款。其还包括将某制造商和贸易商相连接的数据库网络,但是不包括同一个组织的中间网络。诸如 Viewdata 和 Prestel 的互动数据库的法律地位还不明确:国务大臣在不对现存的例外事项进行修正的前提下有权增加或取消例外事项:第7条第3款。

对现场表演的保护

未经授权对表演进行录制或者拍摄的行为由刑法进行规制,但是法律也明确规定了表演者和任何对表演享有独占的录制和拍摄权的人所享有的一些民事权利。"表演"是指由一个或一个以上的人所进行的现场表演,包括戏剧表演、音乐表演、对文学作品的朗读和背诵、各种行为的表演以及类似的表达。表演必须是现场进行的，不需要拥有观众，其还包括对正在录制或其他方式予以记录的演播室里的"现场"表演进行复制。

对著作权的侵犯

著作权所有人享有一些基本的权利，对这些权利的侵犯构成一级侵权行为；对其他权利的侵犯则是二级侵权甚至是三级侵权行为。二级侵权行为和三级侵权行为通常以侵权人必须明知或者有合理的理由相信其所实施的行为是侵权行为为前提。但一级侵权行为则不需要存在这样的前提。对产品作出一定的标志足以证明行为人的明知和有合理理由的相信，其就如同是权利所有人所发出的警告信。法律还对精神权利加以承认，其对如何使用享有著作权的作品进行了限制。精神权利与著作权均独自存在于作品中。

一级侵权

为了保护著作权持有人的利益，法律禁止他人实施下列行为：(1) 复制受保护的作品；(2) 首先公开发行该作品；(3) 公开表演、放映或播放作品；(4) 广播作品或将作品收入有线传播节目服务中；(5) 向公众出借影片、录音制品以及电脑条目；(6) 对作品进行改编或针对改编作品实施上述任何行为。

复制作品 即使只复制了作品的实质内容仍然构成侵权；复制品无需与原件完全相同，只要在客观上足够类似就可以认为存在侵权。对于需要很高的技巧和努力的高质量作品，即使复制其中的一小部分也将构成侵权。复制包括对作品进行暂时性的复制和进行附属于该作品其他用途的复制：第17条第6款；还包括使用其全部或者部分内容已复制到计算机存储器内的计算机程序。如果著作权涉及的是以电子形式存在的材料，那么，在屏幕上演示该信息就可以构成对该作品的复制。

以电子形式存在的诸如电脑程序一类的作品还享有一些特殊的权利，这些作品处于"复制保护"状态以增加复制的难度或者如果不借助于特殊的设备就不可能打开：第296条。该规则还可以适用于保护那些设计为无法复制的光盘和磁带。该权利赋予那些向公众发行上述"复制保护"作品的人，但其只能对提供设计或改编绕开复制保护的设备的人，制造、进口、销售、租借或者使他人销售、租借任何上述设备的人，以及为了使他人可以或者帮助他人绕开复制保护而对已经使用的信息进行公布的任何人行使上述权利。对接收广播或者有线传播节目进行收费以及对传输过程进行加密的人也享有类似的权利：第298条。

283　　**首次发行**　复制品一旦开始发行，任何人就都可以购买和销售复制品，并以其进行交易，但是不得进口或者租借该复制品。但是，即使录音制品、影片和计算机程序的复制品已开始发行，其只有经过著作权所有人的同意以后才可以进行租借。

公开表演　著作权所有人享有公开表演或者允许他人表演拥有著作权的作品的排他性权利：第19条第1款。录音、影片、广播和有线传播节目的著作权所有人均享有相应的公开表演或者展示作品的权利：第19条第3款。

广播和有线传播节目所包含的内容　某些著作权作品的所有人所享有的排他性权利还包括授予他人进行广播或者使用有线传播节目中的材料的许可。

对享有著作权的作品的改编　著作权所有人还享有改编或者允许他人改编其文学、戏剧和音乐作品的排他性权利（第21条第1款），并对如何处理改编后的作品进行控制。对改编作品的控制权包括所有的基本著作权。"改编"包括：(1) 对文学或者戏剧作品进行翻译；(2) 将戏剧作品改编为非戏剧作品或者将非戏剧作品改编为戏剧作品：第21条第3款第1项；(3) 对音乐作品进行安排或者抄写：第21条第3款第2项。对于电脑程序而言，"翻译"一词包括将一个程序转化为电脑语言或者电脑代码，以及将电脑语言或者电脑代码转化为电脑程序：第21条第4款。

二级侵权

在这种情况下承担责任要求侵犯著作权的人明知或者有合理的理由相信其所实施的行为有可能对著作权造成侵权。侵权行为包括：(1) 为了个人或者家庭使用以外的目的将侵犯著作权的复制品输入英国境内：第22条；(2) 对侵犯著作权作品的复制品进行占有并从事商业性交易：第23条；(3) 制造、进口或者占有对复制著作权作品所设计和改编的任何设备：第24条——这一点还适用于销售或者租赁上述设备或者提议销售或者租赁上述设备；(4) 在无线电传输系统上传输著作权作品：第24条。

三级侵权

这种责任产生于他人使用一定的设备播放录音制品、放映影片或者接收广播或有线传播节目等的情况；这时，上述设备的供应者、允许他人在其住所使用上述设备的人、提供所使用的原作复制品的人则需承担三级著作权侵权的责任。但是，其必须明知或者有合理的理由相信其行为有可能对著作权造成侵权：第26条。

有关著作权作品允许实施之行为

法律对于不属于复制原作以及其他行为的情况进行了详细的规定，这些情况包括为了教育的目的、图书馆的使用、归档以及与公共管理等事务的需要对作品进行的使用，即：在与合法的过程中进行复制。在对文学、戏剧、音乐和艺术作品进行研究和私人学习、批评、评论以及时事报道有关的"公平交易"上也存在着一些例外：第29条。法律规定：为了批评或者评论的目的使用作品，要求对作者给予充分的通知：第30条。第178条对于何为"充分的"进行了说明。法律还将在影片、广播等中所附带包含的艺术作品、录音制品、影片、广播和有线传播节目等排除在复制原作的范畴之外：第31条。但是故意将著作权作品包含在内的行为不在上述排除之列，例如作为音带部分的音乐。同时排除在外的还有对电视条目的录制，无论其是通过广播还是电缆，也不论其是否出于个人或者家庭使用的目的：第70条。

精神权利

这是文学、戏剧、音乐和艺术作品作者以及影片导演所享有的表明其上述身份以及使其作品免受损害性处理的权利。其使得任何人不得对上述作品主张作者的身份。损害性处理包括对作品进行任何添加或者删节：第80条第2款。其不包括对文学或者戏剧作品进行翻译或者只对音乐作品的一个音调或者音域变化进行改变的安排或者改写。表明作品作者身份的权利必须自己提出；这可以通过作者或导演签署的专门书面文件或者通过送达书面的通知提出：第78条。为了个人或者家庭使用而拍摄的照片或者影片的所有人还享有隐私权，其可以阻止上述内容向公众公开或者展览，以及进行广播或者包含于有线传播节目中。精神权利是属于作者或者导演的人身性权利，因此不得转让。其只能由作者或者导演以及其私人代表行使。即使在其著作权被转让或者许可之后，其仍然可以行使该权利。

著作权的所有

作者是第一个享有著作权的人，因此，确认谁是作品的作者十分重要。对作者的确认取决于作品的不同性质。

文学、音乐、戏剧和艺术作品

这些作品的作者即该作品的创作者（第9条），同时，该作品的作者还是作品的著作权所有人：第11条。依据1988年《著作权法》，法律有关照片的规定有所改变：其"作者"变为"创作者"，并在大多数情况下为拍摄照片的人。文学、音乐、戏剧和艺术作品著作权的所有权的例外情形是关于由雇员在其工作过程中所产生的作品，在该情形下，除非其有相反约定，否则其作品的著作权属于雇主。

版本之版面安排

版本之版面安排的创作者为其出版人：第9条。

录音制品和影片

其作者为对录音或影片制作之必要安排承担责任的人：第9条第2款，并且作者是该作品著作权的所有人：第11条。

广播和有线传播节目

制作广播的人即广播的创作人：第9条。电缆条目的创作人即提供该电缆条目的人：第9条。作品创作人即作品著作权所有人：第11条。

表演

在整个表演中每一位表演者均被视为是其特定部分的作者和创作人。存在于表演中的权利是属于表演者的人身性权利，因此不得对之进行买卖（第192条），这意味着表演者是其所作表演的第一个也是唯一一个拥有所有权的人。在表演者死后，该权利以及对这些权利的控制权可以通过遗嘱进行继承，如果没有遗嘱，则由死亡表演者的私人代表行使。

对表演的录制权属于与表演者签订了独家录制合同或者购买了该独家录制合同的利润的人，无论何种情况，均须符合法律对当事人国籍的要求。如果有权对独家录制合同享有利润的人所颁发的许可证允许被许可人为了商业开发的目的进行由独家录制合同所规定的录制，则只要被许可人的国籍符合法律的要求，其就可以自己享有录制权。

共有

如果各位作者的贡献无法彼此分开，则该作品就是"共同作品"：第10条。因此，如果无法明确一本书中各作者的贡献，则该书就是一件共同作者作品。共同的所有人只能共同行使其权利，而不得单独对享有著作权的作品进行许可授权，也不得单独提起诉讼。但是，作者的精神权利还是可以单独行使的：第88条。

未来著作权所有人在其作品产生以前可以签订合同将该作品的著作权进行转让，如同该作品是受委托而完成的，但上述合同需以书面方式进行并由未来著作权所有人或其代表在上面签字，当该作品完成以后，购买人即作品著作权的所有人：第91条。

著作权保护的期限

为了实施欧共体第93/98号指令，1988年《著作权法》所规定的著作权保护的期限被1995年《著作权和表演权期限条例》所修改。由于在一些案件中著作权保护的期限被延长（从15年到作者死后70年不等），因此，《条例》对延长保护期限的著作权作出了规定。

对文学、戏剧、音乐和艺术作品的保护期间为自作者死亡之年年终起70年：第12条第2款。但是，如果作品之作者身份不明，则著作权保护期间为：（1）自该作品产生之年年终起70年；或者（2）自该作品首次公之于众之年年终起70年：第12条第3款。如果在上述（1）、（2）中所规定的保护期间届满之前，作者身份已明确，则适用第12条第2款。对于文学、戏剧和音乐作品，对公众开放包括公开表演或者被广播或收入有线传播节目服务；对于艺术作品而言，包括公开展览；对于影片，则包括公开放映或者被广播或收入有线传播节目服务，但是，在确认作品是否被公开发表时，不得将非法行为考虑在内：第12条第5款。如果作品原创地所在的国家不属于欧洲经济圈（EEA）的国家，并且作品之作者也不具有欧洲经济圈国家的国籍，则作品的著作权期限依据作品原创地所在国有关法律加以确定，但不得超过依据第12条第2款至第5款对期限所作的规定。但是，如果作品产生源自电脑，则此种作品的著作权保护期间为自作品创作之年年终起50年。对于合作作品的著作权，保护期间的起算以最后死亡之作者的死亡时间为准；如果其中有一个或几个作者身份不明，则以身份明确之作者中最后死亡者之死亡时间为准。

对于录音制品而言，其著作权的保护期间自作品制作之年年终起50年届满；如果作品在此期限届满之前发行，则其著作权的保护期间自发行之年年终起50年届满：第13条第1款第2项。对于影片而言，其著作权的保护期间自下列人员中最后一个死者的死亡之年年终起70年届满：（1）主要导演；（2）电影剧本之作者；（3）对白作者；或者（4）音乐作曲者特别是专门为该影片创作或者使用的音乐的作曲者：第13条第2款第2项。如果上述人员中有一个或者几个人的身份不明，则应以身份明确之人中最后死亡者之死亡时间为准：第13条第2款第3项。如果上述所有人的身份均不明，则著作权自该作品制作之年年终起70年届满，或者自该作品首次向公众公开之年年终起70年届满。如果作品原创地所在的国家不属于欧洲经济圈国家，并且作品之作者也不具有欧洲经济圈国家的国籍，则作品的著作权保护期限依据非欧洲经济圈国家的有关法律加以确定，但其不得超过依据第13条第2款第2项至第6项中对期限所作的规定：第13条第2款第7项。

有关广播和有线传播节目的著作权自广播被制作或节目被收入有线传播节目服务之年年终起70年届满：第14条。

有关表演著作权的期限自该表演发生之年年终起50年届满，或者自该表演被发行之年年终起50年届满：第191条。

作者和导演的精神权利的期限随着作品著作权的存在而存续，但是对作品被虚假陈述所提起诉讼的期限则在有关的当事人死后20年期满：第86条。对该项权利予以执行的例子为 Clark v. Associated Newspapers Ltd 一案，该案涉及在"Alan Clark's Secret Political Diary"的所有权下以"Evening Standard"的名义进行的一系列哄骗行为，Alan Clark 先生依据《假冒法》以及第84条的规定获得了损害赔偿。

一般许可机制

私人组织为属于其成员的各类作者经营许可证体制，使得他人可以进行著作权交易而不致构成著作权的侵犯。表演权利协会对在公众场合中进行的音乐表演加以管理，包括在收音机上播放享有著作权的音乐录制品等等。摄影表演责任有限公司对在公众中播放录音带的权利进行管理；著作权许可机关管理的权利包括对已经发表的文学作品进行影印。一个依据1988年《著作权法》建立的被称作著作权法院法定机构负责对一般许可机制的运作进行审查。

刑事责任

侵犯著作权将构成多项刑事违法行为。刑事处罚包括罚金和时间最多为2年的监禁，并且法院还可以裁定违法者将其所有的侵犯著作权的复制品交于著作权的持有者或者裁定其放弃或者销毁上述复制品。

9.10 产品设计保护

对产品设计进行保护的有关法律是1949年《注册产品设计条例》（RDA1949）（1988年予以修订）以及1989年《产品设计权利（半导体晶片）实施细则》。产品设计被视为是与对其进行保存所使用的方法相独立存在的，其可以是设计出来的一个图案、蓝图以及技术说明或者模型和产品原型。前者属于"设计文件"，而后者则属于"表现产品设计的"的事物：第51条和第263条第1款。产品设计可以通过著作权、产品设计权或者注册产品设计权中任一种方式进行保护。

著作权的保护

1988年《著作权法》对存在于设计文件中的产品设计的侵权行为排除在侵犯著作权的范围之外：第51条。但是，著作权保护仍然适用于：（1）产品设计的二维空间方面；（2）产品设计本身在某些方面就已构成一件艺术作品的情形；（3）对字体的设计。因此，对墙纸、织品以及地毯图案、图形、雕刻和装饰性压花所进行的设计仍然可以受到著作权的保护，同时受到保护的还有三维艺术作品的设计或者具有锻铁、镶嵌或者雕刻等艺术工艺的作品。

对产品设计权利的保护

为了保护产品设计权利，产品设计是指："对全部或者部分商品的形状或者构造（无论是外部还是内部）的任何方面所进行的设计。"该定义明确将表面装饰排除在外：第213条第3款。设计必须在商品或者设计文件中予以记录：第213条第6款；但是设计文件包括数据库等形式：第263条第1款。被排除在保护范围之外的还有与另一商品相一致从而任一商品均能够完成其功效的产品形状或者构造特征：第213条第3款。同样，如果某商品将构成其他商品内部组成的一部分，则该商品的设计权将不会对依据另一商品的形状而形成的形状或者构造特征予以保护。这些限制使得互相竞争的制造商可以在著作权对产品设计进行过渡性保护的前提下分享产品的不同部分的权利。产品的建造方法或者原理同样被排除在设计权的保护范围之外：第213条第3款；这将使得仅仅依据所使用的材料和建造方法而形成的设计特征无法受到法律的保护。

计算机程序、处方和材料也不属于设计权保护的范围。除非加工食品产品已得到了专利权的保护，否则任何人均有权对其进行复制。例如，对WALL公司的"Viennetta"牌冰激凌进行复制。新法将对电路图进行保护。

对产品设计的注册保护

产品设计注册保护的是具有一定吸引力的设计，注册必须依据1949年《注册设计法》（由1988年法予以修订）在设计注册署进行。产品设计的注册与通过任何工业步骤运用于商品的形状、构造、图案或者装饰上的可以用肉眼识别并被吸引的表现在成品中的特征有关：修订后的1949年《注册设计法》第1条第1款。设计权的注册与特定商品有关，并需要延伸至包括其可以适用的任何种类的商品，如同产品范围。因为"商品"包括一件商品的任何部分，所以如果该部分是单独制造并销售的，则商品不同部分的设计特征可以享有单独的权利：第44条。二维和三维设计方面也包括在内，但是1989年《注册设计法》明确规定：对于所有的瓷砖、纪念章和奖章，以及主要由文学和艺术特征构成的印刷物，包括书籍封面套纸、日历、证书、息票、服装设计图案、贺卡、标签、传单、地图、设计图、纸牌、明信片、邮票、商业广告、贸易格式及卡片、转印和类似商品必须以依赖著作权法进行保护。

如果产品的外观不是实物性的，则不能受到产品设计保护。有关产品构造的目的、原理或者方法不能成为设计权保护的客体，并且设计权中的产品内部构造例外也适用于注册设计。但是，法律并没有排除功能结合设计；而仅仅由产品功能所决定的特征则不能受到保护：修订版第1条第1款第2项第1分项。

与产品设计有关的权利

产品设计的著作权

自1989年8月1日起，著作权就只适用于将成为艺术作品的设计，以及具有一定吸引力的二维设计，例如墙纸、织物、圣子图等等。对于在该日期之前所制作的三维产品设计，法律将依据著作权法对之予以10年的保护。

对于在1989年8月1日之前制作的产品设计，可以自该日期起10年内继续受到保护。对于仍然受到著作权保护的设计，如果作品（包括字体设计）的复制品是用工业方法制造的，则著作权保护期限自该复制的作品被首次投入市场之年年终起20年届满。依据1989年《著作权（工业方法和被排除之商品）（No.2）指令》，如果某商品50%以上的部分是通过工业方法制作的，并且该商品是一件艺术作品的复制品但不属于以登记为目的的商品系列中的一部分，则该商品被视作是通过一个工业方法制作的。该指令还对具有文学或者艺术特征的商品种类作了具体规定，这些商品将仍然通过一般的著作权法加以保护。

产品设计权利

产品设计的所有人享有出于商业目的对其设计进行再生产的排

他性权利：第226条。这意味着将上述设计制成为商品或者为了将该设计制成为商品而将该设计记录在设计文件中。法律对于上述产品的功能特征、内部特征、构成方法或者原理、表面装饰以及平凡特征不予保护。

为了判断他人的行为是否构成对产品设计的侵犯，设计所有人对其设计进行再生产必须出于"商业目的"，包括在贸易活动中以出售或者出租为目的所进行的任何行为：第263条第3款。一级侵权行为包括制作或者授权任何其他人制作所设计的商品，或者未经所有人同意将设计记录在设计文件中。二级侵权行为包括出于商业目的进口、占有和买卖侵犯设计权的商品：第227条。上述侵权行为的构成均要求行为人明知或者有合理的理由相信所涉商品侵犯设计权。

注册权利

注册设计所有人享有制造和进口采用该设计的商品的排他性权利（1949年《注册设计法》，第7条）。但该权利的行使必须是出于贸易或者商业的目的对上述商品进行的销售、出租或者使用。这意味着如果货物的制造或者进口是出于个人或者家庭使用的目的或者任何其他的贸易或者商业以外的目的则不构成对设计权的侵犯。设计权所有人同时还享有对将其设计运用于上的商品进行交易的排他性权利。交易意味着销售、出租、提供或者为了出售和出租的目的进行展示。构成对注册设计权的侵犯无需对设计进行完全的复制，因此，如果任何人所生产的商品在本质上与注册设计相类似就有可能构成侵犯。同时，任何人如果对在侵犯设计权的商品的制造中所使用的任何东西进行制作也将构成对设计权的侵犯：第7条第3款。

上述保护不适用于产品的功能特征、内部构造、构成方法或者原理，以及对于消费者决定购买该商品不具有实质性影响到产品外形。如果行为人不知道或者没有合理的理由相信某设计已经予以注册，则该行为人可以不必支付损害赔偿金：第9条。有关注册设计不存在刑事侵犯行为，因此，在有关注册设计的侵犯行为中也不会构成刑事犯罪。

产品设计的所有权问题

如前所述，对于著作权而言，这个问题是由著作权一般规则加以调整的。但是在有关产品设计权的保护上，设计者即为创作出该设计的人：第214条第1款。如果该设计是由计算机产生的，则设计者为对该设计的产生作出必要设计的人：第214条第2款。除非设计是受他人委托完成的或者是设计者在其工作过程中完成的，否则设计者既是设计权的第一个所有人，也是预期的所有人：第215条第1款。如果设计是受他人委托完成的，则对该设计的完成进行委托的人为设计权所有人：第215条第2款。如果设计是设计者在其工作过程中完成的，而雇主和雇员均未在该设计的完成上得到第三方的指派，则设计者的雇主为设计权所有人：第215条第3款。如果设计权只有满足首次投入市场之要求才可以受到法律的保护，则将该设计所制作的商品首次投入市场的人是设计权所有人：第215条第4款。因此，如果被制造的商品并不是由设计权所有人首次投入市场的，则独占许可人或者独占分销商也可以有权获得设计权。如果产品设计预期所有人同意在设计被创作出来之前将设计权转让他人，则受让人在设计被创作出来之时可以自动获得该设计所有权：第223条第1款。上述协议必须以书面方式进行，并由设计权的预期所有人或其代表进行签字。在注册申请被提出并由被授予注册设计证之前，任何人不得成为该设计权的所有人。可注册设计的作者是创作该设计的人：第2条第3款（1949年《注册设计法》），如果设计是由计算机产生的，产品设计的作者为对该设计的产生作出必要设计的人。设计的作者为设计的原始所有人，同时也是有权对该设计申请注册的人：第2条第1款。

如果设计是受人委托完成的，则进行该委托之人是有权对该设计申请注册的所有人：第2条第1款第1项；如果设计是由雇员在其工作过程中创作的，则除非该设计是受人委托完成的，否则雇主为设计权所有人：第2条第1款第2项。在设计进行经注册之前，其所有人可以将设计权进行转让或者授予许可证，并且法律允许以上述方式从设计中获取利润的人对设计申请注册：第2条第1款和第2款。

9.11 半导体晶片设计保护

半导体晶片设计拥有其自己的保护体系，现在该保护包含在1989年《设计权（半导体表面特征）条例》中。该条例对于晶片表面特征设计进行保护，但是并不禁止他人制造具有已受到专利法保护的类似功能的晶片。该规则还对受到保护的设计的各方面进行了详细的规定。

半导体晶片的所有人与设计权所有人享有同样的排他性权利。但是，基于个人或者非商业性目的——对该设计进行制造，对该设计进行分析或者评估，或者为了对于包含在设计之中的概念、方法、体系或者技术进行分析或者评估——以及为了教学的目的实施上述行为不构成对该设计的侵犯。这使得逆向工程之门大开。对设计权的二级侵权行为适用于仅进行了细微变动的半导体晶片设计。在有关侵犯半导体表面特征设计权的行为中不会导致刑事责任的产生。该规则仍然将半导体晶片的功能特征、内部特征、构造方法及原理、表面装饰以及一般特征排除在保护范围之外。

半导体晶片设计的所有权规则与设计权的所有权规则完全一致，包括与首次投入市场（第215条第4款）及由雇员创作的和被委派进行的设计有关的规定。设计权的预期所有人可以转让其权利，而购买人则自动成为设计权的所有人：第223条第1款。

推荐读物

《土地法的实践方法》，第7版（Judith – Anne Mackenzie and

Mary Phillips, L. Alison, Blackstone Press, 1997)。

《知识产权法导论》，第 3 版（Phillips and Firth, Butterworths, 1995）。

《知识产权法资料》（Peter Groves, Cavendish, 1997）。

《知识产权读物》（Ed. Alison Firth, Shelley Lane, Yvone Smyth, Sweet and Maxwell, 1998）。

《土地法原理》，第 2 版（Kevin Gray, Butterworths, 1993）。

《土地法》，第 2 版（Kate Green, Macmillan Professional Master, 1993）。

问题

1. 什么是最通常的自由保有土地权和租赁保有土地权？

2. 人们有时可以在他人所有的土地上行使一些权利。如何形容这些权利，你可以举出此种权利的五个例子吗？

3. 试举出无形动产的例子，并使用一些专业术语形容之。

4. 大部分财产均受制于"任何人不能给予其所未有者"原则。该原则的含义是什么？哪些种类的财产是该原则的例外？

5. 不同种类知识产权的区别何在？

6. 商标是如何失去其有效性的？而商标登记所有人又是如何保证其商标的永续性的？

7. 一项发明要获得专利必须符合四个标准。这些标准是什么？

8. 专利是如何获得保护的？其保护期限为多久？

9. 著作权可以存在于文学作品中。在此意义上的"文学"是如何定义的？

10. 著作权所有人主要享有哪些权利？

11. 作者的精神权利和其他著作权权利的区别何在？

12. 产品设计权可以由三种方式保护。这三种方式是什么？三者之间如何区别？

10

借贷担保

学习目标

通过本章学习了解以下内容:

1. 在普通法或衡平法上,土地、货物、证券和人寿保险单都可以为贷款提供担保及担保的方式
2. 对担保物权人的保护和救济及对担保人的保护
3. 注册公司可以其资产担保,固定资产担保和浮动资产担保的区别
4. 保证和赔偿保证作为担保物权,包括合同对价、特殊类型担保人、担保人权利和担保的终止
5. 在买方未支付货款时破产或进入清算程序,供方可以用所有权保留条款担保价款的实现
6. 留置权作为担保物权的价值

10.1 担保的性质

当一人借钱或者以赊欠方式供货给另一人时,贷方或供方通常要求某种形式的担保或由第三人担保,担保形式取决于交易和借方所有的财产。此外,还会有某些形式的担保自动产生。如果借方未支付货款或偿还贷款,贷方将实现其担保物权从抵押的财产或担保人得到偿还。本章讨论的担保形式有:(1)动产和不动产(包括

有形财产和无形财产）的抵押；（2）公司的固定资产和流动资产担保；（3）第三人担保；（4）所有权保留条款；（5）个人财产留置权。

10.2 土地抵押

抵押的本质就是抵押人（借方）以自己的财产作为向抵押权人（贷方）贷款的担保，如果抵押人不履约（拖欠还款），则抵押权人可通过变卖抵押财产的价款获得本金和利息。抵押有法定抵押和衡平法抵押两种。

普通法抵押

对于大多数财产而言，抵押人把财产转移给抵押权人就完成了法定抵押。但是，这种转移是以抵押权人于偿还本金和利息之后返还抵押财产为条件的。对于土地而言，自从 1925 年《财产法》通过后，这种设立抵押权的方式已经不可能了。以下两种制度允许设立法定抵押时抵押人保留所有权：租赁抵押和普通法上的担保。

租赁抵押

抵押人和抵押权人就抵押财产签订租约，租期期限到抵押人赎回抵押物时止，即抵押人随时都可以偿还本金和利息终止租约。借贷协议中虽也应规定还款期限到法定回赎日期时止，但不得减损担保人衡平法上的赎回权，允许担保人在任何时间内（受到合理限制）支付本金和利息以赎回抵押财产。

如果土地是自由保有的，则租期一般是 3000 年。抵押人可以在同一财产上设立第二次抵押和后续抵押。第二次抵押和后续抵押的期限至少要比第一次抵押或前一次抵押的期限长一天。如果财产是租赁保有的，则在租约允许转租该租赁保有财产时，抵押人与抵押权人之间的转租期限至少要比抵押人承租该保有财产的租约期限短一天，第二次抵押和后续抵押的转租期限至少要比第一次抵押或前一次抵押的租约期限长一天。

普通法上的担保

在抵押人对租赁保有财产无转租权时,如果合同规定以普通法抵押方式进行担保,就对抵押该租赁保有财产非常有益。这种制度的运作是为抵押权人创设一种普通法上的利益,并给予其相同的保护。抵押人也可以进行第二次普通法抵押和后续普通法抵押。

衡平法抵押

衡平法抵押既可以是第一次抵押,也可以是第二次抵押和后续抵押。设立衡平法抵押有三种方式。

附加所有权契据或土地证书寄托的协议记录

1989年《财产(杂项规定)法》第2条禁止信赖由无双方签字的书面合同设立的衡平法抵押或不动产担保。这种协议记录可以是书面形式或契据形式,不同形式将影响对抵押权人的救济方式。协议记录中通常有一个承诺,即抵押权人能把这种抵押转换为普通法抵押。但不能仅通过寄托土地证书就在土地上设立衡平法抵押权,见 United Bank of Kuwait plc v. Sahib 一案。

未附加所有权契据或土地证书寄托的协议记录

这种协议记录必须符合1989年《财产(杂项规定)法》第2条的规定,但是可以是书面形式或契据形式,不同形式抵押权人的救济形式不同。

设立普通法抵押的协议

如果依法可强制执行的协议设立了符合1989年《财产(杂项规定)法》第2条规定的普通法抵押,则该协议即设立了有法律拘束力的衡平法抵押。法院可裁定特定履行该协议,使其转变成普通法抵押。

抵押与同意事实

因错误陈述或不当影响而获得的抵押可以被撤销(见第4章)。在 *Barclays Bank plc v. O'Brien* 一案中,妻子被错误陈述诱导而作其丈夫的保证人,但抵押权人了解内情,因此抵押被撤销。

在 *TSB Bank plc v. Camfidld* 一案中，丈夫无知的错误陈述其商业贷款的最大责任不超过 15000 英镑，妻子被该错误陈述诱导。妻子主张其有权撤销该项担保，但银行却主张对于 15000 英镑的贷款存在一个有效的担保。上诉法院撤销了这项交易。在 *Barclays Bank plc v. Boulter* 一案中，上诉法院认为银行应负举证责任，证明不能推定其了解错误陈述，而不是由妻子证明应推定其了解错误陈述。

在 *CIBC Mortgages plc v. Pitt* 一案中，丈夫以婚姻住房为担保，向银行贷款购买度假别墅，但实际上是替其还债。妻子想要基于丈夫的不当影响撤销担保。上议院认为其必须证明：银行事实上或能够推定其了解这种不当影响和这是一个为双方共同利益的普通贷款。在 *Banco Exterior International SA v. Mann* 一案中，丈夫希望用婚姻住房为其公司担保。银行向公司的律师寄送了文件，其中包括在律师在场情况下由妻子签署的关于担保后果的声明。这位律师向妻子解释了这项声明并表明其没有选择余地只能签署。事后这位律师证明其已经解释了担保的后果。上诉法院认为银行采取了合理措施避免被推定了解事实。此案判决结果被 *Bank of Baroda v. Rayarel* 一案遵循。该案中，妻子、丈夫和儿子以其住房为父子俩的公司担保。妻子签署了一份证明，证明其在签署前已经接受独立法律建议，因此，上诉法院认为此项担保有效。在 *Royal Bank of Scotland plc v. Etridge* 一案中，妻子主张银行选任的律师并没有单独向其解释此项担保，其将该律师视为其丈夫的雇员。如果律师没有单独向妻子解释此项担保，则即使该律师已经背书表明其已履行该职责，银行也被推定了解该不当影响，应对该律师的不履行负责。因此，上诉法院撤销了该占有裁定。但在 *Barclays Bank plc v. Thomson* 一案中，上诉法院认为：即使律师也在为丈夫企业工作，银行也有权信赖律师表明其已向妻子履行职责的保证。在 *Dunbar Bank plc v. Nadeem* 一案中，高等法院认为：妻子只有在把使用这笔款项所得的所有收益向贷方交代清楚后才能依据不当影响要求撤销担保。并不是所有的案件都与夫妻有关。在 Banco Exterior International v. Thomas 一案中，D 女士以其房子向银行为其好朋友 M 作担保，其前任律师已建议其不要作该担保，并打电话通知银行其观点，还写信告知 D 女士，对其强烈建议提起诉讼。当银行要执行担保时，D 女士主张受到 M 的不当影响。上诉法院受理银行的上诉，认为：只要银行保证 D 女士知道其在做什么，银行就没有责任询问 D 女士要当保证人的原因。显然，其前任律师已经给予其独立的法律意见。在 Credit Lyonnais Bank Nederland NV v. Burch 一案中，被告只是公司的一名中级雇员，在该交易中处于明显的劣势地位，主张推定其受不当影响。法院认为：银行的律师建议被告在签署协议前寻求独立的法律建议是不充分的，其还必须保证被告已经获得该建议。被告没有寻求独立法律建议的事实表明其受到雇主的不当影响，因此，上诉法院撤销了以被告房屋作出的抵押和为雇主利益而作出的金钱保证。

10.3 抵押权人的优先权及对抵押权人的保护

如果同一财产上存在多个抵押，就有必要确定抵押权人受偿的先后顺序。该制度保证在后抵押权人在担保特定化前发现在先抵押权人，并以财产是否登记为依据运行。

未登记转让情况下对抵押的保护

在财产转让未登记的情况下，对抵押的保护有两种方式：抵押权人保留所有权契据和根据 1925 年或 1972 年《土地抵押法》登记。普通法抵押权人应持有财产所有权契据，更准确地说，这种抵押是附加所有权契据寄托的普通法抵押。因为所有权契据无法再寄托的事实就是在先抵押存在的通知，所以第一抵押权人比其他任何后续抵押权人优先受到保护。这种寄托所有权契据的普通法和衡平法抵押权人不再需要任何特别保护。未持有所有权契据的抵押权人必须到土地抵押登记处登记，登记取决于不同类型的抵押。未寄托所有权契据的普通法抵押以 C1 类登记；仅有协议记录的衡平法抵押以 C3 类登记；设立普通法抵押的协议作为不动产合同以 C4 类登记。无论是否知情，不进行登记都将导致抵押不能对抗后续买受人，但是在属于 C4 类登记的情况下，后续买受人必须是为了金钱而交易：1972 年《土地抵押法》第 4 条。这里，买受人是指包括抵押权人和承租人在内的有对价地从土地或土地担保中获取利益的任何人：1925 年《土地抵押法》第 17 条。

抵押权人可以使用优先权通知：1972 年《土地抵押法》第 10 条。至少在实际登记发生前 15 天，由意图进行抵押登记的预期抵押权人向土地抵押登记处提出申请。如果在发出优先权通知之日起 30 日内进行登记，则可视为从抵押设立之日起即有效登记。

如果抵押的土地属于公司所有，则抵押必须在设立之日起 21 天内根据 1985 年《公司法》第 395 条进行登记。遵循这项规定是极为重要的。

土地登记情况下对抵押的保护

登记的财产转让通常要求在抵押登记簿上做记录。该保护取决于登记的性质，而登记的性质又取决于抵押的性质。

通过向登记员寄送普通法抵押文书（复印件）、土地证和登记费，普通法抵押就被转换成登记抵押。抵押被记录在抵押登记簿上，土地证书也被保存；登记处会发给抵押权人附有抵押契据的担保证明，以表明该抵押已经登记。普通法在后续抵押也受到同样的保护，但在后抵押权人将受到在先抵押的制约，取得的是注明有在先抵押的在后抵押证明。

对于寄托土地证书的衡平法抵押而言，土地证书通知本身就是一种保护，其使抵押权人得到任何企图进行后续抵押和财产交易的通知。抵押权人只能在规定期限内保护自己的利益，逾期抵押将被注销。因为其费用少于登记费用，有时普通法抵押也采用这种方式。其他衡平法抵押通过"警惕交易"方式也得到同样的保护。

如果土地属于公司所有，则无论是普通法抵押还是衡平法抵押，都必须在设立之日起21天内先到公司登记处登记，然后再到土地登记处登记。

10.4 对抵押人的保护
有四种保护抵押人的方式。
衡平法上的赎回权
对抵押人的主要保护方式是赎回权，抵押人可以在任何时候偿还本金、利息和其他费用而赎回自己的财产，不受抵押时合同约定的还款日期限制。这是抵押人享有的一种财产权利，其可以转让、消灭和随不动产一起被继承。

保护这项权利是基于抵押人行使赎回权不受任何阻止或严重限制的原则，因此，排除此项权利的条款是不允许的：*Sammuel v. Jarrah Timber and Wood Paving Corp. Ltd* 一案。通常有人试图把赎回权的行使限制在一段时间内，逾期将导致赎回权消灭，这种作法是无效的：*Fairclough v. Swan Brewery Co. Ltd* 一案。但法院会识别确认一些合理的限制，如20年甚至40年的期限限制。

衡平法赎回权可因下列原因而终止：（1）抵押人的放弃；（2）抵押权人占有抵押财产达12年（1939年《时效法》第12条）；（3）抵押权人根据法定变卖权出售财产；或者（4）抵押权人得到取消抵押品赎回权的裁定（见下面关于取消抵押品赎回权部分）。

防止抵押权人获得担保优势的保护
抵押权人会试图获得一些担保优势。最主要的例子与"独家经销协议"有关，该协议规定：抵押人限于抵押条款只能获得抵押权人的货物或服务供应。石油公司和酿造厂就商业用房抵押作为抵押权人时经常寻求这种方式。法院把该协议视为限制贸易的合同，除非其合理否则为无效。在 *Esso Petroleum Co. Ltd v. Harper's Garage (Stourport)* 一案中，法院认为5年以上的限制一般是合理的，但绝不能长达 21 年。根据欧共体法，除非个人或集体免责，否则独家经销协议按照《欧共体条约》第 85 条自始无效（见第 17 章）。

苛刻或不公平条款

法院可以撤销抵押交易中含有利率的条款。当抵押权人是个人、信用公司或国外金融机构时，这种保护显得尤为重要。在 *Cityland and Property（Holdings）Ltd v. Dabrah* 一案中，抵押人是一个佃户，其购买房东拥有的房子，但很显然其财产有限，所以其额外支付的费用不少于整笔款项的 57% 或者相当于 19% 的利息。本条款被要求重新约定。

法院判决受到谈判双方相对交易地位的影响。在 *Multiservice Bookbinding Ltd v. Marden* 一案中，法院强调：抵押人必须证明交易不仅不合理而且不公平，一方以应受谴责的方式强加不公正条款。法院认为在向一家小公司的抵押中规定按生活指数调整的利率合法，结果是 10 年后还款数量将由借款时的 36000 英镑增加到了 87588 英镑，平均利息是 16.01%。法院判决这项交易很难被接受但并不失公平。

高利贷协议

根据 1974 年《消费者信贷法》第 137 条，法院有权重新审查高利贷协议。由于 1974 年法案不涉及 15000 英镑以上的贷款以及地方当局和房屋建筑协会作为债权人的抵押交易，因此该法案不适用于大多数的居住财产抵押。但是，其适用于信用公司和非机构性贷款人，以保护真正需要保护的借款人。

如果协议是高利贷协议，则法院可以减轻协议强加给债务人的全部或部分责任或者变更信贷协议的条款：第 139 条。第 138 条阐明了"高利"的含义，尤其指引法院注重交易双方的平等地位。

在 *A. Ketley Ltd v. Scott* 一案中，对于相当于 48% 的抵押利息法院没有给予救济。一方面原因是考虑到贷款的奇特性和紧急性，贷方承受的高度风险和被告没有受到任何压力。另一方面原因是其中一名被告的欺诈行为，其没有披露向原告担保的财产上已经存在一个债务抵押。

在公司处于破产清算程序时，根据1986年《破产法》，清算人有权撤销高利贷协议（见第19章）。

10.5 对抵押权人的救济

对抵押权人的救济因普通法抵押或衡平法抵押不同而不同。

普通法抵押

有五种救济普通法抵押权人的方法。

占有权

抵押权人只有在从财产上有收入可取时才能行使该权利，而在其他情况下则不得行使该权利。衡平法的严格限制使得选任接管人更为有效。在 White v. City of London Brewery Co. 一案中，抵押权人行使占有权，以购买其公司的酒为条件把许可出售酒类的场所租给一个佃户。其应对以自由所有财产出租该场所将获得的超额收入向抵押人作详细交代。该权利通常与抵押权人的法定变卖权一起使用。

抵押权人的占有权可能会产生严重后果，下面是对抵押人的救济。在1969年判决债务执行委员会的报告中建议法院有权中止一项占有权要求，法定效力在1970年《司法管理法》第36条中阐明。这项建议并没有取得预期效果，1973年《司法管理法》第80条对其进行了修改。如果抵押人发现不仅一批分期偿付的抵押欠款而且任何一期还款都可能在中止期间内到期，则法院有权中止占有权程序。在 Bank of Scotland v. Grimes 一案中，法院的这种权力延及到银行贷款，本金可以25年后清偿，利息按月分期偿付。

法院只有在抵押人证明能够在一段合理时间内清偿债务的情况下才给予救济。占有权的中止必须是一个确定的期间：Royal Trust

Co. of Canada v. Markham and Another 一案。根据《司法管理法》，6个月的占有权中止期间被认为是合理的，但根据具体情况可以延长或缩短。

抵押人的配偶负有偿还抵押债务的法定义务，因此，其处于与占有程序相对抗的地位。在1981年《婚姻家庭和财产法》通过之前，因为抵押权人既没有义务通知抵押人配偶抵押人欠债的情况，也没有义务发出执行占有权通知，所以占有权是有瑕疵的。现在，1983年《婚姻家庭法》中已规定：抵押权人有义务向登记受保护的任何人发出执行占有权通知。

变卖权

由契据产生的抵押，抵押权人享有法定变卖权：1925年《财产法》第101条。赎回权的法定到期日一经届满变卖权就产生，所以，如果没有赎回权到期日，变卖权就无法产生：Twentieth Century Banking Corpn Ltd v. Wilkinson 一案。然而，只有满足下列条件，变卖权才是可执行的：(1) 拖欠还债3个月；(2) 拖欠付息2个月；(3) 违反抵押协议中的其他条款：第106条。

如果在变卖权产生后但尚未到可执行期即行使变卖权，则应保护不知情的善意买方（第104条），但抵押权人在诉讼中应对由抵押人造成的损害负责。在向银行提供的担保中可以不符合第103条规定的条件，允许银行提前行使变卖权（见第16章）。

抵押权人通过变卖抵押物使第三人获得没有任何负担的所有权，即不负担任何后续抵押。后续抵押权人的索款请求将转移到出售抵押物偿还债务后的剩余收益上。如果在后抵押权人行使出卖权，则出卖既可以受制于在先抵押也可以摆脱在先抵押。在摆脱在先抵押的情况下，在先抵押权人对出卖所得收益享有优先受偿权。所得收益应用于偿还：(1) 出卖所需要的一切费用；(2) 到期的本金和利息；(3) 剩余财产归还抵押人（或交付后续抵押权人）。

在 Cuckmere Brick Co. Ltd v. Mutual Finance Ltd 一案中，上诉

法院认为抵押权人应尽合理注意义务取得抵押财产的真实市场价值。在本案中，原告用其所有并获得建筑许可证的土地向被告担保。被告行使占有权随之选任拍卖人出卖土地。广告中并没有提及建筑许可证，原告就此提醒被告注意以寻求拖延拍卖，但是拍卖人按照被告指示提前拍卖，结果土地卖价低于正常价值。法院判定在行使出卖权过程中抵押权人应尽合理注意义务取得抵押物可能的最高价值。在 Standard Chartered Bank Ltd v. Walker 一案中，财产管理人在 2 月寒冷的一天出卖财产，获得的价值还不及拍卖人预计的 1/2。因为银行已经介入财产管理人的职务，所以即使财产管理人是有关公司的代理人，银行也要对此负责。因此，上诉法院认为银行指定的财产管理人应对借款人和债务保证人尽合理注意义务，选择出卖时机获得可能的最高价值。在 American Express Banking Corp v. Hurley 一案中，法院认为：当财产管理人是抵押人的代理人时，除非抵押权人指示或介入财产管理人的行为，否则对其行为不承担责任。尽管法院没有发现此类干预，但仍然认为抵押权人或财产管理人应对抵押人的债务保证人尽合理注意义务以获得被担保财产的真实市场价值。然而，如果抵押人和抵押权人之间存在利益冲突，则抵押权人对抵押人尽的任何注意义务都应服从于其保护自己利益的权利。鉴于枢密院对 Downsview Nominees Ltd v. First City Corp Ltd 一案作出的判决，我们必须了解 Cuckmere Brick 一案和一些其他判决。枢密院在判决中陈述道："如果抵押权人为保护自己的抵押而善意行使出卖权，则即使其获得了更高价值或某些条款被视为对抵押人不公平，其也不对抵押人承担责任。在 Cuckmere Brick 一案中，上诉法院认为：如果抵押权人决定出卖抵押物，则其必须尽合理注意义务以获得适当价值，但其没有提出其他建议的职权。"如果抵押权人是房屋建筑协会，则协会有法定义务保证出卖价格是可合理获得的最好价值：1962 年《建筑协会法》第 36 条。

在 AIB Finance Ltd v. Debtors 一案中，高等法院认为，如果抵

押权人行使出卖权的财产与企业经营活动相关,则其有责任使财产价值最大化并继续经营活动,使得财产作为繁荣企业被出卖。本案中,抵押企业房产售价43500英镑,但债务人主张:作为一个繁荣企业,其价值应是18万英镑。

对于登记的土地而言,抵押权人的法定变卖权仅及于登记的担保,即那些获得登记局签发担保证明的普通法担保。

取消抵押品的赎回权

这项救济需要向法院提出申请,并且只有在还款到期之后才能产生。法院首先作出命令抵押人还债的裁定(附条件的),当抵押人不还款时这个裁定就变成绝对的(终局的)。实践中,根据1925年《财产法》第91条,法院通常对取消抵押品赎回权的申请作出变卖的裁定。取消抵押物赎回权的终局裁定把财产给予抵押权人,结束抵押人的赎回权,但其在很大程度上都被法定变卖权所取代。

指定财产管理人

在与法定变卖权相同情况相同条件下,抵押权人也有权享有指定财产管理人的法定权利(1925年《财产法》第101条第1款第3项)。必须以书面形式指定财产管理人(第109条第1款)除非抵押契据另有规定,否则财产管理人将是抵押人的代理人(第109条第2款)。这意味着即使抵押人对财产管理人的指定没有决定权,其仍要对财产管理人的任何作为或不作为承担责任。这使得指定财产管理人比私人占有更能引起抵押权人的兴趣。

财产管理人的职责是接受抵押财产上的所有利益孳息,将其用于:(1)支付租金、利率、税款和其他支出;(2)支付其佣金和火险、寿险等各种保险金;(3)支付抵押利息;(4)剩余款项用来支付本金(如果抵押权人如此指示)(关于公司财产管理人,见第19章)。

根据抵押人的个人还款协议起诉

这是强制偿还债务的普通诉讼。因为抵押以契据形式产生,所以诉讼时效为 12 年。

衡平法抵押
对衡平法抵押的救济方式与对普通法抵押的救济方式类似。

占有权
衡平法抵押权人是否对抵押物享有占有权还有待明确。

变卖权
如果抵押以契据形式产生，则法定变卖权同上。在土地登记的情况下，抵押权人可首先把抵押变成一种已登记担保，否则，即使没有法定所有权，衡平法抵押权人也将引起普通法上财产权益的转移：关于 White Rose Cottage 一案。如果抵押不是以契据形式产生，则根据1925年《财产法》第 91 条，抵押权人可向法院申请变卖权。

取消抵押品的赎回权
法院有权代表衡平法抵押权人签发取消抵押品赎回权的命令，但在实践中，经常签发变卖令。

指定财产管理人
法院的上述法定权力适用于以契据形式产生的衡平法抵押，但在其他情况下，衡平法抵押权人可以向法院申请指定财产管理人。

10.6　记名股票抵押
一般而言，抵押权人只接受在证券交易所挂牌或在选择性投资市场上市的公司的证券作抵押。有些上市公司并不在任何市场上挂牌列名，而是由股票经纪人以对应交易方式交易，有时不会找到即时买受人。因为估价和变现问题，所以一般不接受私人公司的证券抵押。抵押方式取决于其是记名证券还是无记名证券。如果公司章程中明示授权，则公司可以发行无记名股票和股款已付讫股票。公司发行的股份证明，也是一种票据，通过交付即可完成交易。持有股份证明是享有所有权的基础。发放股息时向公司出示的股息券也是一种股份证明,其很少见,抵押也无定式。只要提交股份证明并达成协议于清偿本金和利息时返还,股票抵押即成立。如逾期不履行,抵押权人可以向第三人转让该证明。

大部分证券都是记名的,在证券持有人或成员登记簿上登记持有人的名字和地址。根据针对挂牌列名证券的 CREST 登记和流通系统,个人投资商选择书面证明以易于这些证券的抵押。证明书是享有证券所有权的初步证据:1985 年《公司法》第 186 条。所有权权属最终取决于适当登记记录,须用受让人姓名替换转让人姓名方完成转让。暂时登记的持有人是向其发放利息或红利的人。证券既可以进行普通法抵押也可以进行衡平法抵押。

记名证券的普通法抵押

正式普通法抵押是指在允诺偿还本金和利息之后再改为记名持有人姓名的前提下,将持有人的姓名改为抵押权人或其指定人的姓名。其使用的文件是 1963 年《股票转让法》推行的股票转让格式。这种格式用于公司股票和大部分公债的转让,转让人必须在表格上签字但并不要求受让人签字。这样,抵押权人或其指定人就成为记名持有人,在抵押人不履行债务情况下有权转让证券。

记名证券的衡平法抵押

这种抵押通常因抵押人向抵押权人提交股份证明或债券股证明而设立,不需签署任何转让或协议记录。但是,如果抵押权人是银行,则通常要求签署协议记录以表明这些债券是一种担保,而不仅是为了安全才存放在银行。

当证券上出现衡平索款要求时(例如记名持股人为受益人利益作为财产受托人情况下),抵押权人即使不知情也不能优先受偿,因此,衡平法抵押对抵押权人是不利的。抵押人也可以通过获得替代证明,将证券转让给新的记名持股人而不必考虑抵押权人的衡平请求。公司向记名持股人发行红利股将降低股票的市面价值,从而引发其他问题。向记名持股人发出要约的股权股发行也会引发一些问题，影响已发行股票的价值。

衡平法抵押权人受到一些法定保护。其可以向公司发出通知说明自己作为抵押权人而持有证券。因为公司不能在登记簿上记录任何信托通知（无论明示、默示还是推定），所以该通知并不会产生重大影响：1985 年《公司法》第 360 条。但是，该通知确实存在这样一种优势，即一旦公司被通知了这种担保交易，其对接到提交保存通知后的股票价格的上涨部分无权要求留置。在 Bradford Banking Co. Ltd v. Henry Briggs, Sons & Co. Ltd 一案中，法院认为提交保存通知并不属于第 360 条规定的信托通知。虽然留置权不适用于以票面价格报价的股票，但在提交保存通知送达后，发行新股证明的公司将因疏忽而对抵押权人承担责任。

一种更为正式的可能是：按 1965 年《最高法院规则》的修正案把停付通知送达公司。送达程序需要符合《最高法院规则》第 11 条的规定。停付通知送达后，公司在登记任何股票转让之前都必须提前 14 天向抵押权人作出预先通知，抵押权人可以在这段时间内获得对抗抵押人的限制令或者禁令。这种程序很少启用，但在没有普通法抵押可能性（当股票为控股机构的董事资格股时）和对抵押人的诚实度存有怀疑的情况下是很有用的。在抵押设立时，通常要求抵押人在表格上签字。未经抵押人在转让表格上签字，抵押权人不得转让股票。

10.7 其他证券

下列证券也可以进行抵押。

英国政府债券

在英格兰银行通过经纪人购买股票并获得股票证明的人，都在英格兰银行账簿上被登记为持有人。从国民储蓄部购买的股票都登记在国民储蓄股票登记簿上。公债可以进行普通法抵押和衡平法抵押。普通法抵押需将持有人变为抵押权人，而衡平法抵押则只需提交保存股票证明并作好协议记录即可。如果持有人在国民储蓄登记簿上登记，则抵押权人可以采用空白已签字的申请表格来转让股票。

国民储备收益债券

该债券被登记在国民储备股票登记簿上。衡平法抵押只需要提交保存证券证明并做好记录就可以设立。通常要求抵押人签署兑现通知。不得对该债券设立普通法抵押。

国民储蓄存款债券

衡平法抵押只需提交保存债券证明即可设立，但通常要求抵押人签署兑现通知。不得对该债券设立普通法抵押。

国民储蓄券

衡平法抵押只需提交保存证券证明即可设立，并且通常需要签署还款文件。由于持有人很容易重新获得证明并进行兑现，并且没有保护抵押权人的通知体制，因此，国民储蓄券并不是一种很好的担保。不得对该债券设立普通法抵押。

溢价储蓄债券

衡平法抵押只需提交保存和签署还款文件即可设立。但由于债券持有人可以重新获得证明并进行兑现，因此，溢价储蓄债券也不是一种很好的担保方式。不得对该债券设立普通法抵押。

单位信托

单位信托也只能进行衡平法抵押。其可以有两种设立方式：把单位信托转让给抵押权人；提交保存证明并通知被记载或承认的负责人（因为1985年《公司法》第360条不包括单位信托）。在设立抵押时，抵押权人可以要求抵押人签署放弃表格以使其能够兑现该单位信托。

10.8 人寿保险单抵押

对人寿保险单可以设立抵押。由于人寿保险单的价值很容易确定，而且不像土地、公司证券那样受不可预测变化的影响，因此，与公司证券或土地抵押相比，人寿保险单抵押被视为最令人满意的担保形式。只要支付保险费，保单价值就上涨。此外，其担保的实现也很简单，只要向保险公司提交保单即可。

保单的价值在于退保金额，即退保注销时保险公司支付的数额。在支付2—3年保险费后，保单就获得退保金额，并在保单有效期内随着保险费的支付而不断上涨。退保金额一般都在保单上注明，如果没有注明，则保险公司会提供相关信息。因为保单价值只能上涨，所以银行不必像对股票那样允许贬值差额幅度。

保单无效的风险

人寿保险单抵押的主要风险在于已投保寿险的人停止支付保险费。在以保单向银行担保情况下，为排除风险，银行不妨承担支付保险费的责任，然后记入抵押人借方账户。下面是导致保单无效的三个要素。

没有披露所有重要事实

保险合同是最坦率诚实的合同，其要求寻求保险的人对自己知道的重要事实作出完全披露。这些事实很可能影响保险公司是否同意承保和保险费用的数额，通常包括关于身体健康、危险职业和习惯方面的信息。实际上，投保人的责任仅限于回答投保单上的问题。

在投保人没有如实披露所有重要事实的情况下，保险公司可以使保单无效。抵押权人不得采取任何措施以防止这样的情况发生。实践中，这种情况很少发生。因为投保人年龄是影响保险费总额的因素之一，因此，实践中经常发生的情况是：投保人在填写保单时不如实披露其年龄。这意味着退保金额会比如实向保险公司披露年龄的情况下低。许多保险公司并不要求在填写保单时出示年龄证明，但在支付保险赔偿时要求必须出示年龄证明，这时抵押权人应当出示出生证明以确保投保人满足条件。

在限制投保人活动情况下也存在保单无效的风险，例如对因航空、采矿等特定职业而造成死亡的免责，或者对运动或休闲活动的限制。但大部分人寿保险单都不包括这些严格的限制条件。

自杀

抵押人的死亡不在保单承保范围之内也是一种微乎其微的可能。一些保单中含有投保人自杀条款，这样的保单只要遵循条款就不会有任何问题。其他一些保单可能不包括自杀，故意死亡将导致保险无效。但神志正常和精神失常两种自杀存在重大区别。即使存在一个不含自杀条款的保单，但因为投保人的行为不是故意的，所以精神失常自杀不会使保单无效。由于知名的保险公司都按退保金额承兑保单，这样即使不能满足投保人家人的要求，也满足了抵押权人的要求，因此，在实践中，这两种自杀都不会引发任何问题。

缺乏可保利益

由于与投保人或其配偶生命不相关的保单，对投保人来说，不存在可保利益，或者说对其生活没有财产利益，因此，该保单无效或不合法。因为大部分知名保险公司都不会发行这样的保单，所以发生这种风险的可能性很小。一旦发生这种风险，保险公司会放弃发行的不合法性承兑退保金额。

人寿保险单的普通法和衡平法抵押

人寿保险单既可以进行普通法抵押也可以进行衡平法抵押，其取决于具体抵押形式。

人寿保险单的普通法抵押

普通法抵押的设立是通过法定转让并允诺偿付本金和利息时返还而完成的。法定转让要根据1867年《保单法》的规定进行，必须以书面形式在保单上背书，或通过单独的书面文件，或按照《保单法》附件第5条的规定。附件中转让的行使如下："本人ＸＸ考虑到……据此在保险单授权范围内将保险单转让给ＸＸ，其遗嘱执行人、财产管理人和被指定人……见证……"。但如果抵押权人是银行,则其可以使用自己的表格形式。

银行的表格形式含有转让条款和声明。该声明表明所有到期款项包括利息和银行费用都受到抵押担保,并含有一个限制性条款,即偿还所有到期款项后,银行将把保单返还给客户,费用由客户承担。表格还含有持续抵押说明,客户在最高限额内的借款都受到担保。双方可达成协议:客户按时交付保险费并把收据交给银行;如果客户没有交付保险费,则银行可以代交,费用记入客户的借方账户。该协议使得银行不经客户同意即可将保单卖给任何人或提交保险公司,排除了1925年《财产法》第103条规定的对抵押权人权利的限制。此外,该协议还排除了1925年《财产法》第95条的规定,并允许合并诉讼。

除了书面转让协议之外,还应向发行保单的人寿保险公司送达转让通知(《保单法》第3条)。法定转让情况下,受让人可以自己名义起诉要求执行保单下的权利,使保单权利义务法定解除。

人寿保险单的衡平法抵押

由于对诉取动产设立的抵押无须任何手续,所以人寿保险单的衡平法抵押只要双方达成口头协议即可设立,或者更常见地是,其只要提交保存保单附加抵押条款的书面记录即可成立。抵押可以对抗抵押人的破产受托人、遗嘱执行人和财产管理人。但保险公司在支付任何保险赔偿金之前都要求投保人(如果死亡,则为其代理人)和抵押权人出示清偿债务的证明文件。

虽然没有法定要求,但是,抵押权人通常都向保险公司通知抵押事实。送达通知后,其就获得了优先权,优于那些其事实上不知道也不能推定知道的未送达通知的在先抵押权人。如果没有作出这种通知,则抵押权人的受偿顺序由抵押设立日期决定。

10.9 货物担保

货物也可以担保,其经常和对外贸易融资相关。有以下三种设立方式。

抵押

货物抵押中，借方保留对货物的占有权，而将所有权转移给贷方。货物抵押由 1878 年—1882 年《动产抵押据法》规定，要求自设立之日起 7 天内到最高法院中央办公厅登记。这种登记是公开的，会在各种贸易杂志上发表。所以这种担保会带来许多有害的宣传。而且，抵押契据也必须完全符合 1882 年《动产抵押据法》第 9 条规定的形式，否则无效。因此，货物抵押并不常见。

质押

质押中，借方保留货物所有权而把占有权转移给贷方。质押人（借方）把货物（或货物所有权证书）交付给质押权人（贷方）作为借款担保，并允诺于债务清偿时返还，质押即成立。如果协议规定了一个具体还款日期，则在质押人到期不履行债务时，质押权人有默示的变卖权。如果没有具体还款日期，而质押权人必须要求还款，但经要求质押人仍未还款，则质押权人在向质押权人送达变卖货物通知之后就可以行使变卖权。这是货物担保的常见形式。

不转移所有权的抵押

这种担保中，所有权和占有权都不转移给贷方。该担保仅在借方不实际占有也不能推定占有货物的情况下才发生。

10.10 注册公司设立的担保

长期贷款的公司通常会采用发放债券的形式，来证明债务和明确贷款的具体条款。大部分债券会引起公司财产上的债务。如果没有特别说明，这里所指的法律都指 1985 年《公司法》。"债券"一词并没有明确的定义，除了挂牌证券外，其不限于以公司财产担保的贷款，在其他场合，经常使用信用贷款债券。债券可以被定义为：一种经常以契据形式出现的书面欠款证明，通常以公司财产作担保，其既可以单个债券形式出现也可以多个平等债券的系列组合出现，包括公司信用债券。

系列组合中的大部分债券和公司信用债券都是根据针对受托人的信托契据产生的，如果发行公司信用债券，则债券持有人需取得信用债券证明。信托契据使公司能够以其财产设立法定担保，并把担保财产的变化考虑在内，受托人通常是信托公司或保险公司，由其来保护和执行债券持有人的权利。

债券可分为：记名债券和无记名债券；可赎回债券和不可赎回债券。其可以是永久性的，这也是其明显区别于抵押之处：第193条。因此，在 Knightbridge Estates Trust Ltd v. Byrne 一案中，上议院认为：上诉人把其所有财产抵押给B，并达成协议分80个半年分期付款，实质上是一种债券而不是抵押，作为对赎回权的限制，推迟40年的赎回权不能无效。债券也可以转换成股票，但这种债券不能折价发行。在其他情况下，并不限制折价发行债券。

10.11 公司财产担保

该担保既可以是固定的，也可以是浮动的。对于债券担保，常见的是二者的混合。

固定担保

该担保既可以是普通法上的，也可以是衡平法上的，并且，其是以公司具体财产作出的担保。未经权利人同意，公司事后不得处置或变卖这些财产。对于财产管理费用和清算费用，该权利人优先于公司的所有其他债权人，包括指定的财产管理人和在破产清算和财产管理中的优先债权人（见第19章）。

浮动担保

浮动担保是衡平法担保，最早在关于 Panama, New Zealand and Australian Royal Mail Co. 一案中被确认。在关于 Yorkshire Woolcombers Assoc. Ltd 一案中，根据浮动担保的具体特点将其定义

为：(1) 其是以公司目前或将来所有的一组财产担保；(2) 这些财产在公司正常经营过程中随时都发生变化；(3) 在权利人采取措施实施抵押之前，公司可以对特定财产进行正常经营活动。

在浮动担保特定化之前，其一直都围绕着与某财产或者某组财产相关但并没有具体附于该财产或者该组财产；以股票作出的浮动担保，允许公司自由处置和变卖这些财产，包括进一步设立享有优先权的担保。这些都随着浮动担保的特定化而停止，权利人将获得股票，公司不再有权随意处置担保财产。浮动担保是建立在整个企业或一组财产上的，包括商品存货量、账面负债等。

浮动担保特定化

一经特定，浮动担保就固定在抵押财产上，即在特定时公司所拥有的财产。此时，浮动担保就转化成在这些财产上设立的固定衡平担保。然而，因为浮动担保在 1986 年《破产法》中被定义为"设立时是浮动的担保"，所以公司清算或财产处理过程中的优先权并不受此影响：1986 年《破产法》第 251 条。1986 年《破产法》第 175 条确立了优先债权人对浮动担保的优先权，以防止关于 Brightlife Ltd 一案情形的发生。在该案中，权利人通过送达通知将浮动担保转化成固定担保，权利人因在公司结业清理开始之前送达通知而取得优先受偿权。1986 年《破产法》第 40 条对公司破产管理的规定相当于第 175 条的规定相同。关于 Yorkshire Woolcombers' Assoc. Ltd 一案的第三条标准即指浮动财产的特定化，但其由多个因素引发而并非仅由某一确定因素引发。下列情况下，均可产生浮动财产的特定化：(1) 权利人根据债券条款指定涉讼财产管理人或财产管理人，或者法院指定涉讼财产管理人或财产管理人；(2) 公司开始结业清理；(3) 公司不再继续经营（关于 Woodroffes Ltd 案）；(4) 根据自动特定化条款。

自动特定化条款规定：当特定化条件发生时，浮动担保就自动特定化。该条款的有效性在关于 Brightlife Ltd 一案中得以确立。其优势在于：其虽然受到1986年《破产法》第40条、第175条和第251条的限制，但因为特定化的后果是完成对权利人的财产转让，使得财产不再是"公司的货物"，所以，对特定化后无权执行担保财产的无担保债权人而言，自动特定化条款仍然是非常重要的（关于Re ELS Ltd 一案）。

固定担保还是浮动担保?

固定担保通常设立在现在及将来自由保有和租赁保有的财产之上，并在对债务人处置或处分财产权利的限制表明没有问题时固定于机器、设备和商誉之上。然而，也有以账面债务和动产设立固定担保的尝试。但是，无论当事人如何描述，法院都有权决定担保的性质：关于 *Armagh Shoes Ltd* 一案。法院考虑担保的性质，如果 *Yorkshire Woolcombers* 一案中的标准被确定，则该担保就是浮动担保。在 *Siebe Gorman & Co. Ltd v. Barclays Bank Ltd* 一案中，一家公司向银行发行债券，以所有账面债务和现在及以后不断到期的所欠公司的债务设立固定担保。债券表明这些相关债务所收到的所有债款都应该存入公司的银行账户。未经银行事先同意，公司不得转让或记入其他借方。并且公司可被要求向银行作出这些债款的普通法转让。法院认为该案中设立了固定担保。在另外一个案件中，债权人也是银行，所有的钱都存入银行指定的账户，只有经过银行官员副署才享有提款权：*Re Keenan Bros Ltd* 一案。固定担保对贷款人而并非银行不是很有利。在关于 *Brightlife Ltd* 一案中，由于没有限制公司对所收到款项的处置权，因此，以账面债务和其他债务设立的具体担保被视为浮动担保。

限制处置自由是很重要的，但这并不是所有的固定担保都必须的。在 Re Cimex Tissues Ltd 一案中，在经评估报告验证的机械设备上设立担保，尽管公司享有为贸易经营替换已磨损设备的有限权利，但该担保仍被认为是固定担保。然而在关于 *GE Tunbridge Ltd* 一案中，由于缺少动产的具体范围附表（法官认为否则可能会得出相反的结论）和公司对这些动产的具体自由权利，因此，以公司动产包括办公家具、打字机、电子设备等设立的明示固定担保，根据 Yorkshire Woolcombers 一案中的标准被认为是浮动担保。

在 Re New Bullas Trading Ltd 一案中可以看到更为复杂的结论。上诉法院确定下列两个担保的合法性：以所有未收取的账面债务设立的固定担保；权利人没有处理指示情况下以债务还款一旦存入银行账户的收益设立的浮动担保。法院认为，除了法定的不可能情形外，当事人可以选择任何形式的合同。

10.12 担保的登记

1985年《公司法》第七编包含担保记录条款，但是，其已被1989年《公司法》第四编所取代。在1994年工业贸易部发布的咨询性文件中，就下面三种选择征求意见：（1）保留1985年《公司法》第七编立法规定；（2）保留第七编的核心内容，并加入1989年《公司法》第四编的改进和临时登记体制；（3）用送达通知制度代替现行的只有在担保设立后才能登记的制度，允许担保于设立之前或之后进行登记都可以。两三年内将对此进行改革。

需要登记的担保及不登记的后果

根据第395条第1款，第396条所指担保为在英格兰和威尔士注册的公司设立的担保。除非在担保设立之后21天内担保细节和设立（或证明）的正式文件被提交公司注册局，否则该担保对于公司的财产清算人和财产管理人而言是无效的。如果没有遵循第395条第1款的规定，则该担保的债款应立即偿还：第395条第2款。然而，该担保对于公司而言却是有效的。在 Mercantile Bank of India Ltd v. Central Bank of India 一案中，未经登记浮动担保的权利人在清算前将浮动担保转化成固定担保，从而取得担保财产。在公司获得其设立的依第395条应登记的担保项下的财产时，必须在其完成取得财产21天之内进行登记：第400条。当财产位于国外时，21 天的期限自英国公司获得正式设立文件的副本之时起算。如果担保未按第 400 条第 1 款登记，则该担保并不无效，但公司中不履行该职责的职员必须承受罚金：第 400 条第 4 款。第 396 条第 1 款要求必须登记的担保是：（1）为担保任何债券的发行而进行的担保；（2）以未催缴股本进行的担保；（3）由正式文件设立或证明的担保，这种文件如果由个人执行，则要求作为动产抵押据登记的担保；（4）以土地及其产生的任何孳息进行的担保；（5）以公司的任何账面债务进行的担保；（6）以公司企业或财产进行的浮动担保；（7）以已催缴但未实际缴付的股本进行的担保；（8）以船舶或航空器或船舶的一部分进行的担保；（9）以商誉或知识产权进行的担保。

与其说第（1）类包括没有具体涉及的任何担保形式，不如说其好像是指债券系列组的发行。第（4）类所涉及的土地担保包括土地的衡平法抵押和普通法抵押，即使土地在国外也如此。因此，根据协议记录和提交保存所有权契据产生的衡平法担保应当登记，如果不登记，则该担保无效，权利人不能对文件和契据要求留置：关于 *Molton Finance Ltd* 一案。此外，设立土地抵押或担保的协议作为衡平法抵押是应当登记的，设立的任何后续抵押或后续担保也是应当登记的。如果衡平法担保登记后根据抵押条款转化成普通法担保，则其不需再登记：关于 *William Hall（Contractors）Ltd* 一案。第（5）类的账面债务指相关或产生于业务经营活动、向企业主欠下并记入账簿的债务。以公司的银行账户进行的担保并不属于这类账面债务：关于 *Brightlife Ltd* 一案。英国贸易工业部建议把"账面债务"担保换成"应收款项"担保。应收款项可以被定义为："经营过程中在货物供应或提供服务（现在或将来）方面向公司欠下或将欠下的款项"。关于银行账户等待条件完成的协议权利担保可以不登记：*Lovell Construction Ltd v. Independent Estates plc & Others* 一案。

登记证明的确凿性

公司登记局要对与每一公司相关的担保进行登记，并且，法律要求的担保细节必须记录在案：第 401 条第 1 款。登记局必须发行担保登记证明书：第 401 条第 2 款，该证明书是表明符合《公司法》第 402 条第 2 款第 2 项要求的确凿证据。

即使登记的担保日期和细节是错误的，并且登记局接受的文件已过期，登记事项和登记证明的不准确性也不会影响担保的有效性。在 Eric Holmes Ltd 一案中，6 月 5 日设立的担保记载日期为 6 月 23 日，并从 23 日起算在 21 天内登记。该担保并不因为没有根据第 395 条第 1 款登记而无效。在关于 CL Nye Ltd 一案中，1964 年 2 月 28 日设立的担保记载日期为 1964 年 6 月 18 日，并在 1964 年 7 月 3 日登记，但该担保有效。即使登记的具体事项有瑕疵，担保也是有效的，但具体条款以文件本身为准。在关于 Mechanisations (Eagles Cliffe) Ltd 一案中，公司为货物供应方的 18000 英镑款项和以后的款项及利息担保，在自己所有的土地上设立两个普通法担保。以不正确的事项为基础发行的证明书表明担保仅限于 18000 英镑，不涉及以后的货物供应款项。清算时，抵押权人声称担保的债务总额为 23000 英镑。法院认为担保对全部金额有效，登记事项和证明书不能使超过 18000 英镑款项的担保无效。

公司必须对发行的债券或信用债券证明附登记证明书副本：第 402 条。在未登记土地上设立的具体担保必须在公司登记局根据 1972 年《土地抵押法》登记，并且，在已登记土地上设立的担保也必须在土地登记局登记。未登记土地设立的浮动担保只需在公司登记局登记，但已登记土地设立的浮动担保可以通过通知或预先通知得到保护。当债券在登记土地上既有固定担保也有浮动担保时，鉴于浮动担保可以通过通知受到保护，通常以固定担保登记（见第 19 章）。

登记的更正

经公司或利害关系人申请，高等法院法官可以根据公平有益条款作出裁定：延长登记时间，或者修改登记事项的漏洞、错误：第 404 条第 2 款。但是法官必须证明未登记、漏洞或错误陈述是"偶然的，或者非故意的，或者由于其他充分事由，或者不具有歧视公司债权人、股票持有人的性质，或者使给予救济是公平合理的其他原因"。不符合上述五种理由之一的，不予逾期登记：关于 Telomatic 一案。

法院通常在允许延期登记的裁定上使用下列套语："担保登记时间延长到……；本裁定无损双方在上述担保设立起到实际登记止这段时间内获得的权利。"这表明：在设立 21 天内因没有登记而导致无效的担保，直到根据法院裁定登记时才有效。该套语是在 Watson v. Duff Morgan and Vermont (Holdings) Ltd 一案作出判决后引进的。如果以未登记的在先担保为条件设立在后担保，则当登记修正时，在后担保通常推迟到在先担保之后。上述套语不保护无担保债权人。

只有在特殊情况下，法院才对已进入清算阶段的公司作出延期登记裁定。在根据 1986 年《破产法》第 10 条第 1 款第 3 项向法院请求作出财产管理裁定和根据第 11 条第 3 款第 4 项指定财产管理人之后，担保可以延期登记。

担保优先权

根据第 395 条，无效的未登记担保丧失优先权。根据第 395 条的登记被认为是担保存在的通知。既然衡平法担保的登记是向后续普通法担保权利人的通知，那么，对于固定担保而言，不管担保性质是普通法还是衡平法，优先权都取决于登记的顺序。

对于浮动担保而言，也按登记顺序排列优先权。但其存在例外情形：以整个企业为标的的在先浮动担保允许以部分企业为标的的在后浮动担保的设立，这时在后浮动担保享有优先于在先担保的权利：关于 *Automatic Bottlemakers Ltd* 一案。

如果既存在固定担保又存在浮动担保，则固定担保即使在后设立也优先于浮动担保。尽管浮动担保普遍包含限制公司设立享有优先权的在后担保的条款，但是，因为不能推定后续固定担保权利人了解此种担保的具体内容，所以该限制条款对于后续固定担保权利人无效。如果该限制条款记录在登记事项中，就可以在某种程度上推定后续担保权利人了解担保的具体内容，但通常情况下，知道浮动担保存在的后续担保权利人会要求担保副本以了解该限制。如果后续担保权利人知道该限制，则其就不再享有优先于浮动担保的权利。

即使已登记担保权利人知道在先未登记担保，已登记担保仍具有优先于在先未登记担保的权利：关于 *Monolithic Co.* 一案。

清偿与免除

如果收到规定形式的法律声明证明全部或部分债务已经偿还或清偿，或者，部分财产或企业被免除债务或不再属于公司财产或企业的一部分，则登记员可以在登记上做备忘录，记录该情况。如果有债务全部清偿的备忘录，则经要求登记员应向公司寄送副本：第403条。

对债券持有人的救济

公司的担保债权人可寻求的救济途径有：（1）起诉要求偿还本金和利息；（2）递交诉状请求公司解散；（3）根据债券条款指定涉讼财产管理人或破产管理人；（4）对债券所有的任何担保财产实施变卖权。

信用债券持有人并不是严格意义上的公司债权人，信托契据通常把诉讼权利的行使仅限于受托人（见第19章关于上述（2）和（3）的讨论）。

现行登记制度的主要缺陷

现行登记制度的主要缺陷是：有效担保在设立起21天内和提

交登记事项与登记完成这段期间内在登记簿上没有记录。所以，在向公司提交款项之前，贷方可在其担保登记后多于 21 天的期间内进行调查，以确信没有以同一财产为标的的优先担保存在。登记员检查登记事项的责任是否就是提供人的责任，关于这一点尚未确定。但如果登记没有如实有效地反映担保条款，则担保仍然有效，这对信赖登记的人不利。

10.13 浮动担保的不利之处

浮动担保有许多不利之处。因为其允许公司以不能设立固定担保的变化不定的财产作为债务担保，所以其只对设立公司有利。关于 Croftbell 一案的判决表明浮动担保对权利人的主要好处在于：在以公司全部或大体上相当于全部财产作为标的的情况下，允许权利人在公司不履行债务时指定财产管理人。这使得权利人可以阻止财产管理人的指定（见第 19 章）。浮动担保的不利之处从以下五方面予以讨论。

优先权方面的劣势

在清算或指定财产管理人的情况下，固定担保权利人就相关财产享有优于所有债权人的权利；而浮动担保权利人就清算费用以外的财产享有优于所有债权人（但优先债权人除外）的权利：1986 年《破产法》第 40 条和第 175 条（见第 19 章）。

在浮动担保特定化之前，除非有相反的保证限制，否则后续特定担保都享有优于该浮动担保的权利。下列债权人的请求也优先于浮动担保：（1）扣押财物索要租金的房东；（2）获得要求第三债务人的终局还债令的债权人；（3）根据扣押许可证获得并出卖货物的债权人；（4）分期付款买卖合同下的债权人。

权利人权利受抵消、留置和所有权的限制

权利人对担保的财产享有和公司相同的权利。因此，在以账面债务担保的情况下，公司债权人可以如同对公司提出抵消、留置一样向担保权利人提出抵消、留置：Rother Iron Works Ltd v. Canterbury Precision Engineers Ltd 一案和 George Barker (Transport) Ltd v. Eynon 一案。（关于所有权，见下文）。

公司处分担保财产的权利

直到权利人采取措施执行担保时，仍可能没有充足的财产来提供充分的担保。为防止这类事件发生，权利人应当要求定期提供流动资产和责任的证明文件。对财产的处分可以是完全的，如公司转让其财产来交换另一家公司的股票：关于 Borax Co. 一案。

更容易被废止

浮动担保除了存在根据1986年《破产法》第239条被宣告为无效优先权的风险外，还容易根据第245条被宣布为部分或全部无效。这影响在公司结业清算或作出财产管理裁定之前一年内向无关人士作出的担保，并且影响在公司结业清算或作出财产管理裁定之前两年内向有关人士作出的担保（见第19章）。

更容易被指定的财产管理人控制

被指定的公司财产管理人可以处分担保项下的任何财产：1986年《破产法》第15条。对于浮动担保，不需提请法院同意，但对于其他类型的担保，例如固定担保、融资租赁、附条件买卖协议、动产租赁协议或所有权保留协议，被指定的财产管理人则必须首先获得法院授权：第15条第2款。因为处分财产的净收入必须交给担保未实现的人，所以担保债权人受到保护（第15条第4款）。由于即使担保价值高于变卖实现的价值，固定担保权利人也有权获得担保财产的价值，因此，对固定担保权利人的保护更多一些：第15条第5款。

10.14 担保权利人对公司权力机关和高级职员的义务

虽然由于越权原则和未授权合同的改革，不再要求从公司获得担保的人检查公司的章程性文件，但其仍希望确信：担保符合公司章程，在董事会职权范围内，标的物属于公司所有（见第8章）。然而，担保人必须保证：其不属于1985年《公司法》第151条规定的无效金融协助，并且，董事会权利没有因利益冲突而被减弱。

10.15 保证和赔偿保证

保证合同必须和赔偿保证合同区分开，其中最明显的区别是：根据1677年《禁止欺诈法》第4条，保证合同必须有书面的协议记录作为证明（见第3章）。在保证合同中，保证人或担保人允诺向主债务人现在或将来的债权人支付主债务人的现在或将来的债务。保证涉及两个合同和三方当事人。保证人向将预付主债务人款项的人表明："借钱给某人，如果此人不作偿还，则由本人偿还。"保证人对债务承担第二位的偿还责任，即其偿还责任只有在主债务人不履行时才产生。在赔偿保证合同中，只在保证人和借款人之间存在合同或者赊欠供应。在赔偿保证合同下，保证人表明："借钱给某人，本人保证一定偿还。"保证人是第一位的责任人。

在保证情况下，如果债权人和主债务人之间的合同无效，则保证人就被免除责任。过去这在主债务人是未成年人或有限责任公司时非常重要。但这种情况已被1987年《未成年人合同法》第2条和1985年《公司法》第35条第1款所的越权改革（见第8章）所解决，《未成年人合同法》废除了 *Coutts & Co. v. Browne – Lecky* 一案中确立的规则（见第3章）。银行保证含有使合同同时为保证和赔偿保证的条款。

保证合同的对价

有三个需要审查的合同对价。

约　因

除非保证以契据形式产生，否则在一般情况下，尽管1856年《商法修正案》规定保证书面文件中不必记录约因，但也必须有约因。然而实践中，约因一般都被记录下来。

约因不能以过去债务形式出现，在银行保证情况下，如果约因被陈述为一定具体金额则会存在潜在问题，很可能如果银行不贷出这笔金额保证就无效：Burton v. Gray 一案。银行保证通常是一种持续担保形式，包括：银行向主债务人多次贷款、保证人向银行提前3个月发出停付通知、如果保证人死亡则在得到死亡通知3个月后停止。

通常银行保证的约因是：考虑到银行预付或持续预付款项或提供贷款或提供银行设施直到银行认为适当的时间……（此后称为"主债务人"）。

披 露

保证合同并不是要求一方或双方披露所有重要事实的最"坦率诚实"的合同。这是在 Cooper v. National Provincial Bank Ltd 一案中阐明的。在该案中，银行没有披露以下事实：主债务人的丈夫是仍需要清偿债务的破产者，其有权动用账户并且账户以一种不正当不规则方式运行。原告因此请求撤销两个银行保证。一般而言，银行保证在银行、主债务人和保证人三方会议上签署，在主债务人在场的情况下，银行回答保证人提出的任何问题以披露信息。

错误、错误陈述和不当影响

保证合同过去经常受到否认订立协议的抗辩攻击，即使签字人疏忽，合同也可能无效：Carlisle and Cumberland Banking Co. v. Bragg 一案。Saunders v. Anglian Building Society 一案表明不允许签署文件疏忽人抗辩。然而诸如 Lloyd's Bank v. Waterhouse 之类案件仍在发生。保证合同文件绝不允许在没有债权人场合下签署。在 Associated Japanese Bank (International) Ltd v. Credit du Nord 一案中，原告签订由诈骗人草拟的合同：从该人处购买价值100多万英镑的机器设备然后再出租给该人，被告作为其责任保证人。诈骗人没付款就消失了，之后原告发现那些机器设备根本就不存在。原告请求执行被告的保证责任。法院发现保证书中有以机器设备存在为默示条件的表述,既然保证双方都相信机器设备存在,否则就不会进行交易,那么,Steyn 法官就作出判决:保证因一般错误而无效。因此,原告败诉。

如果保证人因受错误陈述诱骗而签署文件,则即使其没有过错,保证也可能无效:*Mackenzie v. Royal Bank of Canada* 一案。曾有权威说过:如果保证人在银行代理人面前提出问题或进行观察,必然或不可避免地使人认为预期保证人因错误理解客户的负债状况而被误导,则沉默也相当于一种错误陈述:*Royal Bank of Scotland v. Greenshields* 一案。

对于不当影响,通常而言,银行老板和客户之间没有信托义务:*National Westminster Bank plc v. Morgan* 一案。但是,如果预期保证人是主债务人的妻子,则即使不推定产生不当影响,这种关系的性质本身也很容易产生不当影响:*Mackenzie v. Royal Bank of Canada* 一案。债权人始终应当保证:在签署该保证之前,妻子应得到独立的法律建议。在 *Bank of Montreal v. Stuart* 一案中,Stuart 夫人作为向一家公司贷款的保证人,其丈夫与这家公司存在利害关系。这项保证是在其丈夫办公室当着银行律师的面签署的,这位律师同时也是这家公司的高级职员和股票持有人。后来 Stuart 夫人用一个更广范围的保证替代前一个保证,最后签订了一系列合同。根据这些合同,其向银行提供了所有财产,没有留下任何个人财产。在整个过程中其没有得到任何独立法律建议。尽管证据表明其自愿如此行为以帮助其丈夫,但法院发现 Stuart 夫人是一位病人,其是在被动地服从其丈夫,因此,法院撤销该合同。

特殊类型的保证人

有以下四种特殊类型的保证人。

未成年人

未成年人所作的担保在其未成年期间不可强制执行,但在其成年之后,可使合同生效或按相同条款重新订立一个可执行协议:

1987年《未成年人合同法》。

合伙企业

合伙人没有约束企业的默示权利：*Brettel v. Williams* 一案。因此，如果合伙企业章程没有明确表明提供保证在企业正常经营范围内，则保证必须由所有合伙人签字。保证应规定所有合伙人负连带责任：见下文的"两人或多人共同担保"部分。保证随着企业章程的变更而终止。

有限公司

越权原则如同董事会的权利一样重要，虽然实践中银行仍坚持检查章程性文件，但一些问题已被最近的改革所解决。

当保证因构成与1985年《公司法》第151条相违背的金融协议而无效时，问题就产生了：*Heald v. O'Connor* 一案。如果执行保证的董事与保证存在个人利害关系，则该保证是可撤销的。例如：一个公司为另一个公司账户作保证，如果该公司在作出保证决定时行使表决权的董事同时也是该另一公司的董事或股票持有人，则上述情形就可能发生。在公司为取代董事以前所作保证而进行任何形式的直接担保时，也可能发生上述情形。在 *Victors Ltd v. Lingard* 一案中，公司的五个董事为公司在米兰银行的账户作保证。几个月后，董事们作出决议：公司应向银行发行债券作为额外担保。该决议以 A 表形式做成，排除了有利害关系董事的表决权，并且，该决议也未将这些有利害关系的董事计算在董事会的法定人数之内。法院判决：因为债券解除了董事的保证责任，所以银行与董事之间存在个人利害关系。尽管在该案中公司被禁止宣称债券无效，但在其他情况下，则可能发生前文所述情形。在此种情形可能发生时，债权人应该保证关于保证（或其他担保）的决议由无利害关系董事表决通过，或者在上述表决不可能时由公司全体大会通过。即使决议允许有利害关系的董事对合同行使表决权，1985年《公司法》第317条仍规定：首次发生利害关系时，有利害关系的董事即负有在董事会会议上宣告该利害关系的责任。如果债权人知道此条规定被违反，则公司可以撤销该保证：*Rolled Steel Products Ltd v. British Steel Corporation* 一案。

由两个或两个以上保证人共同保证

此种情况将引起特殊问题，尤其是保证人责任的性质问题，其可能是共同责任或连带责任。在 1934 年《法律改革（杂项规定）法》生效之前，根据"生存者取得"原则，连带责任保证人对现存或将来债务的责任因其死亡而终止。曾有人争论该原则已被 1934 年《法律改革（杂项规定）法》改变，但其观点并不明确。在连带责任情况下，保证人对既存债务的责任在其死后仍存在，债权人可以要求以其财产偿还。

为使共同担保人承担连带责任，必须运用这样的语言："我们特此连带保证"。在银行保证情况下，通常伴有此类条款，允许银行在不损害其他保证人权利和救济的情况下免除一个或多个保证人的责任，从而排除了"对一个或多个共同保证人责任的解除就解除了其他共同保证人的责任"这一规则的适用：*Barclays Bank Ltd v. Trevanion The Banker* 一案。

共同保证人不需要当着全体保证人的面签署保证，但是，没有全体人保证在场的签署将解除已签署人的责任。在 *National Provincial Bank of England v. Brackenbury* 一案中，计划由 4 个人签署的连带保证却只有 3 个人签署，法院判决签署人不承担保证责任。在 *James Graham & Co. (Timber) Ltd v. Southgate—Sands* 一案中，原告对 3 个保证人起诉。开庭前，一个保证人破产，并且法院发现另外两个签名都是伪造的。上诉法院判决：由于其他共同保证人的签名是伪造的，因此，该保证人也不应承担保证责任。如果一个共同保证人未经其他共同保证人同意即变更保证条款，则所有共同保证人的保证责任都将解除。在 *Ellesmere Brewery Company v. Cooper* 一案中，四人作出一项连带保证，其中两人的责任限额各为

50 英镑，另两人的责任限额各为 28 英镑。在其他人签署完保证合同之后，第四人在签署时将其限额改为 25 英镑。这一实质性的变更解除了其他保证人的保证责任，既然其他保证人的保证责任都被解除，那么，作出实质性变更的保证人也不应再承担该保证责任。

参见下文关于连带保证终止的特殊规则。

325 **保证人的权利**

保证人对下列人员享有权利：（1）债权人；（2）主债务人；（3）其他担保人。但是，如果保证人的权利与银行利益相冲突，则银行保证表格会在实质上解除保证人的此项权利。

对债权人的权利

保证人可以随时向债权人询问其当前在保证合同下的责任范围。对于银行保证而言，由于银行负有替客户恪守秘密的义务，因此，保证人只能被告知其对保证金额或实际债款总额负责。

债务一旦到期，如果保证人取得了担保债务的转让，其就可以清偿债权人，并起诉主债务人。保证人可以向债权人主张抵消主债务人权利的利益。如果保证人清偿其所保证的全部或部分债务，其就对代位债权人享有债务方面的一切权利，包括主债务人和共同担保人向债权人提供的任何担保。在银行保证情况下，保证人的抗辩权将因含有下面的全部债务条款而丧失："本保证适用于主债务人向银行欠付的最后到期余款，并且，在这些余款被全部清偿之前，本人不会就本人向银行支付的款项向主债务人采取任何措施、执行任何权利和要求。"

对于同一债务，只能承认一份证明。因此，如果保证人已经向正处于清算阶段或破产状态的公司或个人的债权人提出保证或赔偿保证，则除非保证人解除主债务人向债权人所负的全部责任，否则即使其只同意对最大份额债务负责，其也不能在清算或破产中证明自己的债权人地位。如果保证只是针对主债务人的部分债务，则保证人一经完全清偿该部分债务就可以证明，而其余债务则由债权人证明。该规则既可以适用于规定清偿 25% 贷款及利息的保证，也可以适用于主债务人向债权人首付 10 万英镑的保证。

对主债务人的权利

如果债权人有权要求保证人即时付款，则即使债权人没有要求主债务人偿还债务，保证人也可以要求主债务人偿还债务。在 Thomas v. Nottingham Incorporated Football Club Ltd 一案中，法院判决：只要保证人向债权人发出终止保证通知，其就有权要求主债务人还债；即使保证人只有在经要求才负有还款责任时也是如此，本案中即没有提出还款要求。

保证人只要根据保证合同支付款项，其就立即有权向主债务人提起诉讼。如果主债务人破产或公司处于清算阶段，则其有权证明自己的债权人地位。该规则通常受到银行保证合同中全部债务条款的限制（见上文）。

对共同担保人的权利

在共同担保情况下，无论是共同责任还是连带责任，也无论是一个保证文件还是多个保证文件，清偿全部债务或清偿多于自己份额债务的人都有权向其他担保人要求偿还其应负担的份额。如果主债务人有偿付能力，则在向其他保证人提起的任何诉讼中，保证人必须作为共同被告：Hays v. Carter 一案。索要份额的任何诉讼都必须把债权人的担保利益和主债务人的偿还款项考虑在内。

保证的终止

只有持续保证合同才存在保证的终止问题，债权人基于对持续保证合同的信赖不断地发放贷款或供应货物直到保证终止。在此种情况下，尽管保证人被免除了进一步贷款或供货的责任，但其既存责任却仍然保留。债权人必须保证其对保证人的主张得以保留，没有因适用 Clayton's Case 一案中确立的规则而解除。这意味着：当因账户的支出（或发放新的贷款）而产生保证人不负保证责任的贷款时，该贷款会减少或解除保证人的责任。银行通常不使用主债务人的账户，而是新开账户进行进一步交易。

在 Westminster Bank Ltd v. Cond 一案中，银行在保证合同中插入以下条款：无论以后有任何存入和支出，都允许银行继续使用主债务人的账户，并保留保证人截至保证终止之日的责任。法院判决：即使终止通知后6年内银行仍不间断地使用这个账户，保证人的责任也保持不变。该条款适用于终止通知和保证人死亡通知，也可延及到保证人精神失常或破产。

在下列情况下保证终止。

保证人或主债务人清偿债务

主债务人和保证人清偿债务都将终止保证人的保证责任。然而，在保证人清偿债务情况下，因为破产受托人、公司清算人或指定财产管理人可以向债权人提出再偿付要求，所以保证合同应排除"其因以后设立的作为可撤销优先权的清偿而终止"。

保证人通知

在持续保证情况下，保证合同通常规定保证人可以提前3个月通知终止合同。在此种情形下，债权人可依保证合同继续支付贷款，保证人将对3个月期限届满时所欠余额承担责任。如果保证合同规定保证在保证人死亡通知后将持续3个月，则该规则同样适用于因保证人的死亡通知而终止的情况。

保证人死亡、精神失常、破产或清算通知

如果保证合同在保证人死亡之前一直得到执行，则该保证合同将持续到债权人接到死亡通知时止。在保证人精神失常情况下也是如此。虽然银行保证表格通常规定：保证在保证人死亡通知后继续，但其对精神失常却没有类似规定，一经收到保证人死亡通知就不能再信赖该保证合同。如果保证人破产或处于清算阶段，则在接到保证人死亡通知后，债权人就不能再信赖该保证合同。

主债务人死亡

如果保证终止，则保证人对终止前主债务人的全部债务承担责

任。只有在银行保证情况下，银行才会承兑在主债务人死亡之后、收到死亡通知之前这段期间内提示的支票。一旦收到通知，银行就会返还没支付的支票并记载"出票人死亡"。

主合同条款变更

主合同条款的实质性变更将解除保证人的责任。这种情况下，最主要的变更是债权人给予主债务人更长的支付时间。该规则曾遭到批评，但却一直得到严格适用。然而，大部分保证合同都将排除该规则的适用。

当事人的变更

在没有相反约定的情况下，如果保证合同中被担保的一方当事人发生变更，则对于未来交易，保证合同被宣告无效。该规则虽规定在1890年《学徒法》第18条之中，但同样适用于注册公司，两个或多个公司的合并即撤销了对其中一个公司的未来交易的保证。

债权人免除主债务人责任

如果债权人免除主债务人责任，则保证人也免责：*Perry v. National Provincial Bank of England* 一案。该规则不适用于1986年《破产法》规定的债务和解协议（见第18章），但是大部分保证合同都排除了该规则的适用。

连带保证的特殊规则

连带保证中，其中一保证人死亡的通知不能阻止其他保证人继续为将来的贷款承担保证责任。在持续保证情况下，虽然保证的终止将导致不再使用主债务人的账户而开设新账户，但如果保证合同中含有如同 *Westminster Bank Ltd v. Cond* 一案中的条款则不必如此；而且，如果保证合同中含有"终止通知或其中一个保证人死亡的通知并不终止保证合同（只有经全体保证人通知时才终止）"这一条款，则保证合同继续适用于将来的贷款，甚至承担已死亡保证人的责任：*Egbert v. National Crown Bank* 一案。共同保证人中一人精神失常的通知推定对其他保证人具有同样的后果，但精神失常保证人对将来贷款的担保责任终止。如果一个连带保证人破产，则其后果如同其死亡后果一样，并可以通过协议明确规定其他保证人的责任。同样，银行如果希望在破产保证人的财产中证明自己的债权人地位，则除非保证合同中含有 Westminster Bank Ltd v. Cond 一案中的类似条款，否则其可以不再使用主债务人账户而设立新的账户进行交易。

10.16 所有权保留条款涉及的财产

在货物买卖合同中通常含有所有权保留条款，在买方不付款情况下保护卖方。其主要依据是 1979 年《货物买卖法》的规定：除非双方有明示的相反表示（第 17 条）保留处置权，所有权不随交付而转移（第 19 条），否则可运送交付货物的所有权可以在订立合同时转移给买方，但一般情况下总是在交付之时或之后转移（第 18 条）。

适当起草的条款使合同性质保持为买卖合同，因此，买方必须能够使用或转售这些货物，但是卖方只将货物委托给买方，其仍保留所有权直到一定条件得到满足。合同不允许将货物交给破产受托人、清算人或财产管理人，允许卖方重新占有未出售和未使用的货物。因此，卖方有权索回：在 Romalpa 一案中未使用的铝；在关于 Peachdart 一案中未使用的皮革；在 Clough Mill Ltd v. Martin 一案中未使用的毛线。

Aluminium Industries Vaassen v. Romalpa Aluminium Ltd 一案是最古老的英国判例。在该案中，供方提供铝箔给被告加工，条件是只有支付全部价款时所有权才转移，加工成品由买方以受托人身份保存，与其他库存原料分离作为未支付的价款的保证；但买方享有如同卖方代理人一样出售加工成品的权利。法院认为供方对未使用的铝箔存货、铝箔成品上的担保令和出售成品的收益享有权利。该合同第 13 条相关部分内容如下:"待转移的原料所有权……在买方偿付所有欠款时转移……直到支付价款之日,买方……应以材料属于卖方财产的方式储存货物。"但是该基本条款有如下三种变更方式。

防止转售的保护

如果买受人将货物以原状态转售,则因为第一买受人是享有占有权的买受人,这将驳回所有权保留条款,所以买方可根据 1979 年《货物买卖法》第 25 条第 1 款获得所有权: *Four Point Garages Ltd v. Cater* 一案。供方可以要求买方通知买受人所有权归原卖方所有,通过对基本条款作出如下变更:"如果买方转售仍属于卖方所有的货物,其应当如实通知买受人,在原卖方得到货款之前货物一直归原卖方所有",以避免第 25 条第 1 款规定的适用。但这仍然不能防止因第二买受人损坏货物的可识别性而不履行该条款。

受到所有权保留条款限制的货物如果转售给第二买受人,其也仍然受到所有权保留条款的限制;如果第二买受人不付货款,则原卖方可以要求货物所有权仍归属于自己: 关于 *Highway Foods Int. Ltd* 一案。

"全部价款"条款

该条款寻求保留所有权直到所有债务都得到偿还,曾在 *Armour v. Thyssen Edelstahl Werke AG* 一案中在苏格兰予以考虑。10 月 26 日,Keith 勋爵判决:支付全部价款才转移所有权的条款和清偿所有债务才转移所有权的条款没有原则上的区别。但是,该条款可能与合同相对性原则和 1979 年《货物买卖法》第 2 条第 1 款的买卖合同定义相悖,构成账面债务担保,在公司情况下要求该公司登记。

追索变卖所得收益和/或加工成品

所有权保留条款主要的外延是试图追索变卖货物所得利益

(或) 由货物加工而成的产品。在 Romalpa 一案中，合同条款有效规定：可以对铝的加工成品和公司银行账户中转售的利益行使追索权。衡平法关于追索权的案件确立了以下规则：在财产受托人变卖财产或变卖后再买回财产情况下，受益人对变卖所得利益或再买回的财产享有权利。这种追索权取决于已建立的信托关系。

对于追索变卖所得利益，条款必须建立对货物的推定托管，并且必须存在信托关系。*Compaq Computers Ltd* v. *Abercorn Group Ltd* 一案确立了：法院没有追索的默示权利，并且必须有明确的法律条款。该条款必须保留普通法和衡平法上的所有权。因为买方作为代理人或受托人为供方转售货物，因此，尽管也可以将买方称为"代理人"，但该条款将买方称为"受托人"，甚至"财产受托人"。该条款还应要求偿还变卖所得利益，要求对变卖进行详细记录，所得利益"应作为一项独立基金供卖方使用"。在 *Hendy Lennox (Industrial Engines) Ltd* v. *Grahame Puttick Ltd* 一案中，没有充分创设信托人的地位。在关于 *Weldtech Equipment Ltd* 一案中，设立账面债务担保的条款存在瑕疵。在关于 *Peachdart and Re Andrabell Ltd*: *Airbonte Accessories* v. *Goodman* 一案中，条款因为没有要求设立独立基金而无效。对于追索加工成品，法院认为：一旦加工程序使货物与其他产品不可分割地混合在一起，所有权就转移给买方。在关于 *Bond Worth* 一案中，追索纤维制成品地毯的意图被认为在制成品上设立了浮动担保，根据1985年《公司法》第396条第1款，该担保因没有登记而无效。在 *Ian Chisholm Textiles Ltd* v. *Griffiths and Others* 一案中，追索织物制成品衣服的意图也是如此。在 *Stroud Architectural System Ltd* v. *John Laing Construction Ltd* 一案中，意图保留玻璃元件所有权的条款被认为建立了浮动担保，也由于没有登记而无效。任何诸如"担保"、"保证"之类的词语都很可能导致法院判决该担保应当登记：*Pfeiffer Wein Kellerei - Weinenkauf Gmbh* v. *Arbuthnot Factors Ltd* 案；*Compaq Computers*

Ltd v. Abercorn Group Ltd 案；关于 *Interview Ltd* 案。

在其他案件中，法院以难以识别为由也对追索权作出类似的限制。在 *Borden(UK) Ltd v. Scottish Timber Products Ltd* 一案中，树脂被用来生产刨花板；在 *Peachdart* 一案中，皮革被用来生产手提包。在这两个案件中，生产过程一旦开始，受所有权保留条款限制的产品就失去了可识别性，从而追索该产品的权利也就丧失了。在 *Hendy Lennox (Industrial Engines) Ltd v. Grahame Puttick Ltd* 一案中，产品是应用于四冲程发电机的柴油机。虽然该产品已成为一个更大制成品的一部分，但其却可以被拆下重新占有；因为该产品并没有丧失可识别性，所以其能够被追索。意图起草在货物制成品上追索所有权的条款是浪费时间，当货物变成固定物附于土地时，其也就失去了可识别性。

10.17 留置权

有三种类型的留置权：占有性留置权、衡平法上的留置权和船舶优先权。

占有性留置权

占有性留置权使货物、文件等的占有人享有继续占有的权利，直到与这些货物相关的未偿付费用得到清偿时止。这种留置权随着占有状态的丧失而消灭。该留置权人通常不享有变卖这些货物的权利。这种留置权既可以通过普通法产生也可以通过成文法产生，既可以是特定留置权也可以是概括留置权。

特定留置权比概括留置权更为常见，权利人继续占有货物直到与货物相关的责任都得到解决。因此，代理人享有货物留置权，直到其佣金或报酬以及其他费用都得到偿还时止。会计对客户的账簿、档案和文件享有特定留置权（*Woodworth v. Conroy* 一案），承运人对产生的相关费用、客栈老板就所欠的住宿费用对提交保管或留下的货物（1878年《客栈老板法》）、修理人对所进行的工作都享有特定留置权。仍占有货物的卖方享有留置权和中途停运权，直到支付全部价款时止（见第13章）。

概括留置权使货物等的占有人享有继续占有货物的权利，直到向货物所有人提出的所有未履行的要求都得到履行时止。概括留置权可以通过协议、交易过程产生，或由习惯认可。律师对客户的文件享有概括留置权。银行老板对代表客户收集的支票、就客户在同一银行其他账户的借方余额而对账户的贷方余额享有留置权（见第15章）。其他享有概括留置权的人包括股票经纪人和代理商。

占有性留置权的实现是通过继续占有留置权项下的货物完成的。权利人通常不享有变卖权，但以下两种占有性留置权人则享有变卖权：1977年《侵权（侵害货物）法》规定的修理人和1979年《货物买卖法》第48条第3款规定的未得到价款的卖方（见第13章）。即使事后可能恢复占有，占有性留置权也以弃权方式随占有状态的丧失而消灭：*Westminster Bank Ltd v. Zang* 一案（见第15章）。在清偿欠款和权利人接受替代留置的担保的情况下，占有性留置权也消灭。

衡平法上的留置权

衡平法上的留置权脱离对财产的占有而独立存在。该留置是财产上的衡平法担保，直到所有要求都得到满足时才终止。因此，自交换合同之时起到价款全部得到清偿之时止，土地买卖合同下未得到价款的卖方对财产享有衡平法上的留置权。前合伙人可对已解散合伙企业的财产享有衡平法上的留置权。衡平法上的留置权约束获得财产的人，但已支付对价却不知道存在留置权的善意第三人除外。衡平法上的留置权通过变卖而实现。

船舶优先权

船舶优先权就是海商法中为保证付款请求权得到实现而对船舶进行的留置。船员对其工资和索赔人对碰撞造成的损失都享有船舶优先权。船舶优先权不以占有为基础，而是受到船舶扣押的影响。

推荐读物

《银行法律与实务（第 2 卷）：银行贷款担保》，第 8 版（James Milnes, Holden, Pitman Publishing, 1993）。

《银行业务相关法律》，第 4 版（David Palfreyman, M & Handbooks, Pitman Publishing, 1993）。

问题

1. 在自由所有和租赁保有的土地上如何设立普通法抵押？
2. 对于已登记土地抵押，抵押权人如何保护其优于后续抵押权人的优先权？
3. 不动产抵押人受到衡平法上的赎回权保护。解释这种权利的行使以及如何限制和终止该权利？
4. 记名股票衡平法抵押权人的风险是什么？就此对抵押权人有什么保护？
5. 在用于借贷担保时，保单的价值是什么？
6. 变更保单有什么风险？
7. 浮动担保的定义是什么？在什么情况下发生担保特定化？
8. 指出在公司财产上设立浮动担保对借贷方的五种不利之处和一种有利之处。
9. 保证和赔偿保证之间的基本区别是什么？
10. 你如何理解"坦率诚实"这一术语？该术语适用于保证合同吗？
11. 保证合同中"全部债务条款"的意义是什么？
12. 在供货方意图主张对买方加工成品的追索权时，产生了什么问题？
13. 占有性留置权中的特定留置权与概括留置权有什么区别？

第五编

商业合同

11

代 理 法

学习目标
通过本章学习了解以下内容：
1. 代理的本质和代理人约束本人的权利来源
2. 代理人的权利和义务
3. 代理人对第三人的责任
4. 代理的终止
5. 1993 年《商事代理规则》

11.1 代理的定义

代理人有权代表另一人（本人）作出影响本人与第三人法律地位的行为，其不需具备缔约能力。代理人可以是本人的雇员或提供专业技能的独立缔约人；公司可以委任其他公司为其代理人负责特定市场。

法律术语和商业术语中的"代理"是有区别的，在很多情况下使用的"代理人"或"代理"都不是真正意义上的代理。因此，车商可能被认为是生产商的代理人，但是其以自己名义销售汽车，买方对生产商不享有任何仅根据买卖合同产生的权利。同样，因为产品的独家代理授权书不允许生产商亲自销售产品，所以产品的独家代理授权书也不是严格意义上的代理协议，而在真正的代理协议中却不是这样的：Lamb（W.T.）& Sons v. Going Brick Co. Ltd 一案。因为房地产代理人对为本人销售的财产没有订立协议的权利，所以房地产代理人一般也不是法律意义上的代理人。

11.2 代理人的种类

代理人分为四种。特定代理人是指在特定场合或为特定目的享有代理权的代理人，例如签发支票。此种代理人只有在有实际授权的情况下，其行为才能约束本人。一般代理人是指在本人授权范围内从事相关交易的代理人。例如：无限责任合伙人可视为合伙企业的一般代理人，其在正常经营活动中订立的合同可以约束合伙企业和其他合伙人。此种代理人在惯常授权范围内的行为可以约束本人。全权代理人是指所享有的代理权没有限制、可以为本人作出任何行为的代理人。保付代理人是指主要负责代表本人进行合同付款协商的代理人，这种代理人佣金比较高，例如广告代理人。

11.3 代理人的代理权

代理人必须具有代理权，代理权可以通过以下几种方式产生：（1）本人事先同意；（2）本人事后同意——追认；（3）法定授权——必要代理；（4）表见授权原则。

经本人同意

一般而言，本人都会授权代理人为本人进行代理权限内的相关事情。授权可以是口头的、书面的或契据形式，如果代理人必须以契据形式为本人签订合同，则其就必须通过授权委托书授权，并且受到1971年《授权委托书法》的约束。总体上，除了特定场合下法律要求必须书面授权外，口头授权和书面授权之间没有区别。

代理人在实际授权范围内签订的合同可以约束本人。如果越权或无权便不能约束本人，除非得到本人的事后接受或追认。如果本人拒绝追认，代理人将对由此造成的损失向第三人承担赔偿责任。

即使在有本人明确授权的情况下，代理人也可以通过表见授权原则，使其越权行为约束本人。

追 认

在代理人无权或越权行为时，本人有权选择是否以追认形式接受已签订的合同。只有满足一定条件才能追认；如果不符合条件则追认不生效。条件如下：(1) 在为本人签订合同时本人必须已经存在。注册公司不能追认在其成立之前代表其签订的合同（见第8章）。(2) 代理人必须披露或公开本人。在 *Keighley, Maxtead v. Durant* 一案中，代理人以高于授权价格购买一批小麦但并没有表明其代理人身份。本人声称追认但却拒绝接受货物。上议院判决：本人对违反合同造成的损害不承担责任。(3) 本人不能追认无效合同或伪造签名。(4) 本人在合同签订和追认时都必须有实施该行为的行为能力。(5) 追认必须建立在本人对相关基本事实完全了解的基础上，但本人也可以追认其不了解事实的代理行为：*Fitzmaurice v. Bayley* 一案。(6) 追认必须是对整个合同的追认。(7) 追认必须事后作出，并且是在确定的履行期限之前的一段合理时间内作出。

追认溯及既往，但不包括除了海上保险协议以外的保险合同，因为这些情形下会给第三人造成过多的困难。追认可以是明示的或默示的，除了"代理人以契据形式签订合同时追认也必须以契据形式作出"之外，没有其他严格要求。在很多案件中，追认都由本人的作为或不作为构成，因此，有时很难辨认本人是否已经追认。在 *Forman & Co. Proprietary Ltd v. The Ship Liddesdale* 一案中，船东的代理人越权要求对船舶进行额外修理，后来船东取回船舶并出卖。该案的争议焦点在于：船东取回船舶这一行为是否表明其已经追认了该越权行为。法院判决：由于追认需要肯定明确的行为，而本案中船东别无选择只好取回船舶，所以不能作出"船东取回船舶这一行为表明其已经追认了该越权行为"这种推定。然而，

410　商　　法

在其他案件中，虽然本人不同意越权行为，但后来其卖掉部分货物表明其已经追认该越权行为，法院却判决代理人越权购进货物：Cornwal v. Wilson 一案和 Buron v. Denman 一案。

如果代理人代表本人接受一项要约但有待于追认，那么这个承诺在本人追认之前没有法律效力。如果要约被撤销则就根本不存在合同：Watson v. Swann 一案。

法定授权：必要代理

必要代理在法院确认一人有约束另一人的代理权时产生，其应符合以下条件：（1）根据事先已经存在的合同，一人必须对另一人的财产承担责任；（2）必须存在与另一人财产相关的某种紧急情况；（3）财产责任人必须处于根本无法取得所有权人指示的境况中；（4）财产责任人采取行为必须出于善意并考虑到所有人的利益；

在 Prage v. Blatspiel, Stampand and Heacock Ltd 一案中，被告（伦敦皮毛商）向原告出售处理过的皮革并运往布加勒斯特。因为德国人占领罗马尼亚，所以运输根本不可能实现。2年后被告卖掉了这些皮革。战后，原告起诉要求损害赔偿；被告抗辩其是必要代理人，法院判决：被告不能证明"其无法与原告联系"存在商业必要性和行为出于善意并且是为了双方共同最大利益。因此，被告的抗辩被法院驳回。在 Springer v. Gt Western Railway Co. 一案中，因为承运人有时间和条件与货主联系，所以大西方铁路公司关于卖掉托运西红柿的抗辩被驳回。在 Gt Northern Railway v. Swaffield 一案中，一匹马通过火车托运，但在目的地却没人认领。铁路公司由于无法与主人联系，其花钱将马在马厩里喂养了一段时间直到领马人的到来。铁路公司被判决是根据必要授权而行为。

必要代理权分为外在和内在两个方面。外在方面要有第三人要求本人履行合同，这个合同由必要代理人根据符合普通法要求的必要代理权签订。内在方面，代理人要求本人补偿或在不当干预诉讼中提出抗辩；并不要求完全符合必要代理的条件。在 The Winson 一案中，租船从美国运输小麦到孟买，途中船舶遇礁搁浅。虽然没有直接必要性，救助人员仍卸下一些小麦运往曼尼拉仓储。上议院判决：货主应当偿还救助人员的此项费用。

如果一个人主动假装为另一个人的财产承担责任，则不能产生必要代理。在 Binstead v. Buck 一案中，一个人收留了一只狗，然后要求留置直到费用得到清偿时止，结果败诉。

表见授权原则

该原则包括两个方面：惯常授权和不容否认的授权。

惯常授权或名义授权

代理人可基于其身份而享有惯常授权，这要比本人的实际授权范围广泛。此种情况下，除非第三人知道其实际授权，否则其在表见授权范围内签订的合同可以约束本人。法院已经确立了某些代理人享有惯常授权。根据1890年《合伙企业法》，所有合伙人都是企业的一般代理人，在企业正常经营范围内签订的合同对企业有默示代理效力。法院也区分了商业合伙和非商业合伙，商业合伙人享有更广的默示授权，延及到为企业贷款。

惯常授权原则早在 Watteau v. Fenwick 一案中便已经确立。在该案中，旅馆主人明示禁止经理代表旅馆从一个供应商处购买雪茄烟，而该经理却依赖在其职权范围内的事实从这个供应商处购买了雪茄烟。法院判决：旅馆主人应当受到合同的约束。在公司法领域，Panorama Developments(Guildford) Ltd v. Fidelis Furnishing fabrics Ltd 一案中，法院判决：公司秘书具有签订与公司行政管理事务有关的合同的默示授权。如果公司秘书签订了出租车协议，则即使这些车只是表面用于公司业务实际上却用于私人目的，该出租车协议也对其公司有拘束力。

即使代理人存在欺诈行为，其在惯常授权范围内的行为仍可约束本人。因此在 Lloyd v. Grace, Smith & Co. 一案中，因为职员在其雇佣任职期间内行为,所以被告对其职员的欺诈性财产转让工作承担责任。

代理商的地位被定义为"在惯常授权过程中,有权销售货物,或为销售而托运货物,或购买货物,或用货物担保贷款",并受到1889年《代理商法》第2条的约束。该条规定:在正常经营过程中,代理人对货物或经所有人同意所持有的所有权文书的任何处分、质押或出售,即使未经授权但只要买受人出于善意并且不知道代理人没有代理权,就对所有权人有拘束力。

不容否认的授权

如果一个人可能使某人成为其代理人,并使第三人基于此种信赖(信赖某人是其代理人)而行为时,那么其便不能否认其言行,并受因此签订的合同的约束。因此,在 Spiro v. Lintern 一案中,Lintern 先生故意允许其妻子如同有权出售房产一样行事。Spiro 先生信赖这位妻子有代理权并作为买方开始进行交易。Lintern 先生随后又声称妻子没有代理权,欲将财产以高价卖给第三人。Spiro 先生请求特定履行该合同,其胜诉。在 Freeman and Lockyer v. Buckhurst Park Properties (Mangal) Ltd 一案中,被告公司一名董事无代理权即与原告签订一份合同。该合同有关一项财产的开发,当开发计划尚未被许可时,这个董事出国了。原告要求公司偿还所付费用,公司却主张:因为董事未得到授权,所以其不应承担责任。法院判决:由于董事会使人相信该董事是公司的执行董事,原告正是基于此种信赖而行为的,而且签订的合同在执行董事的惯常授权范围之内,因此,公司应当承担责任。在 Hely - Hutchinson v. Brayhead Ltd 一案中,董事会允许一名董事以执行董事的身份行事的事实被视为一种默示委托,赋予该董事约束公司的实际授权(见第19章)。

如果本人已经终止其代理权的代理人与其过去经常交易的客户签订了合同,则该合同仍将具有不容否认的代理权效力,约束该本人。因此，本人向与其过去经常交易的所有客户通知其代理关系已经终止是非常重要的。根据1890年《合伙企业法》第36条，除非合伙企业向所有与该合伙人交易的人发出通知并在《伦敦公报》上发表退休声明，否则退休合伙人仍保留其表见合伙人身份。此处的"通知"和"声明"也是非常重要的。

11.4 代理人的权利和义务

代理人对本人负有以下义务：（1）服从本人指示；（2）以正常的技能和勤勉履行职责；（3）亲自履行；（4）向本人作出说明的义务；（5）对本人尽诚信义务。

服从

除非有自由裁量权，否则，即使代理人认为是其为了本人的最大利益，其也必须服从本人，不能脱离本人的指示行事。如果代理人不遵守本人指示，则将对其行为给本人造成的损失承担责任。因此，在 *Bertram, Armstrong & Co. v. Godfrey* 一案中，原告指示其股票经纪人当股票上涨到一定价格时抛出特定股票，但经纪人却没有抛出，而是在后来以较低价格抛出。法院判决：经纪人后来对股票的持有被视为其购买这些股票，因此其应向原告支付价格差和利息。在指示模糊不清的情况下，法院要看代理人是否合理行为而不管该行为是否正确：*Weigall v. Runciman & Co.* 一案。

注意和技能义务

无论有偿代理还是无偿代理，代理人都必须以如同处理自己事务一样的注意和技能处理代理事务。因此，在 *Chaudhry v. Prabhakar* 一案中，某人对其朋友在选择二手车方面作出了建议，其对因该建议的过失而引起的损害承担赔偿责任。职业人士必须达到合乎该职业的技能标准，这一点被1982年《提供货物和服务法》第13条默示规定在所有代理合同中。

亲自履行义务：代理人不得转让其受托权限

一般代理人必须亲自完成本人委托的任务。转委托可以是明示的或默示的，但无论哪种情况下，都必须明确本人和复代理人之间的关系。

早在 De Bussche v. Alt 一案中，上诉法院就确立了存在默示转委托权的情况，并就本人和复代理人之间的关系作出评论。法院认为默示的转委托权应"从原代理合同双方的行为、贸易惯例或特定营业性质方面合理推定原代理合同双方打算使这种权利存在；如果受雇期间发生不可预见的紧急情况，则代理人有必要选任复代理人；如果这种默示授权存在并得到适当行使，则本人与复代理人之间存在合同关系，复代理人应直接对本人负责，就如同本人亲自指定一样。"然而，在 Calico Printer's Association Ltd v. Barclays Bank 一案中，Wright 法官陈述道："我并不认为英国法对此承认了任何普遍原则，但普遍适用的原则是：即使正当选任了复代理人，在本人和复代理人之间也不存在合同关系；本人有权要求代理人对违反授权造成的损失承担责任，一般情况下不能要求复代理人对疏忽或违约造成的损失承担责任……要建立合同关系，不仅本人必须想要复代理人履行部分合同义务，而且本人要授权代理人在其和复代理人之间设立合同关系，这是需要确凿证据证明的。"在这个案件中，代理人对复代理人的疏忽所造成的损失承担责任。

因此，代理人只能在以下三种情况下转委托：（1）有明示或默示的授权；（2）在必要、紧急情况下；（3）转委托具有单纯行政执行性质的行为。在上述转委托情况下，复代理人是代理人的代理人，其向代理人负责，代理人再向本人负责。本人不能起诉复代理人，其只能起诉代理人。对于侵权责任，最近的判例认为：代理人把货物委托给他人，受托人不仅向委托人而且还要向委托人的本人负有勤勉注意义务：Lee Cooper Ltd v. C. H. Jeakins & Sons Ltd 一案。但在 Balsamo v. Medici 一案中，法院驳回一项本人起诉复代理人的侵权诉讼，所以复代理人的地位还很不明确。

在 *Allam v. Europa Poster Services* 一案中，法院判决：因为"向被告律师送达终止广告版面许可的通知"这一行为具有行政执行性质而不需要转让信任和自由处置权，所以该行为构成转委托。在 *John McCann & Co. v. Pow* 一案中，法院拒绝确认一房地产代理人有"转委托另一家房地产代理机构为客户的财产寻找买受人"这一默示授权，因而其委任的代理人无权就财产的出售要求佣金。

说明义务

代理人必须就与代理事项相关的金钱和财产作出说明。对于金钱，其有义务把本人的金钱与自己的金钱分开保管，如果混在一起，则将推定金钱全部归本人所有。

诚信义务

因为代理人和本人之间存在信托关系，所以代理人必须履行以下义务。

利益不得相抵触

代理人不得让自己的利益与其对本人承担的义务相抵触。因此，在 *Reiger v. Campbell - Stuart* 一案中，原告指示被告尽力找一些适于改造成公寓的房产。被告找到一要价2000英镑的合适房产，于是其安排其姐夫买下该房产。然后，其声称从其姐夫处花4500英镑买下该房产并以5000英镑高价卖给原告。原告在对代理人密谋利益行为的诉讼中胜诉。其他利益相抵触的例子有：代理人将自己的财产卖给本人或从本人购买财产或在同一交易中担任双方代理人。在 *Kelly v. Cooper* 一案中，原告主张存在利益抵触，并且代理人没有完全披露相关信息。其委任代理人为自己的财产寻找买受人，代理人卖掉财产但并没有批露买受人也买下了邻近财产，这是影响价格谈判的主要因素。法院认为：如果代理人履行其代理职责一定会产生本人之间的利益抵触，则该代理人的地位与其他代理人不同。本人与代理人之间的合同不得默示包括下列条款：（1）要求被告披露从其他买受人处获得的保密信息的条款；（2）禁止其为竞争的买受人行事的条款；（3）禁止其因销售竞争对手的财产而获得佣金的条款。

全部如实披露的义务

代理人有义务如实披露与其代理权相关的所有信息。因此，在为本人销售货物时，代理人必须向本人通知所收到的所有要约，并有义务获得可能的最高价格。在 Keppel v. Wheeler 一案中，本人雇用代理人销售房屋，代理人收到出价 6150 英镑的要约并被本人接受。后来代理人又收到出价 6750 英镑的要约。在低价交易后，本人起诉，成功地获得了两个要约差价的违约赔偿，但代理人仍有权要求佣金。

不得密谋私利义务

代理人不得为自己利益使用或披露在代理过程中知悉的秘密信息，也绝对不能利用代理人身份牟取私利。如果代理人有密谋私利行为，则其有责任向本人作出说明。因此，在 Reading v. A. G. 一案中，英军驻埃及部队的一名军士因其护送装有非法烈酒的卡车而获得收益，其被判决有责任对此向英王作出说明。如果代理人公平正当地收取秘密收益，则其仍将享有作为代理人获得佣金的权利：Hippisley v. Knee Bros 一案。但是，即使本人从中获有利益，代理人仍然有责任就秘密收益向本人作出说明。在 Boardman v. Phipps 一案中，律师 B 和 P 作为财产受托人的共同代理人参加公司的年度股东大会，在该公司中，受托人的信托财产占有很大股份份额。二人认为公司会获得更大利润，因此用其自己的金钱获得了公司的控股权。这一行为虽然是公开进行的，但并未取得受托人同意。二人通过股份资金分配为自己和信托财产获得了很大收益。上议院判决：因为该利益是二人基于其作为代理人的信托地位、机会和知识而取得的，所以二人有责任就所获得利益向受托人作出说明。如果秘密利润是一种贿赂，则本人可以对代理人和行贿人采取措施。代理人无权获得佣金并必须缴出已收受的所有东西：Andrews v. Ramsay & Co. 一案。本人可以从代理人处索还贿赂，如果代理人尚未收到该贿赂，则可以从行贿人处索还：Anangel Atlas Naviera SA v. Ishikawajima – Harima Heavy Industries Co. Ltd 一案。本人从代理人处索还贿赂的权利是固有的，其可以要求索还代理人用受贿之钱购买的财产：A. G. for Hong Kong v. Reid 一案。本人也可以根据欺诈侵权行为起诉代理人和第三人要求赔偿损失。在 Salford Corporation v. Lever 一案中，行贿人就燃料供应贿赂煤气厂经理，上诉法院判决：即使行贿人已经起诉本人索还贿赂时没有除去已经从代理人索还的部分，本人仍可以起诉要求赔偿行贿人欺诈行为所造成的损失（贿赂金额为赔偿标准）。在 Mahesan v. Malaysian Government Officers Co – op. 一案中，枢密院认为：本人不能既向代理人又向行贿人索还贿赂，必须在判决前选择其一。本人可不经事前通知即解雇代理人（Boston Deep Sea Fishing and Ice Co. v. Ansell 一案），并且，无论其是否受到影响，都可否认代理人所签合同的效力：Shipway v. Broadwood 一案。

根据1916年《反腐败法》第1条，如果代理人和行贿人都有贿赂行为，则都构成犯罪，接受贿赂的代理人可构成普通法上的同谋罪。根据《反腐败法》第2条，在特定案件中可推定存在贿赂动因。即使在代理权终止后，代理人也负有诚信义务：Island Export Finance Ltd v. Umunna 一案（关于合伙人，见第7章；关于董事，见第9章）。

11.5 代理人对本人享有的权利

对于本人，代理人享有以下三方面权利。

要求补偿权

对于代理过程中产生的各种责任或费用，代理人有权要求本人补偿，但对于下列事项，本人不负有补偿义务：（1）未经授权的行为;(2)因代理人自己的过错所造成的损失;(3)由非法行为和打赌合同造成的损失。如果代理人未尽诚信义务违反约定,则该权利消灭。

要求报酬权

要求报酬权根据合同既可以是明示的也可以是默示的。代理人只有完全履行了本人指示才能要求支付报酬。在应支付报酬但金额没有具体规定的情况下,代理人有权根据1982年《提供货物和服务法》第15条取得合理报酬。然而,在 *Kofi Sunkersetle Obu v. Strauss & Co. Ltd* 一案中,代理合同规定佣金的有无及金额由本人确定,但本人对此却没有作出任何决定。因此枢密院驳回要求强制执行支付佣金的请求。

在代理职责完成后支付佣金时,如果代理人不能证明相关交易是其努力的结果,则即使交易已经达成其也无权要求支付佣金。因此,在 *Coles v. Enoch* 一案中,原告想要从被告处购买一财产,但由于无法筹到款项就同意作为被告的代理人寻找买受人。其在曼彻斯特与一未来买受人的谈话被偷听,在其离开后,偷听者就接近该未来买受人以得知财产下落。随后其来到伦敦,通过自己的努力找到财产并买下。因为原告对此项交易的达成并没有起到作用,所以法院驳回原告要求支付佣金的请求。但在 *Rolfe & Co. v. George* 一案中,已经找到买受人的买方委托原告为代理人进行价格谈判,法院判决该代理人有权获得佣金。

相反,如果合同规定代理人可以提前获得佣金,那么即使交易未完成其也有权要求支付佣金。因此,房地产代理人在介绍有意向的买受人之后立即享有要求支付佣金的权利,即使后来买受人退出交易,其也可因为介绍有意向的买受人而获得佣金:*Christie, Owen & Davies Ltd v. Stockton* 案;*Christie, Owen & Davies v. Rapacioli* 案;*Drewery and Drewery v. Ware Lane* 案;*Peter Long and Partners v. Burns* 案;以及 *Scheggia v. Gradwell* 案。在 *Luxor (Eastbourne) Ltd*

v. Cooper 一案中，法院判决：合同并不存在"禁止本人通过退出交易（即使在已找到买受人情况下）而不支付代理人佣金"这一默示条款。

对报酬佣金和补偿享有留置权

代理人可以留置本人的货物直到与货物相关的补偿和报酬都得到清偿。这是一种特定留置权。在其他情况下，即使本人的未付欠款并不产生于与留置货物相关的交易，代理人也可以就该欠款留置本人的货物。这是一种概括留置权。如果代理人不再占有货物，则留置权消灭（见第 11 章）。

11.6 代理人对第三人的责任

在下列情形下，代理人可向第三人单独承担责任。

与汇票、支票相关的责任

如果代理人以代表资格签署汇票或支票，但却未注明其只是代理人，则其将根据 1882 年《汇票法》第 26 条单独承担汇票或支票责任（见第 15 章）。当公司高级职员签署汇票或支票时，如果没有签署公司名字或签署的名字有错误，则其根据 1985 年《公司法》第 349 条第 4 款承担单独责任（见第 8 章）。

契据合同

如果代理人不是根据契据合同委托的，则其对代表本人签订的契据合同承担个人责任。

代理人为并不存在的本人订立合同

参见第 13 章的"代理权"部分和第 8 章。

代理人为未披露的本人订立合同

代理人为本人订立合同但未向第三人表明其代理人身份，第三人以为其就是本人而与之订立合同。但第三人可以选择起诉代理人或本人。然而，一旦作出选择便不能更改。对代理人的诉讼程序一经开始，第三人就被推定已作出选择，但如果其能够证明其起诉时并不知道本人的存在，则可以抗辩该推定，把本人列为被告。一旦法院作出判决，即使该判决尚未执行，第三人也不得再起诉本人。在 Sika Contracts Ltd v. Gill & Closeglen Properties Ltd 一案中，原告可以对特许工程师 Gill 强制执行其作为第二被告的代理人所签署的合同。Gill 没有表明自己的代理人身份，法院认为从其名字之后的专业资格名称之中也不能对此默示证明。在 Yukong Line Ltd of Korea v. Rendsburg Investments Corpn of Liberia 一案中，法院并没有揭穿公司面纱，而是宣称：为转移资金以避免玛瑞瓦禁令，该监察员兼董事在签订租船合同之时或之前是公司未披露的本人。

代理人起诉或应诉都必须遵从本人是否行使介入权的决定。只有代理人在实际授权范围内行事，本人才能介入要求合同利益，但代理人否认本人存在的情况除外。如果代理人与第三人之间的协议明示或默示排除本人，或者合同当事人身份具有决定性，例如本人介入第三人将不会签订该合同，则未披露的本人不能行使介入权。在 Said v. Butt 一案中，原告想买首夜演出的戏票，但知道剧院老板不会卖给其个人，于是便安排了一个朋友去买票，后来原告被禁止入场并被起诉。法院判决：采用朋友名字和服务的计谋并不能使剧院违背其意志而与之签订合同。然而，在 Dyster v. Randall & Sons 一案中，原告因为知道卖主不会将土地卖给他，所以请求朋友代为购买，被告不能阻止该土地买卖合同的履行；在 Siu Yin Kwan v. Eastern Insurance Co. Ltd 一案中，代理人在实际授权范围内签订了保险合同，因为该合同并不是动产协议，所以未披露的本人可以就该合同提起诉讼。

违反授权担保责任

如果代理人无权或越权行事，而本人又不追认合同，则第三人可以起诉代理人违反授权担保责任，并承担损害赔偿责任。代理人承担的是严格责任，不能以"其不知道自己无权或越权"为由进行抗辩：Yonge v. Toynbee 一案。

1971年《授权委托书法》规定：如果被授权人在授权被撤销后为本人行事，则只要其行为当时不知道授权委托书已被撤销，其就不对授权人或任何第三人承担个人责任。该法还进一步规定：第三人只要不知道被授权人的权利已被撤销，就可以要求授权人履行合同。

11.7 代理的终止

代理关系终止的原因有：（1）双方协议终止；（2）撤回代理人的代理权；（3）习惯；（4）合同履行完毕；（5）期限到期；（6）受阻；（7）任何一方当事人死亡或精神失常；（8）本人破产。

双方协议终止和撤回代理权

合同的任何一方当事人都可以随意终止合同而无需任何通知，但在代理合同相当于雇用合同情况下，则需要发出合理通知：Parker v. Ibbetson 一案。如果代理人在一明确期限内从事代理活动，那么本人提前撤回代理权便构成违约，代理人有权要求损害赔偿。既然是个人服务合同，那么该合同终止，就不再需要任何实际履行。获取固定佣金、被指示销售房屋等的代理人不能阻止本人退出交易：Luxor（Eastbourne）Ltd v. Cooper 一案。

一旦代理人已经履行或正在履行本人的指示，本人便不能撤回代理权。在"并联利益"代理情况下，如果本人授予代理权是作为其向代理人所欠债务的担保，那么本人不能撤回代理权。这种代理权不因本人破产、死亡或精神失常而终止。根据1971年《授权委托书法》对不可撤销的授权委托书也存在限制，其不因授权人的破产、死亡或精神失常而终止。根据1985年《持续授权委托书法》第1条第1款第1项，持续授权委托书不因授权人无能力而撤回。

在协议明确规定了具体的代理期限时，如果本人在未支付代理人佣金或其他利润之前通过关闭或合并企业而有效终止代理关系，则会产生一些问题。一般代理人只能根据合同中明示或默示的条款起诉要求违约赔偿。在 *Rhodes v. Forwood* 一案中，利物浦的煤矿主授权代理人安排所有煤的销售，期限为 7 年并支付佣金。未到期限煤矿企业即被卖掉，代理人在要求违约赔偿的诉讼中败诉。法院认为如果真正想要合同持续 7 年，合同中就应该有明确的规定。然而，在 *Tuner v. Goldsmith* 一案中，原告签订了作为销售员的为期 5 年的合同，合同明确规定其将销售所有由被告生产或出售的衬衫或其他产品。合同未到期被告的工厂就被火灾毁掉，因为该合同延及到被告生产的产品以外的产品，所以原告有权对未支付的佣金获得赔偿。

在 *Comet Group plc v. British Sky Broadcasting* 一案中，原告与被告（英国卫星广播公司）签订合同，为被告促销设备，合同期限到 1991 年 2 月。但在 1990 年，被告与天空影视公司合并，并指示原告暂停所有的销售活动。原告请求违约损害赔偿，被告对此进行抗辩：因为该合同是代理合同，所以不能认为该合同默示规定了本人在合同到期前都必须持续经营。法院判决：该合同在许多方面都不同于代理合同，因此，原告应得到违约损害赔偿。

因本人死亡或精神失常而终止

代理人在代理权终止之后代表本人签订的合同无效，代理人应对第三人承担违反授权担保损害赔偿责任。在 *Yonge v. Toynbee* 一案中，诉讼中的抗辩律师不知道其客户已经精神失常，因而向对方赔偿合同终止之后的一切费用。虽然代理人的实际授权可能因本人精神失常而终止，但其表面授权可能继续存在。在 *Drew v. Nunn* 一案中，在本人暂时精神失常期间，其妻子以其账户余额典当生活必需品的表面授权并没有终止，因此，其仍要对供应商承担责任。

因本人破产而终止

除非代理人不再具有代理资格，如公司董事和专门破产从业人员,否则代理权并不因代理人破产而终止。

11.8 代理商

1994年1月1日生效的1993年《商事代理条例》加强了代理商的地位,把代理商定义为"具有代表别人(本人)谈判货物的销售或购买,或代表本人谈判并达成此类交易的连续性授权的独立经营的中间人":《条例》第2条第1款。"独立经营"包括个人和公司,而"连续性授权"不包括为特定交易指定的代理人。《条例》不适用于下列代理人:无偿代理人(第2条第2款第1项);在商品交易所或商品市场活动的代理人(第2条第2款第2项);根据《条例》附件中的标准,其作为代理商的活动视为从属地位者(第2条第3款)。一般而言,缺乏约束本人权利的诸如推销、宣传之类的代理人,可以列在《条例》规定的代理商范围之内。但英国贸易工业部(DTI)认为根据保付代理人的特性,其不应在《条例》规定的代理商范围之内。

代理商在执行代理任务时必须照顾本人的利益,尽责、诚实:第3条第1款;其必须努力、恰当地谈判,并在适当的情况下达成其经指示承办的交易;向本人通报所获得的必要信息;遵从本人的合理指示:第3条第2款。本人在代理关系中必须尽责、诚实:第4条第1款;必须:(1)向代理商提供与货物相关的必要文件;(2)获得履行代理合同所必需的信息;(3)在预计到商业交易量会大大低于代理商的预期量时,应在合理时间内通知代理商:第4条第2款第1项和第2项。本人对代理商为其取得的交易是否接受、拒绝或不执行,也应该在合理期限内通知代理商。

如果当事人之间对报酬没有约定,则代理人有权取得其进行代理活动的地方按惯例所允许的报酬;如果不存在惯例,则代理人有权取得合理的报酬:第6条第1款。第7至第12条只适用于代理商以佣金形式取得报酬的情况。代理人对在代理合同期间由于其代理活动的结果而达成的交易和本人与其所受托活动的某一特定地区或某一组客户，或者其具有独家代理权的某一特定地区或某一组客户所达成的交易，有权获得佣金：第7条。代理商有权对在代理合同终止后一段合理期间内主要归因于其努力而达成的交易，和第三人的订单在合同终止前到达但合同终止后才完成的交易获得佣金：第8条。第9条是关于前代理人和新代理人之间佣金的分配问题。在具备下列情况之一时，应立即支付佣金：（1）本人已经接受或运送货物；（2）本人本应该已经接受或运送货物；（3）第三人接受或运送货物；（4）第三人支付价款：第10条第1款。如果本人已经履行了应由其履行的部分，则至少应在第三人已履行或本应履行由其履行的部分时支付佣金（第10条第2款），而且不得迟于佣金到期之季度后的第一个月的最后一天：第10条第3款。

为损害代理人利益而减损上述第2款和第3款效力的协议无效：第10条第4款。在本人与第三人之间的合同已经确定不予履行且本人对此无过失时，可以取消代理人获得佣金的权利，已经支付的佣金应予返还：第11条。本人应该提供说明用以计算佣金数额主要事项的报告书，并允许代理商请求查对到期佣金：第12条。

代理人和本人每一方均有权向另一方要求得到规定代理合同条款并经签字的书面文件，包括事后达成的条款：第13条第1款。对于无期限合同，任何一方均可以通知予以终止：第15条第1款。通知的最短期限为：（1）第1年为1个月；（2）第2年为2个月；（3）第3年及以后的年度为3个月。当事人可以不同意缩短通知期限：第13条第2款。若当事人约定更长的通知期限，则本人应遵守的通知期限不得短于代理商应遵守的通知期限：第13条第3款。除非当事人另有约定，否则通知期限的终止日期应与某日历月份的终止日期相一致：第13条第4款。如果双方当事人在固定期限代理合同期满之后继续履行合同，则该合同被视为已转为无期限合同：第14条，这种合同的通知期限应适用第15条第2款的规定。

《条例》规定：如果一方当事人未履行其全部或部分合同义务或出现其他特殊情况（合同履行落空），则可以立即终止合同：第16条。其他情况下，代理人在合同终止之后有权获得补偿或赔偿。当事人可以选择补偿或赔偿，但其未作出选择时，代理人只能获得赔偿：第17条。在下列情况下，代理人有权获得补偿：其为本人介绍了新客户，或本人与已有的客户极大地增加了生意量且本人从这些生意和客户中继续得到大量利益；并且在考虑了所有新的情况，尤其是在与这些客户的交易中本可以为代理人带来佣金之后，补偿是合理的：第17条第3款。补偿额不得超过相当于1年的佣金，该数目以该代理商前5年的平均收入或一个较短期间的平均收入计算：第17条第4款。给予这种补偿不得妨碍代理商要求损害赔偿的权利：第17条第5款。

在下列情况终止代理关系时产生的损害，尤其应赔偿给代理人：终止合同剥夺了代理商正当履行合同时应获得的佣金，而本人却因代理商的活动大量获利，而且/或者这已使代理商无法取回根据本人的指示履行代理合同所发生的费用和支出：第17条第7款。因代理商死亡而终止合同应同样产生补偿或损害赔偿的权利：第17条第8款，但如果代理商在合同终止后一年内未通知本人行使该权利，则该权利消灭：第17条第9款。

限制贸易条款只有在以书面形式作出并且针对代理合同所规定的代理地区或客户组和代理合同所包括的各类货物的情况下才有效，其有效期为代理合同终止后的两年内。

在 *Fage* v. *Combined Shipping and Trading Co. Ltd* 一案中，原告于1995年1月签订合同，为被告购买和销售商品并获得一半的净利润，该合同期限最短为4年。1995年6月，被告通知原告其南非的母公司已经决定停止贸易。原告认为这是实质性违约，导致合同终止，并根据第17条第6款起诉要求赔偿佣金损失和签发玛瑞瓦禁令限制被告向南非转移财产。法院判决：因为被告即使按这种方式履行合同至到期，原告也赚不到钱，所以提前终止合同并未给原告造成损失，因此，原告的请求因不具有第 17 条规定的抗辩理由而被驳回。上诉法院受理了原告的上诉，签发禁止令。上诉法院认为：因为合同的基础是"如果合同以正当方式履行则代理人将获得佣金"，而不是"如果被告取消贸易从而减少对代理人的责任则代理人将获得佣金"，1993 年《条例》即旨在保护和加强代理商的地位，所以，根据《条例》第 17 条，原告的请求具有抗辩性。

推荐读物

《代理法概要》，第 3 版（B. S. Markesinis and R. J. C. Munday, Butterworths, 1992）。

《弗里德曼论代理法》，第 7 版（Butterworths, 1996）。

问题

1. 本人只能对代理人在无权或越权情况下的代理行为进行追认。该追认受到什么条件限制？
2. 产生必要代理授权的条件是什么？
3. 惯常授权和不容否认授权有何区别？
4. 代理人对本人有哪些权利和义务？
5. 代理人为未披露的本人行事时，本人何时可以介入要求合同权利？
6. 如果代理人在代理权终止后为本人签订合同，则其将承担什么责任？

12

雇佣合同

学习目标

通过本章学习了解以下内容：
1. 法律区分雇员与独立缔约人的方式以及区别二者的意义
2. 根据普通法和成文法雇佣合同中的默示条款，包括要求同工同酬的权利和对种族、性别歧视的保护
3. 不当解雇的相关法律，包括普通法和成文法的救济措施
4. 企业转让时对雇员的保护
5. 定期履行合同的性质

12.1 劳务合同与服务合同

劳务合同产生雇主和雇员之间的关系，而服务合同产生雇主与自营职业者或独立缔约人之间的关系。因为在普通法和成文法上都由此产生不同的权利义务，所以二者的区别至关重要。

区别标准

19世纪的区别标准以雇主对工人的控制为基础，而目前的区别标准重点强调雇主对工作环境的控制。在 *Cassidy v. Ministry of Health* 一案中，被告尽管未实际控制医务人员的工作，但对其因疏忽造成的损害承担责任。但是，如果雇用机器操作员或雇员在其他人拥有的工厂工作，那么这种实际控制还是很重要的。在 *Mersey*

Docks and Harbour Board v. Coggins and Griffiths (Liverpool) Ltd. and Mc Farlane 一案中，被告从港务委员会雇佣一起重机操作员，其伤到了 Mc Farlane。虽然雇主能指示该司机，但其仍在港务委员会的控制之下，所以港务委员会应承担替代责任。在 *Garrard v. Southey (A. E.) and Co. and STC Ltd* 一案中，电器承包商的两个雇员在工厂工作，由承包商支付工资，并且承包商个人就可以解雇二人，但原料、工具和设备都由工厂主提供并受工头监督。工厂主对二人负有如同对雇员一样的注意义务。

区别雇员和独立缔约人的一系列更为复杂的标准是逐渐发展起来的。在 *Market Investigations v. Minister of Social Security* 一案中，法院确认了一系列有重要意义的因素：(1) 雇主控制的程度；(2) 雇员所能带来的预期利益或风险损失；(3) 雇员是否被视为该组织的一部分；(4) 工作所需要的原料和设备的来源；(5) 所得税和国民保险分担情况；(6) 当事人对这种关系的看法；(7) 职业的传统结构。

在 *Ready Mixed Concrete v. Minister of Pensions and National Insurance* 一案中，涉及公司是否对司机的国民保险分担承担责任。公司主张其是自营职业者，卡车由其以分期付款方式从原告子公司处购买并负责维修，但是这些车被漆成该公司的颜色并且只能为该公司工作。司机可以委托他人开车，但公司有权要求其亲自履行。这些司机没有固定的工作时间和路线，但其必须像雇员一样随叫随到，遵从合理指示，获得基本工资和表现工资。法官认为这符合其是独立缔约人的标准。在 *Ferguson v. John Dawson & Partners (Contractors)* 一案中，原告从没有护栏的屋顶摔下受伤。其如同自营职业者一样获得一次性总付工资，并且不扣除所得税和国民保险分担。但实际上，其不是技术工人，受场地代理人控制，按小时获取工资，工具由公司提供。上诉法院认为其是一名雇员，主要原因在于其无权选择其身份。

在工人有权选择并决定变更其身份时，即使其在实际合同中并没有作出变更，法院也会予以确认。在 *Massey v. Crown Life Insurance Co.* 一案中，为在经济上更有利，分公司经理要变更其身份为独立缔约人。但其后来因不当解雇而进行索赔时又要求确立其雇员身份，未得到法院的支持。但在 *Catamaran Cruisers Ltd v. Williams* 一案中，雇主要求雇员（被告）在一家有限公司提供服务。劳工上诉法庭维持原判，认为原告仍为一名雇员。

非正式工人的地位

对于非正式或准非正式工人，包括在家工作、季节性工作和提供餐饮服务的工人，情况更为复杂。在 *Airfix Footwear v. Cope* 一案中，一位工人在家工作了 7 年——组装鞋零部件，设备都由公司提供，其获得计件工资，并且自己负担所得税和国民保险分担。该工人请求不当解雇赔偿，但公司对此进行抗辩：因为公司与该工人之间没有相互责任——提供工作和接收工作的责任，所以二者之间根本不存在雇佣关系。劳工上诉法庭认为这是一个相关因素，但此案中 7 年来的规律关系已经确立了其相互责任。

在 *O' kelly and Others v. Trusthouse Forte plc* 一案中，相互责任更是至关重要。在该案中，公司不定期需要宴会服务人员，主要雇用一些非正式工人，有些工人获得正式工人的优先地位，并且公司能够保证这些人的全职工作量。原告因欲组织工会而被解雇。以下因素暗示其雇员身份：（1）原告在企业中无个人投资；（2）其处于公司的指示和控制之下；（3）其是公司的重要员工；（4）其推动公司业务发展；（5）其服装和设备都由公司提供；（6）其工作安排是固定的，请假必须经批准；（7）如果其表现良好则可以获得带薪假期或奖金。与此相对应，以下四个因素暗示其自营职业者身份：（1）其无权获得通知；（2）其可以拒绝某项具体工作安排；（3）公司没有提供工作和支付工资的义务；（4）双方都认为其是独立缔约人。法院判决：因为二者之间无相互责任，所以其是独立缔约人。上诉法院维持原判。

临时工人的地位

根据1973年《劳动就业服务机构法》，服务机构应该向临时工人提供雇佣条款和条件的书面证明，从其工资中扣除所得税和国民保险分担，并表明其是被机构雇佣还是自营职业。然而，在 *Wickens v. Champion Employment* 一案中，法院判决：由于公司对临时工人的每一次聘用都是独立的合同，该临时工人要对自己的安全负责，公司与临时工人之间没有控制和相互责任，因此，尽管该合同属于劳务合同，但该临时工人并不是服务机构的雇员。在 *Ironmonger v. Movefield Ltd t/a Deerings Appointments* 一案中，劳工上诉法庭认为审判庭的判决——服务机构工作人员既然不是自营职业者那么必然是雇员——是错误的。很可能工人既不是雇员也不享有所谓的劳动就业保护权。

12.2 替代责任

实际侵权人总是承担损害赔偿责任，但在某些情况下，他人即使没有实际参与侵权行为也要承担责任。这种情况下，双方作为共同侵权人承担责任。雇主应对雇员在雇佣范围内的侵权行为承担替代责任，但其只有在例外情况下才对独立缔约人的侵权行为承担替代责任。根据1969年《雇主责任（强制保险）法》，雇主必须对这种替代责任投保。

上述理论与以下两个主要的侵权归责原则相矛盾：（1）个人只对自己的作为或不作为所造成的损害承担责任；（2）个人只有在有过错时才承担责任。因为雇主选任和控制雇员，所以该理论对雇主来说是公正的。

雇主的责任以雇员在雇佣范围内的行为为限。在 *Limpus v. London General Omnibus Co.* 一案中，雇员违背雇主的指示而与他人赛车，因为这发生在其被雇佣为司机的期间内，所以雇主应当承担责任。在 *Beard v. London General Omnibus Co.* 一案中，由于售票员开车不在其被雇佣范围内，所以雇主并不承担责任。在 *Twine v. Bean's Express Ltd* 一案中，被告雇佣的司机允许第三人搭便车，结果由于该雇员疏忽造成第三人死亡。法院判决：因为雇员行为已经超出了雇佣范围，所以被告不承担责任。此项判决被 *Conway v. Geo. Wimpey & Co.* 一案所遵循。然而在 *Rose v. Plenty and Another* 一案中，尽管布告已写明"在任何情况下绝不能雇用儿童履行本人应尽的职责"，雇主仍对在牛奶场帮忙的小男孩所造成的伤害承担替代责任。Denning 勋爵和 Scarman 法官认为：此案不同之处在于小男孩在运送牛奶的平板车上，这属于司机的雇佣职责。

在 *Warren v. Henleys* 一案中，雇主对油站油泵服务员拳打一名顾客所造成的损失不承担责任。但在 *Lloyd v. Grace, Smith & Co.* 一案中，因为欺诈行为是律师事务所雇员在雇佣期间内的行为，所以律师事务所对该欺诈行为承担责任。在 *Williams v. Curzon Syndicate Ltd* 一案中，一个夜间门房从经理办公室的保险箱里偷了原告的珠宝，其雇主因未尽适当注意义务而对此承担责任。在 *Pettersson v. Royal Oak Hotel Ltd* 一案中，在一醉酒顾客向酒吧服务员掷一杯啤酒后，该服务员掷回一块碎玻璃并打伤另一顾客，雇主要对此承担责任。

雇主承担责任的标准是："如果一个正常人认为即使未经授权或被雇主禁止，雇员的行为对雇主工作来说仍是非常重要的，则雇主就要承担责任；如果行为背离雇佣工作甚至与之相反，并且完全可以与之分开，则雇主就不承担责任"：*Harrison v. Michelin Tyre Co.* 一案。该案判决确立了在雇员胡闹情况下的责任承担问题。在该案中，原告因其所站甲板被另一雇员用手推车撞倒而受伤，雇主对此应承担责任。在 *Hudson v. Ridge Manufacturing Co. Ltd* 一案中，一名雇员恶作剧绊倒另一雇员，因为这名雇员是有名的恶作剧者而公司却没有将其解雇，所以雇主对此所造成的伤害应承担损害赔偿责任。在 Century Insurance Co. Ltd v. Northern Ireland Road Transport Board 一案中，司机在往油库里放油时，点燃香烟后即将火柴随意扔掉，雇主要对此造成的损害承担替代责任。见下文 Jones v. Tower Boot Co. Ltd 一案。

12.3 雇佣的持续性

有关雇员的普通法法律规定适用于所有的雇员，但成文法对裁员和不当解雇的保护只适用于限定时间内持续雇佣的雇员。最初这是根据每周至少工作 16 小时的限定周数界定的。在 R v. Secretary of State for Employment ex parte Equal Opportunities Commission (EOC) and Mrs. P. Day 一案中，上议院判决：坚持每周工作至少 16 小时有悖于欧共体法律，并且造成对每周少于 16 小时的兼职工人（更多情况下是妇女）的歧视。1995 年《就业保护（兼职雇员）条例》规定，对于持续 2 年以上的雇佣，雇员可因不当解雇而要求遣散费或补偿。赔偿要求可以溯及到 1976 年 4 月 8 日，即欧洲法院规定"《欧共体公约》第 119 条确立了可强制执行的个人权利"之时。

在 Seymour—Smith and Perez v. Secretary of State for Employment 一案中，两位妇女因为没有达到 1985 年法令所要求的持续两年雇佣期限（法令把期限从原来的 12 个月延长到 2 年），所以未能就不当解雇向劳资法庭提出索赔要求。其提起司法审查，以歧视妇女为由请求撤销该法令。上诉法院判决：该法令虽具有歧视性，但撤销该法令是不当的，其可以依赖正式指令对该法令的法律效力提出异议，有权要求宣告救济。上议院因技术原因撤销了这项宣告，但 1985 年法令的效力问题并没有得到解决：R v. Secretary of State for Employment ex parte Seymour – Smith and Another 一案。

现在，有关雇员权利的法律大部分都包括在 1996 年《雇佣权利法》之中，如果无例外说明，则本章所涉及的成文法都指该法。

12.4 雇佣合同的订立

雇佣合同不必以特定形式订立,可以书面、口头、默示行为或者上述几种形式的组合订立。但是,除特殊情况外,雇主必须在雇佣开始起两个月内提供相关雇佣具体事项的书面证明文件:第1条第1款和第2款。证明文件必须包括下列事项:(1)雇主和雇员的名字;(2)雇佣关系起始的日期;(3)雇员持续性雇佣期间的起算日期:第1条第3款。证明书还应包括以下事项:(1)报酬的比率或计算报酬的方法;(2)报酬支付的时间(每周、每月等);(3)与工作时间相关的任何条款或条件,包括正常工作时间;(4)与下列任何事项相关的条款和条件:①休假权利,包括公休假和休假工资的支付;②由于生病或受伤而无法正常工作,包括病假工资的支付的任何条款;③养老金和养老金方案;(5)要求雇员发出或雇员有权获得终止雇佣合同的通知期限;(6)工作名称或对工作的简短描述;(7)在非永久雇佣情况下,预期的雇佣期限,或一段固定期间的终止日期;(8)工作地点,或表明雇员必须或允许其在许多地点工作,以及雇主的地址;(9)任何影响雇佣条款和条件的集体协议,包括如果雇主不是一方当事人时,协议的双方当事人;(10)如果雇员必须在国外工作一个月以上,则还必须具备:①工作期限;②支付报酬的货币;③任何额外支付的报酬或给予的利润、回国的相关条款和条件:第1条第4款。

证明还必须包括一个通知,(1)明确规定雇员应遵守的惩戒规则或指明含有这些规则的文件;(2)明确规定:①在雇员对相关惩戒决定不满时可以向其提出申请的人;②雇员向其寻求救济的人以及申请的形式;③如果申请后还须采取措施,则应解释相关措施或指明含有这些解释的文件:第3条第1款。本条不适用于与工作卫生和安全有关的规则、惩戒决定或程序:第3条第2款。如果在雇佣开始之日雇员人数少于 20 人，这些规则就应相应放宽。如果上述这些必须包括或指明的事实发生变动，则雇主应向雇员出示具体变动的书面证明：第 4 条第 1 款。雇主应在第一时间出示此证明文件，不能迟于变动后 1 个月；如果变动导致雇员必须在国外工作 1 个月以上的，则不能迟于雇员离开英国的时间：第 4 条第 3 款。

工资的支付

在支付工资之时或之前，雇员有权要求分项开列的书面工资证明，包含总工资、任何浮动或固定（受到第 9 条制约）扣除金额和目的、纯收入工资以及在纯收入的不同部分以不同方式支付时每一部分的支付金额和方式：第 8 条。工资被广泛定义为"支付给工人的、与其雇佣相关的任何金钱，无论其是否根据合同支付，都包括各种费用、奖金、佣金、假期薪金和任何其他酬金"。该定义中还包括要求法定病假工资、生育工资等。

《雇佣权利法》第二编是关于对工资的保护。禁止雇主从工资中进行非法克扣：第 13 条。雇员也有权不向雇主交付。对零售业雇主在资金或股票短缺情况下克扣工资（第 18 条）、决定工资（第 19 条）和限制支付的程度（第 20 条和第 21 条）都有限制。1998 年《全国最低工资法》介绍了除特殊情况外的全国最低工资标准。

雇佣合同中的普通法默示条款

保持相互信任的义务

雇主和雇员都不能以行为损害其应该存在的相互信任关系。这种义务在推定解雇情况下（即雇员声称由于雇主根本违约而被解雇）尤为重要。雇主对雇员负有的这种义务出现的相对比较晚，但效力却越来越重要。其已被明示表述成雇主的一项责任："雇主不能无正当合理原因损害其与雇员之间的信任关系"：*Browne - Wilkinson Woods v. WM Car Service (Peterborough) Ltd* 一案。在

Spring v. Guardian Assurance plc 一案中，Slynn of Hadley 勋爵陈述道："雇佣关系已经发生了变化，强加于雇主比过去更多的义务……要关心雇员的身体、财政甚至心理方面的福利待遇"。这在 Malik v. Bank of Credit and Commerce International SA. 一案中得到证明，破产银行的两个长期雇员因在人才市场上被置于不利地位而请求名誉损害赔偿，其最终胜诉。上议院判决："不以损害与雇员之间的信任关系的方式经营企业"是雇主的默示责任。如果雇主能合理预见其行为将给雇员将来的就业前景带来不利影响和遭受相应损失，则雇员可以获得损害赔偿。损害信任关系的行为不必直接作用于雇员，雇员在雇佣期间也不必知道该行为。

雇员遵从合理合法指示的义务

雇员必须遵从雇主的合理、合法指示。在雇员正常工作职责以外的指示，无论其是临时性指示还是永久性指示，都取决于其工作的地位、公司的财政情况和人才市场状况。该规则延伸至与雇主合作的义务。这在雇员坚持按章工作的争端案件中尤为常见。在 Secretary of State v. ASLEF 一案中，上诉法院判决其违反了雇佣合同中的默示条款——不故意阻碍雇主生意或不以完全合理方式遵从指示的义务，或增加雇主商业利益的义务。在 Sim v. Rotherham BC 一案中，法院强调教师的职业性质，这种义务只限于此种雇员。

雇员的信托义务

由雇佣合同产生的一般信托义务可以细分为许多更具体的义务。

竞业限制义务 在 Hivac Ltd v. Park Royal Scientific Insurance Ltd 一案中，一名技术工人被限制为雇主的竞争对手工作，即使在业余时间也不得为其工作（关于公司董事，见第8章）。

保密义务 雇员不得为自己利益而使用或向他人泄漏其在雇佣过程中所得知的任何保密信息。在 Faccenda Chicken Ltd v. Fowler 一案中，法院区分了雇员在雇佣过程中获得的三种类型的信息。第一种是很容易获得的一般信息，即使雇员在雇佣期间也可以自由披露。第二种是在雇佣期间保密但在离职后雇员有权使用的信息。第三种是即使在离职后雇员也不能使用或披露的机密信息。在本案中，被告因被指控偷鸡而被解雇，后与原告的一些其他前雇员一起设立了竞争企业并使用有关销售信息——客户名单和需求、送货路线、频率和价格。法院认为关于前雇主客户的信息属于第二种类型，如果没有有效的贸易限制条款加以保护，则离职雇员可以使用此类信息。在 A. G. v. Blake 一案中，国王主张：被告（秘密情报局的前成员）未经其同意即出版发行书籍违反了信托义务。上诉法院判决：只要雇佣关系存在，并且该信息仍为保密信息，信托义务和保密义务就会存在；本案中，由于这些资料不再是秘密或保密的，因此，"被告未获得许可即出版发行书籍"并没有违反信托义务。但法院发布禁令限制被告再接受版税。

保密义务的重要例外就是为公众利益而披露信息的"告发者"。在 Initial Services v. Putterill 一案中，雇员告发其雇主参与非法定价方案，其并没有违反保密义务；在 Lion Laboratories v. Evans 一案中，前雇员告发呼吸分析器不准确，雇主请求签发禁令，该请求被驳回。目前，该规则由1998年《公共利益披露法》作出规定。

不得密谋私利的义务 雇员不得为自己的目的使用雇主名义或设备来密谋私利或从获取的保密信息中赚取个人利益。如果该私利是清白的，则雇主可以索回利润，而不能解雇雇员或拒绝支付报酬。但是，如果该私利不是清白的，例如雇员接受供应商的贿赂，则雇主可以解雇雇员（见第8章和第11章）。

披露不当行为的义务 Sybron Corp. v. Rochem 一案确立了高级执行官有义务向雇主报告其他雇员的不当行为。本案中的雇员是一家美国公司欧洲分公司的经理，其提前退休并获得大量补偿费。但后来发现这名雇员与其他雇员同谋欺骗公司多年，其一直在向一家专门设立的公司转移业务。法院判决：因为该雇员违反了披露不当行为（披露其自己的合谋行为）的义务，所以雇主有权撤销已支付的补偿费。

注意义务 在普通法上，雇主负有以下义务：（1）合理照顾雇员的安全；（2）提供安全的工具和设备；（3）提供安全的工作地点和工作系统；（4）保证雇员有技术适当的合作者。即使设备缺陷全部或部分归因于第三人即设备的生产商，雇主也应就设备缺陷对雇员造成的损害承担损害赔偿责任：1969年《雇主责任（设备缺陷）法》。雇主未对雇员进行投保并不导致雇员能对雇主违反法定义务提起民事诉讼：*Richardson v. Pitt—Stanley and Others* 一案。目前，雇主的义务都规定在1974年《劳动卫生和安全法》之中。这使雇主不仅对其雇员而且还对分包人的雇员负有法定义务：*R v. Swan Hunter Shipbuilders Ltd and Another* 一案。雇主的义务一般概括在第2条第1款中，具体的各项义务在第2条第2款中列明，包括：提供和维持安全、对身体无害的设备和工作系统；妥善安排使用、处理、储存和运输过程或一切实物、物品确保安全、对身体无害；提供保证工作人员健康安全所必需的信息、指示、培训和监督；维持所有工作地点安全、对身体无害；提供和维持对身体无害、设施和福利安排充足的工作环境。在 R v. Gateway Foodmarkets Ltd 一案中，上诉法院判决：根据第2条第1款，雇主负有严格责任，如果该雇主是公司，则在雇员及代理人未尽合理注意义务时公司将承担责任。该条款由监察人员实施。

雇佣合同中的成文法默示条款
同工同酬权

1970年《同工同酬法》与1975年《性别歧视法》同时实施，以避免对妇女工作前景的任何不利影响。因为《欧共体条约》第119条要求"妇女享有和男人一样的同工同酬权"，所以这两部立法的实施是英国加入欧共体的需要。在欧共体后来的1975年《同工同酬指令》和 1976 年《同等待遇指令》中，同工同酬权被详细说明。在 Defrenne v. Sabena 一案中，该权利被判决直接产生法律效力。因此，英国国民可以据此提出权利要求，国内法与欧共体法之间的任何冲突都以欧共体法为准。在 Marshell v. Southampton & South West Hampshire Area Health Authority 一案中，《同等待遇指令》被判决直接适用，具有垂直的法律效力，以限制对国家或国家机关而不是对个人或公司的强制执行。

《同工同酬法》不仅适用于雇佣合同的报酬条款，而且适用于雇佣合同的所有条款，但不包括死亡或退休补偿费条款。因为在欧共体法中允许对该条款的排除，所以该条款同样也被 1975 年《性别歧视法》排除在外。然而，欧洲法院通过解释第 119 条中的"报酬"一词扩展了保护范围，在《同工同酬指令》关于"报酬"的定义中进一步强调其包括"报酬的所有方面和条件"。这把报酬延及到已退休雇员的旅行特许权: Garland v. British Engineering 一案；职业养老金方案: Vroege v. NCIV Institut voor Volkshuisvesting BV 一案；退休年龄: Marshall v. Southampton & South West Hampshire Area Health Authority 一案；养老金年龄、养老金利润及法定和约定离职费: Barber v. Guardian Royal Exchange Assurance Group 一案。在 Barber 一案中，欧洲法院规定：除非已经开始法律诉讼程序，否则 1990 年 5 月 17 日（判决作出之日）之前的要求支付养老金的权利不能依第 119 条的相关法律效力直接提出。该规定解决了溯及力问题，否则第 119 条的效力就可能溯及到 1976 年和 Defrenne 一案判决时。Defrenne 一案确立：根据 1995 年《养老金法》，男女在职业养老金方案下享有同等待遇。对于通常 65 岁退休的变动将在 2010 年到 2020 年之间逐步完成。

职业养老金方案排除了兼职工作人员，但因为绝大部分的兼职工人是妇女，所以由此引发了歧视问题。在 Vroege 一案中，法院判决：Barber 一案中的时效不能适用，这意味着兼职工人的请求权可能溯及到 1976 年。在英国，此类请求权也大量存在。根据 1970 年《同工同酬法》，关于时效的主要问题有：(1) 必须在第 2 条第 4 款规定的 6 个月内提起诉讼；(2) 不得对两年前的雇佣期间内的问题提出权利要求：第 2 条第 5 款。在对不同领域案件的审查中，劳资法庭、劳工上诉法庭和上诉法院都维持了这个时效。在 Preston v. Wolverhampton Healthcare NHS Trust 一案中，上议院提请欧洲法院就"英国国内在职业养老金方案方面对歧视兼职人员的请求时效是否与欧共体法律不符"作出先决裁定。该两年时效早在 1998 年涉及北爱尔兰相同条款的案件中就被判决与欧共体法律不符：Magorrian v. Eastern Health and Social Service Board 一案。

对兼职人员的另一个间接歧视领域是裁员遣散费的计算。在 Barry v. Midland Bank plc 一案中，离职金取决于工龄、全职或兼职和离职时的报酬。原告在裁员时是兼职人员，但主张原裁定未表明在其被雇佣的 13 年中有 11 年都是作为全职雇员的。上诉法院判决：原裁定是正当、合理、必要的，任何间接歧视都会被真正的事实因素而不是性别差异证明的。

上议院曾就不当解雇补偿裁决中是否含有第 119 条规定的"报酬"提请先决裁定：R v. Secretary of State for Employment, ex parte Seymour—Smith and Another 一案。

《同工同酬法》允许就下列方面提出与其他被雇佣的异性雇员相同待遇的要求：(1) 同类工作；(2) 等级相同的工作；(3) 价值相同的工作。如果同工同酬要求得到满足，则妇女合同就被视为具备了一种平等条款，使合同中任何不利条款都被修订为与男人合同条款一样：1970 年《同工同酬法》第 1 条。

"同类工作" 如果妇女所做的工作与男人所做的工作相同或大体上相似，即被称为同类工作。在 Capper Pass v. Lawton 一案中，女厨师每天在董事会的餐厅里为 10-20 人准备午饭，在员工食堂工作的两名男厨师每天分六批准备 350 份饭，女厨师请求取得与这两名男厨师相同的报酬率,其获得胜诉。在 Eaton v. Nuttall 一案中,法院判决:因为男性生产安排员比从事同样工作但处理较低价值货物的妇女承当更大的责任,所以其有理由获得较高的报酬率。

"等级相同的工作" 这使得完全不同的工作之间的比较成为可能,克服了某种工作主要由男性或女性从事的问题。因此,如果男性和女性的工作经过评估确定为具有同等重要性,那么女性就有权要求获得与男性相等的报酬:1970年《同工同酬法》第1条第5款。这需要一种工作分析评估研究。

"价值相同的工作" 因为女性雇员无法对与男性工作不同但具有同等价值的工作提起诉讼请求,所以欧共体委员会对英国提起未实施1975年《同工同酬指令》的诉讼。作为该诉讼的结果,1983年《同工同酬条例(修正案)》规定了"价值相同的工作"。在 Pickstone v. Freemans plc 一案中,一位女仓库工人主张其工作与一男性仓库检查员的工作具有相同价值,请求获得与从事该工作的男性相同的报酬。雇主对此进行抗辩:因为从事同样工作的男性获得同样的报酬率,所以本案属于法律条文中的"同类工作";尽管《同工同酬法》第1条第2款第3项规定"价值相同的工作,报酬也应相同",但关于"同类工作"或"等级相同的工作"的问题不能根据该条款提出请求。如果该抗辩被接受,则将产生象征性雇佣,即:只要有与妇女同样雇佣的男人的存在,就将排除该妇女根据相同价值工作提出的任何请求。因此,在该案中,女仓库工人获得与从事该工作的男性相同的报酬。

与价值相同的工作相关的请求需要由雇佣法庭指定独立专家进行调查。妇女只能要求获得与"同样雇佣"的男性相等的报酬,此处的"同样雇佣"是指在同一机构或相关员工享有共同条款和条件的不同机构被同一或相关雇主雇佣。妇女可以随意选择比较者,而且可以选择多个比较者。《同工同酬法》似乎把请求限制于妇女和男性同时受雇的情况下，但是在 Macarthys Ltd v. Smith 一案中，被雇佣的女仓库经理发现其比前任男性经理获得的报酬少，欧洲法院判决：同工同酬原则不应当受到同时雇佣要求的限制。

抗辩理由 雇主享有抗辩权，其可以证明差别是由于性别以外的其他重要因素包括服务时间长短、优点、资格等造成的。提出其他重要事实的抗辩只有部分得到支持。法院只接受雇员属于不同工会的不同市场因素，并且这些不同因素被不同的雇员准入路径、评级结构和集体协议证明是正当的。另外一种抗辩理由是：男性雇员由于身体不好或重新评定工作被调到一个较低级别的岗位，但其仍然获得较高级别的报酬率。如果较高报酬是因为过去的歧视，则这种抗辩理由不适用。还有一种抗辩理由是地区差别，如"给予在伦敦工作的人额外津贴"：NAAFI v. Varley 一案。

直至最近，请求人是兼职工人的事实才证明了一个更差条款。机会均等委员会在上议院确立："每周工作 8–16 小时的兼职工人必须工作 5 年以上（全职工人需两年）才能享有诸如不当解雇、裁员和产假之类的雇员权利"这一规则是歧视性的：R v. Secretary of State for Employment ex parte EOC 一案。

在 Leverton v. Clwyd County Council 一案中，以一揽子抗辩理由为依据的抗辩获得了成功。上议院判决：尽管保育员比医务工作人员工资低，但其每周工作不到 4.5 小时而且每年还有额外 50 天假期，因此，保育员和医务人员之间存在事实上的根本区别。但该案与 Hayward v. Cammell Laird Shipbuilders 一案不尽一致。在后一案件中，一位食堂厨师请求其工作与被告雇佣的油漆工、隔热工程师和细木工 3 人的工作具有同等价值，雇主以一揽子抗辩理由为依据试图抗辩其工作与 3 人工作存在事实上的根本区别，实际上原告多获得 11 英镑而不是其主张的少获得 25 英镑。上议院判决：一揽子抗辩理由的每一单独部分都应当独立对待以达到其最佳效果，因此，驳回被告关于一揽子抗辩理由应总体对待的请求，食堂厨师的工作与3人工作具有同等价值。在 *Barber v. Guardian Royal Exchange Assurance Group* 一案中，欧洲法院赞同了这种"单独条款独立对待"的方式。

法定雇佣保护权利

法定雇佣保护权利由1996年《雇佣权利法》加以规定。此种权利不是雇佣合同中的默示条款，但其与合同条款平行存在，并撤销合同中的冲突条款。一般而言，法定雇佣保护权利受到最低雇佣期限的限制。1998年《雇佣权利（争议解决）法》的目的在于简化雇佣争端的解决。执行此种权利的劳资法庭根据此法改名为雇佣法庭。

生育权 妇女享有以下权利：（1）不因为怀孕而被解雇的权利：第99条；（2）产前照顾带薪休假权：第55-57条；（3）产假、产假工资和返回工作权：第71-85条。不得因为怀孕而被解雇的权利规定在1992年10月通过的欧共体《怀孕工人指令（92/85)》之中。下列情况下，雇员被视为不当解雇：（1）解雇的原因或主要原因是其怀孕或与怀孕有关的任何其他原因；（2）产假期间因解雇而终止的原因或主要原因是生孩子或与生孩子有关的任何其他原因；（3）产假结束后雇佣合同被终止的原因或主要原因是其休产假；（4）解雇的原因或主要原因是以其怀孕、刚生完孩子或正在给婴儿喂奶期间为由根据1974年《劳工卫生和安全法》第16条下的立法、措施或习惯法条款的相关要求或相关建议要求其暂时停止工作：第55条；（5）产假期间因解雇而终止的原因或主要原因是其被裁员和未遵守第77条规定（见下文的"裁员"部分）。上述规定没有期限限制，因此，工作一小段时间后因怀孕被解雇的妇女不必再根据《性别歧视法》提出请求。这对于妇女的工作申请因怀孕而遭拒绝也是很有用的。如果根据《性别歧视法》提出请求，就必须比较男性和女性的工作地位。欧洲法院对 *Webb v. EMO Air Cargo* 一案的判决解决了这个问题，规定：禁止自怀孕开始到产假结束的期间内解雇妇女的原则没有任何例外或减损,根本不存在与男性工作地位相比较的问题,并且,不得以任何方式将怀孕与疾病状况相比较。以怀孕为由裁员也是不公平的: *Stockton - on - Tees BC v. Brown* 一案。

根据第55-第57条的规定,产前照顾休假也没有期限限制。这是关于怀孕妇女雇员根据注册医师、接生员或护理人员的建议预约接受产前照顾的权利。这种权利的享有必须出示怀孕证明文件和预约卡(第一次预约除外):第55条。在此期间,雇员有权获得以小时计算的适当报酬:第56条。雇员可以向雇佣法庭投诉其雇主无理拒绝休假或未全部或部分支付其应得的报酬。投诉应当在预约之日起3个月内提出或者在法庭认为合理的更长期限内提出:第57条。

根据《怀孕工人指令》,所有的妇女都享有产假权。该指令的第71-78条被吸收为英国立法,使雇员享有其未休假(未怀孕或未生孩子)时应享有的雇佣条款和条件利益:第71条第1款。该权利包括享有养老金方案、使用公司车辆和假期积累权,但不包括要求报酬权:第71条第2款。但是,符合条件的雇员有权获得6个星期的法定产假工资,其金额为正常工资的90%,所谓的符合条件是指妇女已经被雇佣26个星期。其余期间内获得产假津贴,金额相当于法定病假工资。因雇佣期间太短而不能获得法定产假的雇员在整个期间内都获得产假津贴。产假于下面较早之日开始:(1)雇员通知雇主之日;(2)预产期前的第6个星期开始后其第一次因怀孕完全或部分缺工之日:第72条第1款。未能根据上面条件确定产假的,产假自孩子出生之日开始:第72条第2款。产假期间为开始之后14个星期:第73条第1款。

在长达14个星期的产假结束之后,雇员有法定返回工作的权利。对于在预产期前11个星期之内被雇佣、连续工作期限为2年以上的妇女产假期间延长到生孩子之后的第29个星期,从而使其享有 40 个星期的产假：第 79 条第 1 款。R v. Secretary of State for Employment ex parte ECO 一案和 Webb v. EMO Air Cargo 一案的判决，使得以前要求兼职工作人员 5 年的工作期限是歧视性要求。但是，除非雇主增加法定权利，否则大部分额外期间都是无报酬的。妇女可多获得 4 个星期的基本法定产假工资、相当的法定病假工资和养老金权利，从而使整个产假为 18 个星期。雇主的产假方案可以对雇员更有利，并且，雇员可以取得任何方面对其更有利的权利：第 78 条。根据协议，一些雇主还同意在雇员生产后一定期间内支付高于法定金额的补偿。

雇员如果不在产假开始前至少 21 天或可合理实施的最早时间书面通知雇主其已怀孕和预产期，或在孩子已经出生情况下的孩子出生日期，其就不能享有产假权。经雇主要求，雇员必须出示预产期证明书：第 75 条。如果雇员想在产假未结束时提前回原单位工作，则必须至少提前 7 天作出通知；如果雇员没有作出通知，则雇主可以拖延其返回工作时间以保证其必须提前 7 天通知。但是，在法定产假结束后，雇主没有权利拖延返回工作时间：第 76 条。

雇员如果在产假结束前返回原单位和雇主或雇主的继承人共同工作，则其享有"如不休产假就能享有的待遇、资格、养老金和类似权利"；否则其待遇不得低于原有的待遇：第 79 条。

如果雇员没有作出第 75 条要求的通知和其意欲行使返回工作权的通知，则其不得享有返回工作权。在产假结束之前 21 天内，雇主可以要求雇员书面确认其行使返回工作权的意图，如果其不在接到通知之后 40 天内或合理期限内发出书面确认，其就不能再行使该权利。任何要求确认的通知都应当是书面的，并应附有法律效力证明：第 80 条。

雇员应该至少在返回工作之日前 21 天发出行使返回权的书面通知。如果雇主在雇员返回工作之日前通知其由于特殊原因将推迟到某具体日期，则雇主可以最长推迟 4 周，雇员将在推迟后的具体日期要求返回工作。如果雇员在通知返回工作日之前（或29周结束之前）向雇主出示医生的证明，以表明其因疾病或身体或心理上的不适而无能力在通知之日返回工作，则其可以：（1）于通知返回工作之日起推迟4周返回工作（即使已经超出孩子出生之后29周）；（2）如果没有通知雇主返回工作之日，则其可以在29周结束后的4周内返回工作：第82条。

如果因为裁员而无法行使该权利，则雇员有权要求重新提供合适的就业机会，签订重新雇佣合同，其被雇佣的工作能力、地点以及其他雇佣条件和条款都不能明显低于其返回工作所享有的待遇：第81条。根据第79条享有返回工作权的雇员如果在其产假结束之前或之后被解雇，则依照其合同权利，第79条规定的权利只有在雇员获得不当解雇补偿或遣散费时才能行使：第84条。如果雇员同时享有第79条规定的返回工作权和雇佣合同规定的其他返回工作权，则其不能同时行使这两项权利，但其可以选择任何一项对其有利的权利：第85条。

如果妇女发出返回工作通知但并没有实际返回工作，其不应受到惩罚。如果雇员要求以兼职身份返回工作，则将其解雇是很危险的。因为大部分兼职工作者是妇女，所以不允许雇员从事兼职工作可能导致间接歧视。因为一个案件被提请欧洲法院，询问反歧视法是否赋予妇女产假期间获得工资的权利，法院也将考虑休产假妇女是否有权获得与休病假雇员同样的报酬，所以这一领域的法律将有更多变动。劳动部签署《欧盟社会宪章》，为父亲照料婴儿的休假权奠定了基础。

工资支付的保证 根据第28-34条，如果雇员被解雇不是由于其自身的过错造成的，则在其失业期间应获得有保证的最低工资。该期限为1个月，但不到3个月的固定期限合同或履行一项具体任务预计不到3个月的合同的雇员除外，该权利只有在持续雇佣3个月以上时才产生：第29条第2款。该权利在雇员因以下原因被解雇时才产生：（1）雇主企业中该雇员从事的工作的减缩；（2）任何影响该雇员从事工作的正常运行的情况出现：第28条第1款。如果雇主未能提供工作是罢工、闭厂或其他产业活动的结果，则雇员在失业期间不享有保证支付的工资：第29条第3款。如果雇主主动提供其他合适工作但被雇员无理拒绝，雇员则不再享有该权利：第19条第4款。

保证支付的工资根据第30条计算。保证支付的小时工资是1周工资总数除以1周内的正常工作时间而计算出的数额，但每天不能超过14.5英镑。雇员在3个月期间内最多能要求五天的保证支付工资：第31条。

由于健康原因停工情况下的获得报酬权 如果企业根据卫生和安全规则关闭，则除非雇主有暂时终止的合同权利，否则其雇员仍享有获得报酬权。该期限为1个月，但如果雇员在暂时停产期间由于健康原因不能工作，则其不能享有该权利。此外，如果雇员无理拒绝适当的其他雇佣工作，则雇主的责任将被解除：第七编第64－65条。该法同时也规定妇女休产假的情况，即其怀孕、刚生完孩子或正在喂养婴儿的情况：第66－68条。报酬根据第69条计算，而且还规定如果雇员未得到报酬，则可以向劳资法庭投诉：第70条。

休假权 第五编的权利是关于（1）公共义务：第50－51条；（2）被裁员工人寻找新的工作或安排训练：第52－54条；（3）产前照顾：第55－57条（见上文）；（4）职业养老金方案的受托人：第58－60条；（5）雇员代表：第61－63条。

公共义务 雇主必须允许治安官雇员休假履行其职责：第50条第1款。雇主也必须允许地方当局、法庭、警察局、监狱探访委员会、相关卫生组织、相关教育组织或环境机构的成员休假参加机构会议等。其不享有休假工资，并且休假时间也必须合理。

寻找工作和安排训练 已经接到裁员通知的雇员，如果其已经持续性受雇两年以上，则有权为此目的在一段合理时间内休假：第52条。雇员有权获得根据第53条计算的以小时支付的适当工资。大部分雇主都不要求已裁员雇员逾通知期限工作，从而使得这项权利没有意义。

职业养老金方案受托人　受托人在履行职责或进行与其职责相关的培训时有权休假。休假时间必须合理并享有报酬：第59条。

雇员代表　这与1992年《工会与劳资关系（统一）法》第四编第2章或1981年《企业转让（雇佣保护）规则》第10条和第11条规定的雇员代表或雇员代表竞选候选人有关。雇员有权合理休假履行其职责并获得以小时计算的适当报酬。

除了上述休假权外，还有关于工会职责和活动的休假权。其没有最低服务期间要求，但只适用于获得承认的工会官员和成员。休假期间既可以享有报酬也可以不享有报酬，期间没有具体确定但必须合理。目前，该权利在《工会与劳资关系（统一）法》中规定。工会官员有权为履行其工会义务和接受培训获得带薪休假。但这些义务和培训必须与下列事项有关：与雇主的谈判、可以成为贸易争议事项的问题以及雇主认可工会的有关问题。培训休假也受到类似的限制：《工会与劳资关系（统一）法》第168条和第169条。

工会成员有权为工会活动获得无薪休假，这些活动包括作为工会代表人、国家行政部门成员参加分支机构会议、地区会议或工会委员会年会：《工会与劳资关系（统一）法》第170条。但不包括参加产业活动。

根据1974年《劳工卫生和安全法》，雇员可以有其自己的安全代表，与雇主谈判。然而根据1975年修正案，只有获得承认的工会才有权指定安全代表。安全代表有权获得必要的带薪休假履行职责和接受培训。由于欧洲法院判决："英国只允许获得承认的工会代表而不是工人代表与雇主谈判"这一规定违反了1975年《集体性辞退指令》和1977年《既得权利指令》，因此，"对工会代表限制"的合法性受到质疑：*Commission of the EC v. UK* 一案。

性别或种族歧视

根据 1975 年《性别歧视法》和 1976 年《种族关系法》，直接和间接的性别或种族歧视都是非法的。《性别歧视法》还包括对已婚人身份的歧视（第 1 条第 3 款），而《种族关系法》禁止基于肤色、种族、国籍和种族或民族起源的歧视。"种族"和"种族起源"两词含义并不是非常明确，后者曾是诉讼标的。Fraser 勋爵对"种族起源"作出的定义为："如果一部分人以共同的习惯、信仰、传统和特点区别于其他人，而这些共同特性又从共同的或推定共同的过去沿袭下来，则即使不是生物学意义上的共同种族血统，也可以确定这些人种族起源相同"。该定义包括犹太人、锡克教徒、讲英语的威尔士人和爱尔兰人，但不包括拉斯塔法里教徒。

根据《性别歧视法》和《种族关系法》，有三种非法歧视：直接歧视、间接歧视和报复性歧视。非法歧视可以产生于招聘之时、雇佣过程之中或终止之时。可以向劳资法庭提出请求，法庭可作出补偿判决和建议雇主消除歧视行为的影响。根据这两个法案，机会均等委员会和种族平等委员会拥有广泛的权利。

直接歧视 直接的性别和种族歧视是指一人所受的待遇明显低于另一人，并且这种差别待遇是因为性别或种族不同而引起的。在 *James v. Eastleigh Board Council* 一案中，该议会不允许 61 岁的詹姆斯先生自由进入市游泳馆但允许其同龄的妻子进入，尽管该自由进入许可是以养老金年龄为依据的，根本没有歧视任何性别的意图，但法院仍根据《性别歧视法》判决该议会败诉。这一判决有直接歧视的事实意味着：即使歧视是非故意的，也可判决损害赔偿，并排除可适用于间接歧视的任何抗辩理由。歧视性行为不能因雇主补偿就被认为是正当的。因此，在 *Ministry of Defence v. Jeremiah* 一案中，"雇主要求只有男性雇员从事极其讨厌的工作才额外支付报酬"是具有歧视性的；在 *Peake v. Automotive Products*

一案中,"协议允许女性雇员比男性雇员提前5分钟下班"也是具有歧视性的。

《种族关系法》第1条第2款规定:即使是应雇员的要求,雇主也不得进行种族隔离,并且,禁止雇主不惜麻烦基于不同种族分派部门或轮班人员。

立法中没有提及性骚扰和种族骚扰,但 Porcelli v. Strathclayde Regional Council 一案裁定的性骚扰与1975年《性别歧视法》第1条第1款和第6条第2款第2项的规定相悖。该案裁定的性骚扰包括:不受欢迎的性注意;暗示性行为可以进一步拓展事业(或拒绝性行为将阻碍事业);污辱或取笑性;猥亵、挑逗或过分亲密行为;展示或播放使人产生淫乱邪念的资料。对爱尔兰雇员经常面对爱尔兰笑话或其他嘲讽的判决就是基于这种骚扰。根据《性别歧视法》第41条和《种族关系法》第32条的规定,雇主对其雇员在雇佣期间的歧视性行为承当替代责任。雇主可进行的抗辩是:如果雇主证明其已经采取了所有合理措施以防止该歧视性行为的发生,则雇员将对此承担单独责任。在 Jones v. Tower Boot Co. Ltd 一案中,琼斯是个混血儿,因为受到其他雇员的极端种族骚扰——包括被叫做"狒狒"和被热螺丝刀打上烙印,所以从被告处辞去机器操作员工作。劳工上诉法庭判决该种族骚扰行为不属于"在雇佣过程中"的行为。上诉法院撤销了劳工上诉法庭的判决,认为应赋予"在雇佣过程中"以日常普通含义,而不能根据雇主替代责任原则对其作出限制性解释。

关于直接歧视,与异性或不同种族之间的比较是至关重要的因素。关于性别歧视和怀孕方面的问题,上文已经予以讨论。

间接歧视 间接歧视是指,普遍适用的条件或要求使某性别或某种族处于不利地位或者要件不能以非性别或非种族理由加以证明。因此,间接歧视:(1)必须存在对所有人都适用的条件或要求;(2)符合该条件或要求的妇女、已婚妇女或少数种族成员的比例必须小于其他人群；(3) 该条件不能被证明是正当的；(4) 必须对不符合该条件的投诉者造成损害。

在 Price v. Civil Service Commission 一案中，因为年龄在 17 岁到 28 岁之间的妇女很可能正在抚养孩子，所以"申请管理职员职位的人必须在 17 岁到 28 岁之间"这一要求构成对妇女的歧视。"必须通过普通级别英语考试"的要求也被视为具有歧视性。这里的"条件或要求"不包括并非选任雇员绝对障碍的招新标准。因此，在 Meer v. Tower Hamlets 一案中，"优先考虑有地方当局工作经验的竞聘者"这一明示规定不是间接歧视。

由于对"比较人群"和"比例小的程度"没有作出具体界定，因此，在确定相关事项时就会产生问题。而且，即使确立了"有意排除妇女或少数种族"这一条件，也总有"该条件是正当的"这一抗辩理由，但根据欧洲法院在 Bilka‑Kaufhaus v. Weber van Hartz 一案中的判决，雇主对此必须提出客观合理原因进行抗辩。

报复性歧视　法案保护因提出歧视请求而受到雇主报复的雇员。

例外情况　在一些例外情况下，雇主对"某一性别或少数种族成员"的要求可以被视为真正的工作需要。根据《性别歧视法》第 7 条，在下列情况下，雇主对性别的要求被视为真正的工作需要：因生理原因要求雇佣男性；基于礼仪或保密的需要；在私人住宅工作并与雇主进行密切的身体或社会接触；工作要求居住在受雇处而且设备只适用于同性使用；工作要求在同性机构中进行；从事福利或教育的人员提供个人服务，并且男性可以提供更好的服务；法律禁止雇佣女性的情况；在英国之外的国家工作，而该国的法律或习惯禁止妇女从事这种工作；该项工作是由一对夫妻从事的两项工作之一。除此之外，《性别歧视法》还规定了一些被视为真正工作需要的职业：警察、监狱官员、牧师、接生员和采矿工人。

《种族关系法》第 5 条作了类似的规定，包括：进行戏剧表演或其他娱乐活动的需要；从事福利或教育的人员提供个人服务，并且由某一特定种族成员提供服务可以使效率更高。《种族关系法》允许歧视在英国之外招募的新船员。

在 *Harrods Ltd v. Remick* 一案中，H 有限公司批准特定部门出售执照持有者的货物。执照持有者经公司同意提供销售人员并使用公司的邮编。两名原告被解雇，一名因为未使用公司邮编，另一名是亚洲人，因为戴鼻环。另外一名原告因未取得公司的同意而未获得工作。根据《种族关系法》第 9 条，上诉法院判决 H 公司败诉。这是关于第三人的雇员为本人工作，第三人根据与本人之间的合同向其提供货物的情况。

救济 如果证明歧视的确存在，则法院有权：（1）发布裁定宣告双方的权利；（2）要求雇主进行赔偿；（3）建议雇主在一段具体时间内采取措施以消除或减少歧视的不利影响。过去的赔偿金额很低，但自从 *Marshall v. Southampton & SW Hants AHA* 一案的判决以来，出现了较多高金额的赔偿判例。近来的判决中，关于武装力量要求怀孕妇女离开或堕胎的判决比例很高。

如果合同是非法的，则法院一般不会执行该合同，并且不会承认该合同所产生的法定权利，但性别歧视请求除外。在 *Leighton v. Michael* 一案中，原告在一家炸鱼和土豆条的商店工作，其所得税和国民保险分担都从工资中扣除。后来商店被被告接管，其不顾原告要求停止扣除所得税。因为合同是非法的，所以法院驳回了原告有关性骚扰的请求。但是，劳工上诉法庭认为：法律和公共政策都没有因为合同非法而取消不被性别歧视的权利。该规则对种族歧视同样适用。

性取向方面的歧视

在 *Smith v. Gardner Merchant Ltd* 一案中，劳工上诉法庭遵循了 *R v. Ministry of Defence, ex parte Smith* 一案的判决，认为：1975 年《性别歧视法》并不保护同性恋者不受性取向方面的歧视。然而，在 R v. Secretary of State for Defence, ex parte Perkins 一案中，原告因同性恋倾向而被海军开除，法院同意将该问题提请欧洲法院，以裁定《平等待遇指令》第2条第1款是否适用于同性恋者。在 R v. Sand Cornwall CC 一案中，欧洲法院判决：变性人变性后被解雇受到了歧视。但在 Grant v. South - West Train Ltd 一案中，原告未获得与同性伙伴旅行的许可，欧洲法院判决：由于该公司的规则平等地适用于男性或女性工人，因此，根据第119条，该公司的规则不存在歧视性。法院还表明：同性两人之间的稳定关系与异性两人之间的婚姻或稳定关系不同。

对残疾人的歧视

1995年《伤残人歧视法》保护伤残人（第1条第2款）或已经伤残的人（第2条）不受歧视。伤残人是指一个人所受到的身体或精神上的损害对其日常活动的能力产生了不利影响，并且该影响是重大和长期的（第1条第1款）。

构成对伤残人的歧视必须具备：（1）身体或精神上的损害；（2）损害必须对日常活动的能力产生不利影响；（3）该影响必须是重大的；（4）长期的。

损害 法案对身体上的损害并没有进行详细说明，但附件1第1条第1款对精神损害进行了界定。如果经临床诊断可以视为某人具有精神上的损害。附件1第1条第2款允许国务大臣有权确定"损害"所包括的条件，但应排除诸如盗窃狂、纵火狂、恋童癖和情绪不稳定综合症之类的精神不正常或反社会的疾病或嗜好。吸毒和酗酒是否被排除还有待观察。在第一年，哮喘即被包括在该法范围之内，有一个健康护理员在患慢性疲劳综合症休假之后被解雇，其在庭外和解中获得16000英镑赔偿。

日常活动 在附件1第4条列出了一个清单：移动性、手工能力、身体协调；自控能力；举起、搬运或移动日常物品的能力；口才、听力或视力；记忆力或学习理解能力；精神集中能力；对风险和身体危险的洞察力。这个清单是详尽的，但是，如果损害造成痛苦、疲劳或疼痛，则这些后果在决定是否对日常活动能力产生重大影响时也应予以考虑，因此其范围已被拓宽。

重大影响不应该是次要的，并且排除无关紧要的事项。一大型载货机动车司机因患风湿性关节炎而被解雇，法院判决该司机伤残程度并不重大。

长期影响 这种影响必须持续12个月，或者预计将持续12个月或一个人的余生（针对寿命减短的垂危患者）：附件1第2条。

附件也保护波动性发作病人，如癫痫病患者（附件1第2条第2项）。如果毁容是长期的或很可能再出现，例如湿疹，则受到该严重毁容的人也被视为满足了日常活动的重大不利影响的条件（附件1第3条）。一个人正遭受进行性条件，结果产生或已经产生损害，并且该损害对其日常活动的能力造成重大长期不利影响，如果这种条件很可能产生这样的损害，则该不利影响即被视为重大影响：附件1第8条第1款。该法也包括即使有时病痛减轻的多种硬化症患者。

该法还涉及下列方面的歧视：雇佣（第二编），货物、设备和服务（第三编）；教育（第四编）；公共交通（第五编）；建立全国伤残委员会监督本法的实施和执行（第六编）。

雇佣方面的歧视（第二编）

该法第4条规定：（1）在下列情况下，雇主对伤残人员的歧视是非法的：①招聘决定雇佣人员的安排；②向伤残人员提供的条件和条款；③拒绝或故意不雇佣伤残人员。（2）在下列情况下，雇主对其雇佣的伤残人员的歧视是非法的：①向伤残人员提供的雇佣条款；②向伤残人员提供的晋升、调动、培训和接受任何其他利益的机会；③拒绝或故意不为伤残人员提供上述机会；④将伤残人员解雇或导致伤残人员受到任何其他伤害。

在下列情况下，雇主被视为歧视伤残人员：（1）因为与伤残人员的伤残情况相关的缘由，雇主给予伤残人员的待遇低于其他正常人的待遇；(2)雇主不能证明这种差别待遇是合理的：(第5条第1款)。

在下列情况下，雇主也被视为歧视伤残人员：(1)未履行第6条与伤残人员有关的雇主义务；(2)不能证明这种不履行是合理的(第5条第2款)。

第6条义务是该法要求的合理安排工作场所的责任。例如，一畸形足机械师在工作了17年无法再站在机器旁时被解雇，其获得2000英镑的赔偿并恢复职位。雇主作了适当安排以使该雇员能坐着工作。

偏袒伤残人员的积极歧视是可以的，雇主可以合法宣传只提供给伤残人员的职位。只有基于慈善缘由的歧视才是合法的，并且具体目标在于使某一特定伤残人受益：第10条。如果诉讼请求表明差别待遇的原因与伤残情况有关，则雇主可以证明这种差别待遇对于这种特别情况不但是必不可少的而且是重要的：第5条第3款。

卫生和安全原因是不雇佣伤残人员的主要理由。1974年《劳工卫生和安全法》强加雇主提供安全同事义务和使第三人无危险的义务。在1995年《伤残人歧视法》与其他法律条文产生冲突时，优先适用其他法律条文（第59条）。雇主必须证明尽管其合理安排工作环境，但雇佣伤残人员还是代表一种危险。

该法除了适用于雇员之外，还可以适用于自营职业者。国王的雇员也包括在内：第64条和第66条。该法还禁止本人歧视有关的合同工作：第12条。本人就是与另外一个雇主订立合同并向其提供合同人的人。

除非雇主已经采取合理可行措施防止歧视性行为的发生，否则，无论其是否知道或同意该行为，其都将对雇员的任何歧视性行为承当法律责任：第58条。尽管该法没有明确规定，但根据1975年《性别歧视法》类推，骚扰也视为差别待遇。

排除情形

排除情形包括：拥有少于 20 名雇员的雇主（第 7 条）、全部或主要在国外履行的工作（第 4 条第 6 款和第 68 条第 2 款）、在船舶、飞行器或气垫船上进行的工作（第 68 条第 3 款）。法案也不包括影响职业伤残人员的合伙企业。警察部队成员（包括英国交通警察）、武装力量、监狱官员和消防员也同样被排除在外。

政府《工作守则》将提供消除歧视的可行性指导并鼓励良好的习惯。

《伤残人歧视法》也涉及歧视性的招聘广告问题：第 11 条。惩罚根据本法寻求诉讼程序的雇员的行为是非法的——这既适用于伤残人也适用于正常人。明知行为被本法规定为非法但仍帮助他人实施的视为其本人实施了这种歧视性行为：第 57 条。本法还规定贸易组织对伤残人员的歧视也是非法的：第 13 条。这包括工会、雇主组织以及其他职业机构，如律师委员会、法学会和英国卫生协会。

强制执行

要求确认歧视性行为的请求必须在三个月内向劳资法庭提出：第 8 条和附件 3 第 3 条第 1 款。法庭也可以根据公平合理原则审理超出上述时效的案件：附件 3 第 3 条第 2 款。原告必须向法庭证明其受到非法歧视。意图证明差别待遇合理的雇主必须证明其原因在第 5 条规定的范围之内。

法庭可以作出其认为公平合理的裁定：第 8 条。这些裁定与性别和种族歧视案件中的裁定类似。此种情况下没有法律援助。除非败诉的原告知道根本没有胜诉的机会和可能，否则其不承担胜诉方的法律费用。可以向劳工上诉法庭和上诉法院提出上诉。对于上诉审可以提供法律援助。每个月大约有 100 起案件提交法庭审理。

不当解雇

对于下列事项，雇主必须证明根据 1996 年《雇佣权利法》第 98 条规定作出的解雇是正当的：(1) 雇员的能力和资格；(2) 行为；(3) 裁员；(4) 继续雇佣将违反雇员或雇主的法定义务；(5) 证明解雇是正当的其他重大原因。

《雇佣权利法》列出了以下无可置疑的不当解雇理由：(1) 怀孕或其他与怀孕有关的原因，包括未提供其他适当雇佣：第 99 条；(2) 关于履行作为卫生和安全代表的义务，或雇员有理由相信特定情况对卫生和安全有害而提醒雇主注意：第 100 条；(3) 保护不愿在周日工作的店员和赌注站工人：第 101 条；(4) 是职业养老金方案的受托人：第 102 条；(5) 是雇员代表：第 103 条；(6) 对相关法定权利的维护：第 104 条；(7) 与未被裁员的雇员处于相同情况下而被裁员：第 105 条。

除此之外，1992 年《工会与劳资关系（统一）法》规定的不当解雇情形有：(1) 雇员是或即将成为独立工会的成员，在适当时间参加过或即将参加独立工会的活动，不是任何工会成员，或不隶属于某一特定工会或某些特定工会之一，或拒绝或即将拒绝维持或成为工会成员：第 152 条；(2) 雇员被列入裁员名单与工会成员或工会活动有关。关于期限和年龄的上限限制条款不适用于对工会成员或参加工会活动的雇员的解雇：第 154 条。

违反《性别歧视法》、《种族关系法》和《伤残人歧视法》的解雇也是不当的。

雇员可以在劳资法庭上对下列解雇提出质疑：(1) 雇主通知或即时终止雇佣合同；(2) 拒绝重新订立固定期限合同；(3) 雇员因为雇主的行为而终止合同——"推定解雇"：第 95 条第 1 款。当雇主发出解雇通知时，雇员应在此通知期限内发出提前终止合同的通知：第 95 条第 2 款。终止的有效日期根据第 97 条的规定来确定。雇员有权要求解雇原因的书面证明文件：第 92 条。

通知或即时终止 在有些案件中，雇员是否被解雇含糊不清，最重要的判断标准是雇主所要表达的是什么和普通雇员所理解的是什么。如果雇员因愤怒、受纪律性程序威胁或害怕被解雇而辞职，则事后可以尽力确定其被解雇。雇员可以主动要求列入裁员名单，然后主张其被解雇。

雇员是否被解雇以及合同是否因其他没有导致不当解雇请求的程序而终止，都是很难确定的。合同中可以规定自动终止条款，包括雇员寻求延长国外休假期间的情况；雇员未在指定时间返回工作也被视为雇员辞职或终止合同。在 *Igbo v. Johnson Matthey Chemicals* 一案中，上诉法院判决：如果合同被终止则将构成解雇。

合同因履行落空而终止不构成解雇：*Poussard v. Spiers & pond* 一案。因生病而无能力工作是请求的主要理由。无能力导致合同履行落空的判定标准在 *Egg Stores (Stamford Hill) v. Leibovici* 一案中作出规定的，包括：(1) 雇佣期间的长短；(2) 预计的雇佣持续期间；(3) 工作的性质；(4) 阻碍事件的性质、时间长短和后果；(5) 代替工作的需要；(6) 工资是否持续支付；(7) 雇主的行为和陈述；(8) 是否能期待一个正常雇主在永久替换雇员之前一直在等待。上诉法院支持 *Notcutt v. Universal Equipment Co. (London)* 一案中的方式。

雇员被判刑可以导致合同履行落空，但雇主可以主张这是雇员自身违反合同而导致的不当解雇。在 *Hare v. Murphy Brothers* 一案中，领班因猥亵案而被判处 12 个月有期徒刑，导致其合同履行落空。在 *Shepherd (FC) & Co. Ltd v. Jerrom* 一案中，6 个月至 2 年的刑期导致 4 年的学徒合同因履行落空而终止。如果雇主死亡主动或强制进入清算程序，或合伙企业解散时在新企业主控制下企业停止营业或雇员合同被终止，则视为雇员被解雇并有权要求遣散费。关于公司或合伙企业财产管理人或公司破产管理人的指定，见第 19 章。

拒绝重新订立固定期限合同 固定期限合同必须明确开始和终止时间,从一开始就知道具体日期。如果没有具体终止时间,则其可能是为特定目标而订立的合同,不能受到法案的保护。固定期限合同可以规定由任何一方通知终止合同: Dixon v. BBC 一案。

推定解雇 通常因为雇主行使变动合同的权利而引起该诉讼请求。在 White v. Reflecting Roadstuds Ltd 一案中,原告的合同规定:"公司保留调动雇员工作的权利,并且合同的条件是经要求其应愿意服从调动。"自发现其工作很耗费体力后,原告出勤率减少,被给予警告后,其被调动并声称这是推定解雇。劳工上诉法庭认为调动工作符合灵活性条款,该条款允许调到低级别工资的工作岗位。该条款的适用不必合理,但只能在提高操作效率的情况下行使。

如果条款变动含糊不清,则法院和法庭可以评定雇主行为的合理性,并首先视为因未遵从良好的雇佣习惯而构成推定解雇。上诉法院在 Western Excavating (EEC) v. Sharp 一案中驳回这种方式,并表明不构成违约的不合理行为不是推定解雇的正当理由。这使得根据雇主不合理行使合同权利而提出推定解雇请求是不可能的。因此,在 Rank Xerox Ltd v. Churchill 一案中,劳工上诉法庭判决:因为合同规定"公司可以要求你调到另一地点工作",所以雇主要求一办事员从伦敦市中心迁往马洛(Marlow)尽管不合理但没有违反合同。从 United Bank Ltd v. Akhtar 一案中,可以看到法律规则变化的轨迹。在该案中,移动性条款赋予原告暂时或永久调动被告到其他地点工作的权利。被告于6月2日(星期一)被通知下星期一其将不在利兹而在伯明翰工作,并于6月5日收到书面通知。原告要求被告在24天之内处理事务但没有得到答复,于6月5日停止支付被告工资。劳工上诉法庭判决:尽管有移动性条款,但雇主仍违反合同。

劳工上诉法庭把默示相互信任条款考虑在内。这种相互义务无法表达,在违反条款时只能用案件加以说明。在 UB(Ross) Youngs

Ltd v. Elsworthy 一案中，合同规定轮班工作的雇员在磋商和提前两周通知后可以调到其他轮班。重新安排轮班时，一对原来在同一轮班的夫妇被调到不同轮班。Elsworthy 太太对此进行投诉，但没有得到解决，于是其辞职。法院判决：由于原告在进行管理时没有考虑被告的家庭内部因素，不能向法院证明如果不把 Elsworthy 夫妇俩排在不同轮班则被告要求就得不到满足，这就违反了相互信任义务，因此，该辞职是推定解雇。在 Green – away Harrison Ltd v. Wiles 一案中，雇主想要变动接线员的工作时间，有小孩的妇女声称新轮班的工作时间对其来说很不方便，结果被告知如果不接受新的条款将被解雇。法院判决：双方没有真正磋商，尽管雇主有即时终止合同的权利，但这种威胁构成推定解雇是不正当的。

不允许妇女产假结束后返回工作构成自本应该返回工作之日起被解雇，妇女也被视为被雇佣到其本应该返回工作之日：第96条。

不当解雇的救济 任何声称其被不当解雇的雇员都可以向劳资法庭提出请求：第111条。如果发现雇员被不当解雇，则根据第113条，法庭的首要责任是说明恢复原状和重新约定两种救济方式。如果原告表明寻求该救济，则法庭可以根据本条作出裁定。对于恢复原状而言，雇员重新返回原工作岗位就如同其从来未被解雇一样：第114条。重新约定意味着雇员将返回但从事不同的工作，或在不同地点从事相同的工作，或甚至返回相关联的不同企业。雇员应享有如同工作未间断过一样的好处：第115条。可以裁定雇主重新雇佣雇员，但实践中这种救济只占所有案件的1%左右。如果根据第113条作出裁定，但裁定条款并没有全部得到满足，则法庭在适当情况下可以判决雇主向雇员赔偿，并根据124条确定赔偿限额。如果作出裁定但雇员并没有被恢复原状或重新雇佣，则法庭判决必须根据第118 – 127条计算赔偿金额和额外赔偿的适当金额。在根据《性别歧视法》和《种族关系法》解雇被视为歧视的情况下，这种额外判决金额在26周和52周的工资数额之间，在其他情

况下则为13周和26周的工资数额之间。

385　　　此外，还有其他更为普遍的救济式补偿。补偿金包括：（1）基本补偿金，其计算方式与裁员遣散费的计算方式相同，根据服务期按数学公式计算；（2）赔偿性补偿金，其数额由劳资法庭在考虑雇员的损失后根据公平合理原则确定，但根据第123条计算最高限额为11300英镑。也可以有特殊补充性补偿金，其金额根据一周工资乘以104和13775英镑中的较高金额来确定，但最高限额为27500英镑。但例外是：在雇主无法向法庭证明履行恢复原状或重新雇佣裁定是不可行的情况下，法庭根据第117条作出判决，其金额应该增加，由一周工资乘以156和20600英镑中的较高金额确定。虽然对不当解雇也有判决高额赔偿的可能，但大部分的赔偿金额都很低，这导致了雇员对该救济的不满。

　　法定请求权　雇员必须证实其已经被持续雇佣2年以上（见上文关于该期间是否具有歧视性的讨论），诉讼请求必须在有效终止之日起3个月内向法庭提出。然而，这种立法排除下列人员的相关请求：（1）已超过退休年龄的雇员：第109条；（2）罢工人员；（3）企业主的配偶。

　　对非法解雇的普通法诉讼　雇员一直可以对非法解雇提出普通法诉讼请求损害赔偿。值得注意的是：因为雇佣合同（除固定期限合同）都允许雇主提前通知雇员给其充分的准备时间而终止雇佣，所以法院把通知这段时间内的赔偿限制为净工资。

　　1994年《劳资法庭管辖权扩展（英格兰和威尔士）条例》把违反雇佣合同的管辖权赋予劳资法庭。目前该法应该与1996年《劳资法庭法》同时参照适用。这种管辖权与郡法院的管辖权同时存在。针对下列请求，法庭可以进行审理：违反雇佣合同或其他与雇佣相关的合同的请求；偿还根据上述合同到期的款项的请求，在实施与履行上述合同相关的法规过程中重新获得到期款项的请求；1996年《劳资法庭法》第3条第2款。此外，还有人身损害赔偿请求。排除在法庭管辖范围之外的请求是违反下列条款的请求：(1) 要求雇主为雇员提供住宿的请求，或强加于雇主或雇员与提供住宿有关义务的请求；(2) 关于知识产权的请求；(3) 强加信任义务的请求；(4) 限制贸易协议的请求。

法庭审理的请求应满足以下三个要求：(1) 合同必须已经终止；(2) 请求必须是在合同终止后3个月内提出，或在雇佣最后1天后的3个月内提出，但可以延长；(3) 请求必须由合同终止引起或在合同终止时仍未解决，而且在申请时必须也尚未解决。

一旦雇员提起诉讼请求，雇主就不能再提起该请求而只能提起反诉或要求撤销的请求。雇主必须在接到诉讼申请复印件之后6个星期内提出反诉请求，特殊情况下可以延长。损害赔偿限额为25000英镑。对于提起诉讼的雇员，没有时间限制，也没有最低服务时间要求，任何前雇员都可以提出诉讼请求。

请求可能与未支付工资有关，尤其是由服务不到2年的雇员提出的请求更可能如此。请求也可能是与未履行裁员、解雇合同程序或其他雇佣合同中含有的程序有关。法案允许持续雇佣未满2年的雇员根据不遵循合同程序提出不当解雇诉讼请求，但是，该雇员不得提出法定请求。持续雇佣2年或2年以上的雇员可能提出法定和普通法请求，这两种请求累加可能获得最高限额为36000英镑的赔偿。

违反雇佣合同的损害赔偿 合同损害赔偿就是使受害人处于合同适当履行情况下其本应处于的位置，雇员有权要求赔偿因合同被非法终止而遭受的损失——通常为其直到合同正常终止这一期间内的报酬总额（见下文的"通知"部分）。

赔偿以合同权利为限。在 *Powell v. Braun* 一案中，原告的工资虽然没有增加，但其年终红利增加了。法院判决：虽然用红利代替工资的增加起初是由单方酌定的，但后来已经变成双方约定的行为。区分一般酌定收益和个人酌定收益是很重要的。一般酌定收益

（如食堂提供免费或补助性食物）是可补偿的；相反，雇员没有接受的个人酌定收益（如低利息贷款）是可撤回的。享有红利、佣金和收益分配的合同权利通常以某一特定日期在雇佣期间内为依据，雇员有权要求损害赔偿。不存在增加酌定红利和预计工资的请求。雇佣合同中股票选择权的丧失也是可补偿的：*Chapman and Elkins* v. *CPS Computer Group* 一案。如果股票选择权在一个单独合同中规定，则将排除在雇佣合同终止时提出请求的权利。

387　　除了工资之外，损害赔偿金还可能包括收益分配、佣金损失、养老金、汽车、医疗和其他保险、雇员接受的任何低息贷款或抵押津贴或教育收益、免费或减价的货物和服务、未被说明即不会产生的费用。第三人的支付也包括在内，如付给服务员的小费：*Manubens* v. *Leon* 一案。

下列情况下，不予支付赔偿金：（1）情感伤害；（2）因为解雇而导致寻找新的工作很难：*Addis* v. *Gramophone Co. Ltd* 一案。对于情感伤害而言，*Cox* v. *Philips Industries Ltd* 一案的判决将导致法律的变革，在该案中，被告对原告被降职后情感上的痛苦进行了赔偿。但是，在 *Bliss* v. *South East Thames Regional Health Authority* 一案中，法院遵循以前判例驳回了主张因解雇而引起疾病的赔偿请求。在"名誉赔偿"方面，上议院确定：如果雇主的行为减损雇员的雇佣前景，则可以判决损害赔偿；在适当案件中，可以对违反合同所造成的声誉损害判决损害赔偿；违反雇佣合同导致的声誉损害所引起的财政损失应予赔偿：*Malik* v. *Band of Credit and Commerce International SA* 一案。对不当解雇的赔偿金额不得因有贡献而减少，但雇主可以反请求或注销赔偿金中到期的款项。雇员有义务寻找新的工作以减少损失，但在把眼光降低到较低工资的工作之前，雇员应首先寻找更好的工作。因此，在 *Yetton* v. *Eastwoods Froy Ltd* 一案中，执行董事拒绝作为执行董事助理的合同并没有违反减少损失的义务。

雇员也必须考虑因未被雇佣而得到的任何金钱或收益，但不包括其所分担的工资和抵押保护保险所得收益。在 Hopkins v. Norcross plc 一案中，即使养老金不是分担性的，但因为雇员通过工作"赚得"养老金权利，损害赔偿金不因为接受职业养老金而有所减少，所以法院仍将即期养老金权利类比为保险。

虽然不甚明确，但未被雇佣的收益如同补助金一样应被扣除。因此，在 Hilton International Hotels(UK) Ltd v. Faraji 一案中，被告因被不当解雇和失业而遭受痛苦。在此期间，其接受了不法受益。原告主张：这一期间，因为被告不适于工作也没有遭受收入损失，所以被告不应得到赔偿。劳工上诉法庭判决：有必要察看解雇的原因以确定痛苦是不是由该原因引起的，法庭有权推定是痛苦由该原因引起的。如果解雇是裁员的结果，则只有在雇员将遣散费作为损害赔偿的一部分而接受时，才能从中扣除遣散费。在 Baldwin v. British Coal 一案中，为了利用遣散费要约，原告接受了较短时间的裁员通知，法院把遣散费也计算在损害赔偿之内，因此判决：即使原告原本有权对缩短的通知时间提出赔偿请求，其也不得提出该请求。

雇员在失业期间无须支付的国民保险分担也应被扣除。首付3万英镑的赔偿金无须支付所得税，但是，为防止雇员处于优势地位，该3万英镑被视为完税后收入。主要受益人是没有规定通知终止合同的长期固定期限合同的雇员。因此，在 Shove v. Downs Surgical plc 一案中，原告被提前30个月解除了主席和执行董事的职务，其计算的损失包括工资损失、公司车辆的损失以及卫生和养老金方案的损失，总额为60729英镑。法院考虑到其应上缴3万多英镑的所得税，因此判决其获得83477英镑的赔偿金，以保证其在完税后最终能够得到其所要求的金额。但是，法院拒绝考虑原告的精神痛苦赔偿。

裁 员

关于向法定裁员支付的条款规定在 1996 年《雇佣权利法》第六编中。雇主应向下列雇员支付遣散费：（1）因裁员而被解雇；（2）因解雇或短期停职而有资格获得遣散费：第 135 条第 1 款。解雇和不当解雇含义相同。如果解雇或短期停职连续持续 4 个星期以上或在 13 个星期内停职时间长达 6 个星期以上（连续时间不超过 3 个星期），则雇员有资格获得遣散费。雇员在被裁员之前必须已经被持续雇佣 2 年以上：第 155 条。已经达到普通企业的退休年龄或 65 岁的雇员无权获得遣散费：第 156 条。遣散费金额不能低于以下法定最低限额：（1）在 41 岁以上 65 岁以下的雇佣期间，每年为 1 周半的工资；（2）在 22 岁以上 41 岁以下的雇佣期间，每年为 1 周的工资；（3）在 18 岁或以上 22 岁以下的雇佣期间，每年为半周的工资。

如果每周工资有规律地进行变化，则以最高额为准；服务期的最高额也有规定，一般为 20 年：第 162 条。

欧共体《集体性辞退指令》（EC/72/129）规定：雇主有责任就大量裁员的计划与工会进行协商。该法律条文目前规定在 1992 年《工会与劳资关系（统一）法》中。如果雇主想要在 90 天或更短时间内解雇一个机构内的多余的 20 名以上雇员，则其应当与所有将被解雇雇员的代表协商：1992 年《工会与劳资关系（统一）法》第 188 条第 1 款。如果雇主想要解雇 100 人以上，则协商必须至少在第一次解雇生效前 90 天开始；其他情况下，则协商必须至少在 30 天之前开始：第 188 条第 1 款第 1 项。本条款规定的适当代表是：（1）雇员选举的雇员代表；（2）如果雇主确立了独立工会，则为工会代表：第 188 条第 1 款第 2 项。如果雇主未进行此种协商，则雇员可以向劳资法庭提出诉讼请求：第 189 条。雇主还负有在协商开始时通知国务大臣的责任：第 193 条。

企业的转让

在企业出卖时，如果买方要求较少雇员则意味着裁员。然而，即使对于留下来的雇员，其既存合同也被终止而由新合同代替，雇佣终止的人员属于裁员之列。

这种雇员的地位以前由《雇佣保护（统一）法》第94条和附件13第17条规定，现在则由1981年《企业转让（雇佣保护）条例》规定，执行对转让企业中雇员保护的《既得权利指令》（EC/77/187）。既然公司是独立于持股人的法人，那么雇主身份仍没有改变，因此，《条例》不适用于转让股票接管企业的情况。但由于上述转让是英国最主要的转让企业类型，因此，《条例》的价值已被减弱。

根据《企业转让条例》（TUR），雇佣合同并没有转让给新的雇主。由于《条例》被发现受到委员会的侵权程序威胁，因此，《条例》由《工会改革和雇佣权利法》（TURER）加以修订。根据 Dr Sophie Redmond Stichting v. Bartol 一案，这里的"企业"应采广义，包括非商业性企业。《条例》第3条对"企业转让"或"企业部分转让"作出界定：（1）被两个或更多的一系列交易影响；（2）无论转让人是否向受让人转让任何财产都可发生。在 Sophie Redmond 一案中，即使没有实际转让任何财产，该指令也适用——基金会的拨款被撤回并给予另一机构，由该机构接管其建筑物、客户和工作，并向其雇员提供了就业机会。

《条例》第5条首先规定：不必经雇员同意雇佣合同即自动转让给新的雇主，这与 Nokes v. Doncaster Amalgamated Collieries 一案相悖，因此被第4条第1项、第2项和第5条修正。根据第4条第1项，如果雇员向转让人或受让人通知其反对被受让人雇佣，则不发生自动转让，但是，第4条第2项除去了对转让人提起诉讼的可能性。如果雇员的工作环境发生重大变化并对其造成损害，则其只能根据第5条向转让人要求遣散费。

《条例》第5条第2款规定与合同相关的转让人的权利、权力、义务和责任的移转,包括:违约请求权、诸如违反1986年《工资法》之类的法定义务、生育权、同工同酬权、不当解雇和裁员歧视请求权、甚至是保护性裁决。《条例》还包括工伤请求权。在 Secretary of State for Employment v. Spence 一案中,Balcombe 法官认为:"相关"一词不仅包括法定责任而且包括侵权责任。郡法院遵循了该规则,并认为1990年《国民卫生服务和社区保护法》类似的语言表明:如果雇员在被转让雇主雇佣期间由于疏忽而遭受伤害,则该责任有效地移转给受让雇主: Wilson and Others v. West Cumbria Health Care NHS Trust 一案。

《企业转让条例》仅适用于转让后立即被雇佣的人。为了防止转让人在转让前与受让人勾结使雇员成为冗员而被解雇,法律条文规定:如果因为转让或与其相关的原因或主要原因导致雇员被解雇,则应视为该雇员被不当解雇(《条例》第8条第1款),但由于经济、技术或组织原因需要改变工人数量的除外。在 Litster v. Forth Dry Dock and Engineering Co. Ltd 一案中,被告处于破产接管状态,企业将被为此目的设立的公司接管。受让人不想接管被告的雇员,双方协议雇员在转让前一个小时被裁员。在该案中,解雇明显与转让相关,并且转让人和受让人勾结。但是,在 Secretary of State for Employment v. Spence 一案中,雇员在企业出售完成之前于上午11点被解雇,并于同一天下午2点被受让人重新雇佣,根据规则第8条第1款,该解雇并不是不正当的,雇员不能因此要求赔偿。

在 Betts v. Brintel Helicopters Ltd 一案中,被告与一石油公司订立运输合同,在陆地和北海油井之间运输人和货物。当合同到期时,合同被判给 KLM 公司。KLM 公司不想接收被告的员工和设备,并将基地搬到另一机场。被告的一些员工被给予新的职位而原告们被解雇。这些原告主张:根据1981年《条例》,其已经成为

KLM 公司的雇员。上诉法院认为：一个企业包含一个稳定的经济实体，决定企业是否被转让的决定性标准是看这个实体是否保持原来的身份。在一个固定期限服务合同被另一个合同代替的情况下，如果没有重要有形或无形财产的转让或大部分员工的接管，就不存在企业的转让。在该案中，因为转让的是被告对油井的所有权，所以企业并没有转让给 KLM 公司。

《企业转让条例》还对"雇主与相关雇员的被承认工会的代表之间的协商"作出规定。

欧洲法院认为：《既得权利指令》适用于公共机构的私有化，但这种私有化转换后的机构必须具有独立的身份（*Rask v. ISS Kantineservice A/S* 一案）。在 *Dines v. Pall Mall* 一案中，对 Orsett 医院清洁服务的承包属于《企业转让条例》的规范范围。在 *Schmidt v. Spar – und Leihkasdse der fruheren Amter Bordesholm, Keil und Cronhagen* 一案中，法院判决：即使只有一个雇员被转换，也应适用该《条例》。在 *Milligan v. Securicor Cleaning Ltd* 一案中，劳工上诉法庭判决：由于这种转换而被解雇的雇员，如果其服务未满两年，则其可以请求不当解雇。但该判决被上诉法院在 *MRS Environmental Service Ltd v. Marsh and Another* 一案中的判决推翻。这两个案件都与地方当局清洁机构的私有化有关。

通　知

除非雇员同意放弃，否则其有权要求提前通知。通知期限由合同中确定的和第 86 条规定的最短期限中较长的期限确定。如果是不确定期限合同，则合同中必须具备通知的相关条款；如果合同中没有明示，则法院会默示合同中具备这样的条款。通知期限应该是合理的，在高级经理人的情况下一般认为是 6 个月：*Adams v. Union Cinemas* 一案；在一般经理人情况下为 3 个月：*Mullholland v. Bexwell Estates* 一案；在高级工作人员情况下为 1 个月：*Philips v. M. J. Alkam* 一案。上述期限只有在法定期限更长的情况下才能被其取代。如果是固定期限合同，则没有必要发出到期通知；如果合同中没有明示条款，则不能默示认为存在这样的条款。终止合同的时间是计算损害赔偿金的剩余时间。如果固定期限合同具备通知条款但实际上并没有发出通知，则即使合同终止，也要对剩余的时间进行补偿：Laverack v. Woods of Colchester 一案。如果合同中明确规定当履行完任务或资金用尽时合同自动终止，则类似规则也适用。如果合同中规定了裁员或惩戒性程序，则因为完成包括上诉在内的每一程序的时间都必须计算在内，所以通知期限可能更长。因此，在 Dietman v. Lon - don Borough of Brent 一案中，原告有权要求3个月通知期限和3个月解雇程序的赔偿。

最短通知期限 如果持续雇佣1个月以上，则最短通知期限是一周；如果持续雇佣2年以上，则最短通知期限是2周；以后雇佣时间每增加1年，通知的最短期限就增加1周，但最长为12周：第86条第1款。普通法合理通知期限的权利优先于法定最短期限。

病假工资

自1983年4月起，雇主有义务支付法定病假工资。法定病假工资的比例由成文法确定。雇员的该项权利是1982年《社会保障和住房补贴法》规定的。

12.5 限制贸易条款

关于"雇员的雇佣合同中限制其在雇佣终止后自由工作"的问题已在第3章中讨论。

12.6 固定期限和履行合同

"本合同于1996年3月1日终止"或"本合同自1995年4月1日起持续3年"的规定，虽然与公司董事的雇佣合同有关，但也与在确定期限内被雇佣的任何雇员有关。即使合同终止日期不能提前确定，但如果双方当事人约定合同于任务完成或某一特定情形出现时终止，如"本合同于签署工程完成证明之日终止"或"本合同在该项目持续期间有效并于预算资金用尽之时自动终止"，则该合同可以变更为履行或任务合同。在上述两种情况下，合同期限内非法终止行为都会导致违约损害赔偿责任。

使用固定期限或履行合同的原因是：（1）在一段已知或要求期限内保留雇员；（2）防止重要雇员在不方便时离职；（3）创造不引起法律责任而终止雇佣的机会；（4）激励雇员在明确期限内创造出成果；（5）吸引想要保障而不是无期限雇佣的雇员。

关于不当解雇和裁员的法律条款适用于固定期限合同，但不适用于履行合同。如果合同固定期限为1年以上并且不包括持续雇佣，或者在合同到期之前雇员书面同意排除不当解雇权利，则可以排除雇主的不当解雇权。即使合同期限为2年以上，也可以书面排除裁员的相关权利。因此，合同可以规定："雇员同意放弃在合同到期或不续约雇佣时的任何不当解雇和裁员的相关权利"。但因为履行合同即使到期也不会产生不当解雇和裁员的相关权利，所以这对于履行合同根本没有必要。

应当注意：（1）一系列短期固定期限合同的持续雇佣，如果达到相关持续雇佣的长度，则可以产生不当解雇和裁员请求权利；（2）放弃权利者如果行使一系列合同中的最后一个短期合同的权力，则可以使其以前被排除的权利重新运作；（3）含有放弃权利的合同的较短延期可以否定权利的放弃。持续雇佣与延期不同，持续雇佣通过改变到期日来变更原有的书面合同，但并不否定弃权。1个月以内的固定期限合同如果通过延期被延长到3个月以上，则雇员享有和非固定期限合同雇员同样的法定通知权利。对于3个月以内固定期限合同的雇员而言，除非其实际工作超过了3个月，否则其无权要求保障工资、法定病假工资和医疗停工工资。

一般情况下，固定期限合同都允许雇主在特定情形下于到期日之前即时终止合同。合同一般规定在雇员作出下列行为之一时合同即终止：(1) 从事不当行为或重大失职行为；(2) 故意不遵守组织决策和程序；(3) 违反忠诚和保密义务；(4) 使组织受到耻辱；(5) 由于生病或意外事件永久或持续6个月以上无法履行合同义务。一些固定期限合同规定任何一方都可以提前通知终止合同。这在每年固定日期自动续约的3年期滚动合同中最为常见，合同中具备允许任何一方发出不愿续约通知的条款。这种合同的有利之处在于：如果合同被非法或提前终止，则雇员享有较高金额的损害赔偿金。

法定最长工作周和带薪假期

1998年《工作时间条例》于1998年10月1日生效，以实施欧共体委员会第93/104/EC号指令。该《条例》适用于所有的工人而不仅仅是雇员，即根据合同关系而不是个人自营职业的任何工作者：《条例》第2条。《条例》确定每周7天最长工作48小时：《条例》第4条。《条例》也确定了夜班工人的最长工作时间，即每24小时最长上8个小时的夜班：《条例》第6条。成年工人在其为雇主工作的每24小时内有权要求11小时的连续休息时间（《条例》第10条第1款），年轻工人有权要求12小时的连续休息时间：《条例》第10条第2款。《条例》第13条赋予服务13周以上的工人每年3周的带薪假期，但自1999年11月23日起增加到4周。这个期间包括所谓的公共和法定假期。第14条明确规定：除非工人的雇佣已终止，否则不得由支付金钱取代带薪休假。第15条规定雇主或工人确定具体休假日期的机制，第16条确定工人有权获得的最低假期薪金。根据第18条，某些产业和职业被排除在外，如航空、铁路、公路、海洋、内陆水道、湖泊运输、海洋产业以及实习医生、武装力量和警察。

推荐读物

《雇佣法》，第2版（Deborah J. Lockton, Macmillan Law Masters, 1996)。

问题

1. 列举一些法院区别雇员和独立缔约人的标准。
2. 即使雇员的行为被雇主明文禁止,雇主也要在何种程度上对该雇员行为负责?
3. 普通法默示的雇佣合同条款有哪些?
4. 《同工同酬法》允许男女对何种工作提出相同请求?
5. 根据《性别歧视法》,直接歧视和间接歧视有什么区别?
6. 有哪三种不当解雇方式?雇员可以采取何种救济?
7. 违反雇佣合同的损害赔偿与合同权利有关。例举可请求赔偿的合同权利?
8. 对于公司的雇员而言,企业转让和企业财产的转让有何不同?

13

货物买卖合同和供货合同

学习目标
通过本章学习了解以下内容:
1. 买卖合同的性质
2. 成文法在货物买卖合同中的默示条款及例外情形
3. 货物由卖方交付给买方的规则和交付的风险
4. "任何人不能给予其所未有者"原则及其法定例外情形
5. 对卖方和买方的救济
6. 供货合同、租赁合同以及提供服务合同中的默示条款

13.1 货物买卖合同

与货物买卖有关的法律在1979年《货物买卖法》中规定,并由1994年《货物买卖和供应法》、1994年和1995年《货物买卖(修订)法》修订。除另有说明外,本章所指的法律都指1979年《货物买卖法》。

货物买卖合同是卖方转让或同意转让货物财产权给买方以获得金钱对价(即价格)的合同:第2条第1款。这里的财产权指所有权。该定义包括货物所有权没有立即转让而是在以后较晚时间转让的合同。这种类型的合同叫"待转让合同"。"财产权"一词把货物所有权未转移的合同排除在该法之外。因此,该法排除只转移

货物的占有权而不转让所有权的货物租赁合同和寄托合同。

货物包括除运动中的物品和金钱以外的所有动产，尤其包括：农作物、约定在买卖前或根据买卖合同分离的附于土地或者构成土地一部分并用于工业目的的农作物和其他物品以及货物不可分离的孳息：第61条第1款。因此，农作物属于货物范畴。附于土地或者构成土地一部分的物品，如果可以确定地与土地分开就构成货物。货物包括所有动产——所有可移动的有体物。货物必须为金钱对价（即价格）目的而转让，从而排除了易货合同。但是，如果货物转让的对价是金钱和其他物品的结合，则该合同包括在内。

如果合同的主要目的不是转让财产权给买方，则即使存在转让因素，该合同也是包工包料合同。在 Robinson v. Graves 一案中，上诉法院判决：因为画家为客户画肖像的合同的主要因素是画家的技艺，所以该合同不是买卖合同。这同样适用于汽车库执行服务或其他修理服务时给汽车安装新的零件，以及建筑商根据合同提供建墙用砖或者建房用瓦的情况：Young & Marten v. McManus Childs 一案。

13.2 合同的形式

货物买卖合同没有特定形式，其"可以是书面形式（可以蜡封也可以不蜡封）、口头形式、部分书面形式部分口头形式或双方的默示行为"：第4条。此外，缔约能力"由关于缔约能力和转让和接受财产的一般法律规定"：第3条第1款。但是，当出售并送达生活必需品给未成年人或因精神不正常或醉酒而无缔约能力的人时，该人必须支付合理价格：第3条第2款。

13.3 货物买卖合同中的默示条款

原法律规则已被1994年《货物买卖和供应法》所变更。根据该法，存在关于所有权、符合描述说明、令人满意的质量、适合合同目的以及样品和货物一致方面的默示条款。下文即将按此顺序进行讨论。1994 年《消费者合同不公平条款条例》中的"不公平条款"也将适用于此（见第 16 章）。

所有权

"卖方有出卖权"是一个默示条款。这是在第 12 条第 1 款中规定的，该条规定："在货物买卖合同中，存在默示条款表明——在出售情况下卖方有出卖货物的权利，在待出售协议情况下卖方在转移所有权时将获得该权利"。对于英格兰、威尔士和北爱尔兰而言，该条规定的默示条款是一种条件：第 12 条第 5 款第 1 项。

如果卖方没有所有权即出卖货物，则其违反该默示条款。因此，在 Rowland v. Divall 一案中，原告从被告处购买汽车，4 个月后发现该汽车属于第三人所有并返还。法院判决：原告有权视合同因无对价而被解除。如果卖方后来获得所有权，则意味着货物所有权将迟于本应转移日期转移给买方。根据第 12 条第 1 款，所有权一旦被转移，买方就不得拒绝接受货物。但是，其可以在所有权转移之前拒绝履行合同。因此，在 Butterworth v. Kingsway Motors 一案中，买方购买卖方的汽车，买方在 11 个月后发现：卖方因为没有完全支付分期付款而未取得该汽车的所有权。即使卖方下一个星期就完全支付分期付款取得所有权，买方仍可以拒绝接受该汽车（该情形目前由 1964 年《分期付款买卖法》第三编规定）。

卖方享有所有权但没有出卖权的情况也是如此。在 Niblett Ltd v. Confectioners' Materials Co. 一案中，买卖双方订立了买卖听装浓缩牛奶的合同，因为该产品的"Nissly"商标侵犯了雀巢公司的商标权，所以雀巢公司要求买方在转售该产品之前除掉侵权标志。法院判决：卖方既违反了其享有出卖权的条款，也违反了第 12 条第 2 款第 2 项关于买方享有平静占有货物的权利的规定。在 Microbeads v. Vinhurst Road Markings 一案中，在被告卖出机器后，第三家公司即取得对此种机器的专利权，从而导致该公司可以向买方实施其专利权。买方起诉卖方，主张其违反了所有权条款和对平静占有权的保证。法院判决：卖方并没有违反第 12 条第 1 款的规定，但因其违反了第 12 条第 2 款第 2 项关于未来平静占有权的规定，所以卖方应承担损害赔偿责任。对于英格兰、威尔士和北爱尔兰而言，该条款是一种保证：第 12 条第 5 款第 1 项。

第 12 条第 3 款涉及卖方仅向买方转让有限所有权的合同。此种合同中存在以下默示条款：在订立合同前，卖方必须披露其知道而买方不知道的所有费用或负担：第 12 条第 4 款；买方的平静占有权不能受到以下人员的侵扰：（1）卖方；（2）在双方意欲使卖方转让他人所有的所有权时的第三人；（3）任何通过卖方或第三人进行索赔而不是根据订立合同前向买方披露或买方知道的费用或负担进行索赔的人：第 12 条第 5 款。对于英格兰、威尔士和北爱尔兰而言，这些默示条款都是保证：第 12 条第 5 款第 1 项。

符合描述说明

第 13 条对此做了相关规定：如果通过描述说明进行货物买卖，则合同中应具有货物符合描述说明的默示条款（第 1 款）；如果买卖方式除了描述说明之外还有样品，则"货物只符合样品而不符合描述说明"是不充分的（第 2 款）；对于英格兰、威尔士和北爱尔兰而言，第 1 款规定的默示条款是一种条件（第 1 款第 1 项）。

如果违反上述默示条款，则即使货物具备合适的质量并适于买方目的，买方也可以拒绝履行合同。因此，合同约定提供每箱 30 听的罐装水果，在发现有一半以上的货物都按每箱 24 听包装时，买方可以拒绝履行该合同：关于 Moore & Co. Ltd and Landauer & Co. 一案。在 Arcos v. Ronaasen (E. A.) & Son 一案中，合同要求生产"半英寸厚"的金属管。但提供的金属管厚度在半英寸到 9/16 英寸之间，因此，即使该货物适于合同目的，买方也可以拒绝履行合同。这表明了卖方确定货物可以变动的范围而又不违反合同描述说明的重要性。

该条款也延伸适用于根据描述说明进行的买卖和根据样品进行的买卖。因此，第13条第2款规定："如果买卖方式除了描述说明之外还有样品，则货物只符合样品而不符合描述说明是不充分的。"在 Nichol v. Godts 一案中，根据样品和"提炼的菜籽油"这一描述说明进行的买卖属于该条款的规定范围。

根据描述说明进行的买卖

这是指买方没有看到货物仅仅根据描述说明进行交易的情形。在 Varley v. Whipp 一案中，原告购买一项农用设备，被告描述该设备只用过一个季节。但交货时，原告发现设备很旧并已被修理过。买方有权拒绝履行该合同。

在 Grant v. Australian Knitting Mills 一案中，Wright 勋爵阁下拓宽了该条款的范围，其陈述道："即使买方购买柜台上陈列的东西也属于通过描述说明的买卖……"。在该案中，柜台上出售的羊毛内衣被认为是通过描述说明的买卖。这种情形目前由第13条第3款规定，该条规定："'为出售或出租目的陈列并被买方选中'这一理由不能妨碍买卖是通过描述说明达成的性质。"该条款明确包括了超市里陈列的包装或标签上有说明的货物，但不包括没有任何说明或标签的货物。

令人满意的质量

供应货物的一般原则是"提醒买方注意"原则。第14条第1款对此作了规定："除非本条和第15条以及其他法案另有规定，否则没有关于'根据买卖合同供应的货物质量和适于合同特定目的'的默示条款。"该条款针对卖方是个人并且如果没有明确规定就不含有保证条款的合同。对于在企业经营过程中出卖的货物则情况有所不同。因此，第2款规定——卖方在企业经营过程中出卖货物时，存在"根据合同供应的货物具有令人满意的质量"这一默示条款：（1）根据本法，如果一个正常人在考虑关于货物的描述、价格（如果相关）和所有其他相关因素后将认为质量令人满意，则货物的质量就是令人满意的。(2) 根据本法，货物质量包括状态、条件和以下因素，这些因素在某些案件中也是质量的相关方面——①适合于此类货物通常供应的所有目的；②表面状态完好；③无微小瑕疵；④安全；⑤耐久。(3) 上述第 (2) 项默示的条款不包括以下任何减损货物质量的情况——①合同订立前买方已经特别注意到的情况；②如果合同订立前买方已经检验货物，则检验应该查出的情况；③在凭样品买卖情况下，通过合理检验样品发现的很明显的情况。

该法还规定：对于英格兰、威尔士和北爱尔兰而言，上述第 2 款规定中的"条款"一词是一种条件（第 14 条第 6 款）。

对于第 14 条第 2 款第 3 项第 2 分项——表面状态完好而言，如果因为买方疏忽而在进行检验时没有发现瑕疵，则买方将不得对这个仔细检验就会发现的瑕疵提出索赔请求。在 Thornett & Fehr v. Beers 一案中，购买桶装胶水的买方，因为在检验时只检验了包装桶而没有检验胶水，所以其不能再就胶水的瑕疵提出索赔请求。

然而，根据以前的法律规则，如果买方对货物进行了检验发现有瑕疵，因为该瑕疵很容易补救而决定继续购买，但后来却发现该瑕疵很难补救，则该买方仍然受到保护。在 R & B Customs Brokers Co. Ltd v. United Dominions Trust Ltd 一案中，买方明知汽车漏油仍购买该汽车，但其到后来才发现漏油很严重而且无法补救。Neill 法官陈述道："目前，我不认为如果在订立合同时买方合理认为瑕疵可以或将被修正而对自己没有任何损失，则第 14 条第 2 款中的条件就可以排除。"上诉法院也没有解决这个问题，其认为买方可以根据第 14 条第 3 款——汽车不适用于其所通知卖方的购买目的而提出请求。

根据以前关于可销售品质的法律规则，第 14 条第 2 款第 2 项第 1 分项中的"适合于此类货物通常供应的所有目的"是一个主要问题。在 Aswan Engineering Establishment v. Lupdine 一案中，虽然塑料桶适合于大部分普通目的，但当买方将其放在太阳下的容器中温度达到70摄氏度时，该塑料桶破裂。法院判决：符合可销售品质的该塑料桶不必符合特定目的。但如果根据新法，则很难作出相同的判决结果。

第14条第2款第2项第2分项和第3分项的规定与以前的判例一致，如在 Rogers and Another v. Parish (Scarborough) Ltd and Another 一案中，上诉法院认为一系列微小瑕疵并没有使汽车不可开动和不适于路上行驶，但的确使其不可销售，因此判决：法定定义中的"机动车辆情况"包括"汽车将投放的市场的内外情况"。法官认为劳斯莱斯上的一点点表面瑕疵可能使其无法销售，这一观点与新法第14条第2款第1项的规定一致。

对于耐用性问题，第14条第2款第2项第5分项反映了以前法律规则的如下要求：除非正常磨损，否则只要货物在交付后一段合理时间内还保持交付时的状态，该货物就应具有可销售品质 (Lamber v. Lewis 一案)。该规定对于二手货物的买卖而言尤为重要。在 Bartlett v. Sydney Marcus 一案中，购买二手车的买方已经被提醒离合器有毛病，并且卖方也在价格中做了相应的减让，1个月后离合器发生故障，根据以前的法律规则，其不得就可销售品质提出请求。然而在 Crowther v. Shannon 一案中，已使用8年、行驶了82000英里的捷达汽车，在买方行驶3个星期之后出现发动机故障，法院判决该汽车不适于合同目的：见下文第14条第3款。在 Bernstein v. Pamson Motors (Golders Green) Ltd 一案中，买方购买了一辆新汽车并在前两个星期内进行了两三次短途旅行，在为期3周的交付期间内，汽车行驶了140英里后出现发动机故障。法院判决：虽然该汽车不具有可销售品质，但买方因超过时效而丧失了拒绝履行合同的权利，因此，买方只能要求损害赔偿。

因为以前的法律规则包括根据合同提供的所有货物，所以对于提供的含有雷管的固莱特煤也要承担责任：Wilson v. Rickett,

Cockerell & Co. Ltd 一案。以前的法律规则还包括包装：在 *Geddling* v. *Marsh* 一案中，出售瓶装矿泉水的卖方对瑕疵瓶子爆裂给买方造成的损害承担责任。根据新法，也将作出同样的判决。

适合购买目的

适合购买目的与令人满意的质量有些重合。第14条第3款对此作了如下规定：如果卖方在经营过程中出售货物并且买方让卖方知晓购买货物的特定目的，则除非有情形表明买方不相信卖方的技能和判断或买方相信卖方的技能和判断是不合理的，否则存在"无论购买目的是否符合该货物的一般供应，根据合同提供的货物都必须适合购买目的"这一默示条款。

对于英格兰、威尔士和北爱尔兰而言，该"条款"即是条件：第14条第6款。*Kendall（Henry）& Sons* v. *William Lillico & Sons Ltd* 一案说明了第14条第2款和第14条第3款的关系。在该案中，卖方向养野鸡场供应的花生中含有极少量高毒性霉菌，导致许多野鸡死亡。法院判决：该货物不适于喂养野鸡这一普通合理用途。根据第14条第2款，如果货物适于某种普通合理用途——如喂牛——并可以为此目的进行商业买卖，则该货物具有可销售品质。该条款不会被第14条第2款第2项第1分项改变。

买方公开购买货物的目的

如果货物只有一种普通用途，则购买的事实本身就表明了买方的目的。该规则适用于 *Priest* v. *Last* 一案中瑕疵热水瓶的买卖。如果要求货物完成某一特定目的，则只有在卖方被明确通知的情况下，买方才能受到保护。大衣购买者因不正常的敏感皮肤而患有皮炎，这并不能引起卖方的注意，因此，根据第14条第3款，买方败诉：*Griffiths* v. *Peter Conway* 一案。

买方信赖卖方的技能或判断

信赖卖方技能的程度不必延伸至合同的所有方面。在 *Ashington Piggeries Ltd* v. *Christopher Hill Ltd*（*Nordsildmel Third*

Parties）一案中，原告发明了一种貂的合成饲料，并将该合成方法提供给被告以合成饲料。该方法需要鲱鱼肉，而由第三人提供的鲱鱼肉中却含有对任何动物都有毒的物质，但貂对这种物质特别敏感。买方（原告）虽然提供了方法，但其信赖供应商（被告）能提供合适质量的原料。因此，被告违反了第 14 条第 2 款第 3 项。

Cammell Laird Ltd v. Manganese Brown and Brass Ltd 一案也发生类似情形。原告要求供应两个螺旋桨，并提供了具体的蓝图和规格说明，但把螺旋桨片的厚度留给被告决定。其中一个螺旋桨因为桨片不够厚而不适用。法院判决：只要买方在重要范围内信赖卖方的技能和判断就已足够，而不必在每一细节都予以信赖，因此，根据第 14 条第 3 款被告应承担责任。

一般而言，如果买方通过商标或品牌要求货物，则排除关于"适合合同目的"的默示条款。然而在 *Baldry v. Marshall* 一案中，原告向被告——汽车经销商询问适于旅行的汽车，被告推荐 Bugatti 牌汽车，随后原告就此订货。但汽车并不适于旅行，原告有权拒绝接受汽车并索回价款。

货物必须是合理地适合（购买目的）

"货物是否具有令人满意的质量"这一问题必须考虑货物出售时的价格、是否是二手货以及其他因素。如果卖方在采取了所有措施确保适合合同目的后，货物仍不适用于购买目的，那么卖方应承担责任。在 *Frost v. Aylesbury Dairy* 一案中，被告尽管采取了一切卫生防范措施，但还是要对其供应的含有伤寒菌的牛奶负责。

显然，货物不仅在交付之时应当符合购买目的，而且，除非正常磨损，否则，只要货物在交付后一段合理时间内还保持交付时的状态，该货物就应当持续符合购买目的。这段话引自 *Lambert v. Lewis* 一案，在该案中，因为锁闭设备存在明显故障，从而使卖方的责任终止，所以买方不得就损坏的牵引干挂钩提出损害赔偿。

凭样品买卖合同

凭样品买卖合同是指具备"按样品供货"这一明示或默示条款的合同：第 15 条第 1 款。如果合同中存在以下条款就表明存在默示条款：（1）货物质量将与样品质量一致；（2）买方有合理机会比较货物与样品；（3）如果通过对样品的合理检验没有检验出明显的瑕疵，则货物也应没有任何减损其质量的瑕疵：第 15 条第 2 款。

对于英格兰、威尔士和北爱尔兰而言，上述第（2）款中规定的默示条款是一种条件：第 15 条第 3 款。但这要受到第 15 条第 1 款的约束，该条款规定：（1）在货物买卖合同情况下：①除了本条款规定外，买方因为卖方违反第 13、14 或 15 条……的默示条款而有权拒绝接受货物，但②如果这种违约非常轻微以至于拒绝接受货物是不合理的，则在买方不是作为消费者交易时，这种违约不被视为对条件的违反，而被视为对保证的违反。

如果合同中没有相反的意思表示或默示表示，则本款（第 15 条第 1 款）应适用：第 15 条第 1 款第 2 项；卖方有责任证明违约属于上述第 15 条第 1 款第 2 项规定的情形。

货物和样品质量相符

在 *E & Ruben Ltd v. Faire Bros & Co. Ltd* 一案中，买卖双方订立了买卖一定数量的"防锈胶乳"（一种硫化橡胶）的合同，卖方提供的样品是平而软的，而提供的货物却满是褶皱，尽管在原料受热情况下这种瑕疵就会得到补救，但卖方仍然违反了第 15 条的规定，买方可以拒绝履行合同。法院判决：即使一个简单过程就可以使货物和样品相符，这一条件也已被破坏。目前，该情形属于第 15 条第 1 款的规定范围。

比较货物和样品的合理机会

在 *Polenghi Brothers v. Dried Milk Co. Ltd* 一案中，买卖双方订立了凭样品买卖一定数量的奶粉合同。该合同明确规定：在海运或铁路运输单据交付时，以现金支付。买方在海运单据交付时拒绝支付，声称其有权比较货物和样品。法院判决其有权得到这样的机会。

通过检验样品没有可以明显发现的瑕疵

在 *Godley v. Perry（Burton & Sons（Bermondsey）Ltd（Third Party）Graham，（Fourth Party））* 一案中，一零售商通过凭样品买卖合同从一批发商处购买一批弹弓。这位零售商对因弹弓破裂而对一小男孩的眼睛造成的伤害承担了损害赔偿责任。该零售商向批发商索求该赔偿。批发商对此进行抗辩：对样品的合理检验应能发现该瑕疵，而该零售商仅仅拉了拉皮筋，这种检验是不合理的。法院判决：该零售商的检验是任何一个潜在的买方所能作出的检验，因此是合理的。

13.4 对违反条件的放弃

合同的一方当事人可以把对条件的违反视为对保证的违反。如果一方当事人在某种情形下放弃对条件的违反，则其事后仍可以作出合理通知，重新视该条款为条件。在 *Charles Rickards Ltd v. Oppenheim* 一案中，原告要求被告为汽车加上劳斯莱斯底盘，但被告的工作并没有在规定期间完成。几个月后汽车仍然没有交付，原告声称如果不在4周内交付其将拒绝接受。法院认为其可以拒绝接受。

根据第11条第4款，如果合同是不可分的，即其不是规定单独分期供货的合同，并且，买方已接受货物或部分货物，则除非另有明示或默示的条款，否则卖方对条件的违反只能视为对保证的违反。目前，该规则要受到第35条第1款的约束，该款规定："如果买方因卖方的违约影响了部分或全部货物，则其有权拒绝接受；但是，如果买方接受了部分货物，包括未被违约影响的全部货物，……则其不能因为接受了这些货物而丧失拒绝其他货物的权利。"

只有买方得到检验货物的合理机会，以及在凭样品买卖情况下得到比较货物和样品的机会，才能认为其已经接受了货物：第 34 条。如果买方向卖方宣布其已经接受了货物，或其对货物采取的行为与卖方的所有权矛盾，或其在一段合理时间后仍保留货物，则都视为其接受了货物：第 35 条。因为上述最后一种情况在事实上意味着卖方丧失了最多在几个星期之后拒绝履行合同和要求替换货物的权利，所以此种情况是该法对所供应货物质量瑕疵保护的严格限制。因此，在 Bernstein v. Pamson Motors (Golders Green) 一案中，买方丧失了在交付 3 个星期内拒绝接受新车的权利。

13.5 1979 年《货物买卖法》默示排除的条款
一方当事人以消费者身份进行交易的合同

对于一方当事人以消费者身份进行交易的货物买卖合同而言，有关所有权、货物描述说明、令人满意的质量和适合合同目的等默示条款永远不会被排除。如果符合下列条件，则当事人可以以消费者身份进行交易：（1）其不是在经营过程中订立合同或认为其不是在经营过程中订立合同；（2）对方当事人在经营过程中订立合同；（3）提供的货物通常是用于个人使用或消费目的的。拍卖或竞标中的当事人不是消费者。

商人之间订立的合同

对于商人之间订立的合同而言，除了有关所有权的默示条款之外，其他默示条款均可以根据"合理性要求"而排除。"合理性要求"应考虑以下因素：（1）双方当事人的相对谈判地位；（2）买方是否因受到诱导而同意该条款，或者如果无该条款则买方是否将会从别处购买；（3）买方是否已经知道或应当知道该条款的存在和范围；（4）货物是否按买方的特定要求生产、加工或调整。

在 George Mitchell (Chesterhall) Ltd v. Finney Lock Seeds Ltd —

案中，原告购买卷心菜种子，由于供应商的疏忽，提供的种子并不是卷心菜的种子，该农民损失了6万英镑的预期利润。被告根据一除外条款寻求保护以把责任限制在种子成本范围内。法院考虑了卖方在对价格影响不大的情况下本应该进行责任保险的事实，根据上述标准判决：被告不受该除外条款保护。法院引用的附加因素是供应商很容易对该风险投保。在 St Albans City and District Council v. International Computers Ltd 一案中，该委员会因计算机软件错误损失130万英镑，但根据软件供应合同，被告的责任限额为10万英镑。法院考虑了以下因素：（1）双方谈判地位不平等的事实；（2）因为10万英镑对于潜在损失来说过少，所以公司不能证明该10万英镑是合理的；（3）公司进行了全球性的投保，金额为5000万英镑；（4）实际计算结果偏袒当局委员会。因此，法院判决：该公司不能解除证明排除条款合理公正的责任。上诉法院维持了该判决。

13.6 对其他货物转让合同的类似保护

除有关货物买卖的成文法之外，有关货物转让的其他成文法也都包含类似条款。这些法案有：1973年《提供货物（默示条款）法》，其包括根据分期付款买卖合同和附条件买卖合同的供货（第8－11条）（见第14章）；1982年《提供和服务法》，其包括诸如易货或赠与之类的货物转让合同（第2－5条）和租赁合同（第7－10条）。1994年《消费者合同不公平条款条例》也可适用（见第16章）。这些默示条款的排除也受到严格限制。详见下文第13.13的讨论。

13.7 所有权转移和风险转移

所有权转移是指所有权从卖方转移给买方。因为所有权转移时财产的意外风险责任也随之转移，所以准确确定所有权的转移时间非常重要。第20条规定:"除非另有约定,否则,在所有权转移给买方之前,由卖方承担货物的风险责任;如果所有权已经转移给买方,则不论货物是否交付,买方都要承担风险责任。"

但对上述规定有一个重要的限制性条款:"如果由于买方或卖方的过错而迟延交付货物,则有过错的一方对该过错引起的任何损失承担风险责任。"*Demby Hamilton & Co. Ltd v. Barden (Endeavour Wines Ltd Third Party)* 一案就是一个例子。在该案中,卖方同意供应30吨的苹果汁,每周用卡车交货,到1946年2月完成交付。1945年12月,买方要求暂停交付。随后,卖方又在1946年1月和4月进行了交付,此后买方拒绝接受货物。1946年11月,卖方手里囤积的果汁变质。因为买方造成迟延交付,所以该损失由买方承担。

所有权的转移独立于对货物的实际占有权的转移。因此,卖方可能还保留对货物的占有但所有权已经转移给买方,或者,买方已经占有货物但所有权仍归卖方所有。为了确定所有权转移的时间,《货物买卖法》第二编第16-19条规定了具体规则,这些规则根据货物是特定物还是非特定物而有所不同。

特定物和非特定物

特定物是"在买卖合同订立时就确定和约定好的货物,包括与上述货物不可分的确定比例的份额":第61条。例如:出售特定画像或二手车的合同。超市和其他自助服务商店里的合同都与特定物有关。1985年《货物买卖(修订)法》对特定物定义进行修订,在该定义中包括了与货物不可分的特定份额。不特定物有以下两种类型:(1)从大批量货物中购买一定数量货物的合同,如从酒商的仓库中购买5箱烈性酒(因为库中的任意5箱烈性酒都符合合同要求,所以该货物是不特定物);(2)购买通用货物的合同,如5条面包或500吨煤。

作为合同标的物的货物"既可以是由卖方所有和占有的既存

货物，也可以是买卖合同订立之后卖方生产或取得的货物"；第5条第1款。后者称为"未来货物"，其既可以是特定物也可以是不特定物。因此，如果合同规定按买方的具体说明生产或准备货物，则该货物是不特定物。如果合同规定卖方将获得特定物体，则该货物是特定物。在 Varley v. Whipp 一案中，在订立二手农业机器的买卖合同时，机器并不属于卖方所有，该合同是特定物买卖合同。

特定物所有权转移规则

关于特定物所有权转移的基本规则在第17条中规定，该条规定：(1) 关于特定物买卖合同，货物所有权在双方当事人意欲转移时转移；(2) 确定双方当事人意图时，应考虑合同条款、双方的行为和其他情况。

如果合同明确规定了所有权的转移，就不会产生问题，但是这样的情况很少，因此，需要法院审查各方面情况以发现双方当事人的意图。如果没有明确或可辨认的当事人意图，则所有权根据第18条中的规则1-4的规定转移。

规则1

"如果买卖合同有关可运送交付的特定物，并且不附带任何条件，则货物所有权与付款时间或交货时间是否迟延都无关，其在合同订立时即转移给买方。"这里的"不附带条件"合同仅要求合同不排除本规则的适用，"可运送交付"指买方根据合同必须收到货物。

在本规则的适用和当事人的意图之间可能产生问题。在 Dannant v. Skinner and Collom 一案中，买方在拍卖会上成功地竞价购买了一辆货车，用支票支付并签署了一项表格，该表格表明在支票结算时所有权才转移。银行拒绝兑现支票，但买方在此期间将该车卖给了第三人。拍卖人起诉，请求从第二个买受人处索回该车。法院判决：根据规则1，在买方签署有关所有权转移的声明之前，所有权已在敲锤时即转移给买方。

因为规则1规定所有权的转移与付款时间或交货时间是否迟延都无关，所以其关于确定当事人意图的规定令人费解。实际上，付款时间和交货时间经常是决定当事人意图的主要因素。然而，在 Ward v. Bignall 一案中，Diplock 法官陈述道："在现代，人们可以很自然地推定特定物的所有权在交货或付款时转移。"

反映诸多方面运作的案件是 Underwood v. Burgh Castle Brick & Cement Syndicate 一案。在该案中，双方当事人订立合同，买卖一台30吨重的压缩机，并将该压缩机固定在地板上。卖方必须拆下压缩机并装上火车以交货，机器在装载过程中受损。对于在发生意外事件时所有权是否已转移给买方的问题，法院判决：由于双方关于以"铁路交货"方式交付（f.o.r.）货物的协议表明其在装载时即转移所有权的意图，因此，该机器不是可运送交付的货物。

规则2

"如果合同有关特定物买卖，并且为了使货物可运送交付，卖方必须对货物进行某种处理，则所有权在这种处理完成后并且买方已知道该处理完成时转移。"这里的"知道"是指实际知道而非推定知道。

规则3

"如果合同有关可运送交付的特定物买卖，并且为了确定价格卖方必须称重、计量、检验或进行其他处理，则所有权在一切处理完成后并且买方已实际知道该处理完成时转移。"该规则只有在要求卖方而非买方进行称重等处理时才适用。

规则4

"如果货物通过同意、可退货销售或其他类似条款交付给买方，则：（1）在买方向卖方表明其同意或接受，或其以其他行为接受交易时，货物所有权转移给买方；（2）如果买方没有向卖方表明同意或接受，但也没有发出拒绝通知，而是其保留了货物，则在规定了返还货物具体时间的情况下，货物所有权于该时间到期时转移给买方,在没有规定返还货物具体时间的情况下,货物所有权于一段合理时间到期时转移给买方。"

上述第(1)项规定中关于接受货物的行为包括买方已经出售或典当货物的情形。在 *Kirkham* v. *Attenborough* 一案中,原告是一位珠宝生产商,其通过可退货销售向第三人交付了珠宝。该第三人将珠宝典当给典当经纪人(被告),但价款尚未支付。原告请求从被告处索回珠宝。法院判决:在第三人以典当行为接受了此交易时,所有权即已转移给该第三人,因此,该第三人有权将其所有权转移给被告。可以将此案和关于 *Ferrier* 一案对照,在该案中,未返还货物不是由于买方的过错而是超出了其控制范围。如果合同规定货物所有权在买方付款时才转移,则可以排除本规则的适用:*Weiner* v. *Gill* 一案。

在 *Poole* v. *Smith's Car Sales* (*Balham*) *Ltd* 一案中,汽车经销商(原告)于 1960 年 8 月以可退货销售方式卖给被告一辆二手汽车。直到 1960 年 10 月,该汽车仍未被返还。于是,原告写了一份证明,该证明表明:如果被告不在 11 月 10 日之前返还,就视为其接受了汽车。但汽车最终在 11 月末被返还。法院判决:根据规则 4 第(2)项规定,因为一段合理时间已到期,但货物并没有被返还,所以所有权已经转移给买方。

在 *Atari Corporation* (*UK*) *Ltd* v. *Electronics Boutique Store* (*UK*) *Ltd* 一案中,被告根据协议购买电脑游戏软件,协议规定:"于 1995 年 11 月 30 日付款,如果在 1996 年 1 月 31 日之前买方不返还货物,则视为接受该货物"。在 1996 年 1 月 19 日尚未支付货款时,被告表示其决定不安装某些项目。法院判决:根据第 18 条,被告未及时发出拒绝通知。被告就该判决向上诉法院上诉。上诉法院判决:如果以可退货方式销售货物,则拒绝通知不必采用书面形式,也不必确定具体的有关货物;如果在合理时间内发出拒绝通知,则对货物不必实际付款,因此,被告作出的拒绝通知是有效的。

构成整批货物一部分的不可分份额的所有权转移

当合同是关于具体数量的不特定物的买卖时，如果货物或部分货物构成一批，并且买方已经支付了该批货物的全部或部分价款，则在没有相反约定的情况下：（1）不可分份额的所有权转移给买方；（2）买方成为这批货物的共同所有人之一：第20条第1款第1项和第2项。不可分份额根据支付价款时所支付的货物数量和该批货物数量的关系计算：第20条第1款第3项，并受到以下规定的制约：无论何时，如果不可分份额总和超过该批货物总和，则不可分份额应适当减少以使之与该批货物总和相等（第20条第1款第4项）。如果买方仅支付了部分货物的价款，那么对其进行的交货应首先是其已支付价款的货物：第20条第1款第5项。共同所有人被视为同意以下事项：（1）向其他共同所有人交货；（2）其他共同所有人可对属于其范围内的不可分份额货物进行任何处置：第20条第2款第1项第1分项和第2分项。不能因为一方当事人根据上述第1分项、第2分项或第1款的行为就累积诉讼事由：第20条第2款第2项。第20条第1款和第2款不应：（1）强加该批货物的任何买方补偿其他买方不足份额的责任；（2）影响买方之间相互调整的合同安排；（3）影响任何买方根据合同享有的权利：第20条第2款第3项。"整批货物"是指"同种类的一堆货物或货物的集合，其：（1）被装在规定的空间或地点；（2）这些货物可以相互替换"：第61条第1款。第20条第1款和第2款中的"交货"一词的新定义包括"把货物划拨于合同项下以使该货物的所有权转移给买方"：第61条第1款。

不特定物所有权的转移

第16条对不特定物所有权转移的基本规则做了规定："受以下第20条第1款的制约，如果合同是关于不特定物买卖的，则只有在货物特定后所有权才转移。"货物一旦特定后，其所有权就将根据第 17 条和第 18 条规则 5 转移，而无须识别双方当事人的意图。

规则 5 第 1 项规定："凭描述说明进行的不特定物或未来货物的买卖合同，如果经买方同意由卖方，或者经卖方同意由买方，将描述说明的可运送交付货物无条件划拨于合同项下，则货物所有权就转移给买方；同意既可以是明示的也可以是默示的，既可以在划拨之前也可以在划拨之后。"规则 5 的核心方面是无条件划拨和同意。

411 **无条件划拨**

在 *Carlos Federspiel & Co. v. Charles Twigg & Co.* 一案中，Pearson 法官仔细考虑了无条件划拨的构成："仅仅由卖方分出或选出其想要用来履行合同的货物是不充分的。如果那样就足够了的话，卖方就可以改变主意，用这些货物去履行其他合同而用其他货物来履行本合同。因此，买卖双方只有已经或可以被合理认为其已有将这些货物不可撤销地附于该合同的意图，才能构成对合同项下货物的划拨。"

在上述案件中，双方订立了以"船上交货（英国港）"方式买卖自行车和三轮车的合同。货物已经被包装好并标明运往目的港，但却一直没有被送往利物浦港以进行海上运输。后来卖方进入清算程序，买方以"货物已经被无条件划拨，所以根据规则 5 其所有权已经转移"为由，要求从清算人处索回货物。法院辨别当事人的意图是所有权于货物装船时才转移，由于划拨行为通常是卖方的最后一个行为，而之前的两个行为——将货物送往利物浦港和装船的行为都尚未履行，因此，买方败诉。相反，在 *Pignataro v. Gilroy & Son* 一案中，卖方向买方出售 140 袋大米，并于 1918 年 2 月 28 日在钱伯斯码头交付 125 袋大米，其余 15 袋在卖方的仓库中以备提取。买方一直没有采取任何任何措施，直到 3 月 25 日，买方才派人提取仓库中的 15 袋大米，结果发现货物在不久前被盗。

法院判决：由于货物已经被划拨，从而导致风险已转移给买方，因此，卖方对不交货不承担责任。在关于 *Stapylton Fletcher Ltd and* 关于 *Ellis Son & Vidler Ltd* 一案中，相同烈性酒的箱子或瓶子与其他贸易存货分开而为特定一组顾客储备，法院判决：根据第16条，在此种情况下，可以充分认为货物已被特定。

根据规则5第2项规定，"货物交付给承运人以运送给买方"通常构成无条件划拨："在履行合同中，如果卖方将货物交给买方，或为了交给买方而交给承运人或其他受托人、代管人（无论是否由买方指定），并且卖方没有保留处分权，则可以认为其已经无条件划拨了合同项下的货物。"但是，如果托运的货物只是货物的一部分，则情形就并非如此，货物并没有因交给承运人而明确划拨。在 *Healy v. Howlett & Sons* 一案中，卖方与一买方订立20箱鱼的买卖合同，其用火车向不同的客户共发送了190箱鱼，而且所有的箱子都没有任何标记。货物在从爱尔兰到伦敦的路途中变质。法院判决：货物所有权只有在铁路承运人向具体客户分配箱子之时才转移。

规则5第2项从上述划拨情形中特别排除了此种情况：卖方把货物交给承运人以交给买方，但却保留了对货物的处分权。在这种情况下，货物的所有权在条件成就时才转移。因此，卖方把货物交给承运人，并指示在买方付款时才能把货物转交给买方。这种处分权的保留在第19条第1款中规定。

该规则的运作对所有权转移的时间和对偷窃的起诉来说都是很重要的。在 *Edwards v. Ddin* 一案中，一位骑摩托车者把车行驶到加油处，加完油后未付款就走掉了。法院判决：汽油一旦流入油箱，加油站老板就不能保留处分权，因此，根据第18条规则5，所有权已经转移给骑摩托车者。既然该法明确规定既可以由买方划拨也可以由卖方划拨，那么该规则的运作对有关超市的问题来说也很重要。这由 Parker 法官在 *Lacis v. Cashmarts* 一案中的陈述确定：

"我认为双方当事人的意图很明确，即只有在支付价款时所有权才转移。"这对于顾客拿起的货物、已经称重或包装好的货物来说也是一样的。在 *Martin v. Puttick* 一案中，Winn 法官陈述道："卖肉柜台店员的权利仅限于把肉包好并交给顾客，根本不涉及所有权从店主向顾客的转移。"该陈述在 *Davies v. Leighton* 一案中得到肯定并被引用。

该划拨必须得到另一方当事人的同意。因为法律条文允许默示或提前划拨，所以通常这不是问题。

构成整批货物一部分的不特定物的划拨

如果给几位客户的不特定物一起成批运往不同目的地，则倒数第二个交货一旦完成，余下的货物就已经被划拨，风险转移给最后的买方：*Karlshamns Oliefabriker v. Eastport Navigation Corporation* 一案。

第 18 条规则 5 第 3 项（由 1995 年《货物买卖（修订）法》增订）体现了上述判决，该条款规定：如果合同有关可运送交付的具体数量的不特定物的买卖，且货物构成整批货物的组成部分，并根据合同或事后协议来确定这批货物，那么当这批货物减少到（或少于）该具体数量时，如果只有一个买方，则——（1）其余的货物就被划拨到该合同下；（2）所有权也转移给买方。这在一批货物减少到（或少于）根据不同单独合同应属于同一个买方的所有货物总和时同样适用：规则 5 第 4 项。

所有权保留

第 19 条第 1 款引发的一个重要结果就是所有权保留条款，该条款规定：即使卖方已经交货给买方并且买方有权出售或使用交付的货物，货物的所有权也只能在支付货款时才转移。这是对供应商的一种担保，在买方停业清理情况下，供应商可以索回买方占有的未出售货物（见第 10 章）。

13.8 非所有人对货物的买卖

在非所有人对货物进行买卖的情况下，法律的任务是在合法所有人和善意买受人的对抗请求之间作出裁决。通常的解决方法是：法律根据"任何人不能给予其所未有者"原则承认合法所有人的权利，只有在某些情况下才保护善意买受人。

"任何人不能给予其所未有者"原则

第21条第1款规定了该原则："根据本法，在非所有人未经授权或未经所有人同意出卖货物的情况下，除非货物所有人通过行为表明其不否认卖方的出卖权，否则买方和卖方一样不能获得货物所有权。"本条款规定了例外情形，即不容否认的代理人的买卖。

第21条第2款进一步规定了例外情形："本法决不能影响——(1)《代理商法》的法律条款，或赋予表见所有人如同真正所有人一样处分货物权利的任何立法；(2)根据普通法或成文法的特别销售权或有管辖权的法院的裁定所签订合同的效力。"

现就本法和其他立法规定的例外情形进行讨论。

"任何人不能给予其所未有者"原则的例外情形

不容否认的授权

如果成功地提出不容否认的授权，则其就阻止真正所有人声称货物的出售是未经授权的。在真正所有人的言行使得善意买受人相信未经授权的出卖人拥有出卖货物的权利时，产生了不容否认的授权。如果要成功地提出该抗辩，则必须确认以下三点：(1)真正所有人故意或过失表现出卖方有出卖货物的权利；(2)善意买受人因信赖该表示而行为；(3)善意买受人购买了这些货物。

在 *Eastern Distributors v. Goldring* 一案中，货车所有人意图以货车为担保申请贷款。为了欺骗金融公司，货车所有人和一位摩托车商人错误地填写了表格，其内容为：该货车属于这位摩托车商人，而真正的货车所有人以分期付款的方式购买该车。金融公司用现金从摩托车商人处购买了该车并以分期付款方式转让给这位真正的货车所有人。而其却未支付任何分期款项，并把车卖给了一善意买受人。在关于该车的所有权争议中，法院判决：因为货车所有人表示该车属于摩托车商人而不属于其自己的行为禁止其再声称自己的所有权，所以支持金融公司的诉讼请求。真正所有人的表示行为必须是故意或过失的，才能产生不容否认的授权。这可以与 Mercantile Credit Co. v. Hamblin 一案的判决进行对照。在该案中，被告与一位摩托车商人订立合同，以其汽车作为担保申请贷款并填写了分期付款表格，但被告以为这只是一种申请行为。法院判决：其不是故意欺骗金融公司使之相信该车是摩托车商人的财产，并且，因为其对金融问题一无所知，完全信任摩托车商人，所以也不能构成过失。

在许多案件中，都有关于过失程度的讨论。在 Heap v. Motorists Advisory Agency Ltd 一案中，原告受 North 的诱骗让其开走一辆车向第三人炫耀。North 使用了几个星期之后，把车卖给了该案中的被告。原告根据第 21 条第 1 款要求返还该车。法院判决：不能禁止原告否认 North 出卖该车的授权。过失不仅仅是粗心大意，而且必须达到漠视所有人对抗辩人的责任的程度。

如果善意买受人仅同意购买货物，则不得适用此种抗辩。因此，在 Shaw v. Commissioner of Police for the Metropolis 一案中，买方同意：从非所有人处购买一辆汽车，在付款时所有权转移。因为其还没有付款，所以其无权要求该车的所有权以对抗真正所有人。

代理商

第二种主要例外情形与代理商的地位和 1889 年《代理商法》的实施有关。在该法中，代理商的定义是："代理商在惯常经营过程中有权出售货物，或为出售目的而转让货物，或购买货物，或以货物为担保进行贷款"：《代理商法》第 1 条第 1 款。为了获得代理商资格，代理人必须独立于本人，必须以经营方式行为并被授权以自己的名义处理货物。在 Lowther v. Harris 一案中,原告把一些挂毯遗忘在商店老板处。虽然商店老板没有出售这些货物的授权,但其还是把货物卖给了被告。原告起诉被告。关键问题是:商店老板没有作为代理人的一般业务,而且只有一个本人,在此种情况下其是否是代理商。法院判决其是代理商。即使一个人只为一个本人并只为一件事情进行代理,只要其以经营业务能力行为就可以成为代理商。

"任何人不能给予其所未有者"原则的法定例外的基础是《代理商法》第2条第1款,该条款规定:

在代理商经所有人同意占有货物或货物所有权文件时,如果相对人为善意,并在接受处置货物时不知道代理商的行为未经授权,则根据本法,代理商在其正常经营过程中对货物的买卖、典当或其他处置行为,具有与其经所有人明确授权所为的行为同等的法律效力。

为了转移有效的所有权,必须符合以下条件:

1)代理商必须以代理商身份占有货物或货物所有权文件。提单是一辆摩托车的所有权文件但不是登记文件: Beverley Acceptance v. Oakley 一案。在该案中,因为留在车库进行修理的汽车不符合"以代理商身份占有"这一条件,所以该条款不能适用。

2)这种占有必须经过所有权人的同意。如果没有相反的证据就推定该同意存在;如果所有权人撤销同意,则除非该撤销遭到买受人的反对,否则该同意无效:《代理商法》第2条第3款和第4款。

只要同意是针对代理人的代理商资格作出的,就无须考虑"同意是通过欺诈方式取得"这一事实。因此,在 Pearson v. Rose and Young 一案中,原告把汽车留在 Hunt 处,让 Hunt 看看这辆汽车能卖多少钱,其既没要求也没授权 Hunt 出售该车,并且也没有把该车所有权转让给 Hunt 的意图。Hunt 把车卖给了被告。法院判决：即使 Hunt 以欺诈方式获得同意和占有，Hunt 仍是经所有权人同意占有货物的代理商，因此，原告不能索回汽车。

在 *Du Jardin v. Beadman Brothers* 一案中，一位汽车经销商以自己的汽车和一张后来被拒绝兑现的支票作为担保，从原告处获得一辆二手汽车的占有权。随后，该汽车经销商偷偷取回自己的汽车，并假装其有权出售原告的汽车，将原告的汽车卖给了一个善意买受人。法院判决：第三人获得有效的所有权。在 *Folkes v. King* 一案中，原告把车交付给一位代理商，并指示出售价格不能低于指定价格。代理商低于指定价格把车卖给善意被告。法院判决：因为代理商根据第 2 条第 1 款有效转让了所有权，所以原告不能索回该车。但是，在 *Stadium Finance Co. v. Robbins* 一案中，被告将汽车留在一位汽车经销商处，该汽车经销商并没有明确表示其将尽力寻找买受人。被告带走启动钥匙，但把登记文件留在车里一个上锁的小箱里。代理商取得了登记书并把车卖给了原告，提供了一把替代钥匙。原告把车以分期付款方式卖给另外一人，由于该人拖欠付款，金融公司想收回该车，但发现被告重新占有了该车。原告起诉，主张：因为该买卖行为是在代理商的正常经营过程中进行的，所以其已获得所有权。但其败诉。

（3）买卖行为必须发生在代理商的正常业务经营过程中。

（4）买受人必须不知道代理商未经授权。举证责任由买受人承担。

根据可撤销所有权进行的买卖

第 23 条对这种例外作了基本规定："如果卖方享有的所有权是可撤销的但在买卖时并没有被撤销，则在买方善意并且不知道卖方的所有权有瑕疵时，买方获得有效的所有权。"获得可撤销所有权的最常见方式是根据受错误陈述影响的合同取得货物。但在根据受不当影响的合同取得货物的情况下，也可以获得可撤销所有权。如果合同受到履行错误的影响，则该合同无效。如果错误与面对面情形下的买受人身份有关，则该合同虽然不会因该错误而无效，但将因虚假陈述而成为可撤销合同，见 Lewis v. Averay 一案（第4章）。

占有货物的卖方出售货物

这种例外产生的事实基础是：由于很难确定货物的所有权，因此，占有货物就成为享有所有权的初步证据。该例外产生的法定基础是第 24 条，该条规定："如果一个人把货物出售后继续占有货物或货物的所有权文件，则其对不知情的善意买受人或典权人的任何买卖或典当行为都将使买受人或典权人获得有效的所有权。" 1889 年《代理商法》中的第 8 条规定基本与此相同。因此，如果 S 把货物卖给 B，则所有权也转移给 B，但 S 继续占有货物，随后，如果 S 又把货物卖给并交付给善意买受人 C，则 C 获得货物的有效所有权，B 只能起诉 S 要求违约赔偿。

占有货物的买方出售货物

这种例外的法定基础是第 25 条，该条规定："在买受人或同意购买货物的人经卖方同意占有货物或货物的所有权文件时，如果其或其代理商根据任何买卖、典当或其他处分合同，将货物或货物的所有权文件出卖或转让给不知情的善意第三人，则该行为与'经所有权人同意占有货物或货物所有权文件的代理商出卖或转让货物'的行为具有相同的法律效力。"

1889 年《代理商法》第 9 条的规定与此完全相同。因此，如果 S 把货物出售给 B 并转移占有给 B，但是 S 仍然保留所有权，在 B 又把货物或货物的所有权转让给善意买受人 C 时，C 获得所有权，S 只能起诉 B 要求支付货款。

如果买方从没有所有权的卖方处购买货物，则该条不授予该买方所有权。在 National Mutual General Insurance Association Ltd v. Jones 一案中，小偷偷了一辆车并卖给了 A，A 又卖给了 C（汽车经销商），C 又卖给了 D（汽车经销商），D 又卖给了被告。法院驳回了被告关于其取得可以对抗合法所有人的所有权的请求，判决该条只能对抗将货物或货物的所有权文件的占有权交付给买方的所有权人的所有权。该条规定不能剥夺被盗窃货物的所有权人的所有权。

第 25 条的一个重要因素是"已经买受或同意购买"这一词语的重要性。如果一个人以可退货销售方式获得某物，则其还没有购买或同意购买该物，但因为该出售或保证行为将有效转让所有权给买方，所以，如果此人出售货物，则能有效转让所有权：上文第 18 条规则 4。一种更为重要的排除性保护有关根据租赁合同占有货物的当事人。这对于根据分期付款买卖合同占有货物的当事人的买卖来说尤为重要。早在 *Helby v. Matthews* 一案的判决中，法院即判决：由于此种当事人既没有购买也没有同意购买货物，因此不能有效转让所有权给善意买受人。因为商人和金融公司总是能从善意买受人处索回货物，所以该判决的作用在于：保证与商人和金融公司签订分期付款买卖合同的普遍性。

以前曾判决：根据附条件买卖合同购买货物的人属于第 25 条中规定的"已经购买或同意购买"的人（*Lee v. Butler* 一案），但这已经被 1974 年《短期信贷法》所修订，该法范围内的"附条件买卖合同中的买方"不是 1889 年《代理商法》第 9 条和第 25 条规定的"已经购买或同意购买"的人。

对分期付款买卖合同和附条件买卖合同中的货物所有人的保护，目前受到 1964 年《分期付款买卖合同法》第三编中关于摩托车的例外情形规定的限制。

在摩托车方面，1964 年《分期付款买卖合同法》第三编保护下列情形下的摩托车善意买受人：（1）卖方必须是根据分期付款买卖协议租赁汽车或根据附条件买卖协议购买汽车的人；（2）买方必须是"私人买受者"。

这种买卖必须是向私人买受者而不是在摩托车行业进行经营的

商人（或金融公司）进行的买卖。即使商人为了自己的私人目的购买汽车，情况也是如此（*Stevenson v. Beverley Bentinck* 一案）；但是，该法将保护从该商人处购买汽车的第一个私人买受者。

根据普通法或成文法权利进行的买卖

普通法或成文法赋予某些人出售他人所有财产的权利。因此，典当经纪人在出典人未偿付贷款时可以出卖典物。如果客人不结账客栈，则老板可以出卖客人的财产。根据 1977 年《侵权（侵害货物）法》，货物的修理人、改善人、评估人或保管人在向寄托人送达通知并且通知期限到期后，其有权出卖未取回的货物。买方根据 1979 年《货物买卖法》第 21 条第 2 款第 1 项将获得有效的所有权，但是如果寄托人没有所有权，则该交易也不会赋予买受人有效的所有权。

根据法院裁定进行的买卖

高等法院在某些情况下可以作出买卖货物的裁定。根据 1979 年《货物买卖法》第 21 条第 2 款第 2 项，买受人将获得有效的所有权。

13.9　合同的履行

根据货物买卖合同条款的规定，卖方有交货的义务，买方有接受货物和支付价款的义务：第 27 条。除非另有约定，否则交货和付款互为条件：第 28 条。

交　货

必须结合本法来理解"交货"一词的含义。因此，买方是否必须占有货物或卖方是否必须把货物送给买方的问题取决于双方合同的约定：第 29 条第 1 款。如果合同没有关于交货的约定，则其交货应符合该法中的交货规则。因此，除非另有规定，否则，如果卖方有营业地，则交货的地点是卖方的营业地；如果卖方没有营业地，则交货的地点是卖方的住所。但是，如果合同是关于双方都知道的在其他地点的特定货物的买卖，那么该地点就是交货地点：第29条第1款。在卖方有责任把货物送给买方但没有约定具体时间时，卖方应该在合理时间内把货物交给买方：第29条第2款。交货请求应当在合理时间内提出，否则视为无效：第29条第3款。在货物由第三人占有的情况下，只有在该第三人告知卖方其是代表买方占有货物时交货才完成：第29条第4款。

在卖方被授权或被要求将货物交付给买方时，则无论承运人是否由买方指定，"为运送货物给买方而把其交付给承运人"的行为都被视为把货物交付给买方的初步证据：第32条第1款。但是，卖方必须和承运人订立合理合同，如果未订立合同，则在运输途中货物丢失或受损时，买方可以拒绝把向承运人的交付视为向自己的交付，也可以向卖方提出损害赔偿请求：第32条第2款。如果货物须经海运交付给买方时，则在通常都对货物进行保险的情况下，卖方必须充分通知买方进行保险，如果卖方未进行上述通知，则货物在运输过程中的风险由买方承担：第32条第3款。

如果卖方同意承担在出售地点以外的其他地点交货的风险，则除非另有约定，否则买方必须承担运输途中的任何风险损失：第33条。

分批交货

除非另有约定，否则买方没有义务接受分批的交货：第31条第1款。在货物买卖合同分批交货、每批单独付款的情况下，如果卖方在其中一批或几批货物中进行了瑕疵交货，或者买方过失或拒绝接受交货或支付一批或几批货物的价款，则要根据合同条款和案件的具体情况来确定该违约是对整个合同的不履行，还是单独要求补偿，但并不使整个合同履行落空：第30条第2款。

在 Robert A. Munro & Co. v. Meyer 一案中，原告同意卖给被告1500吨一定规格的肉和骨粉并分批交付。但其中，有611吨骨粉不符合规格。被告拒绝履行合同。原告起诉，要求被告支付根据协议到期的款项，被告提出反诉要求损害赔偿。法院判决：违约的程度及其重复的可能性，使得被告有权拒绝履行合同，并有权对交付的劣质骨粉提出损害赔偿请求。与之相反，在 *Maple Flock Co. Ltd v. Universal Furniture Products（Wembley）Ltd* 一案中，买方同意分批提供给买方100吨软质材料。前15次每次1吨半的交货都令人满意，但在对第16次交货的样品进行化验之后，买方发现所含氯成分高于合同所允许的范围。买方请求拒绝履行合同，但法院判决：一批瑕疵交付不等于卖方对整个合同的不履行。Hewart 法官对适用标准作出如下陈述："应考虑的主要标准是——首先，违约数量和合同总数量之间的比例；其次，这种违约重复的可能性"。

Regent OHG Aisenstadt und Barig v. Francesco of Jermyn Street Ltd 一案表明了第30条和第31条之间的关系。在该案中，双方订立合同，由原告向被告出售60套西装，在约定期间内分批交付，卖方可以自由决定每批交付的数量。买方通知卖方要解除合同，但卖方坚持交货。其5次交货都被买方拒绝，卖方就买方不接受货物请求损害赔偿，针对该请求，买方抗辩道：因为卖方交付的数量比合同约定的数量少一套，所以根据第30条第1款，其有权拒绝整批交付。法院判决：在可分合同情况下，如果第30条第1款与第31条的规定发生冲突，应以第31条规定为准；根据第31条，交付数量的短缺不足以作为拒绝履行整个合同的理由。

接受货物

如果未经买方事先检验即将货物交付买方，则只有在买方有合理机会检验货物是否与合同相符之后，才能视为买方已经接受了货物：第34条第1款。卖方有义务为买方提供合理机会检验货物是否与合同相符：第34条第2款。

在下列情况下，视为买方已经接受了货物：（1）买方向卖方宣布其已经接受了货物；（2）买方对货物采取的某种行为与卖方的所有权不符；（3）在一段合理时间之后，买方保留了货物，并没有向卖方宣布其拒绝接受货物。关于限制对买方的救济方式，前文已经作过讨论。

如果卖方交付的数量少于合同规定的数量，则买方可以拒绝接受货物，但是，如果其接受货物，就必须按照合同规定的价格付款：第30条第1款。与此类似，如果卖方交付的数量多于合同规定的数量，则买方既可以只接受合同规定的数量而拒绝接受多出的货物，也可以拒绝接受全部货物。如果买方接受了全部货物，就必须按照合同规定的价格付款：第30条第2款。如果卖方交付的货物中混有其他规格的货物，则买方既可以只接受符合合同规定的货物而拒绝接受其他货物，也可以拒绝接受全部货物：第30条第3款。在货物交付给买方时，如果买方因有拒绝接受权而拒绝接受货物，则买方没有义务返还货物，并且，这也足以表明其拒绝接受货物：第36条。

在卖方做好准备、愿意交付货物并通知买方接受货物，但买方未在合理时间内接受货物的情况下，如果本条规定并没有影响当买方拒绝接受货物构成不履行合同时卖方的权利，则买方应承担卖方的任何损失，并支付合理的照管费用：第37条。

13.10 未获得价款的卖方对货物的权利

根据本法，即使货物所有权已经转移给买方，未获得价款的卖方对货物仍享有权利。这些是对买方提起支付价款诉讼请求或拒绝接收货物请求之外的权利（见下文）。下列情况下，均视为卖方未获得价款：（1）全部价款都未支付；（2）收到汇票或其他可流通票据作为附条件的支付，但由于票据被拒绝承兑而使得条件无法成就：第38条第1款。

未获得价款的卖方权利有：（1）在仍占有货物时，对货物的留置权或保留货物以确保得到价款的权利；（2）在买方破产情况下，卖方不再占有货物时的中途停运权；（3）本法作出限制性规定的转售权。

卖方的留置权

在下列情况下，如果未得到价款的卖方仍占有货物，则其有权保留对货物的占有直到价款得到偿还：（1）在货物出售时，没有任何关于赊欠的约定；（2）在货物以赊欠方式出售时，赊欠期已经届满；（3）买方破产：第41条第1款。

即使卖方作为买方的代理人或委托人占有货物，其也可以行使留置权：第41条第2款。

如果卖方已经向买方交付部分货物，则除非弃权，否则其可以对其余的货物行使留置权：第42条。卖方的留置权因下列事由出现而终止：（1）卖方将货物交给承运人或其他委托人或管理人以转运给买方，但没有保留对货物的处置权；（2）买方或其代理人合法取得占有权；（3）卖方放弃留置权或所有权保留：第43条。

中途停运权

当货物的买方破产时，不再占有货物的未得到价款的卖方享有阻止运输途中的货物的权利，因此其可以重新占有货物并保留占有直到价款得到支付：第44条。

运输期间

自货物被交给承运人以运送给买方之时开始，一直到买方或其代理人接收货物之时为止，货物都处于运输途中：第45条第1款。即使买方或其代理人在货物到达指定目的地之前得到交货，情况也是如此：第45条第2款。

在货物到达指定目的地之后，如果承运人向买方或其代理人表明：承运人代表买方占有货物，则即使买方又指示了一个新的目的地，运输也终止：第45条第3款。如果货物被买方拒绝，则即使买方拒绝取回货物，运输也没有终止,：第45条第4款。如果货物被装上了买方承租的船舶，则"船长是作为承运人还是作为买方的代理人占有货物"要根据具体情况而定：第45条第5款。如果承运人非法拒绝交货给买方或其代理人，则运输终止：第45条第6款。除非卖方已进行的交付表明其放弃对所有货物占有的意向，否则即使其已经向买方交付了部分货物，其也可以终止其余货物的运输：第45条第7款。

中途停运权的行使

未得到价款的卖方可以通过实际占有货物或向承运人发出要求通知来行使中途停运权。其既可以向实际占有货物的人发出该通知，也可以向其本人发出该通知。为了使通知有效，应在本人可以通过谨慎行为及时联系其雇员或代理人不向买方交货的情形下发出通知：第46条第1款。在停运权通知发出后，承运人必须把货物运回给卖方或按卖方的指示运输。返回运输的费用由卖方承担：第46条第2款。

所有权尚未转移给买方时未获得价款的卖方的地位

如果货物的所有权还没有转移给买方，除其他救济方式外，未获得价款的卖方有权拒绝交付货物，这种权利和在所有权已经转移给买方情形下的留置权和中途停运权类似，范围也相同：第39条第2款。

买方转售或典当货物对卖方的留置权和中途停运权的影响

留置权或中途停运权不受买方出售货物或对货物的其他处置的影响，但下列情形除外：（1）买方同意：第47条第1款；（2）货物所有权文件已经合法转移给买方，并且其又把这些文件以买卖方式转让给善意第三人。如果转让是以典当方式进行的，那么留置权和中途停运权的行使受到受让人权利的约束：第47条（限制性条件）。

转售权

买卖双方的合同并不因为未得到价款的卖方行使留置权或中途停运权而被取消：第48条第1款；但在未得到价款的卖方转售的

情况下，该买受人获得可以对抗原卖方的有效所有权：第48条第2款。在货物易变质的情况下，买方自动取得行使转售权的权利；如果未得到价款的卖方通知买方其要转售货物，但买方仍未在合理时间内支付价款，则该卖方可以向原买方索赔因违约而产生的任何损失：第48条第3款。如果卖方在买方不支付价款时保留转售权，并且在买方不付款时就进行转售，则原买卖合同被取消，但不损害卖方的赔偿请求权：第48条第4款。

13.11 违约诉讼

本法规定了对卖方和买方的救济方式。

对卖方的救济

除了上文讨论的对货物的权利之外，卖方还享有下列对买方的权利：（1）起诉请求买方支付价款；（2）对买方拒绝接受货物的损害赔偿请求权。

起诉请求买方支付价款

如果货物所有权已经转移给买方，但买方非法拒绝支付货款，卖方可以提起诉讼要求支付货款：第49条第1款。即使货物所有权没有转移给买方，未得到货款的卖方也可以提起诉讼请求；如果合同规定了支付货款的具体日期，则无论卖方是否交货，货物都不能被划拨：第49条第2款。

对买方拒绝接受货物的损害赔偿请求权

如果买方拒绝接受货物和支付价款（第50条第1款），则损害赔偿金根据买方违约所造成的直接自然估计损失计算：第50条第2款。如果存在适于货物出售的市场，则损害赔偿金根据出售时的市场价格与货物本应被接受时或交货被拒绝（如果未确定具体时间）时的合同价格之间的差额初步确定：第50条第3款（见第5章）。

对买方的救济
买方有以下三种对抗卖方的救济方式。
不交货损害赔偿
如果卖方非法拒绝交付货物,则买方可以起诉要求不交货损害赔偿。损害赔偿金根据卖方违约所造成的直接自然估计损失计算。如果存在货物交易的市场,则损害赔偿金根据合同价格与本应该交货时或拒绝交货时的市场价格之间的差额初步确定:第51条。
实际履行
在请求交付具体或特定货物的违约诉讼中,法院可以根据原告的申请,在其认为合适的情况下作出实际履行合同的裁定:第52条(见第5章)。
违反保证赔偿
如果卖方违反保证,或者买方选择或被迫将违反合同要件视为违反保证,则买方不得拒绝接受货物,但可以:(1)提出价格减少或不支付价格的违反保证;(2)坚持对卖方提起违反保证赔偿诉讼。赔偿金根据违反保证所造成的直接自然估计损失计算。在违反质量保证的情况下,损失根据向买方交付的货物的价格与如果货物符合保证的价格之间的差额初步确定:第53条第3款。买方提出价格减少或不支付价格的违反保证的事实,并不妨碍其在遭受更大损失时提出违反保证赔偿的诉讼请求权。在 Bence Graphics International Ltd v. Fasson UK Ltd 一案中,被告向原告提供乙烯基塑料薄膜,合同条款规定薄膜至少应在5年内保持清晰度。但薄膜未到5年就降解了,原告的客户纷纷投诉,导致价值22000英镑的瑕疵原料积压。上诉法院判决:原告对终端用户承担的责任就是赔偿的范围,从而替代了第53条第3款中规定的初步确定方式。

13.12 供货合同
为了明确货物供应方面的法律,制定了1982年《提供货物和服务法》。该法涉及以下三种合同：（1）货物所有权转让合同；(2) 货物租赁合同；（3）服务合同。对于每一种合同，该法都有类似1979年《货物买卖法》（后被1994年《货物买卖和供应法》修订）规定的默示条款以及对双方当事人可以约定排除这些条款的限制性条款。

货物所有权转让合同

货物所有权转让合同就是转让货物所有权的合同，其既不是货物买卖合同，也不是分期付款买卖合同。1982年《提供货物和服务法》第2—5条通过在合同中加入默示条款来保护合同项下受让人的所有权、货物描述说明、令人满意的质量、适合合同目的和货物符合样品方面的权利，这些条款与1979年《货物买卖法》第12—15条的规定完全相同。

本法只讨论这些默示条款，关于转让所有权等其他方面的法律，除了由为数不多的判例法调整之外，其余都由普通法规定。该法本编所规定的合同有：（1）与供应货物相关的附属合同；（2）易货合同；(3) 尽管也存在货物供应但主要是提供服务的合同。后一种合同包括货物作为修理工作的一部分而被提供时与修理相关的合同。

附属合同

附属合同是指作为购买某一产品的回报、买方有权获得另外产品的合同。例如：加油站可以向购买者提供几箱汽油作为赠品。汽油购买合同由1979年《货物买卖法》规定，但有关赠品却由1982年《提供货物和服务法》第2-5条规定。在 *Esso Petroleum Ltd* v. *Commissioners of Customs and Excise* 一案中，作为促销手段，原告免费送给每位购买者4加仑汽油，海关关长要求原告应对赠送的汽油上缴购置税。因为这些汽油不是为买卖目的生产的，所以上议院驳回了海关关长的这一请求。

易货合同

显然，因为即使一部分易货一部分现金支付的合同中的现金支付部分很小，这种合同也是买卖合同，所以易货合同不包括这种合同。这种合同的本质是易货的货物被折合成现金然后从交换的货物价值中扣除。这种价值折换否定了其作为易货合同的理念，似乎包括所有考虑被交换货物价值的合同。

明确的易货合同是以没有金钱价值折换的代币交换货物。例如：如果巧克力生产商主动用一张唱片换 10 张巧克力包装纸并没有任何金钱因素，则其对于唱片质量的请求属于 1982 年《提供货物和服务法》第 2—5 条规定的范围。

提供劳务和原料的合同

提供劳务和原料的合同包括：需要安装零部件的汽车修理合同；提供电线、插座和开关的给房屋安装电线设备的合同；转移砖的所有权的建造房屋等建筑的建造合同。当根据这些合同提出请求时，确定"请求的原因是与供应的新部件失灵有关还是与安装失误有关"很重要。对于前者，由第 2—5 条规定，而工作质量失误则由第 13 条规定。1982 年《提供货物和服务法》只对"转移货物所有权的依据合同的货物供应"作出了规定。

对排除默示条款的限制与 1979 年《货物买卖法》的规定一样。这种保护在 1977 年《不公平合同条款法》（被 1982 年《提供货物和服务法》修订）第 7 条中规定。这两部法律的保护都区分消费者和商人，并且适用同样的区分标准。1994 年《消费者合同不公平条款条例》也可适用于此种合同（见第 6 章）。

租赁合同

根据这种合同，租借人只获得货物的占有权而不是所有权；出租货物的人叫受托人，租借人叫寄托人。1982 年《提供货物和服务法》界定了本编规定的合同，并排除了分期付款买卖合同：第 6 条第 2 款，但对于货物租赁合同，则不必考虑是否根据该合同也提供了服务，也不必考虑租赁对价的性质：第 6 条第 3 款。

默示条款在 1982 年法案第 7–10 条中规定。关于货物描述说明、令人满意的质量、适合合同目的和样品方面的条款与 1979 年《货物买卖法》中的规定完全一致。明显的主要不同之处在于有关所有权的默示条款。因此，在第 7 条中，有一个默示条件——租借人有权在委托期间以出租方式转让货物的占有权，或在同意委托情况下，租借人在委托时享有该权利：第 7 条第 1 款。

该法同样也有保证租借人在委托期间享有平静占有权的默示条款，但不包括下列人员的干涉：所有权人和在订立合同之前出租人知道的任何费用和负担的受益人（第 7 条第 2 款）。但这些条文不得妨碍租借人根据合同中明示或默示的条款重新占有货物的权利：第 7 条第 3 款。

1977 年《不公平合同条款法》适用于租赁合同，并且也在消费者和非消费者之间作出同样的区分。在消费者情况下，不能排除货物描述说明、令人满意的质量、适合合同目的和样品方面的默示条款；而在非消费者情况下，则可以根据合理性标准排除这些默示条款。但该法在保护方面的不同之处在于：关于所有权和平静占有权的默示条款，尽管在两种情况下都可以被排除，但要受到合理性标准的限制。1994 年《消费者合同不公平条款条例》也适用于此种合同（见第 16 章）。

提供服务的合同

提供服务的合同是指供应商同意提供服务的合同。1982 年法特别排除了劳务合同和学徒合同。提供服务的合同不必考虑以出租方式转让、即将转让、保管或即将保管货物，也不必考虑对价的性质：第 12 条第 1 款、第 2 款和第 3 款。

国务大臣有权通过命令规定本编关于服务的一条或几条规则不适用于某一特定服务，而且，该命令可以针对不同的法定条文作出规定：第 12 条第 4 款第 5 项。目前已经作出的一个命令排除了以下默示条款——根据第 13 条，提供服务者应以勤勉注意和技能提供服务，适用于下列情形：（1）律师或仲裁员在法庭或仲裁庭上提供的询问服务，以及其在进行直接影响审理行为的基础工作过程中的服务；（2）董事或作为董事的公司向公司提供的服务。

第一编规定了对律师的保护：Rondel v. Worsley 一案。因为根据服务合同本法条文不适用于执行董事，所以为了防止非执行董事被该法不公平排除，第二编规定了对非执行董事的保护。

默示条款

有以下三个默示条款。

合理注意和技能　该默示条款由第13条规定："在提供服务的合同中，如果供应商在正常经营过程中行为，就默示认为其应以合理注意和技能提供服务。"

履行时间　该默示条款由第14条规定："（1）供应商在正常经营过程中根据提供服务合同履行服务行为，如果合同没有规定具体履行服务的时间，而由双方事后商定或由双方的惯常交易过程确定，就默示供应商应在合理时间内履行服务。（2）合理时间是事实问题。"

服务的对价　该默示条款由第15条规定："（1）如果提供服务合同没有规定服务的对价，而是由双方事后商定或由双方的惯常交易过程确定服务的对价，则默示与供应商订立合同的当事人应支付合理费用。（2）合理费用是事实问题。"

默示条款的排除

如果接受服务者作为消费者进行交易，或者供应以供应商的格式合同为基础，则旨在排除或限制供应商责任的条款要受到合理性要求的限制：1977年《不公平合同条款法》第3条。

违反合理注意和技能的默示合同条款属于过失范围之内：1977年《不公平合同条款法》第1条第1款。所以，该默示条款也受到排除过失责任条款的限制，而且任何排除或限制第13条关于供应商责任的条款都不能延及死亡或身体伤害：1977年《不公平合同条款法》第2条。1994年《消费者合同不公平条款条例》也适用于此（见第 16 章）。

13.13　根据分期付款买卖协议和附条件买卖协议供应的货物

根据分期付款买卖协议和附条件买卖协议供应货物的合同包含的默示条款与 1979 年《货物买卖法》、1982 年《提供货物和服务法》规定的默示条款类似。这些条款由 1973 年《提供货物（默示条款）法》中第 8－11 条规定。该法对默示条款的排除也与其他法律完全相同。

13.14　服务、货物和设施方面的歧视

1976 年《种族关系法》禁止提供货物、设施和服务方面的歧视：(1) 拒绝或故意忽视向其提供货物、设施和服务；(2) 拒绝或故意忽视以与其他人同样的方式，按同样的条款向其提供同样的货物、设施和服务：第 20 条第 1 款。设施和服务包括：(1) 接触和使用允许公众进入的地方；(2) 旅馆、公寓等房间；(3) 银行设施、保险设施以及为了拨款、贷款、信用或融资的设施；(4) 教育设施；(5) 娱乐设施；(6) 交通和旅游设施；(7) 任何行业、地方当局或公共团体的服务：第 20 条第 2 款。

1995 年《伤残人歧视法》第三编以类似条款禁止提供服务、货物和设施方面的歧视：第 19 条第 1 款。其不必考虑对提供的服务是否收取费用：第 19 条第 2 款第 3 项。该法列举的服务与 1976 年《种族关系法》类似，但包括对通信手段和信息的接触和使用，而排除教育和仅由劳动服务机构或培训机构提供的设施：第 19 条第 3 款。交通设施也被排除在外：第 19 条第 5 款。如果提供者有合理理由相信以下情况，则歧视可以被证明是正当的：(1) 为了不危害任何人（包括伤残人）的健康和安全，该歧视是必要的；(2) 伤残人无法达成可强制执行的协议，或无法发出同意通知；(3) 因为如果不作出歧视，提供者就无法向公众提供服务（如教练拒绝训练伤残运动员),所以该歧视是必要的;(4)为了向伤残人员或其他公众提供服务,标准、方法或条款方面的差别待遇是必要的(如安排参加音乐会的伤残人员在特殊座位就坐);(5)条款上的差别体现了提供者应付的高额费用:第19条第4款。

服务提供者必须对"使得伤残人员不可能或非常困难地利用服务的惯例、政策或程序"进行调整:第21条第1款。如果涉及身体特征,则提供者必须采取一切合理措施:(1)去掉该特征;(2)改变该特征;(3)提供合理的避免方法;(4)提供可进行服务的合理替代方法:第21条第2款。

在下列情况下,房屋的处分权人对伤残人员的歧视都是非法的——按照其提出的条件处分房屋;拒绝处分房屋;其对伤残人员的待遇与需要房屋的其他人员有关:第22条第1款。

对非法歧视的请求,应按侵权民事诉讼程序在6个月内向郡法院提出。

推荐读物

《货物买卖》,第9版(P. S. Atiyah, Pitman, 1995)。

《货物买卖和供应》,第2版(Michael Furmston, Cavendish Publishing, 1995)。

问题

1. 货物买卖合同中的默示条款作为条件的重要性有哪些?

2. 1979年《货物买卖法》第13条规定的"依据描述说明进行的货物买卖"有什么含义?

3. 提醒买方注意原则的含义是什么?在什么时候适用?

4. 如果你要求一家公司为舞会提供适于素食者的食物,则在提供的食物完全可食但不适于素食者的情况下,你是否会根据1979年《货物买卖法》提起诉讼?

5. 对于商人之间的合同,可以根据"合理性要求"排除默示条款。成文法规定的确定合理性要求的标准有哪些？

6. 为什么确定货物所有权从卖方转移给买方的时间非常重要？在可运送交付的特定物买卖的情况下，所有权何时转移？

7. 如果你以可退货销售方式购买货物，那么货物所有权何时转移给你？

8. 在不特定物方面，区分划拨与无条件划拨。

9. 1979年《货物买卖法》对"任何人不能给予其所未有者"原则规定了许多例外情形。该原则的含义是什么？有哪些例外？

10. 除了起诉买方要求支付价款之外，未得到价款的卖方还在某些情况下享有对货物本身的权利。这些救济方式有哪些？何时产生？何时丧失？

11. 供应商在正常经营过程中提供服务时，有哪些合同默示条款？

第六编

支付方式

14

消费者信贷协议

学习目标

通过本章学习了解以下内容：
1. 1974 年《消费者信贷法》调整协议的范围
2. 分期付款买卖协议、附条件买卖协议、信贷买卖协议之间的区别
3. 法定协议的格式和内容以及不履行协议的法律后果
4. 法定协议中对债务人解除协议权利的保护及对债权人追偿权利的限制
5. 债务人或债权人终止协议的法律后果

1974 年《消费者信贷法》是 1971 年克劳赛（Crowther）委员会关于消费者信贷报告的产物，并且是对法律制度的一次根本改革，旨在由一部法律调整所有形式的消费者信贷。在该法第 9 条中，"信贷"被定义为"现金借贷或任何其他形式的金融借贷"。该法通常将有关分期付款买卖协议的法律规则延伸适用于其他形式的消费者信贷协议。除分期付款买卖协议外，本法还适用于以下方面：

● 金融公司或银行的贷款；
● 银行透支；
● 信用卡协议；

- 信贷买卖协议；
- 附条件买卖协议；
- 对贸易协议的审查；
- 租赁协议，如电视租赁。

该法的主要目标是"诚实借贷"，其以年费率的方式制定了借贷收费标准。年费率是通过借贷的总成本来计算的，包括利息和其他的费用。该法第 20 条明确规定了这种年百分比费率。该费率可参照皇家文书局（Her Majesty's Stationery Office）公布的消费者信贷表确定。消费者信贷协议现在可能受到 1994 年《消费者合同不公平条款条例》的重大影响（见第 16 章）。

14.1 1974 年《消费者信贷法》调整的协议
完全调整的协议

本法适用于法定的消费者信贷协议，此种消费者信贷协议要同时符合以下两个条件：（1）债务人不是公司或法人实体；（2）预支数额在 50 英镑和 15000 英镑之间。此种限制只适用于贷款，不适用于存款或收费，因此买卖总价款金额可以超过 15000 英镑。提供融资者被称为债权人，消费者或借方被称为债务人。该法完全调整的协议包括消费者信贷协议和消费者租赁协议。

消费者信贷协议

在此种协议中，债权人提供不超过具体金额的信贷。除租赁协议外，以上所列的所有协议均属此类。信贷协议分为两种：一种是定额信贷协议，因为此种协议规定了信贷的具体金额，所以，信贷买卖协议、附条件买卖协议和分期付款买卖协议均属于此种协议；另一种信贷协议是循环账户信贷协议，有时也叫"循环信贷协议"，在此种协议中，债务人在其信用允许范围内可取得不定数额的现金、货物以及服务，银行透支协议和信用卡协议均属于此种协议。

以上协议还可以下列标准作出进一步划分：（1）限制用途的信贷协议；（2）不限制用途的信贷协议。限制用途的信贷协议必须用于特定的交易，例如分期付款买卖协议、附条件买卖协议和信贷买卖协议，其只能在取得货物和服务时用于商店预算账目、结账、信用卡。而银行贷款就是不限制用途的信贷协议，因为对此种债权人提供的贷款是不限制使用用途的。这些协议还可分类为：（1）债务人—债权人—供应商协议（debtor - creditor - supplier agreement，DCSA）（第 12 条）；（2）债务人—债权人协议（debtor - creditor agreement，DCA）（第 13 条）。在债务人—债权人—供应商协议（DCSA）中，债权人和供应商是有关联的，例如：债权人和供应商是一个人或一家公司，或在债权人和供应商之间关于贷款早已订立协议。债务人—债权人—供应商协议（DCSA）包括：（1）在限制用途信贷协议中，债权人和供应商是同一人。（2）在限制用途信贷协议中，债权人根据其和供应商的既存协议签订了信用证贷款协议。（3）在不限制用途信贷协议中，债权人根据其和供应商的既存协议，为债务人和供应商之间的金融交易提供贷款。

如果在债务人—债权人协议（DCA）中，供应商和债权人之间没有关联，则银行规定债务人可透支消费。

消费者租赁协议

在租赁协议中，租期不得少于 3 个月，并且租赁者支付的租金将不超过约定的数额。

未完全调整的协议

该法对以下两种协议未作完全调整：（1）小额协议；（2）非商事协议。如果小额协议是该法调整的消费者信贷协议（不包括分期付款买卖协议或附条件买卖协议），则其信贷金额不得超过 50 英镑；如果小额协议是该法调整的消费者租赁协议，则消费者支付的租金不得超过 50 英镑（第 17 条）。非商事协议是债权人在非经营过程中签订的协议（第 189 条第 1 款）。

不调整的协议

本法不调整某些消费者信贷协议和消费者分期付款买卖协议（第 16 条）。需要注意的是：如果此种协议是高利贷协议，则法庭将对其进行审查（第 16 条第 7 款）。此外，自 1985 年 9 月起，调整广告和报价的法律规定适用于一切与房屋抵押借款有关的组织。下列是不受本法调整的协议：

抵押借款

为了融资购买土地或已有所有权的土地之上的建筑，由建筑协会、当地机关或其他实体抵押土地的协议不受本法调整（第 16 条第 2 款）。在为保护此抵押进行保险时，为了支付保险费而进行的贷款也不受该法调整。某人为改善其已被抵押的现有财产付款的消费者信贷协议，受本法调整。

低价信贷

在债务人——债权人协议中，如果信贷年费率不超过伦敦和苏格兰清算银行基本利率加一个百分点和 13% 中的高者，则此协议不受本法调整。

国际贸易融资

如果信贷协议与进出口货物和服务有关，则不受本法调整。

普通贸易信贷

一次性付清的贷款、不超过 4 次分期的债务人—债权人—供应商定额贷款协议以及只向一个账户偿付的循环账户信贷，均不受本法调整。

电话、天然气及电力计量仪的消费者租赁协议

14.2 取得执照与开展业务

对该法所调整的和不调整的消费者信贷和租赁业务的经营执照颁发，该法第三编进行了详尽的规定。这些规定适用于：（1）消费者信贷业务和消费者租赁业务；（2）辅助业务。

消费者信贷业务和消费者租赁业务

此类业务包括经营者根据法定协议提供信贷或租赁货物两种。因此，金融公司必须持此类业务的执照；一般的零售者若要从事信贷买卖、附条件买卖或分期付款买卖业务，也必须持此业务执照。

辅助业务

此项业务包括贷款经纪人、负债咨询、债务追偿、信用咨询代理。零售商若想同时向其顾客提供融资，即进行分期付款三角交易，则其必须获得贷款经纪人执照。

公平贸易（Fair Trading）总署署长负责管理执照的颁发，其有权变更、中止、延续和撤销此类执照。若无此类执照却从事相关业务是违法的（第39条）。若无此类执照，则与顾客订立的协议不能约束顾客（第40条）；若此协议是通过没有执照的经纪人订立的，也不能约束顾客（第149条）；上述规定同样适用于没有执照的辅助服务（第148条）。

该法此编对广告和招揽顾客也有规定。广告商的下列行为是不合法的（第46条）：（1）违反本法第44条；（2）当货物或服务不能用现金支付时，在广告中声称可分期付款购买货物或享有服务（第45条）；（3）对重要情况未告知或进行误导。

广告商的下列行为也是不合法的：（1）向18岁以下的公民寄送含有劝诱其贷款或寻查贷款信息内容的广告（第50条）；（2）签发多余的信用贷款（如信用卡）（第51条）（3）违反关于贷款条款内容及形式的法律规定（第52条）；（4）未遵守在信贷交易之前告知法定信息的义务。（第53条）

未在商业经营场所劝诱对方订立债权人—债务人协议是违法的（第49条）；但持有执照者劝诱对方订立债权人—债务人—供应商协议则是允许的（第23条）。如果贷款经纪人、负债理算人或负债咨询人未在商业经营场所提供服务，则是违法的。

14.3 协议的内容和形式

该法调整的协议必须符合该法的下列规定：(1) 文义明确；(2) 内容全面；(3) 签字时生效；(4) 债务人留有副本。若违反上述规定，债权人就不能行使协议权利。即使债权人的请求是公平和正确的，法院也会依据债务人受此种违反影响的程度及债权人或所有人过失的程度来决定是否驳回该请求。具体规定如下：

1) 所有条款必须记载于书面协议或其他书面文件之中：第61条第1款第2项，并且必须文义明确。债务人撤销权要详细记载（第64条第1款第1项）；书面协议文件必须符合第60条关于形式和内容的规定，如当事人名称、地址、还款数额、日期及贷款的正确本金数额。

2) 协议必须有债务人或租用人的亲笔签名及债权人或所有人本人或为其利益的人的签名（第61条第1款第1项）。

3) 在债权人提交协议于对方签字时，其必须留有一份协议副本（第62条第1款，第63条第1款）；若其在协议上签字时协议尚未制定完成，则其应当在订立协议之后7天内保留第二份副本（第63条第2款）。对于可撤销协议，第二份副本必须采用邮寄方式送达（第63条第3款）；对于贷款协议（信用卡或结付协议），第二份副本必须在贷款到达顾客手中之前送达（第63条第4款）；若每次出现新的信贷，就必须送达新的协议副本（第85条）。

4) 对于预期由该法调整的土地抵押协议，借款人必须在正式签订日期之前至少7天收到协议副本（第61条第2款）；在这一期间内，除非借款人要求预期的债权人与其联系，否则预期债权人应当让借款人在没有买卖压力的情况下仔细考虑。

14.4 解 约

在下列情况下，债务人可在法定协议订立之后若干天内解除协议：(1) 顾客和债权人或所有人或交易人另外订立了效力更高的协议（包括口头协议）；(2) 顾客在商业场所以外的地方（包括债权人、所有人的商业场所、债务人—债权人—供应商协议中交易人的商业场所）订立的协议（第67条）。对于在债务人家中或其营业地点签订的协议也可被解除。债务人解除协议的重新考虑期间自其在协议上签字之时起至收到第二份副本5天之后止。解约的效果随协议类型不同而不同。在租赁协议、附条件买卖协议和信贷买卖协议中，顾客可以收回付款（第70条）。顾客必须退还商品，但其没有交付退还商品的义务，其可以根据书面通知由卖方收取退还商品（第72条）。顾客可在其付款被返还之前对商品行使留置权（第70条第2款），并且其必须在提交解约通知后的21天内合理保管好商品。如果商品容易腐烂，则顾客无退还义务。如果顾客购买商品是为了满足紧急需要，或者商品已被损耗，或者商品已与其他物品融合在一起，则顾客都不必退还该商品，但其必须支付相应的货款（第69条第2款）。

对于普通贷款，除非在解约的1个月内该贷款没有利息，否则顾客必须退还本金及利息（第7条）。

14.5 交易人作为债权人的代理人

在协商法定协议时，处于债权人和债务人之间的人是债权人的代理人（第56条），包括：在金融公司分期付款交易中的交易人以及与持信用卡顾客进行交易的零售商。代理的法律后果是：债权人对交易人或零售商的虚假陈述负责；任何交易人或零售商收取的货款都视为由债权人收取，顾客提交给交易人或零售商的撤销要约通知、解约通知或撤销协议通知视为提交给债权人（第57条）。

在 *ForthRight Finance Ltd v. Ingate（Carlyle Finance Ltd third party）* 一案中，被告同意以附条件买卖协议的形式向原告购买1辆奥斯汀彗星汽车。1年之后，被告与持有信贷经纪人执照的代理人商议将彗星汽车换为熊猫菲亚特汽车，该代理人同意以2000英镑的价格收购彗星汽车，并向原告支付了1992英镑。为贷款购买菲亚特汽车，被告向C公司（第三人）支付了1000英镑的保证金，并与C公司签订了附条件的买卖协议，C公司也记账为：现金金额为2995英镑，1000英镑保证金，贷差结欠1995英镑。后来，代理人破产，并且未代被告向原告支付剩余的1995英镑。原告对被告起诉，而被告根据第56条要求C公司赔偿其损失。郡法院判决：由于先前的彗星汽车买卖协议与贷款买卖商品（菲亚特汽车）协议无关，因此，被告应向原告支付1995英镑，C公司应就被告的支付向被告进行赔偿。但在其后的上诉中，这一判决的判决理由被上诉法院推翻。上诉法院判决：即使根据协议，彗星汽车的价格后来被抵偿到期债务，彗星汽车买卖协议也是贷款买卖商品（菲亚特汽车）协议的一部分，因此，根据第56条第2款，C公司有义务代被告向原告清偿债务。

14.6 债权人对供应商违约的责任

对于债务人—债权人—供应商协议，除非债权人本身是消费者的供应商（例如：在分期付款买卖协议、附条件买卖协议和分期付款买卖协议中，供应商根据1973年《提供货物（默示条款）法》或1979年《货物买卖法》承担责任），否则，根据第75条，债权人应对供应商的违约承担责任。在此种情况下，如果债务人对供应商提出请求，也就对债权人提出了请求，亦即债权人和供应商对债务人承担连带责任。因此，使用信用卡购买商品或接受服务的顾客，可对信用卡公司提起诉讼。但该规则在现金价格低于100英镑或超过3万英镑时不适用。

14.7 滥用信用工具

该法调整协议的债务人对其代理人和其授权人之外的任何人使

用其信用工具均不承担责任（第83条）。但在有信用代表物的情况下，如果支票或其他可流通票据被滥用，则持有人可能对遗失该信用代表物承担50英镑以下的罚款。在债权人收到信用卡遗失通知之后，如果该信用卡被滥用，则债务人不应承担责任。如果信用卡在到达债务人手中之前的邮寄过程中遗失，则债务人对该信用卡的滥用不承担责任。

14.8　债务人的提前或延误还款

如果债务人向债权人提交了其将提前还款的书面通知，则其可依据第95条要求退还部分利息。如果债务人延误还款，则其必须支付因延误而产生的额外利息，但其应以不高于原协议的利息率支付利息。

14.9　违约及未违约通知

如果债权人因债务人付款迟延而欲提起诉讼，则其可不受限制地在本地区具有专属管辖权的郡法院提起该诉讼。但是，如果债权人因债务人的违约而有下列要求，则债权人必须向债务人提交通知，并在债权人采取上述行为之前给予债务人7天的通知期限：(1) 解除协议；(2) 要求对某些款项提前支付；(3) 要求恢复对商品或土地的所有权；(4) 处置协议中债务人享有的解除协议、限制、延展协议的权利；(5) 行使抵押权。

通知中必须明确说明债权人针对违约将采取何种行为（第89条）；如果其采取该行为，则违约视为未发生过（第89条）。

如果规定具体期间的协议（例如分期付款买卖协议）的债权人因除债务人违约以外的其他原因而采取上述行为，则其必须事先通知其行为。如果债务人收到违约或未违约通知，或债权人为行使协议权利采取了法律行为，则债务人可向法庭请求宽限期（第129条）。在宽限期内，债务人可补救其违约，并支付已过期的欠款。

对于分期付款协议和附条件协议，法院可变更其后期的支付方式或延长支付时间。

14.10 高利贷交易

债务人可随时要求法院对高利贷交易进行审查（第137条至第140条）。高利贷协议是指总体上价款过高或违反了公平交易原则的协议（第138条）。法院有权变更该协议的条款，还可要求债权人退还已支付的款项（参见第18章和第19章）。

14.11 债务人死亡

如果债务人死亡，则债权人不能终止有具体期间和充分担保的协议。即使是未充分担保的协议，债权人也只能在协议中规定其有终止协议的权利，并向法庭证明了债务人不可能再履行债务时，方可终止协议。该规则允许已故债务人的亲属决定是否继续履行分期付款买卖协议和其他信贷或租赁协议。该规则不适用于信用卡和其他没有具体期限的协议。

14.12 分期付款买卖及其他分期付款买卖

分期付款买卖协议是一种可选择是否购买所租商品的租赁协议。由于债务人并不是为了符合1979年《货物买卖法》第25条的规定才购买或同意购买商品的，因此，如果商品仍在分期付款买卖协议项下，则购买人无法获得对商品完全的权利，但私人购买机动车辆除外（见下文）。根据1979年《货物买卖法》（见第13章）第18条第1款，信贷买卖协议是指一方有义务购买协议标的物，标的物所有权在协议订立之时就转移给买方。附条件买卖协议是指一方有义务购买协议标的物，但标的物所有权在买方完全支付了分期货款之后才转移给买方。根据普通法，上述协议都属于1979年《货物买卖法》第25条规定的范围之内，因此，即使货物仍处于协议项下，诚信的购买人也可获得对商品完全的权利。但在该法调整的分期付款买卖协议中，情况就完全不同了。在 ForthRight Finance Ltd. v. Carlyle Finance Ltd 一案中，原告是一辆福特汽车的车主，其根据一份分期付款买卖协议将该车租给一位交易人。交易人可选择是否购买汽车，除非其选择不接受该车所有权，否则当全部的分期付款支付完毕后，其即获得了汽车的所有权。交易人又将汽车根据附条件买卖协议转给了一位顾客，该顾客是通过被告公司融资的。审理法官判决：在原告和交易人之间的协议是分期付款买卖协议，并且被告应对原告因发生变化而遭受的损失承担责任。但上诉法院支持了被告的上诉请求，判决：交易人与被告之间同意购买汽车并根据1979年《货物买卖法》第25条第1款转让完全的商品权利的协议是附条件买卖协议。

下文将讨论的部分与分期付款买卖有关；分期付款买卖与其他协议的不同点将在最后予以总结。

金融公司的参与

交易人可能自己不能偿付贷款，而请求金融公司提供偿付服务，即：交易人和金融公司之间订立了买卖协议，同时金融公司和顾客（债务人）之间订立了分期付款买卖协议。而交易人和顾客（债务人）之间并不存在协议。

在这种情况下，债权人和交易人之间通常会有一个协议，基于该协议交易人在债务人违约时要向金融公司承担责任。该协议是一种追偿协议，通常采取赔偿协议的形式，有时也采用担保协议的形式。其中的区别请参见 Goulston Discount Co. Ltd v. Clark 一案。在该案中，一家金融公司根据一份金融协议向交易人索赔157英镑的损失。如果该协议是担保协议，则追偿数额仅限于可向债务人追偿的数额（在诉讼终止前为74英镑）。如果该协议是赔偿协议，则交易人对金融公司遭受的全部损失都要进行赔偿（参见第10章）。另外一种协议是买回协议，在该协议下，如果顾客（债务人）违约，则交易人将买回该商品。

当事人的责任

当事人是指交易人和金融公司。

交易人

通常情况下，如果商品有瑕疵，则交易人不对债务人承担责任。债务人要向金融公司或债权人主张责任。但是，如果交易人向债务人进行了明确的商品瑕疵担保，则在交易人和债务人之间就存在了一个附属担保合同，债务人也可因其违反协议而起诉交易人。在 Shanklin Pier Ltd v. Detel Products Ltd 一案中，原告与一家公司签订了码头修理协议，因为被告保证该油漆能使用 7 至 10 年，所以原告指明要使用被告生产的油漆。事实上，这种油漆的寿命很短，原告有权索赔因此遭受的损失。与此同时，交易人与原告也有一份服务协议，如安装设备。根据本协议及 1982 年《提供货物和服务法》第 13–15 条，交易人应承担责任（参见第 13 章）。

金融公司

根据 1973 年《提供货物（默示条款）法》，金融公司应对债务人承担责任。1979 年《商品买卖法》第 8–11 条的规定也与默示条款有关。第 12–15 条规定的免责条款要受到 1977 年《不公平合同条款法》的约束，该法禁止以上法条适用于债务人同时也是消费者的情况（见第 13 章）。1994 年《消费者合同不公平条款条例》的不公平条款在默示条款下也可适用。

在普通法中，交易人通常并不被视为债权人的代理人，但其是法定协议的促成人。因此，当交易人填写的数额与债务人同意的数额不同时，债务人可以不受法定协议的约束。UDT Ltd v. Western 一案将这种情况与普通法的情况作了对比。在该案中，维斯特与原告签订了分期付款买卖协议购买一辆汽车，价格为 550 英镑，其先支付了 34 英镑并签署了空白标准表格，留待交易人填写具体数字。而后表格送至原告处，填写的数字是 730 英镑购买价格和 185 英镑首付款，从而订立了贷款协议。被告在收到此协议副本时，虽然发现了错误但未作任何表示，也未支付任何款项。法院判决被告应承担支付责任。

协议的形式及解约权

见上文。

协议的终止

协议可根据协议中的条款被终止，也可因违反协议而终止。当债务人选择向债权人返还商品时，协议即终止。如果债务人违约，则其违反了协议，此时，债权人有权向租赁人作出终止协议的通知。在其他情况下，如债务人死亡、入狱、破产等，债权人都有权终止协议。对于由该法调整的协议而言，该法对解除权作出了限制（见上文对违约的通知及债务人死亡的论述）。

当债务人延误付款时，以下三种方式可使债权人不行使协议终止权：（1）在违约通知的宽限期限到期之前支付欠款；（2）在法院给予的额外期间（见上文第129条）；（3）其可受到《商品保护规则》第129条的保护。

对于上述第（3）种方式，如果支付了至少1/3的分期付款买卖价格，则债权人必须获得法庭的裁定方可重新获得所有权（第90条）；如果债权人违反了协议或法律，则协议即行终止，并且债务人不再承担任何协议责任，其可要回已支付的所有款项。在 *Capital Finances Co. Ltd v. Bray* 一案中，金融公司在债务人要回1/3价款后，收回了汽车，但其后来发现犯了一个错误，即其将汽车留在了债务人屋外。当其起诉要求支付未付货款及收回汽车时，法院判决：因为协议已经终止，所以债务人可免除责任，并收回基于协议已支付的货款。这是根据以下两条免责条款：（1）在收回商品时，收回是经债务人同意的；（2）债权人处置了货物或永久放弃了货物。在 *Bentinck Ltd v. Cromwell Engineering Co.* 一案中，债务人在撞车后将汽车置于车库，也未指示修理。其未支付剩余款项,并在 9 个月后失踪。金融公司从车库中收回了汽车,法院判决:即使自汽车被放弃之时起,债务人已经支付了 1/3 的价款,金融公司的行为也是合法的。

最少支付条款

协议中通常会有一条最少支付条款,根据该条款,买方在协议终止或被违反时要支付一定数额的款项。若该数额过大时,问题就在于关于惩罚的协议条款是否可以适用。以下两种情况需要明确:(1) 协议终止是因为债务人违反协议;(2) 协议终止是根据协议条款作出的选择。

在债务人违约的情况下,要注意区分是适用损失赔偿还是适用惩罚性赔偿;如果最少支付条款是作为警告性条款提请债务人注意的,则其支付后不可收回。在 Bridge v. Campbell Discount Co. Ltd 一案中,原告向金融公司以 482 英镑的价格分期付款购买一辆面包车,其中 105 英镑预付款是汽车的部分交易价格,并且还支付了 10 英镑的现金。该协议规定:协议终止时,最少支付条款仍然有效。根据该条款,债务人应支付租金的剩余部分和 2/3 的分期付款买卖价格(双方同意的贬值补偿)。八周后,债务人表示其不能继续支付货款并且要归还汽车。其被指控应赔偿 206 英镑,即 2/3 的购买价格——其少于已付的款项。法院判决:债务人不愿继续支付货款的信件不构成其选择终止协议,但表明其有违反协议的企图。因此,既然协议已因被违反而终止,那么惩罚性的规定就应当适用。最少支付条款就是惩罚性措施,但其不能强制适用。案件而后被转交给郡法院,郡法院判决金融公司可索赔遭受的损失。

选择终止协议的情况就更为复杂。资深法官认为即使最少支付数额过大,债务人仍要受到协议条款的约束:例如 Associated Distributors Ltd v. Hall 一案,此案在 Bridge 一案中也讨论过,法官们对当时的法律产生了不一致的意见。在任何情况下,债务人除非知道选择的后果,否则不得行使选择权:UDT(Commercial) Ltd v.

Ennis 一案。

在法定协议的情况下，债务人享有在最后一期付款到期之前选择终止协议的权利（第 99 条），但应归还商品，并支付一定的款项，1974 年《消费者信贷法》规定了债务人在行使终止协议选择权时应支付的款项（第 100 条）：

"债务人必须支付：
（1）在协议终止之前所有的到期款项；
（2）未尽合理照料义务而造成的损失；
（3）下列三种的最少者：①最少支付；②为支付总价款一半的必要费用；③债权人因终止协议而遭受的损失。"

债务人的终止权只能在"最后一期付款到期之前"行使，也就是说，如果该协议包含"提前支付条款"，根据该条款，债务人若不能支付两期或两期以上的款项，债权人就可递交通知，使余额可被支付，则此时由于剩余款项因该通知而到期，所以债务人不能提交终止协议的通知：*Wadham Stringer Ltd v. Meaney* 一案。

债权人索赔损失

如果债务人已经违约，并且债权人不能采用最少支付条款，则协议因债务人违反协议或债权人在债务人违约后通知债权人不能请求最少支付而终止，产生的问题就是此时债权人有权采取何种救济措施。为了估算损失，应根据下列情况作出区分：（1）债务人违约而且债权人已经接受债务人的违约；（2）债权人因债务人违约而终止协议。

如果债权人接受了债务人的违约，则债权人遭受的损失即为债务人不履行协议造成的损失。在债务人未能支付若干期付款时，就会出现这种情况。显然，这也明确表明债务人不希望受到协议的约束，或者其书面说明其不能或不希望继续支付款项。

当债权人因债务人违约而终止协议时，其可得到的赔偿仅为终止时未支付的期款。在 *Financings Ltd v. Baldock* 一案中，被告从原告处以分期付款的方式获得了一辆卡车。其未支付头两期款项，于是金融公司就终止了协议，收回卡车，又将该卡车卖出。原告就遭受的538英镑损失提出索赔。法院判决：由于债权人终止了协议，因此，其只能索赔终止协议之前未付的头两期款项即56英镑。

法院对于法定协议的权力

此类诉讼应在郡法院提起，并且所有保证人都要列席诉讼。债权人一般请求收回商品，并取得最少支付或赔偿损失。法院有以下三种选择：（1）延长支付期间，即给债务人一个额外的支付期间（第129条）；（2）立即返还商品，并且判决赔偿最少支付或损失（第133条）；（3）转让商品，适用于可分货物，并且债务人支付了部分货物的货款及至少剩余价格1/4的情况。

14.13 对机动车辆私人购买者的保护

根据1964年《分期付款买卖法》［1974年《消费者信贷法》（CCA）修订］，善意的机动车辆私人购买者如果未注意到该协议为分期付款买卖协议，则其获得对车辆的所有权（见第13章）。

14.14 附条件买卖协议和信贷买卖协议

对于附条件买卖协议，可完全适用该法关于分期付款买卖协议的法律。信贷买卖协议可适用该法的大部分规定，包括协议形式和解约；但债务人没有法定的终止权，并且债权人在债务人违约的情况下无权要求取回货物。1979年《商品买卖法》中关于商品权利的规定是不令人满意的。

推荐读物

《货物买卖及消费者信贷》，第4版（1993年重印）（A. P. Dobson, Sweet Maxwell, 1989）。

问题

1. 构成法定消费者协议应符合哪两个条件？
2. 法定协议可分为限制用途的信贷协议和不限制用途的信贷协议，请举例说明。
3. 在什么情况下，债务人有权解除法定协议？
4. 对分期付款买卖协议和附条件买卖协议、信贷买卖协议进行区分。
5. 如何理解1974年《消费者信贷法》第129条保护货物的规定？
6. 在供应商或供应者违约时，使用信用卡购买商品或服务有何优势？

15

汇票、支票、信用卡和借记卡

学习目标

通过本章学习了解以下内容：
1. 对有效汇票的基本要求及汇票和支票之间的区别
2. 汇票和支票的流通方式及正当持票人的优势
3. 银行与客户之间的联系及二者的权利和义务
4. 对付款银行与托收银行的法定保护
5. 电子资金转让（EFT）的重要性

15.1 债务结算中的汇票和支票

汇票对商品和服务结算的重要价值仅限于国际贸易。支票是使用较为广泛的一种汇票，除非另有规定，否则适用于汇票的法律也适用于支票。本章内容除非另有说明，否则均参照1882年《汇票法》。

15.2 汇票和支票的对比

1882年《汇票法》将汇票定义为："由出票人签发并支付给受票人的、要求票据上记载的人按要求或者在未来固定的时间或者可确定的时间里按指示人指示或向持有人无条件支付一定数额款项的书面命令。"如果我们将此用于交易实例中，则汇票或支票的当事人就会变得更加清楚。X 卖价值 500 英镑的货物给 Y，X 签发一张汇票，上面记载 Y 要凭指示向其支付该合同的款项。该汇票能使 Y 在被要求付款或在固定日期或在出票后可确定的日期支付款项。X 就是该汇票的出票人（在本例中也是被付款人），Y 就是汇票上记载的人，是受票人，其将在被要求付款时或在票据到期时支付款项，汇票上可能记载着："在票据日期 90 天后，向 X 支付或凭 X 指示支付 500 英镑。"在这种情况下，汇票和付款都在票据日期 90 天后到期。"凭指示"是指 X 能将汇票转让给其他的供应商。因此，汇票赋予 Y 一个融资期，并允许 X 能即时使用汇票获得其他的供应。另一方面，汇票可以以折扣的形式流转给银行，银行会支付少于票面金额的金钱，并待其到期后要求付款人偿付。

支票是汇票的一种，通过银行签发，在要求时付款。若支票用于上述情况，Y 将会通过其银行签发支票，银行在在受款人 X 出票时支付款项。银行为受票人，用出票人的账户为出票人清偿债务。

15.3 汇票的基本要件

若不符合本法第 3 条第 1 款定义的支付工具就不是汇票（但其可以作为衡平法上的资金转让）：第 3 条第 2 款。该条款进一步规定了汇票不因下列原因而无效：（1）无签发日期；（2）未规定支付的具体金额；（3）使用该票据已经支付一定金额；（4）未记载签发地或支付地。

票据必须是命令

该票据必须是支付命令，而不仅仅是付款要求或付款授权。如果票据上注明"我们授权你以我们的账户根据 G 的指示支付 6000 英镑"，则该票据就不是汇票。

命令必须是无条件的

该法规定："根据本条的含义，要求从特定基金中支付的命令不是无条件的（即，附条件的）"，但该法又规定："在下列情况下，不符合要求的支付命令是无条件的：（1）表明受票人可以从特定基金中得到补偿或金额可以从特定账户中受偿，（2）产生该票据的交易声明是无条件的"：第3条第3款。

需要明确的是：

1) "从你将自Y处收到的金钱中向X支付500英镑"是附条件的，因为该支付依赖于将从Y处收到的金钱，所以该单据不是汇票。

2) "向X支付500英镑，并从你将自Y处收到的金钱中收取该款项"是无条件的，其表明受票人可以从特定基金中获得偿付。

3) "向X支付500英镑，并在我的第2账户上记载签发汇票或支票"也是无条件的，是有效的汇票，但是，如果其签发时记载"从我第2账户中向X支付"，则因为该支付依赖于该账户是否有足够款额，所以其不是无条件的。

要求收款人在收款后给予收据的请求是否有效，主要依赖于该请求是否记载为受票人或受款人义务，若记载为受票人义务，这就是受票人付款义务独立的条件。若记载为受款人，则该命令是无条件的。因此，"如果收据经恰当的签字、盖章并标注日期，就向X付款"就是符合汇票要求的。支票中若要求受款人给予书面收据，则该支票是有效的。

票据必须是书面的，并有出票人的签字

出票人可在任何时候签字，但在签字之前，票据是未完成的和无效的。签字可以是橡皮章或注册公司的公司封印；铅笔签字也是有效的。汇票或支票上未经授权的签字是完全不起作用的，但可以事后追认。如果签名是伪造的，则该签名完全无效并不可被追认（见下文）。

此命令必须是一个人向另一个人作出的

尽管一张票据总是有三方票据当事人——出票人、受票人和受款人——但其没有必要向三个人分别地提示,而且票据可以签发为"应付给出票人或受票人(或者根据其指示)":第5条第1款。另一方面,因为可以有不止一个受票人或受款人,所以除了这三个人之外,还可以有更多的票据当事人:第7条第2款。如果有两个或者两个以上的受票人,就不能有选择地签发票据或者连续地签发票据:第6条第2款;但是,可以有选择地签发"票据应付给两个或两个以上的受款人":第7条第2款。

命令中必须规定具体金额的金钱

即使是要求支付利息,金钱的金额也应当是确定的,这可通过规定分期付款的方式确定,也可通过规定拖延支付一期货款就要支付全部货款的方式确定,还可通过参照明确的交易率来确定。在数字金额和字面金额不一致时,以字面金额为准。签发票据时不能规定以现金或货物的方式支付。

票据中必须规定具体的或可确定的支付时间,或规定凭票即付

票据中若明确说明凭票或见票即付,或提示即付票据,或未规定明确的付款时间,则此票据就是凭票即付款票据:第10条。在未来日期付款的汇票是"在确定的日期或见票后固定期间内"或"在某个定会出现但时间尚不确定的事件出现之时或其后的固定期间内"可支付的票据:第11条。该事件必须是在签发票据时肯定会发生的事件。因此,签发一份"在X死后90日内"的票据是有效的,但因为结婚不一定会发生,所以签发一份"在X结婚后90日内"的票据则是无效的。基于偶发事件的票据是无效的。基于"在……之时或之前"的票据也是无效的:*Williamson v. Rider*一案。

票据中必须规定一名可确定身份的受款人(除非规定向持有人付款)

受款人必须是记名的或"以其他合理、确定的方式表示":第7条第1款。签发的汇票或支票可表明向一家公司的票据持有人支付。如果签发的可支付支票规定"用现金或凭指示",则其实际上并不是一张支票,而是为了使某人以 1957 年《支票法》第 4 条第 2 款第 2 项规定的方式从银行处获得付款的票据,与其交易的无过错银行也可请求在支票方面给予其法定保护(见下文): *Gader v. Flower* 一案。

另外一个关于汇票和支票的重要规定是对不存在的受款人或虚拟受款人的规定。对于出票人来说,不存在的受款人是不存在的人。在 *Glutton v. Attenborough & Son* 一案中,一位雇员劝说原告(其雇主)为了 B 工作需要签发一张支票;雇主从未听说过 B。雇员伪造了背书并将支票转交给被告,被告从原告的银行中获得付款。原告未向银行支付这笔款项。因为受款人是一个不存在的人,所以该票据是不记名的,并且无需背书即可转让,因此该伪造的背书是无效的,被告作为通过正当程序获得票据的人是不承担责任的。

如果付款人存在,并且是公司的客户,则其是否存在依赖于出票人的想法或意图。如果出票人并不想让记名人作为受款人,则即使该人事实上存在其也是虚拟的。在 *Bank of England v. Vagliano Brothers* 一案中,被告的职员以被告的名义向 Petridi 公司签发了汇票,Petridi 公司是被告的客户,并在伪造受款人的签名和向英格兰银行贴现该汇票之前作为承兑人获得了被告的签名。被告要求银行还款,但法院判决:因为根据第 7 条第 3 款,该票据是向持有人付款的,所以银行有权从被告账户中扣除该款项。此案与 *Vinden v. Hughes* 一案是不同的,在该案中,雇主签发一张支票,受益人是受款人,由于雇主是被一位有欺诈故意的雇员所误导,所以其收回了付款。受款人不是虚拟的,并且该支票不是向持票人付款的。

15.4 当事人的行为能力和授权

当事人在支票和票据下的权利是和合同权利共同扩张的:第

22条。尽管该条规定对其他当事人来说也是可履行的，但其特别针对可在票据或支票下不承担义务的少数人：关于 *Soltykoff* 一案。如果少数人使用金钱来支付生活必需品，则供应商可基于合同提起诉讼。

除非当事人签发了票据，否则其不对汇票或支票承担责任：第23条。某人作为出票人就被视为签字人，在汇票情况下，背书人作为票据的承兑人。承兑是指受票人同意受票据约束，使票据更易流通或可贴现。如果某人基于某种权利以商业名称或虚构的名称签发了票据或支票，则在其以合伙的名义签名时，该票据或支票能约束全体合伙人：*Central Motors(Birmingham)* v. *P. A. & S. N. P. Wadsworth* 一案。不得就当事人签发票据的心智状态提出其是否有行为能力的抗辩。

无论伪造的是出票人、背书人还是承兑人的签名，伪造的签名都是完全无效的（第24条）；只有在禁止反言情况下，当事人才对伪造的签名承担责任：*Greenwood* v. *Martins Bank Ltd* 一案（见下文）。在票据或支票上伪造的背书意味着背书的后手不能作为票据的正当持有人。本条也适用于未经授权的签名，包括未经授权使用正当签名，但此种情况可被追认。

"代理（pp）"字样表明代理人仅可在有限的授权内行为，被代理人仅对代理人在代理权限内的行为承担责任：第25条。如果某人以代理身份签名，则因为"其字面签名说明其是代理人或为了履行代理能力，但这并不能免除其本人的责任"，所以只要其表明了其代理身份，承担行为后果的就是被代理人而不是签字人：第26条第1款。然而，在 *Bondina Ltd* v. *Rollaway Shower Blinds Ltd and Others* 一案中，上诉法院判决：如果董事签发了印有公司抬头的支票，则该支票就是公司支票，董事对此支票不承担责任。

在有争议的情况下，法院会参照实际情况进行判决：第26条第2款。在 *Elliott* v. *Bax - Ironside* 一案中，出票人向一家公司签发了汇票,并且,该汇票得到承兑。为使票据被承兑向 W. Bank, H. O. Bax - Ironside, Ronald A. Mason 或 Fashions Fair Exhibition Ltd 的董事付款,出票人要求两位董事背书"Fashions Fair Exhibition Ltd, H. O. Bax - Ironside, Ronald A. Mason"。法庭判决:既然公司已作为承兑人承担了票据责任,那么董事本人作为背书人也应承担责任。在 Rolfe Lubell & Co. v. Keith and Another 一案中,法院判决:旁证可以证明背书人的背书行为能力。

15.5 汇票的承兑

有一些制度仅适用于汇票,包括承兑。承兑是指受票人接受了票据上规定的付款义务,并成为承兑人。大部分的票据都可以提示承兑,使其更容易流通和贴现,只有几种票据必须被提示承兑:(1)如果汇票在见票后方能支付,则必须承兑以确定票据的支付期;(2)汇票中明确规定要提示承兑,或票据中规定应在除受票人居住地或营业地以外的地点支付:第 39 条。第 40 条和第 41 条规定提示承兑的时间以及如何进行提示承兑。在合理时间内未承兑的票据应视为拒付的票据,票据持有人必须向出票人和背书人送达通知:第 42 条和第 43 条;不向其送达通知会导致其免除票据责任。承兑表示受票人接受出票人的支付命令:第 17 条第 1 款,并且必须遵循第 17 条第 2 款的规定。

一般承兑和附条件承兑

承兑可以分为一般承兑和附条件承兑:第 19 条。一般承兑为无条件地同意出票人命令的承兑。附条件承兑是以明示条款改变所签发汇票之要旨的承兑。附条件承兑可以是:(1)有条件的:交付提单时付款;(2)部分的:签发了 500 英镑,承兑付款 250 英镑;(3)局部的:"仅在 W. Bank Moorgate"或"不在其他任何地方"承兑付款;(4)时间:签发的付款时间为 90 天,承兑时间为 180 天。(5)并非由全体受票人承兑:票据向 AB 和 CD 签发,只由 AB 承兑。

附条件承兑允许票据持有人将票据视为拒付的票据或被有效承兑的票据。在这种情况下，除非出票人或背书人明示或默示票据持有人接受附条件承兑或事后同意该承兑，否则不承担票据责任：第44条第2款。票据持有人要向其前手送达通知，如果其前手收到保留承兑的通知，但未在合理时间内向持票人表示不同意，则其前手应被视为同意保留承兑：第44条第1款。

对于部分承兑，票据持有人仅送达通知而无需获得前手的同意，其在票据被拒付后应立即承担票据责任，如果其在票据到期后仍未得到支付，则其对未支付的款项要承担责任。

15.6 汇票的付款

在提示承兑时必须出示汇票，如果汇票是非见票即付的汇票，则应在汇票到期日提示承兑；如果汇票是见票即付的汇票，则必须在合理时间内提示承兑：第45条第1款和第2款。过去常在计算"到期日"时加上"宽限日期"，但1971年《银行业和金融交易法》废除了"宽限日期"：第18条。

如果在到期日或在合理时间内不提示承兑汇票，则解除出票人和票据背书人的票据责任：第45条。如果提示迟延或未提示是有理由的，则迟延提示或未提示将不会解除出票人或背书人的票据责任：第46条（Yeoman Credit v. Gregory 一案和 Hamilton Finance Co. Ltd v. Coverley Weatray Etc 一案。

不付款构成拒绝承兑，票据持有人必须立即向保留承兑责任的出票人和背书人送达通知：第48条和第49条。在某些情况下，未发退票通知和退票通知延迟可以免责：第50条。如果投寄送达失败，则只要退票通知正当地发出和投寄就视为已通知：第49条。在 Eanlehill Ltd. v. J. Needham Builden Ltd 一案中，应在12月31日付款的到期票据自始至终都是错误的，12月30日投寄退票通知，12月31日交付此通知。Cross勋爵判决：打开通知的时候就是收到通知之时，并且，在银行职员决定拒绝承兑汇票的同时就视为已经收到退票通知。Cross勋爵还认为："如果已经作出了两个行为，其中一个行为应在另一个行为之后作出，则只要其中一个行为是有效的，并且可以合理期望获得的证据不能表明哪个行为在先作出，就可以假定按适当的顺序作出了这两个行为"。因此，退票通知是有效的。

因拒绝承兑或拒绝支付而退票的外国票据，应作成公证记录或拒绝证书：第51条。对国内票据而言，该规定是任意性规定。拒付汇票涉及到获得公证人证明票据拒付的拒绝证书。公证记录就是公证人在拒付时作出的简要记录：最初的拒绝证书。如果不能获得公证人的公证，有两名住户或事实居民作为证人就足够了：第94条。

15.7 空白票据

在一份空白票据上签名就可以签发一张汇票，此空白票据是签名人交付的可转变成汇票的票据（第20条）。签名可以由出票人、承兑人或背书人授权在授权规定的相应合理时间内为制作完成票据而作出。未经授权签发的票据，对签发该票据的当事人是不能强制执行的。但是，如果该票据在签发完成后转让给正当持票人，则该票据就是具有强制执行力的，等同于该票据是按照授权签发完成的。票据的签发和交付是有冲突的。《汇票法》规定："票据上的每个合同都是不完全的和可撤销的，直到为了使票据生效而交付票据时为止"；但"如果汇票为正当持票人所持有，则应判定——汇票被其所有前手当事人有效交付"：第21条。

但是，如果票据从未被签发，则即使是正当持票人也不受法律保护。在 Smith v. Prosser 一案中，被告留给其正在受安全监禁的代理人一张已经签字但未盖章的本票。代理人将其盖章并填写了票据，承兑了该本票。法院判决被告不负责任。与此相同，在 Baxendale v. Bennett 一案中，空白票据被人从出票人处盗窃，并被签发和流通，但是因为这些票据从未被签字人签发过，所以其对此不承担责任。

15.8 汇票或支票的流通

无记名汇票或支票通过交付流通。与此相反，记名应付汇票或支票则通过完成交付的持票人背书而流通。对于无记名汇票或支票而言，持票人被称为"交付转让人"，并且，由于票据缺少签字，签字人对转让人不承担票据责任。但是，对于已支付对价的转让人而言，其应当保证：（1）其有权转让此票据；（2）票据记载的内容真实；（3）在转让汇票时，其不知道有任何导致该汇票无效的任何事实：第58条。

汇票或支票的背书

除非背书写在票据的附单（票据的粘单）上或背书在承认副件的国家中签发或流通的票据的复件上，否则背书必须是写在汇票或支票上才有效，并且，背书通常写在票据的背面：第32条第1款。背书必须有背书人签字（第32条第1款），但是仅有橡皮章就足够了：Bird & Co. (London) Ltd v. Thomes Cook & Son Ltd. and Tomas Cook & Son (bankers) Ltd. 一案。意图仅转让一部分应付金额或将汇票或支票分别转让给两个或更多的被背书人的背书，不能起到使汇票发生流通转让的作用：第32条第2款。如果票据应付给两个或两个以上的受款人或被背书人，则除非其是合伙人或者背书人有权代表其他人背书，否则其都必须在汇票或支票上背书：第32条第3款。即使受款人或被背书人的名字被拼错或者被写错，背书人仍然可以按汇票或支票上所写的姓名在汇票或支票上背书，但是还应加注其本人的正式签名：第32条第4款。如果票据上有两个或两个以上的背书，则除非有相反的证明，否则这些背书将被视为是按照其出现的顺序作出的：第 32 条第 5 款。背书可被作成"空白背书"或"特别背书"，也可以被作成"限制背书"：第 32 条第 6 款。

空白背书和特殊背书

如果持有人仅在票据的背面签上了其名字，则该票据就是空白背书。这样就将汇票或支票转变成为空白应付票据，此票据可以仅凭交付就兑现：第 34 条第 1 款。对特殊背书而言，背书是向特殊背书人作出的或按其指示"付给 AB"或"付给 AB 或凭指示"：第 34 条第 2 款。这就保留了汇票或支票的指示功能。通过持票人在背书人的签名上加注"可支付于其本人或凭其本人或某些其他人的指示"，可将空白背书变成特殊背书：第 34 条第 4 款。

15.9 票据的对价

不能因汇票或支票没有给出对价而提起诉讼。第 27 条第 1 款规定对价即成立简单合同的要件，发生在票据以前的债务或负债，无论票据为见票即付或在未来某一时期付款，该债务或负债都被视为充分对价。但是，"发生在票据以前的债务或负债"是票据的签发人或兑现人的而不是第三方当事人的到期债务或负债。在 *Oliver v. Davis & Woodcock* 一案中，原告借给 Davis350 英镑，Davis 给了其一张 400 英镑迟签日期的支票。Davis 不能承兑此支票，并劝服 Woodcock 小姐让原告得到其那张 400 英镑的支票以替代 Davis 签发的那张支票。Woodcock 小姐通知银行止付此支票，并以缺少对价进行抗辩，其获得胜诉。*Diamond v. Graham* 一案表明了法官的疑虑，在原告安排被告给原告签发同样数额的支票的条件下，原告向第三方当事人签发了一张 1650 英镑的支票。这两张支票都被拒绝承兑。被告主张：其没有从原告处得到对价，但是上诉法院判决：原告给第三方当事人的支票是充分的对价。基于第 27 条第 2 款规定作出的判决"之一"是：如果在某个时候已经赋予汇票或支票对价，则票据持有人就被视为是已支付对价的持票人，所有相关的票据当事人都是在提供对价之前的当事人。因此，如果 X 给 Y 签发了一张应付支票作为赠与，然后 Y 将此支票背书给 Z 作为购买汽车的款项，但后来该支票被拒付，Z 可以起诉控告 X 和 Y。但是，如果 Z 将该支票背书赠与 N，并且该支票后来被拒付，那么 N 可以控告 X 和 Y。

15.10 票据持有人

有三类汇票或支票的持有人：持票人、已支付对价的持票人和正当持票人。

持票人

持票人是"占有票据的收款人或被背书人"，或者是持票据人（就空白汇票或支票而言）：第 2 条。持有伪造背书票据的被背书人不是持票人，因为此背书是无效的，所以成为一个已支付对价的持票人和正当持票人之前的人一定是持票人。持有伪造背书后的汇票或支票的人对伪造背书之前的任何当事人都无请求权。如果汇票或支票的持有人就其持有的汇票或支票而言没有给予对价，则持票人不能请求执行付款。

已支付对价的持票人

如果在某个时候已经给予汇票或支票对价，则除非持有人由于所有权上存在瑕疵而获得汇票或支票，否则持有人就会成为已支付对价的持票人，可以请求执行付款。有以下三种已支付对价的持票人。第一种是已支付对价的受款人。如果汇票或支票对已经提供对价的人是可支付的，则其成为已支付对价的持票人。因为只有票据流通才能产生正当持票人，所以，有价票据受款人永远也不会成为正当持票人：*Jones (R. E.) Ltd v. Waring and Gillow Ltd* 一案。第二种已支付对价的持票人是汇票或支票的持有人：即使持有人本人还没有提供对价，汇票或支票的持有人也可随时给予该票据对价：第

27条第2款。第三种已支付对价的持票人是已给予对价的汇票或支票持有人。此人将会是已支付对价的持票人，但是如果其遵守了第29条第1款，其就会是正当持票人。

正当持票人

正当持票人必须符合第29条第1款规定的所有条件。

汇票或支票必须是完整的，并且从表面上判断是合法的

没有承兑的票据是完整的，但是如果缺少受款人或出票人的名称，则此汇票或支票就是不完整的；如果票据残缺以至于看起来票据已被撤销，则此汇票或支票就不是合法的。尽管填迟汇票的日期，票据仍是合法的，但是，如果根本未填迟日期，则票据就是不完整的。正当持票人不能持有划线为"不能转让"的支票，并且，划线为"只付给受款人本人"的支票是不能转让的。

不当背书也会使汇票或支票不合法。在 *Arab Bank Ltd v. Ross* 一案中，本票由 Ross 签发，每张本票都支付给 "Fathi and Faysal Nabulsy Co."，这些本票被 "Fathi and Faysal Nabulsy Co." （简称公司）的合伙人之一背书。上诉法院发现背书是不当的，这些背书排除了正当持票人流通本票的可能性。

必须在汇票或支票过期之前

如果汇票或支票是过期未付的，则在票据到期时可能因为票据所有权瑕疵而影响票据流通。对于见票即付票据，必须在合理的时间内流通。支票流通的截止日期通常是签发之日起6个月。

必须没有先前拒付的通知

"通知"表明"无论是知道事实还是怀疑某些错误事实，都故意地忽视了知道的意义"。

必须善意取得票据

善意是指"无论是否有过失都诚实行事"：第90条。关于过失的限制性规定对于保护银行职员是很重要的（见下文）。

已支付对价

关于已支付对价问题,前文已经予以讨论。

没有告知票据让与人的所有权有瑕疵

"如果汇票或支票让与人通过欺诈、胁迫……或其他任何非法手段,或以非法对价,或以违背诚信的方式,或在相当于欺诈的情况下取得或承兑票据(仅限于汇票)",则汇票或支票让与人的所有权是有瑕疵的。

票据持有人如能证明汇票或支票是通过欺诈或非法行为签发的,就可推定票据持有人是正当持票人:第30条第4款。如果票据持有人从正当持票人处获得所有权,则无论是否有偿,只要其本人不是这种欺诈或非法行为的当事人,即使其已经告知欺诈或非法行为会影响票据,其仍将享有正当持票人的权利。在 *Jade International Steel Stahl Und Eisen GmbH & Co. KG* v. *Robert Nicholas(Steels)Ltd* 一案中,因为原告交付的货物有瑕疵,所以被告拒付原告签发的票据。被告通知银行要拒绝承兑此票据,银行作为正当持票人得到此票据,后来被告收到了票据。法院就票据作出的判决支持原告的观点,并且,因为原告现在是票据的正当持票人,所以驳回了被告要求准许其抗辩的申请。

15.11 汇票或支票的等同现金(cash equivalence)

汇票等同现金原则由 Eric Sachs 先生在 *Cebora S. N. C.* v. *S. I. P. (Industrial products)Ltd* 一案中首先提出:"对一些阶段来说,能确定的'法院依法申请的……与汇票相关的'的事实之一就是已支付对价的善意持票人在例外情况中保留这样的权利,即汇票到期时将汇票作为现金对待,以至于在对汇票提起的诉讼(包括任何合法的或公平的起诉,或者任何反诉)中,无论是此诉讼是由于汇票得以存在的特殊交易还是其他方式导致的,法院都将拒绝将汇票未兑现为现金作为抗辩或中止执行的理由。"事实上,通行的规则就是如此：首先支付汇票，而后进行诉讼。这就强调了在国际贸易中使用此汇票原则的重要性。但是，该原则同样适用于国内贸易，并同样适用于支票和本票，并且，该原则意味着任何可反诉的分期付款票据不能迟延支付，即不适用该原则。汇票、支票或本票本身就是合同，其独立于签发票据的交易。如果此付款行为与票据本身的瑕疵——欺诈、胁迫或非法行为有关系，则对付款进行抗辩可参照第 30 条第 2 款的规定。另一个抗辩理由则是与事实不符的陈述：*Clovertogs Ltd v. Lean Scenes Ltd* 一案。直接当事人之间完全没有对价也是一个抗辩理由。

除了这些抗辩理由之外，法院有权利自由决定是否中止汇票诉讼中的执行令，但是，这一权利仅可以在确定是例外的情况中运用，这种情况在 *Lord Willberforce in Nova(Jersey)Knit Ltd v. Karngarn Spinnery GmbH* 一案中再次出现："当一个人从另一个人那里购买货物时……卖方可以要求支付现金，但是，如果买方不能即时提供现金来支付货款，则卖方可以同意在未来某个日期以可流通的汇票支付货款……除非这些票据已被作为无条件支付的票据……否则卖方既可以为获得现金兑现这些汇票，也可以赊账（give credit）。正是由于此原因，除非是那些基于欺诈、无效或没有对价而作出的有限抗辩，否则英国法……不允许反诉或抗辩"。

15.12 汇票或支票责任的解除

票据责任的解除不同于票据当事人撤销票据。只能按照法律规定的几种方式之一解除票据责任，其中，以下两种方式特别重要。

正当付款

在不知道持票人对汇票之所有权有任何瑕疵的情况下，如果受票人或承兑人于汇票或支票到期日或到期日后善意地对汇票或支票的持票人付款，即解除汇票或支票的责任：第 59 条第 1 款。一般情况下，出票人或背书人所作的支付并不构成票据责任的解除：第

59条第2款,但由出票人或背书人正当支付的融通票据除外。如果出票人或背书人对票据作出了付款,则付款当事人的权利可参见第59条第2款第1项和第2项中的规定:*Callow v. Lawrence* 一案。

支付必须是向票据持有人作出的,这种支付不包括向持有经伪造过背书的汇票持有人所作的支付。然而,对于支票而言,可以根据第60条解除银行的票据责任(见下文),但是这样做不会影响受款人的权利。

在伪造背书的情况下,作出错误支付的当事人可以控告提示兑现票据的人,追回基于错误事实支付的现金:*Jones(R. E.) Ltd v. Waring and Gillow Ltd* 一案。在 *Barclays Bank Ltd v. W. J. Simms & Son & Cooke(Southern) Ltd and Another* 一案中,被告公司进行了一些创建合伙公司的工作,合伙公司向被告签发一张可支付的支票。后来,基于被告公司的状况,公司任命了一个接管人,于是合伙公司就通知银行止付这张支票。银行在计算机上做了支付此支票的操作,但是当接管人特别向银行要求承兑此支票时,银行忽略了此支票是止付票据并且对支票作出了付款。法院判决:银行有权追回这笔付款。

实质性更改

如果未经所有对汇票或支票承担责任的所有当事人同意就对票据作出实质性更改,则票据责任解除,但下列情况除外:(1)当事人本人作出的更改或经其授权作出的更改;(2)后手背书人:第64条第1款。根据但书倘若汇票或支票已作重要更改,但更改并不明显,并且汇票或支票为正当持票人所持有,则该持票人可将汇票或作为并未更改而行使其权利,并且应按汇票或支票在其为前手持票人和承兑人(仅限于汇票)签发时的原有意向要求付款,这是对作出实质性更改的人和后手背书人的一种救济。

实质性更改包括:(1)变更日期、应付金额、付款时间或付款地点;(2)在票据已经按常规承兑的情况下,未经承兑人同意就加列付款地点。汇票和支票之间的重要区别在于注意义务的不同：在 *Scholfield v. Earl of Londesborough* 一案中，Sanders 向被告签发了一张 500 英镑的汇票，被告承兑了此汇票，Sanders 故意在汇票上留了许多空隙。后来，Sanders 在这些空隙中插入了一个数字"3"和文字"三千"，以至于汇票的票面金额变成了 3500 英镑。Sanders 将此汇票背书给了原告，原告以善意、有偿的方式取得了此汇票。原告就此 3500 英镑起诉被告。被告交存法院 500 英镑，但否认其他责任。法院判决：汇票的承兑人没有义务对持有人加以注意以防范承兑以后可能发生的任何更改。但是，在 *London Joint Stock Bank v. Macmillan and Arthur* 一案中，被告公司雇佣的职员签发了一张数额为 2 英镑的应付支票给持票人，支票上的空隙仅可填进数字。由于合伙人认为此支票只是为一笔微不足道的金额而签发，便在支票上签了名。此职员在合伙人签名之后更改了支票，将金额改为 120 英镑并将支票兑现。公司起诉银行，主张银行错误地将这笔钱记入了公司账户的借方，而银行则主张公司在签发支票方面有过失。法院判决：银行的客户对签发支票有特别的注意义务；因为公司在签发支票方面是有过失的，所以银行有权将 120 英镑记入公司账户的借方。

票据责任由于下列情况而解除：承兑人兑现票据（第 61 条）（仅限于汇票）；表示弃权或放弃（第 62 条）；撤销（第 63 条）。

15.13 银行与客户的关系

银行与客户的关系实际上就是借贷关系，除非客户要求付款，否则银行有责任向客户支付已答应贷给客户的款项：*Foley v. Hill* 一案和 *Joachimson v. Swiss Bank Corporation* 一案。银行与客户之间的关系导致产生双方的权利和义务。

15.14 银行对客户承担的义务
承兑支票的义务

如果客户的账户中有存款,则银行一方有义务承兑客户正确签发的所有支票。如果存款的数额不足以支付支票的金额,则银行可以拒绝为支票付款。如果客户的账户透支,则其可以在银行同意的透支限额内签发支票,而银行必须承兑这些支票。这种情况对于长期订单也同样适用:仅在付款时账户中有足够资金的情况下,付款命令才需作出承兑;银行没有义务完全掌握情况和后来在账户中有足够基金时才承兑此命令(*Whitehead v. National Westminster Bank Ltd* 一案)。如果支票由支票保证卡担保,则银行通常会一直承兑汇票直到达到规定的限额。在客户的账户已没有资金来支付支票时,如果客户仍在频繁地签发支票,则银行可以要求客户返还保证卡。在账户没有资金用于支付支票时,签发支票也可以构成刑事犯罪。

如果银行错误地拒绝承兑客户签发的支票,则将产生违反合同的诉讼权利,并且,客户可以请求银行赔偿其所遭受的任何损失。如果个人客户可以证明遭受了具体损失,则其仅可追回实际损害的赔偿金,法院也不能仅判决给受害人象征性损害赔偿金,受害人可以不用抗辩和证明存在不合法的损害就可追回实际损害赔偿金。但是,在 *Gibbons v. National Westminster Bank Ltd* 一案中,原告(被告银行的客户)签发了一张支票,因为银行把一笔支付给另一账户的钱错误地记入了原告账户的贷方,所以此支票被错误地拒绝承兑;银行愿意给原告 1.10 英镑作为全部补偿,但是原告拒绝了。法院判决:银行向原告支付 2 英镑的象征性损害赔偿金。

还有另一种损害名誉的诉讼。在 *Davidson v. Barclays Bank* 一案中,由于银行错误地承兑了一张已被撤回的支票,以致在原告的账户中没有足够的资金来满足支付支票的要求,而此时原告签发了一张支票。银行在支票上标上"剩余金额不足"予以退回。法院驳回了银行以拒绝泄露内情权作为抗辩的请求。许多年来，银行一直可以主张：在拒绝承兑支票时使用最常用的惯用语言"请给出票人"没有任何诽谤含义，但是，自 Jayson v. Midland Bank Ltd 一案以后，法院认为这些文字是一种潜在的诽谤，并且已经发现银行可选择使用的许多方式是潜在的诽谤，包括"越权约定"和"冻结账户"，但是，"银行使用的任何惯用语言是否都可以避免因文字诽谤而提起的诉讼"是值得怀疑的。在 Baker v. Australia and New Zealand Bank Ltd 一案中，法院判决：被告因违约而应向原告支付象征性损害赔偿金，但是因为文字诽谤而应向原告支付 100 英镑。

未经授权不兑现支票的义务

在下列三种情况下，如果银行未经授权兑现了支票，则其应对客户承担责任。

客户已向银行作出有效撤回支票的通知

撤回支票必须由客户以明确的通知向银行作出撤回的表示。该法没有关于撤回指定通知的规定。在 Curtice v. London, City and Midland Bank Ltd 一案中，原告签发了一张 63 英镑的支票，但随后，其就发了一封电报给银行要求止付支票，此电报于上午 6：15 分邮到银行的信箱，但是，当第二天早上银行整理接收邮件时，错过了此封电报。银行对支票作出了付款。法院判决：尽管银行有过失，但不能认定原告发出的电报是一种充分的授权，因此，该撤回是无效的。

实质性更改无效

如果对支票实质性更改是无效的，则银行有义务将付款记入客户账户的借方。如果客户签发账户有过失，就会使更改更容易（见上文）。

客户的签字是伪造的

如果客户被禁止主张客户签字是伪造的，则银行而后可将付款记入账户。在 Greenwood v. Martins Bank Ltd 一案中，原告拥有银行账户，但是其妻子保存支票簿并在其需要支票时给其支票。原告发现有一段时间其妻子曾伪造其在支票上的签名，但是其没有通知银行。后来，其妻子自杀了，其试图以其妻子伪造签名为理由要回已记入其账户借方的金额，但是因为原告违反了发现伪造签字应通知银行的义务，法院禁止其反言。在 Brown v. Westminster Bank Ltd 一案中，银行已经多次提醒原告注意在其账户上签发支票的数目，但是其没有否认签发了这些支票。原告的儿子持有其授权委托书，就329张支票向法院起诉，法院认为原告应该被禁止反言。

从 Kepitigalla Rubber Estates Ltd v. National Bank of India Ltd 一案的裁决中可看出：如果原告能证明——银行经理已经超过2个月没有审查过去的账簿或公司的现金账簿，则银行就是有过失的，从而银行就丧失了对伪造的禁止反言抗辩权。法院判决：客户没有义务在管理公司事务时还要注意诸如伪造之类的事情。该判例在 Wealden Woodlands(Kent) Ltd v. National Westminster Bank Ltd 一案中得到遵循；在 Tai Hing Cotton Mill Ltd v. Liu Chong Hing Bank Ltd 一案中，枢密院也遵循该判例。

银行未经授权就付款所应承担的责任

如果银行错误地按支票付款，则当此错误属事实错误时，此笔款项可以追回。但是，在下列任何情况下，受款人都有抗辩权：(1) 付款人并未受此错误影响；(2) 具有付款的充分对价；(3) 受款人通过付款善意地改变了其所处的境况：Barclays Bank Ltd v. W. J. Simms Son and Cooke(Southern) Ltd and Another 一案。因为银行没有义务分辨客户的签字是伪造的，并且，银行付款并不代表签字一定是真实的，所以银行基于伪造签字的事实作出的付款不能禁止银行反言追回付款：National Westminster Bank Ltd v. Barclays

Bank International and Another 一案。

如果银行已经错误地把钱记入客户账户的贷方，则除非客户不知道此错误并信赖记入贷方这一事实，从而导致客户遭受损失，否则此错误在合理的时间内可以被纠正。但是，我们仍不清楚仅有花费金钱的事实是否构成信赖。Lloyds Bank Ltd v. Brooks 一案明确回答了这一疑问。Larner 法官判决：银行有义务将此不记入透支账户的贷方，包括有义务注意客户花费的金额超过其所有的金额。在 United Overseas Bank v. Jiwani 一案中，被告在原告位于日内瓦的银行开立了一个账户，以便在乌干达之外的地区积聚财产。其10月份有一笔1万美元的贷方余额，银行收到一封其来自苏黎世的直通电报，电报称将11000美元付进账户。随后而到的电报的书面确认书被银行误认为是进一步的存款，于是其通知了被告。此时被告正要在日内瓦收购一家旅馆，其在存了第一笔存款之后又取出了2万英镑。当银行第二次通知被告时，其签发了另外一张11000美元的支票。后来银行发现了错误，试图追回超支的金额。法院认为被告需满足以下三个条件：(1)被告的账户被银行错误记载；(2)被告被错误的记载所误导；(3)作为结果，如果最终"要求被告改变目前状况并偿还超支的那笔钱是不公平的"。因为被告显然要继续购买那家旅馆，所以第三个条件是最关键的。

银行承兑支票权力和义务的撤销

法律规定了以下两种决定银行对支票付款的权力和义务的情况：(1)有效撤回（见上文）；(2)通知客户死亡：第75条。但是，上面的表述并不详尽，下列情况也应予以考虑：(1)通知客户已精神错乱或心神丧失；(2)收到任何可影响账户的法院裁决，例如扣押第三债务人保管财产令或玛瑞瓦禁令（见第2章）。(3)已向客户作出破产令或清算令；(4)通知已对客户提出清算令申请或破产令申请；(5)知道应付款支票的提示人的所有权瑕疵；(6)银行知道或应该知道支票是挪用资金的结果；(7)在信托账户中，付款与信托的目的不一致。

就上述第（6）种情况而言，主要的风险是：如果银行参与交易，则根据1985年《公司法》第151条（见上文），此交易构成购买公司股份的非法经济协助。如果有证据表明银行已经知道通过公司的其他账户进行付款是非法经济协助，则银行就有责任作为指定受托人向公司偿还金钱。但是，在下列情况下，银行是有责任的：（1）银行实际上知情；（2）银行对明显的事实视而不见；（3）银行未能像一个诚信合理的人应行为的那样行为，并且固执、不顾后果地未作审查：*Sa – Delvaux et Lecuit* v. *Societe Generale pour favoriser le developpement commerce et de l'industrie en France SA*一案。

关于上述第（7）种情况，尚不清楚当客户的账户是一个信托账户时应如何处理。在 *Rowlandson and Others* v. *National Westminster Bank Ltd* 一案中，一位妇女在被告的一个支行开了一个账户，为了其孙子们的利益将一笔钱存进了此账户。其授权孙子们的父亲可从此账户中取钱，而孙子们的父亲用这笔钱偿还了其个人的债务。法院判决：银行应在此账户贷方重新记上这笔钱。

对共同账户承担的义务

对于共同账户，要求支票应由两个或两个以上的人签字，如果一个账户上伪造了其他账户所有人的签字，则银行对每一个账户的所有人都有单独的责任，并且，必须将其付出的金额重新记入贷方：*Jackson* v. *White and Midland Bank Ltd* 一案和 *Catlin* v. *Cyprus Finance Corporation(London)Ltd* 一案。

披露客户账户详情的义务

如果银行要披露客户账户详情，则必须经过客户明示的或默示的同意。在 *Tournier* v. *National Provincial and Union Bank of England* 一案中，原告与其账户所在的银行达成协议，以每周分期付款的方式偿还原告账户的透支额。当原告不能遵守协议的时候，银行经理向原告预定要接受工作的公司透露了此信息，包括原告有严重的赌博行为。导致雇主在最初三个月试用期后就不再同原告Tournier续签合同。上诉法院确定了下述一般不披露原则的例外情形：（1）披露是依据法律强制规定作出的；（2）银行有义务向公众披露；（3）为了银行的利益要求披露；（4）披露取得了客户明示或默示的同意。

法律强制规定特指1879年《银行账簿证据法》的以下规定："在任何一方当事人适用法律程序时，法院或法官可以裁决该当事人为了进行该诉讼可以自由检查和复印银行账簿上的任何账目"：第7条。在过去差不多100年的时间中，出现的第一个此类案件是 *Williams and Others* v. *Summerfield* 一案，在该案中，适用于刑事案件的违反自证其罪这一基本原则的诉讼请求被法院驳回了。"银行账簿"一词包括"缩微胶片、磁带或任何其他形式的机械或电子数据贮存途径"，但是信件不包括在内。此外，根据1985年《公司法》和1986年《破产法》以及税收立法，银行有义务作出披露，并且就扣押第三债务人保管的财产令和玛瑞瓦禁令而言，此义务已扩展到刑事诉讼中含有现金的冻结账户。在 *Chief Constable of Kent* v. *V and Another* 一案中，被告被控告欺诈一位老年妇女使其向被告的银行账户存款。因为警察认为这笔款项有被从银行移转的风险，所以冻结了此账户。

银行在其他方面的注意义务

如果银行因为疏忽而在为客户向第三人作出的证明书中作出了错误陈述，则银行就可能是有责任的：*Hedley Byrne & Co. Ltd* v. *Heller & Partners Ltd* 一案。客户对过失陈述也是有责任的。在 *Box* v. *Midland Bank Ltd* 一案中，一个客户起诉，主张由于银行经理对于客户经济能力的建议是有过失的，从而导致客户受到损失，而此损失导致客户破产了。另一个不成功的以过失为由的请求诉讼是 *Williams & Glyn's Bank Ltd* v. *Barnes* 一案，在该案中，法院判决：

在应该已经知道此交易是有风险的情况下,银行贷给客户100万英镑购买其控股公司的更多股票,所以银行是有过失的。

如果银行的代理人和雇员在其表见代理权范围内的行为出现过失或疏忽,则银行可能要对此过失向客户或其他人承担替代责任。在 Woods v. Martin's Bank Ltd 一案中,尽管在经理提出建议的时候,当事人还不是银行的客户,但银行要对部门经理给予该当事人有过失的投资建议承担替代责任。银行主张:经理作出投资建议的行为不属于其表见代理权的范围,但是法院驳回了此主张;即使银行实际上禁止其经理给予客户直接的投资建议,法院仍然强调银行提供投资建议和发布公众信息的服务。

15.15 客户对银行承担的义务

客户应对银行承担以下三项义务。

签发支票时的注意义务

如果银行对客户支票的付款负有责任,则银行可以主张共同过失。该规则被 1971 年 *Lumsden & Co. v. London Trustee Savings Bank* 一案所接受,在该案中,由于一个进行诈骗的职员以从原告公司盗用的支票存进账户,而银行负有过失以致不能在以错误名字签发账户之前获得证明书。因为公司签发支票时有过失——虽然仅使用了受款人的姓,但构成了盗用,因此,法院判决的损害赔偿金减少了 10% 的份额。1945 年《法律改革(共同过失)法》规定的连带责任被 1945 年《侵权(侵害货物)法》第 11 条第 1 款所排除,但 1979 年《银行法》第 47 条又恢复了这一制度。

对银行存折、活页报表等的注意义务

银行没有检查这些文件的注意义务,并且不能禁止银行就随后发现的有争议的账目反言。

在合理时间内提示承兑支票的义务

如果未在合理的时间内提示承兑支票,则对于因迟延而遭受的实际损害，出票人或在其账户上签发支票的人应免除责任：第74条。如果支票已过期，则该支票通常在一段时间之后（通常是6个月）是不能被付款的。

15.16 对银行的保护：付款银行和托收银行

就支票而言，银行有以下两个职能：出票人的银行必须承兑向其提示承兑的支票；代理受款人的银行必须为客户接收付款。在这两个职能中，银行的承兑责任易受到影响。因此，如果付款银行向没有支票所有权的人兑现支票，则银行就要对签发人承担责任，并且，在托收银行为受款人之外的任何其他人收款时，收款人对受款人承担责任。1882年《汇票法》经过1957年和1992年《支票法》的补充，详细规定了保护付款和托收银行的规则，如果其已按明确规定的有效常规标准向错误的人付款或为错误的人收款，则付款和托收银行会受到法律保护。与划线有关的规则被规定在第76条至第81条第1款。划线是付款银行兑现支票的指示，包括以下四种形式。

一般划线

一般划线是两条平行线，在两条平行线之间载有"和公司"字样或任何缩略语。有这种划线的支票就是一般划线支票。如果两条平行线之间加上文字"不得流通"字样，则该支票的流通就受到限制：第76条第1款。付款银行必须仅向另一个银行兑现支票，而不能向其他银行兑现：第79条。

特殊划线

如果在支票表面上的平行线里加注银行名字，则无论其是否加上"不得流通"字样，这一加注都构成了特殊划线，支票就成为特别划线给该银行的支票：第76条第2款。付款银行必须仅向标在划线里的银行兑现支票（第79条），否则，银行就要向真正的支票所有者就其发生的损失承担责任。出票人、票据持有人可以在支票上添加划线，一般划线通过后手票据持有人可变成特殊划线。持票人可以在划线上添加"不得流通"字样。划线是支票的实质性内容的一部分，除非为本法第78条所准许的加列或改变划线，否则任何人都不可以涂抹、更改或添加划线。银行允许根据严格的规定"签发"划线支票；一般而言，此种支票特别适用于为支付周薪而接收现金之时。

"不得流通"划线

一旦在划线上添加"不得流通"的字样，任何后手持票人就都不能成为支票的正当持票人。这就排除了支票流通的可能性，并且，此种支票仅可能因为支票所有权的瑕疵而被转让：第81条。在汇票的划线上添加"不得流通"字样，就可使汇票既不能流通也不能转让：第8条第1款。

"仅支付给受款人本人"划线

1992年《支票法》规定以这种方式划线的支票是不得流通的。现在，这种划线被自动套印在向普通客户发出的支票上。

15.17 对付款银行的保护

正当付款

第59条保护那些不知道持票人对汇票或支票的所有权有任何瑕疵、并在汇票或支票到期日或到期日后善意地对汇票或支票的持票人付款的人。此处涉及的"持票人"排除了向持有伪造背书票据的人兑现这一情况。这样，就可将汇票和支票区分开来，因为对支票而言，如果一张支票是以银行所有的账户签发的，以银行为受票人，且银行在正常营业过程中对支票善意地作出付款，则银行无责任表明受款人之背书或任何后手背书是据称由支票上背书之人所作，或根据其授权所作，即使此等背书出于伪造或未经授权，亦应认为银行正当地对支票作出付款：第60条。但是，支票能流通的事实和使用划线支票日益频繁的事实很少能使1957年《支票法》的规定削弱该条的重要性。

对划线支票付款

无论是一般划线还是特殊划线，如果开出划线支票的银行按照划线的规定，善意地兑现了支票，则对支票作出付款的银行和出票人（如支票已为受款人所持有）分别享有的权利和所处的地位与票款已付给支票的真正所有人，就视为银行已经向支票真正的所有人作出了付款：第80条。现在，此保护已被扩展到可转让的支票：1992年《支票法》第2条。一旦出票人将划线支票给予受款人，则出票人对支票的任何其他当事人都不再承担任何责任。

这一点必须结合1957年《支票法》来看，1957年《支票法》的主要目的是减少银行检查支票上的背书的必要性。如果付款银行兑现的支票上缺少背书或有违法背书，则银行的付款责任就因此解除：第1条。如果某人取得一张载有"不得流通"字样的划线支票，则其不能享有也不能给予其较其直接前手获得的对支票的更好的权利。因为标明"不得流通"字样的划线支票上的所谓背书与银行本身没有关系，所以银行对此种情况是没有过失的：1882年《汇票法（BOE）》第81条第1款。该规定解决了与过失相关的主要问题。

如果出票人的签名是伪造的，则即使此种伪造是不能查知的，也不能保护银行对支票的付款；法律不保护已经被实质性更改的支票。此保护是对银行进行的保护；法律没有对接受付款的人作出保护，而且基于事实的错误而作出的付款是可以追回的（见上文）。

15.18 对托收银行的保护

1957年《支票法》第4条对托收银行提供了保护。因为此种保护与以前的1882年《汇票法》第82条规定的保护在本质上是相同的，所以以前裁决的案件与此《支票法》的规定仍是有关系的。《支票法》提供的基本保护是——如果银行善意地和无过失地作出下列行为，则银行并不仅因收取此等款项而对支票的真正所有人负责：(1) 代其客户收取一般划线支票或特别划线给该行的支票票款；(2) 已代其客户将收到的支票票款记入了客户账户的贷方，而该客户对此款项并无权利或权利存有瑕疵：第4条第1款。

因为只要客户在银行签发了账户并且银行已向客户发了支票簿，这种要求就存在，所以要求有银行和客户的关系并不是一个问题：见 Ladbroke & Co. v. Todd 一案（见下文）。在签发账户和托收支票这两种可能的情况中，主要的问题是托收银行的过失。

开立账户时的过失

如果银行未能按照支票上的指定内容（reference）行为，则银行就失去了保护：在 Ladbroke & Co. v. Todd 一案中，当事人在银行开立了一个活期存款账户，在此账户中签发的支票的划线中填加的是"只付给受款人本人"，此划线表明当事人就是受款人。银行没有按支票上指定的内容付款，所以出票人起诉了银行。法院判决：银行存在过失，并且，双方没有提供后续补充的指定内容也是有过失的。在 Marfani & Co. Ltd v. Midland Bank Ltd 一案中，原告与称为"Eliaszaxde"的公司交易，此公司雇佣了一个叫 Kureshy 的人，Mli 先生熟知 Kureshy 就像其熟知"Eliaszaxde"一样。Kureshy 以 Eliaszaxde 的名字给 Mli 先生和另一个公断人开立了一个账户，银行和其重视并认为是重要客户——Mli 先生一起检查了支票上的指定内容。Kureshy 偷了一张付款给 Eliaszaxde 的支票，把支票上的票款付进了其账户，并取出了这些不当收益，离开了这个国家。法院判决：银行使用支票上指定的内容没有过失，特别是此内容是由重要客户检查过的。

在 Lloyd's Bank Ltd v. E. B. Savory & Co. 一案中，法院判决：因为银行本应要求获得男女客户的资料，所以银行对没有查清已结婚客户的丈夫的职业是有过失的。该判决减少了票据被盗用的机会，但是风险却几乎立即就过期。在 Orbit Mining and Trading Co. Ltd v. Westminster Bank Ltd 一案中，Harman 法官陈述道：上议院"没有获得有关雇主资料的托收银行是有过失的"的多数判决看起来像是"强行原则"和"其不得是……银行的义务，银行自己不必继续保存关于客户的雇主的身份资料直到到期日"。

托收支票时的过失

这种过失有许多种情况，可分类如下：（1）银行托收了应付给某公司的支票并且此支票是由公司职员背书的，而没有调查公司职员的私人账户；（2）托收应付给公司的支票而没有调查合伙人的私人账户：Baker v. Barclays Bank Ltd 一案；（3）为职员的私人账户而托收按其公职资格应付给其的支票：Bute(Marquess) v. Barclays Bank Ltd 一案；（4）如果没有调查公司或商行为第三方利益签发的支票就托收支票，则付进出票人的雇员或雇员妻子的账户：Lloyd's Bank Ltd v. E. B. Savory & Co. 一案和 Nu – Stilo Footwear Ltd v. Lloyd's Bank Ltd 一案；（5）没有调查律师或代理人的私人账户，但是，托收的支票应付给律师或代理人，并且，此支票是由其以委托人的名义签发的支票：Midland Bank Ltd v. Reckitt and Others 一案；（6）在支票由雇员签字时，没有调查出票人雇员的私人账户的托收支票是应付给出票人的雇员的：Lloyd's Bank Ltd v. Chartered Bank of India ,Australia and China 一案；（7）为受款人以外的人的账户托收一张划线为"仅付给受款人"字样的支票。

1957 年《支票法》规定缺少背书或非正规背书都会构成过失，根据 1992 年《支票法》第 3 条规定，上述规定已扩展至包括不得转让的支票。如果客户有共同过失，则可以减少银行承担的责任：1979 年《银行法》第 47 条（见上文）。

15.19 类似票据和银行汇票

根据1957年《支票法》，对银行的保护扩展至包括银行汇票在内的类似票据。类似票据还包括签发的"现金或凭指示"的支票：*Orbit Mining and Trading Co. Ltd v. Westminster Bank Ltd* 一案和 *Gader v. Flower* 一案（见上文第3.7节）。1957年《支票法》将1882年《汇票法》第80条规定的保护延伸至类似票据，银行可以作为银行汇票以及支票的托收银行来主张法律保护。就划线银行汇票而言，根据第80条，银行可以作为付款银行受到保护。就未划线的银行汇票而言，银行可以根据1853年《印花税法》第19条受到保护。

15.20 作为正当持票人的托收银行

因为1882年《汇票法》对"善意"作出如下界定："无论过失与否，均诚实行为"（第90条），所以，因过失而不能得到1957年《支票法》第4条保护的托收银行，有时可能作为正当持票人托收支票：*Lloyd's Bank Ltd v. Hornby* 一案。

在以下五种情况下，银行支付票面金额：（1）银行为客户或任何其他持票人兑现支票；（2）以支票付款是为了减少客户透支这一目的；（3）客户对不清楚的账目有签发支票的特别授权；（4）银行已经按照通常惯例（禁止反言）承兑了客户以不清楚的账目签发的支票；（5）银行对支票有留置权。对于上述第（2）种情况而言，仅将支票记入透支账户的贷方是不够的；必须表明——只要将支票付进透支账户不必等待托收，银行就会停止计算透支金额的利息：*Westminster Bank Ltd v. Zang* 一案（见下文）。对汇票或支票有留置权的人已经支付了票面金额：第27条第3款。银行的留置权是基于付进客户透支账户的支票或当另一个账户透支时以支票付款付进此账户的支票产生的：*Re Keever* 一案。在 *Barclays Bank Ltd*

v. *Astley Industrial Trust Ltd* 一案中，被告（一家汽车修理公司）在银行有一个透支账户。被告将五张由被告签发的支票付进了此账户。银行后来发现这些支票是被告为了欺诈性的交易而签发的，于是就止付了这些支票。银行就此付款起诉，主张对汽车修理公司账户上透支的留置权并作为正当持票人要求所有权，其最终胜诉。在 *Halesowen Presswork & Assemblies Ltd* v. *Westminster Bank Ltd* 一案中，原告有两个账户：第一个账户经双方同意已被冻结，而第二个账户是原告用贷款保留的交易账户。早晨，原告将支票付进第二个账户，下午，公司就进行结业清算。银行就透支的第一个账户的支票提起诉讼，其胜诉。留置权取决于占有，如果银行未连续占有支票以使客户能够起诉，则即使后来银行又追回了支票，银行也将丧失留置权：*Westminster Bank Ltd* v. *Zang* 一案（见下文）。

为了减少背书的必要性，1957年《支票法》规定："支付票面金额，或对持票人交付给其未背书的凭指示支付的票据有留置权的银行，对票据享有的权利如同持票人对票据进行空白背书时一样"：第2条。但是，如果为托收而以支票付款付进的账户不是那些名称为受款人或被背书人的名字的账户，包括给此类人签发的支票和为托收付进由此类人控制的公司的账户，则此规定将不会对银行提供保护：*Westminster Bank Ltd* v. *Zang* 一案（见上文）。被告签发了一张给"J. Tilley 或凭指示"的应付支票，而 Tilley 将此支票付进了其控制的公司 Tilley Autos Ltd 的账户。此支票没有背书。银行把此支票记入账户的贷方，这样，此支票的付进就减少了账户的透支金额。后来由于公司不能支领有问题的支票，此支票被拒绝承兑，银行将支票还给 Tilley 以便其起诉，但是后来银行又追回了支票，并且作为支票的正当持票人起诉。法院判决：既然客户既没有从有问题的账户条目中支取金额，也没有任何客户要进行支领的协议，那么银行仅将支票付进透支账户而没有支付支票的票面金额。银行因为未能连续占有支票而丧失了其享有的留置权。此外，因为支票并未背书给银行，而且，根据1957年《支票法》第2条，银行也不是持票人，所以银行也不得起诉。

15.21　电子资金转让（EFT）

现在电子手段正在越来越多地运用于银行业务中。在银行服务中，电子资金转让是指：司法审查委员会（杰克委员会）的《法律和判例汇编》所规定的"通过磁性物质例如磁带、唱片和色带盒传送的支付信息；或通过单纯的电子媒介例如电话、电报和计算机之间的电子传输，或在计算机和终端之间电子传输的传送的支付信息"。司法审查委员会确立了英联邦的六种电子资金转让系统：

1）票据交换所自动支付系统（CHAPS）：这是一个电子货币信用转让系统，用于解决个人在同一天支付超过1万英镑金额的问题。该系统频繁地使用于财产转让事务中。

2）银行自动交易业务系统（BACS）：该系统规定了高于或低于票面值的、自动处理付款和托收交易的交易业务，包括直接的记入借方、确定的要约、薪水和保障金。

3）自动银行柜员机（ATM）：这些是现金管理机器，通过插入塑料银行卡并输入本人的密码来进行操作。

4）销售点电子资金转让系统（EFT-POS）：这是一个电子付款系统，将款项从客户的账户移转到零售商的账户。客户通过在收据单上签字或者通过在终端输入其本人的密码来授权银行交易。通过分理系统例如转换机来发送此交易。

5）家庭和办公银行系统：通过电视、电话或计算机来移转资金。

6）全世界银行间金融电信协会（SWIFT）：允许将网络成员间的票据迅速转让作为移转资金的一种方式。

杰克委员会提出电子资金转让还存在许多未解决的难题。在一些基本交易中，用电子手段取代用票据上的签字来验证客户的票据的方式是不太可靠的，并且还为失误和欺诈敞开来大门。此外，还存在与系统的运行保障有关的问题，包括：付款卡和本人密码的安全保障问题；保守交易秘密的问题；防止磁性物质上的信息被更改或消除的问题。确认在电子资金转让交易中由于欺诈或技术失误所造成损失的责任问题也有困难，产生的问题主要是损失的分配和举证责任分配问题。此处还有一个主要问题是关于所谓的银行自动柜员机（ATM）"不存在取款"的问题。金融调查官指出：由银行负责举证银行对机器出现的故障是没有过错的，然后，举证责任就转移到持卡人的身上，持卡人应当证明——其没有使用信用卡，并且第三方也不能得到付款卡和本人密码。履行这种举证责任是很重的负担。另一个问题是：当客户不可能撤回付款卡时，证明电子资金转让系统是否有过错就更为困难。

惟一的关于电子资金转让的英联邦立法是1987年《银行法》第89条，该规定修正了1974年《消费者信贷法》第187条的规定，并且不予考虑债务人－债权人－供应商协议（DCSAS）的定义。这就排除了按第75条规定的付款卡付款（参见第14章）。然而，此卡的使用问题由《银行业务守则》规定（参见"良好的银行业"：《银行业务守则》1994年第2版）。该条规定了付款卡的关键问题，即只有在客户有书面要求或为替代或为续展已经签发的付款卡时，才能签发付款卡（第17条第1款）。该条还规定付款卡和本人密码要分别签发，同时应建议仅由客户知道本人密码（第18条第1款）。客户对于保证付款卡安全有注意义务。这样，客户就不应该允许任何人使用其付款卡和密码，其应该采取所有合理的措施以便在所有时间内保证付款卡安全和保守密码的秘密，包括：从不将密码写在付款卡上；在任何通常同付款卡放在一起的东西上，永远也不要在没有合理掩饰密码的意图时写下密码；任何建议使用的密码都应立即丢掉（第18条第2款）。应该鼓励客户选择其自己的密码，以帮助其记住密码（第18条第3款）。

如果付款卡丢失了，则只要合理并且可行，客户就必须告知付款卡签发人其付款卡已经丢失或被偷，或其他人知道其密码（第19条）。根据《银行业务守则》，付款卡签发人对以下三种情况负有责任：客户还没有收到付款卡此付款卡就已被滥用；已经通知付款卡签发人信用卡丢失或其他人知道密码之后发生的所有交易；机器或其他系统有故障，但故障是明显的或传送的资料或显示的告知客户的资料是有错误的除外（第20条第1款）。付款卡签发人只限于对其对客户账户作出的那些错误履行的金额及这些金额的利息承担责任（第20条第2款）。

在客户已经通知签发人付款卡丢失或被偷，或其他人知道密码之前，客户仅限于对付款卡被错用最多50英镑承担责任。但是，如果客户有欺诈行为，则客户应对所有损失负有责任，如果客户行为有严重过失，则其可能要对所有损失承担责任。严重过失包括未遵守关于保证付款卡和密码安全的规定。对有争议的交易而言，举证欺诈或严重过失或客户收到了付款卡的责任在于付款卡签发人。在此种情况下，如果付款卡签发人向客户进行调查，则客户应该同信用卡签发人合作（第20条第3款至第5款）。

推荐读物

《理查森流通票据指南》，第8版（James J. Richardson, Butterworths, 1991）。

问题

1. 1882年《汇票法》中第3条第1款规定了汇票的定义，那么支票的法律定义是什么？

2. 在只适用于汇票的一些制度中，最重要的是"承兑"。什么是承兑？为什么即使没有合法要求通常也会承兑汇票？你如何理解"附条件承兑"？

3. 凭指示应付汇票或支票通过"背书或持票人完成交付"而

转让。空白背书和特殊背书之间的区别是什么？

4. 已支付对价的持票人有三种，分别是哪三种？

5. 当事人遵守六个标准时，其可以仅是支票或汇票的正当持票人。这些标准是什么？

6. 你如何理解"汇票或支票的等同现金"？

7. 在哪三种情况下，银行无权兑现支票？

8. 关于支票，都有哪些类型的划线？其意义是什么？

9. 法律规定了对付款和托收银行的保护。这些保护要求什么？托收银行在何种情况下会失去这些法定保护？

10. 当托收银行已经按支票票面金额支付时，托收银行可以要求作为正当持票人。银行支付票面金额的五种情况是什么？

第七编

消费者保护

16

消费者保护

学习目标

通过本章学习了解以下内容：
1. 关于虚假商品说明、虚假价格标记和对服务、住房和设施的虚假陈述的法律
2. 关于产品制造者责任的法律
3. 对关于主动提供商品和服务的合同与商品和服务可撤销协议中消费者的保护
4. 1994年《消费者合同不公平条款条例》

16.1 商品说明

1968年《商品说明法》规定了以下三种违法行为：虚假商品说明（第1条）；虚假价格标记（第11条）；对服务、住房和设施的虚假陈述（第14条）。其中第2种违法行为已被1987年《消费者保护法》第三编所代替。1972年《商品说明法》规定了进口商品的原产地标记，并规定：在商业和贸易活动中，如果提供或要约提供在英国之外制造或生产的、但使用英国名称或标记的商品，则除非附加了原产地国家的明显标记，或该英国标记在合理检查的情况下不易发现，否则，对于任何人而言，都构成违法行为。

16.2 虚假商品说明

1968年《商品说明法》(TDA) 第1条第1款规定：任何人在商业或贸易活动中，若（1）对商品进行虚假商品说明；或（2）对提供或要约提供的商品作出了虚假商品说明，则根据本法的规定，其行为构成违法犯罪。

该条规定了两种独立的严格违法责任：对商品运用虚假说明和提供已经运用了虚假说明的商品。出现第二种违法责任包括两种情况：（1）提供这种商品；（2）要约提供这种商品。然而，该法第6条规定："意图提供商品或取得提供商品占有权的任何人应被视为要约提供商品"，包括仅提出要约邀请。此人可以通过以下事由进行抗辩：其不知道、并且也不能通过合理的谨慎来确定商品不符合对商品的说明或已适用于此类商品的说明（见下文第16.4节抗辩部分）。

"任何人"

"任何人"包括有限公司，并且该法第20条特别规定：如果有证据证明违法行为是在其同意或纵容下作出的，则任何董事、经理、秘书或其他类似的职员就要承担连带责任（共同责任）。这样的人通常是商品的卖方，但是也可能是买方。在 *Fletcher v. Budgen* 一案中，6月12日，商议购买汽车的汽车商告诉卖方此车无法修理，只适合废弃拆散零卖。此商人以2英镑购买了这辆汽车，然后进行了整修，做广告出售，售价为136英镑。

"在商业或贸易活动中"

本法的目的不是对私人卖方作出规定，而仅仅是限于商业交易。然而，汽车租用公司销售汽车的行为属于在商业或贸易活动中的销售活动：*Hlavering Loondon Borough v. Stevenson* 一案。相反，在 *Davies v. Sumner* 一案中，被告是非受雇于人的导游，在与其生意有关的事务中几乎完全使用了其汽车，被告将此汽车折价卖出，换了一辆新车,这辆新车也用于其生意,这样的买卖就不是在其商业活动中的买卖。该案裁决被 *R&B Customs Brokers Co. Ltd v. United Dominions Trust Ltd* 一案遵循,超过 5 年时间买卖 2 辆或 3 辆汽车的交易不被视为在商业活动中的买卖。

如果某人凭爱好购买、改造、然后再卖出汽车,则除非其也进行了商业活动,并且此买卖是在商业活动中的买卖:*Southwark London Borough v. Charlesworth* 一案;也可参见 *Fletcher v. Sledmore*。一案),否则该行为就不是在商业活动中的买卖(*Blackmore v. Bellamy*)根据第 23 条,如果个体自然人在把汽车卖给商人之前处理过("clocking")汽车,其导致商人作出了违法行为,则可认为此个体自然人负有责任(见下文):*Olgiersson v. Kitching* 一案。

"运用"

此概念在第 4 条中作出了解释。如果某人作出了如下行为就是在商品上运用了虚假商品说明:(1)把虚假商品说明贴到或附加在,或者以任何方式标在,或者使之虚假商品说明组合在①商品上,或②提供的商品上、商品内、或附加在商品上的任何东西上;或(2)把商品放入、放在或者附于已经贴上或附加或标记或结合在一起的任何东西上,或者把这样的东西放在商品上;或(3)以任何可能被认为与商品相关的方式使用商品说明。

在 *Donnelly v. Rowlands* 一案中,被告———一个提供瓶装牛奶的牛奶商人——牛奶瓶的箔盖上标记着此商人的名字和地址,尽管瓶子上本身还有各种各样的名字——CWS、Express 等等——但这些名字是瓶子生产时即有的。法院认为:瓶子上的词语指的是瓶子而不是牛奶,也就是说,瓶子上没有虚假的商品说明。

根据第 4 条第 2 款,口头陈述可能构成商品说明,但是关于该请求的诉讼必须在 6 个月内提起。

"虚假商品说明"

482 虚假商品说明的定义规定于《商品说明法》中的第2条和第3条。因此，第2条第1款规定：商品说明是指无论通过何种方式，直接或间接对关于商品的任何具体事项作出的说明。通常包括下列事项：(1) 数量、尺寸或标准规格；(2) 制造或生产的方法；(3) 成分；(4) 适用的目的、地位、实施、行为或精确性；(5) 任何其他物理性质；(6) 由某人测试和测试的结果；(7) 征得某人的同意或者与批准的类型一致；(8) 制造或生产的地点或日期等；(9) 制造或加工的人；和 (10) 其他历史（资料），包括以前的所有权状况或使用状况。

虚假商品说明就是指其虚假性达到一定的重大程度，包括尽管不是虚假的但却是容易产生误导的说明：第3条。根据第12条，虚假地说明向王室提供商品或服务，或者伪造/仿造女王授予的工业/产业标识分别都是违法行为。提供给"任何人"的虚假说明根据第13条的规定来理解。

与商品有关的价值陈述——"价值双倍"——被视为与广告宣传是一样的，不为本法所禁止。

通过使用不承担责任的声明来逃避责任，特别是关于二手汽车上的虚假的计程仪的指示数问题。此种情况下，如果指示数是虚假的，并且未声明不承担责任，就是作出了违法行为，无论卖方是否知道指示数是虚假的。由于商人会利用此点来逃避责任，所以不承担责任的声明"必须是像商品说明本身一样醒目、确切和有说服力，并且必须是被有效地告知任何可能被提供此商品的人"。换句话说，其必须达到使商品说明很可能传送给预期购买者的程度：*Norman v. Bennett* 一案。一旦作出商品说明，则书面说明上非正式的注意或"小印刷体"都不足以表明已声明对此商品说明不承担责任。

16.3 对服务、住房和设施的虚假陈述

这种违法行为由第14条规定,即:(1)在任何商业和贸易活动中,任何人如果就下列事实的任何一项①作出其知道是虚假的陈述;②轻率地作出陈述,而此陈述是虚假的,则其行为就应是违法行为——①商品的供应,②商品的性质,③在什么时间,以什么方式,或由谁来提供服务、住房或设施,或④由另一个人对商品作出检查、批准或评价,或⑤住房的地点或便利设施。

作出关于服务的虚假陈述包括职业的或其他资格的虚假说明,在商业或贸易活动中,包括"职业"。在 R v. Breeze 一案中,法院判决:被告虚假地将 ARIBA(英国皇家建筑研究院协会)几个字母放在其名字的后面。因为必须表明:被告知道此陈述是虚假的或者不考虑陈述是真实的还是虚假的就作出了陈述,所以很难将被告定罪。轻率并不包含不诚实的意思;即使能够证明被告故意地对事实或真实情况视而不见,起诉也只能表明被告没有考虑其陈述的真实性或虚假性。在 MFI Warehouses v. Nattrass 一案中,法院发现被告就广告而言是有过失的,主席研究此广告5到10分钟仍没有理解其含义。然而,在 Airtoursplc v. Shipley 一案中,公司成功地对判决上诉,因为此判决包括的陈述中称旅馆有在公司勘误计划的指导方针和步骤的范围内印刷出的小册子上规定的应建设的游泳池。

在 Ashley v. Sutton London Borough Council 一案中,原告销售了一种邮购书,此书提供的信息是关于怎样在有固定赌注比率的赌博中取胜的。原告通过保证"如果购买者在90天内没有赌博成功其就退还书款"来销售此书,但是却没有作出退款。原告根据第14条对判决作出上诉,在上诉中,其主张销售此书是提供商品而不是提供服务,此主张被驳回了。法院认为:非常言过其实的价格表明销售的是信息而不是书,购买者正在购买的是服务。

实施的问题是被告必须在作出虚假陈述时已知道或轻率地作出

虚假陈述。掌握时机的重要性可以参见 Cowburn v. Focus Television Rentals Ltd 一案。被告做广告称："当你租用一台录像机的时候，你可以绝对免费地租用 20 部长篇电影。"因为租用录像机的人仅被给予看 6 部电影的权利，而且其都不是免费的，租用人不得不支付包装费和邮资，所以该陈述被怀疑是不真实的。基于客户的投诉，被告保证客户收到 20 部电影并归还包装费和邮资，但是，因为当作出和已经轻率地作出陈述的时候该陈述就是虚假的陈述，所以被告仍旧被判有罪。

此案的主要影响是排除了承诺和关于将来的预测。在 Beckett v. Cohen 一案中，被告同意"在 10 天之内"修建一座汽车修理厂"作为真实存在的汽车修理厂"。法院认为：被告对违反合同是有责任的，但不是触犯刑法的责任。在某人依据旅游开发商提供的旅游手册进行索赔的案件中，这种对承诺和对未来预测的排除有着特殊的重要性。在 Sunair Holidays Ltd v. Doss 一案中，法院分庭认为：因为上诉人已经同旅馆签订合同准备为委托人即客户提供其所陈述的房间，所以，小册子中的陈述——"所有有两张单人床的房间都有阳台"在作出时是准确的，即使旅馆提供的房间没有阳台，也不存在违法行为。

在 R v. Sunair Holidays Ltd 一案中，法院作出了一个类似的关于虚假说明旅馆设施的裁决。法院认为：第 14 条不能处理此类预言或承诺。为此，我们要阐述一下"此类"一词。承诺或预言可能通过暗示包含现在事实的陈述。作出承诺的人可能暗示其现在的意图—是要坚持这个承诺或者是其现在有能力履行此承诺。作出预言的人可能在暗示其现在相信其预言将会实现或其有办法使预言实现。此类暗示当前意图、方法或信仰的陈述在其被作出时，可能就已经属于第 14 条规定的范围内，因此，如果其是虚假的，并且作出的时候知道是虚假的或者轻率地作出，其就是应受惩罚的。但是，如果其是应受惩罚的，违反承诺或未能使预言实现就不是违法行为，而是对真实存在的事实——某人现在的思想状况或现在的意图作出的虚假陈述。这一点在 *British Airways Board v. Taylor* 一案中获得了认同，此案涉及飞机航程预约超额系统的操作。上议院认为："我很荣幸地证实为你所做的下列预定——伦敦/百慕大航程 BA679——经济舱——8 月 29 日离开时间 15：25 到达时间17：50"这一陈述是在第 14 条范围内的虚假陈述。

当传达的时候由于作出了小册子中的虚假陈述，所以每一个传达都构成了一个新的违法行为：*R v. Thomson Holidays Ltd* 一案。一个极端的例子是 *Wings Ltd v. Ellis* 一案，此案中，旅游公司在发现错误后收回了小册子，但是，7 或 8 个月后，一个客户预定了旧版小册子中的一项度假。上议院判决：公司在作出陈述时知道此陈述是虚假的，所以对公司的定罪是正确的。公司在小册子出版的时候作出了陈述，在小册子被阅读的时候又作出了陈述。尽管当小册子出版的时候，被告没有作出已知道是虚假的陈述或者没有轻率地作出陈述，但是，因为被告在小册子出版后即已知道该陈述是虚假的，所以当小册子被阅读的时候，被告就是明知或是轻率地作出虚假陈述。

16.4 抗 辩

通常而言，如果被告能证明违法行为是因为错误或依赖于另一个人的行为或违约而产生的，则可根据第 24 条第 1 款享有抗辩权。在第 24 条第 3 款中有另一个抗辩是专门关于根据第 1 条第 1 款第 2 项进行的控告的。第 25 条规定了关于合法刊出广告的另一种抗辩，最后，第 23 条规定了追加的或可选择的被告。

错误或依赖于另一个人的行为或违约

根据第 24 条第 1 款，对于被告来说，证明其发生了下列两段中的情况就应该是抗辩：（1）作出违法行为是由于错误或依赖于提供给其的信息或另一个人的行为或违约、意外事件或超出其控制之外的一些其他原因；和（2）其已采取了所有合理的预防措施并尽到了所有适当的谨慎来避免由其自己或其控制之下的任何人作出这样的违法行为。

为了成功地抗辩，必须证明以下两个方面：（1）另一个人的行为或违约；（2）被告采取了"所有合理的预防措施"。

"另一个人"

如果被告是一家公司，则"另一个人"一词就引发了问题是，一些裁决已经削弱了《商品说明法》的效力。在 Beckett v. Kingston Bros(Butchers) Ltd 一案中，通过使法院相信雇员存在过错被告成功地避免了对虚假商品说明的起诉。这就意味着：除非有争议的雇员能被法院认为是公司的代办人，否则公司就可以逃避责任。重要的案件是 Tesco Supermarkets Ltd v. Nattrass 一案。此公司拥有许多超级市场，并根据《商品说明法》建立了合理、有效的指导和检查系统。在有争议的超市中，公司张贴了一张海报宣传肥皂粉特价，但是已经用光了特价商品的包装，经理又未能指导店员的行为，以致店员拿出通常价格的包装都未发觉。根据1968年《商品说明法》第11条第2款，此公司被起诉，并向上议院对判决提出上诉。法官和法院分庭都认为公司是"另一个人"，而经理不是"另一个人"。

在上议院，Reid 大法官认为："一个活着的人有知道的意图或是有过失的，并且其着手执行其意图。公司没有这些（行为或思想），其必须通过活着的人来行为，并且通过不总是一个人或同一个人来行为。因而，执行的人不是为公司讲话或行为。其代表公司行为，而且指导其行为的想法就是公司的想法……通常，董事会和负责管理的董事，也许还有公司其他较多职员，都能执行管理的职能，并代表公司讲话或行为。其部属则不能如此。这些部属执行上级的命令，即使其被赋予一些决断的权力也没有任何不同。但是董事会可能把其管理职权的某部分授予别人，并给予足够决断的权力来行为而不受董事会指导。我认为这是没有困难的，认定董事会由此设置了一个代表代替其位置，从而使代表在董事会授权的范围内可以代表公司行为……但是本案中，董事会从来没有将其职权的任何部分授予他人。其通过特定区域和地区的监督人设立了一系列的要求，但是其保留了控制权。商店经理不得不遵守其一般指示，还要服从其命令。商店经理的作为或不作为都不是公司本身的行为。"

公平交易总署署长对《商品说明法》的评论指出："过分要求雇主承担由雇员的行为或违约导致的违法行为的替代责任是不公平的。"

"所有合理的预防措施"和"所有适当的努力"

在 Simmons v. Potter 一案中，被告是一个二手商人，其请求对关于已经被以前的所有人处理过的（clocked）汽车买卖进行抗辩。其同以前的所有人一起检查了汽车的英里里程表，这就加强了其认为显示的指示数是正确的印象。法院认为其没有采取"所有合理的预防措施"。

在 Harringey London Borough v. Piro Shoes Ltd 一案中，被告的抗辩是不能成功的，此抗辩是关于其指示其经理不得让一些被错误地贴上了"全皮"标签的鞋在没有撕去标签时离开商店。法院认为：根据第1条，既然是对经理人指示本应该是在陈列商品前就撕去违法标签，那么，将商品"陈列销售"这一事实就构成了违法行为。因此，尽管违法行为是由另一个人作出的，但是被告没有采取"所有合理的预防措施"。

在 Sharratt v. Geralds The American Jewellers Ltd 一案中，被告因为提供了一种标有"潜水员的手表"和"防水"（字样）的手表而被起诉。将手表浸没于水中一小时以后，手表充满了水并且停止运转。被告没有检验手表，但是相信制造者是有信誉的。地方法官判决：根据第24条第1款第2项，其已采取了所有合理的预防措施,并尽到了所有适当的谨慎。大法官 Parker 勋爵接受了上诉,其认为:"无论'所有适当的努力'可能意味着什么,有一点是清楚的,被告有义务采取能够采取的任何合理的预防措施……只要采取最基本的预防措施——将手表浸入一碗水中,就可以防止这种违法行为。"1980 年 7 月 16 日 Garrett v. Boots Chemists Ltd 一案(未汇编为判例)就遵循了此判决,在该案中,Boots 因为销售含铅比例高于允许的比例的铅笔而被控告。在采取合理预防措施的问题上,大法官 Lane 勋爵认为:"对一个大规模零售商来说可能是合理的预防措施,可能对村商店来说是不合理的"。法院判决:Boots 没有测试随意抽样的铅笔样品,构成了未能采取所有合理的预防措施。

对第 1 条第 1 款第 2 项的专门抗辩

第 24 条第 3 款规定:"如果被诉人能证明其不知道并且即使尽到合理谨慎也不能查明——商品与说明不一致或说明已经适用于商品,则该证明就应该是抗辩。"这种抗辩实际上是合法提供商品的抗辩之一。第 24 条第 3 款和第 24 条第 1 款之间的区别是:第 24 条第 3 款仅规定了尽到"适当谨慎"将不会产生违法行为。Barker v. Hargreaves 一案解释了这一区别,在该案中,二手汽车商人打广告称汽车处于完全良好状况。虽然其已经取得了交通部(MOT)为汽车颁发的证书,但是事实上,此证书已经被严重地腐蚀了(corroded)。法院分庭判决:根据第 1 条第 1 款第 2 项,汽车商人构成犯罪。Donaldson 法官在其裁决中区别了两条文之间的不同,并且阐明:根据第 24 条第 1 款,被告可依赖从其他人处收到的信息(以采取了所有合理的预防措施并尽到了所有适当的努力为条件),但根据第 24 条第 3 款时,则不能得出被告受到其他人误导的结果:"其不得不做的事情表明其是一个潜在的瑕疵,也就是说,此瑕疵并不是尽到适当谨慎就能够查明的。"

合法刊出广告

根据第 25 条，合法刊出的抗辩是为报纸规定的抗辩，如果在通常贸易活动中即可收到误导性广告，则报纸刊出该广告就是合法的。

追加的或可选择的被告

第 23 条规定："如果根据本法，违法行为人违法是由于某些其他人的行为或违约，那么，其他人就构成违法犯罪，并且，无论是否对第一个提到的人进行诉讼，此人都可以被起诉并根据本条文宣判有罪。"为了根据该条文宣判"其他人"有罪，就必须证明以下事实：（1）第一个人根据本法作出了违法犯罪行为，或作出了除了根据第 24 条和第 25 条规定的有效抗辩之外的犯罪行为；（2）犯罪行为或潜在的犯罪行为一定是由"其他人"作出的。

在以下两个裁决中确立了上述第（1）点的细节。在 *Cottee Douglas Seaton (Used Cars) Ltd* 一案中，M 的汽车的发动机箱内因为生锈而受到破坏，所以其在发动机内塞满了塑料填充物，并且油漆了发动机表面，把汽车卖给了被告，卖出时并未企图掩盖其所做的一切工作。被告掩盖了修理的痕迹并将汽车又卖给了另一个商人 W，W 不知道这些修理工作。W 把车卖给了 S。此车后来卷入了一起交通事故，S 因此发现此车曾经修理过。遂以 W 作出了第 1 条第 1 款第 2 项规定的违法行为为理由对被告提起诉讼。法官驳回了此案的诉讼请求，原告和律师进行了上诉，上诉也被驳回了，理由是：既然根据第 1 条第 1 款第 2 项的规定 W 没有违法行为，那么，根据第 23 条，被告也就没有违法行为。

在 *Coupe v. Guyett* 一案中，被告是一个汽车修理场的经理，其是此企业的所有人 Shaw 小姐雇佣的，其轻率地对汽车进行的修理作出了虚假陈述。Shaw 小姐是企业的唯一所有人，但是从未积极参与企业经营，原告根据第 14 条第 1 款第 2 项起诉了 Shaw 小姐，并根据第 23 条起诉被告。Shaw 小姐被宣告无罪，理由是：其本人既未作出也未授权作出虚假陈述,甚至也不知道被告已经作出虚假陈述。被告也被宣告无罪,理由是:既然工场的所有人没有犯罪,那么,就不可能根据第23条中规定的违法行为给其定罪。在上诉中,法院认为:如果法官仅基于法定违法行为宣判Shaw小姐无罪,那么法官们就很可能宣判被告有罪,但是,如果Shaw小姐能够因为其他原因被宣判无罪,那么,就不可能根据第23条宣判被告有罪。

根据第23条可宣判私人有罪。因而,若一个驾驶汽车的人在把汽车卖给商人之前处理过(clock)汽车,如依据第1条第2款,其导致商人犯了罪,则根据第23条,其就是有罪的:*Olgiersson v. Kitching* 一案。

16.5 对价格的虚假或误导性说明

1968年《商品说明法》第11条规定的违法行为被1987年《消费者保护法》的第二编取代。现在,1987年《消费者保护法》第20条第1款规定:"如果在某人的商业活动中,其(无论以何种方式)为消费者提供消费者可能取得的商品、服务、住房或设施(无论是通过一般途径还是从特殊的人那里获得)的价格说明,而此价格说明是误导性的,则其行为就是违法行为。"

在 *John v. Matthews* 一案中,根据旧法(1968年《商品说明法》)作出的裁决仍旧适用。在此案中,工人俱乐部的酒吧中摆放的香烟上标有"减价,三折",而此时这些香烟却是以全价销售的。法院认为:因为1968年《商品说明法》并没有延伸适用于家庭情况,而拥有私人会员的俱乐部享有家庭或私人地位,所以被告没有犯罪。

《消费者保护法》第20条第2款规定的是"提供商品价格时关于商品价格说明是正确的但是后来又变成虚假的"这种情况。如果商人可能合理地期望消费者会信赖这些现在具有误导性的说明，则除非其已经采取了所有合理的措施以防止消费者信赖此价格说明，否则该商人就是作出了违法行为。下面列出的事项就是《消费者保护法》中规定的关于"具有误导性"的情形：（1）陈述价格不充分；（2）在价格不明确的情况下陈述价格，如果发生此种情况，则此价格仅适用于现金消费者，或者此价格不适用于将旧商品折价换新的交易，或者仅适用于某些情形，或者不适用于某些其他情形；（3）价格不明确，如果发生此种情况，则对服务应额外索价或者作出一些其他额外追加的索价；（4）关于价格会被期望提高、降低或保持不变的虚假说明（无论是否是特定时期）；（5）作出虚假的价格比较，例如虚假地声明降低了价格，或者将汽车的价格同另一机型的价格相比较而未说明其他机型的价格已经降低。

根据旧法作出的裁决中仍会有违法行为。因此，在 Richards v. Wesrminster Motors Ltd 一案中，如果打广告的商品价格中不包括增值税，则是作出了违法行为。在 Read Bros. Cycles（Leighton）Ltd v. Waltham Forest LBC 一案中，法院宣判零售商人有罪，此零售商人以一种价格为摩托车打广告。当消费者希望通过以自己的摩托车作为部分价款来购买广告中的摩托车的时候，零售商告知消费者购买此摩托车还要多花 40 英镑。在 Clive Sweeting v. Northen Upholstery Ltd 一案（《泰晤士报》1982 年 6 月 28 日）中，法院宣判零售商有罪，因为其做广告称有家具特价出售，却没有说明此特价仅适用于几套同一颜色的家具，而不是全部家具。

这种混淆在下列几种情况下也能发生：在 Nattrass v. Marks & Spencer Ltd 一案中，被告打广告称以特价销售炸鱼条，而且也降低了大多数炸鱼条包装上的价格，但是并没有降低全部包装的价格。当售货服务员以促销前的价格销售炸鱼时候就是作出了违法行为。然而，在 Manley v. Marks & Spencer Ltd 一案中，法院发现此案在与上案类似的情况下售货服务员仅仅是犯了一个错误，而且很明显，商品确实正在以促销价销售。

商人有《惯例法》作为指导，但是仅依从《惯例法》并不是必然是完整的抗辩（第25条），国务大臣可规定价格信息的提供，规定刑事犯罪的具体行为要件：第26条。

抗　辩

如果被告能证明下列情形就构成抗辩（第24条）：（1）根据第26条的规定授权被告可以作为或不作为；（2）除了在广告中还在媒体上提供违法的价格说明；（3）其是善意的出版人或广告代理，其不知道或没有理由怀疑广告中包括虚假价格说明；（4）与建议价格相关的误导性价格说明，此价格不适用于被告可得到的条款中的价格，被告可以合理地相信此价格是通常出价的价格，而且此价格是虚假的，仅因为提供者没有遵从此建议价格。

如果当事人能表明其，采取了所有合理的措施并尽到了所有适当的谨慎来避免此犯罪行为，那么这也是一个抗辩：第29条。在 *Berkshire County Council v. Olympic Holidays Ltd* 一案中，消费者用计算机向旅行代理预定了一项度假，第一次荧屏显示的内容包含了警告：没有确认预定；没有价格报价。旅行代理给了消费者一份第二个荧屏显示内容的打印单，此部分内容包括报价。然而，消费者发票上的价格实际上超过了计算机荧屏上显示的价格。因为地方法官发现旅行代理已经采取了所有合理的措施并且尽到了适当谨慎的义务，所以旅行代理被宣判无罪。上诉被驳回；法院认为：误导性信息是由计算机内无法解释的错误引起的，而此前计算机从未发生过这种错误。地方法官发现代理人已经测试了软件，并且在反复测试时，同样的交易产生了正确的信息。

追加的或可选择的被告

第三编包含了1968年《商品说明法》第23条的等效条款（equivalent provision），即因为其他人因另一个人的过错而犯罪，则另一个人是有罪的。与第40条之间的唯一不同是：仅当那个人

"在其商业活动中"有违法行为时,另一方当事人才对违法行为负有责任,并且如同在 *Olgiersson v. Kitching* 一案中一样,私人不承担责任。

16.6 产品责任

生产者可以以四种方式对其产品承担责任:(1)根据 1979 年《货物买卖法》(SOGA);(2)过失侵权行为责任;(3)根据 1987 年《消费者保护法》;(4)根据从担保合同。

16.7 1979 年《货物买卖法》

关于瑕疵货物的保护由 1979 年《货物买卖法》第 14 条第 2 款"令人满意的质量"这一默示条款规定,在前文中已作过探讨。然而,既然责任的基本(原则)是约定的,则仅当购买人直接同生产者交易的时候,生产者才是有责任的。购买人通常会起诉零售商,零售商会再向批发给其商品的批发商请求赔偿,批发商最终会向生产者主张赔偿金。

如果某人购买商品作为礼物赠送给其他人,则移交礼物并未转让任何受法律保护的利益:*Heil v. Hedges* 一案。消费者协会已经建议应当在礼物标签上写上转让的权利:"给 Grandad 所有我的爱和根据 1979 年《货物买卖法》我所享有的全部权利",但是得承认这种方式在法律上尚未得到认可。

16.8 侵权行为责任:过失

Donoghue v. Stevenson 一案中的裁决确立了以下规则:如果消费者可证明生产者有过失,则生产者要对最终的消费者承担责任。关于过失侵权行为的问题已经作过探讨。侵权行为责任的问题就是:负担举证责任的是消费者,而消费者不可能知道生产过程和任何可能的违反安全处理规则的行为。因此,"事情不言自明"原则

具有极大的重要性。此原则成功地适用于 Chaproniere v. Mason 一案中，该案涉及到巴思圆面包中含有一个小石子的问题，但是在 Daniels v. White 一案中，此原则未能得到成功适用，该案中发现一瓶柠檬汽水中含有碳酸，因为生产者证明其有一套有充分质量控制的安全生产操作系统，所以此原则未发挥作用。

16.9　1987年《消费者保护法》第一编

本法第一编执行了关于产品责任的欧洲指令（European Directive）。根据本法，被有瑕疵的产品伤害的人有权对生产者提起诉讼，而不用考虑生产者是否有过失。诉讼请求的依据是第2条，该条规定原告要证明下列四种情况：(1) 产品有瑕疵；(2) 原告受到损害；(3) 损害是由产品的瑕疵引起的；及 (4) 被告是生产者，商标所有人（Own-brander）或将产品进口到欧共体的进口商。

有瑕疵的产品

"如果产品的安全性不像人们通常有权期望的那样"，产品就是有瑕疵的。安全性包括死亡或人身伤害的风险，但是也涉及遭受财产损失的风险。决定一个产品是否有瑕疵时，所有情况都应予以考虑，包括［1983年《消费者保护法》（CPA），第3条第2款］：(1) 销售商品的方式，销售商品的目标，商品的样式（Get-up），有关商品商标的使用和商品上的说明，或者关于对产品或用产品应作什么或应限制／节制做什么的警告；(2) 可以合理预料对产品或用产品做什么；及 (3) 产品的生产者在什么时间提供产品给另一个人。在本条中没有规定瑕疵暗示一个独特的事实，即在提供产品之后产品的安全大于产品被怀疑时的安全性。

本法规定的产品范围很广泛，包括货物、电、煤气和蒸汽。有三个例外：土地、主要农产品和未加工的猎物（Game）。土地的定义包括"因附着于土地上而被包含在土地中的东西"（第45条）。

这就包括建筑物,从而根据本法排除了建筑者对瑕疵的责任。除非经过"工业加工"赋予了农产品"实质性质",否则也排除了农业产品的瑕疵责任。这种加工可能包括任何产品加工方式,例如冷冻,罐装或其他可使产品变形的加工——把肉加工成香肠,把土豆加工成冷冻土豆条——这时,承担责任的生产者是加工者,而不是农民。

对原告所受损害的赔偿

原告可以主张死亡或人身伤害的损害赔偿,或者主张财产(包括土地)损失或损害的赔偿,此类财产(包括土地)是指:(1)通常打算用于个人使用、占有或消费的一类财产;及(2)遭受损失或损害的人打算主要用于其自己个人使用、占有或消费(的财产)。不能就商业财产(Business Property)主张损害赔偿,除非损失或损害超过275英镑,否则私人财产损失或损害不能被索赔。

对本身有瑕疵的产品或由有瑕疵的产品构成的产品不能主张损害赔偿。如果把一个有瑕疵的产品加入到一个更大的产品中,当然就会有两个有瑕疵的产品,则原告也可以控告生产者,但是不能就有瑕疵的零件主张损害赔偿,也不能对由有瑕疵的零件构成的更大的产品来主张任何损害赔偿。

被 告

可以对生产者、商标所有人或进口商提起诉讼。商标所有人仅在一种情况下负有责任,即其在其商品上印上商标,以让人将其视为生产者。采取除去"由 A 为 Safeburys 制造"字样的方式给产品标上标签,就可以逃避责任。"进口商"一词限于有责任进口商品到欧共体的人。因此,如果产品是由 A 进口到法国的,然后 B 又从法国把此商品进口到英国,则只有 A 将会被视为进口商。

如果难以辨别进口商或生产者,并且,供应商在必要的时候也不能作出辨别,则供应商就可能要负有如同生产者一样的责任。

抗辩

下列抗辩由 1987 年《消费者保护法》第 4 条规定：（1）瑕疵符合法律规定或欧共体规则；（2）被告没有提供产品，例如，产品是被人从被告的经营场所偷来的；（3）被告在另一种情况下提供产品而不是在贸易活动中，并且被告没有为了营利而生产此产品（或未在产品上标记自己的商标或将此产品进口到欧共体）；（4）在被告提供产品时，产品上不存在瑕疵；（5）如果瑕疵可归因于由零件所构成的产品的设计，或者如果瑕疵可归因于由零件构成的产品生产者作出的说明，则零件制造商不负责任；（6）在其提供产品时，瑕疵是不可发现的。如果瑕疵已存在于生产者控制之下的产品中，则被告必须表明：相关时期的科学技术知识水平尚未达到一定程度，以至于像有争议的生产者一样，对于产品作出同样说明的生产者不能被期望发现瑕疵。这就是"发展风险"抗辩。

举证责任由被告负担。另一个抗辩即被害人本身的过失也规定在第 6 条第 1 款中，负有举证责任的仍是被告，此抗辩的依据是：原告未能尽到合理的注意，并且因此对其自己的伤害负有部分责任。

责任的免除

本法第 7 条规定禁止责任免除，此条规定："根据本条，对全部或部分由产品中的瑕疵导致遭受损害的人或者对其扶养人或其亲属负有的责任不应该被合同条款、任何通知或任何其他条款限制或免除。"

诉讼时效

诉讼必须在最后期限到期之前提出。根据本法，有两条关于诉讼的规则：（1）诉讼必须在有伤害或损害发生之日起 3 年内提起，或者，如果伤害等等直到后来才被发现，则诉讼必须在自原告开始知道伤害或损害之日起 3 年内提起；和（2）如果生产者提供产品后超过10年,则不能提起诉讼。如果商标所有人或进口商正在被控告,那么此10年的期限自其提供产品之时起计算。

16.10 1987年《消费者保护法》第二编

本法的第二编取代了1961-71年《消费者保护法》和1978年《消费者安全法》(Consumer Safety Act)。其规定:(1)国务大臣可阻止不安全商品的买卖;(2)商人向消费者提供不符合通常安全要求(safety requirement)的消费品是违法行为;(3)赋予消费者提起诉讼的权利,消费者可就由于商人违反安全规定而导致的损失或损害对商人提起诉讼,要求损害赔偿。

阻止买卖不安全商品

根据第13条,国务大臣可以签发两种类型的命令。

禁止通知(the prohibition notice)

此裁定仅可在国务大臣知道危险商品正在市场上买卖时才签发,以免保护公众迟延。如果当地的交易标准办公室(local trading standards office)有合理的理由认为安全要求已被违反,则其可向国务大臣送达一个"中止通知":第14条。此禁令可有效达6个月。但是如果没有发现违反安全要求的行为,则商人有权要求赔偿:第14条第7款。不遵守禁止通知是一项刑事犯罪。海关官员有权占有和扣押在港口的货物达2天之久,以使交易标准办公室的官员可以查清这些商品是否违反买卖标准:第31条。

警告通知 (the notice to warn)

当出现产品在设计上有错误可导致危险时,可将此通知送达给制造商并要求制造商采取相应的措施,此通知要求制造商在报纸上刊登一个警告通知,或者甚至同个人购买者签订合同收回产品。如果制造商不遵守警告通知则构成刑事犯罪。

向消费者提供违反通常安全要求消费品的违法行为

此违法行为由本法第10条规定。消费品是指"通常打算用于私人使用或消费的产品"。许多东西都被从消费品中排除，包括水、食物、飞机（手动滑翔机除外）、机动车辆、管制药物、特许药物产品和烟草。通常安全要求是指商品应该是合理安全的，"不安全"的定义类似于本法第一编中"瑕疵"的定义。在决定商品是否是不安全的时候，法院应考虑所有情况，包括买卖此商品的目的，商品的"式样"（get-up），给出的任何说明或警告，以及任何已公布的安全标准。如果商人能够证明其遵守了安全规则（safety regulations）或任何经批准的安全标准，就是一个抗辩。

作出此违法行为的人不仅仅可以是提供商品的商人，也可以是同意或要约提供商品或者为提供商品而展示或占有的商人。若零售商既不知道也没有合理的理由相信这些商品不是安全的，则零售商可有一个有限的抗辩。此违法行为不适用于打算从英国出口的商品，也不适用于未将商品作为新商品提供的商品。

因第 10 条规定的违法行为或者以安全规则（regulation）规定的违法行为而被起诉的任何人也可以获得"已尽到适当的谨慎"这一通常的抗辩。此抗辩的本质是：被告采取了所有合理措施，并尽到了所有适当的谨慎，以避免作出此违法行为：第 39 条。对一个进口商或批发商来说，此抗辩可能要求以多次商品检验随机抽样结果为证据。

对违反安全规则所导致损失的民事诉讼

即使原告没有从制造商那里购买商品，甚至即使原告没有购买商品，原告也可以对制造商提起诉讼。没有必要证明制造商的过失，此诉讼独立于本法第一编。豁免条款或免责条款不能免除或限制此民事责任。

根据本法对刑事责任和民事责任的限制

第二编中规定的责任仅涉及那些"正在进行贸易活动过程中"的人。

1994年《一般产品安全条例》（General Product Safety Regulations）

该条例规则（成文法文件1994/2323）与1987年《消费者保护法》第二编是平行的。1994年《一般产品安全条例》（GPSR）第5条的规定没有采用1987年《消费者保护法》第10条的条文，其规定了一般安全要求，如果产品符合下列情况则必须遵守这些要求：（1）生产者已将其投放到市场、要约或同意将其投放到市场或为将其投放到市场而将其展示或占有；或（2）经销商已将其提供、要约或同意将其提供或为提供而将其展示或占有。

对于经销商来说，关于提供商品的规则没有采用1987年《消费者保护法》第10条的规定，因此，《条例》仅仅是取代了法定条文；对生产者来说，关于"投放市场"一词的排除范围可能窄于1987年《消费者保护法》第10条中的"提供"一词，1987年《消费者保护法》界定"提供"一词的含义比较广泛。

"生产者"就是指在欧共体设立工厂的制造者，并扩展到：通过附上名称、商标或其他有区别性的标记于产品上以表明自己作为制造者的人，或者修复产品的人。如果制造者不是在欧共体设立的，则生产者就是进口商、制造者的代理人和其他在供应链条中的专业人员，这些专业人员的活动可能影响投放到市场上的产品的安全性。上述最后一类人员必须区别于"经销商"，经销商也是供应链条上的专业人员，但是，其活动不会影响产品的安全特性：《条例》第2条第1款。因此，生产者和经销商之间的区别是模糊的，可能许多人符合生产者的定义（例如，运输和贮藏货物的人，因为在这些情况下，贮藏或运输商品可能会影响商品的安全）。生产者可能也包括装配或安装电气产品和其他产品的人。

《条例》覆盖产品的范围比1987年《消费者保护法》广泛，因为《条例》扩展到"打算为消费者或可能由消费者使用的任何产品，无论是否有对价或是否是在商业活动中提供的商品和无论是否是新的、使用过的或修复过的产品"：《条例》第2条第1款。有一个例外就是"专门地使用于商业活动背景下的产品，即使此产品是由消费者使用的"：《条例》第2条第1款。这样的产品很明显包括基础设施，例如商店中的自动扶梯、运送滑雪者上山的吊索设备和火车客车车厢，但是是否包括提供给沙龙的洗发水或者是否包括超市货车仍是不明确的。《条例》中加上"此种例外不应扩展至向消费者提供此类产品"这句话，也不是很明确。

没有生产者会向市场投放产品，除非此产品是可销售的产品：《条例》第7条。《条例》第2条第1款规定："任何商品，其在通常的或合理可预见的状况下使用，包括持久使用，不会产生危险或仅产生符合产品使用的最小危险，可以被认为是可接受的，是同保护人们的安全和健康的高标准一致的，特别要注意：（1）产品的特性，包括其组成、包装、组装和保存的说明；（2）对其他产品的影响，可合理预见此产品将和其他产品一起使用；（3）产品的介绍、说明标签、关于使用和处理的说明及其他生产者提供的说明或信息；（4）使用此产品对特殊儿童有严重危险时消费者的种类；可能获得具有高标准的安全性产品或者介绍可以得到的低程度危险的其他产品，此事实不应引起此产品被认为不是一个安全产品"。

如果一个产品符合英国法律的特定规则，这一点在产品被销售前必须满足，可推定此产品是安全的：《条例》第10条第1款。如果存在特定规则，则评价安全性需考虑：（1）使欧洲标准生效的英国国家标准（例如，BSI 标准）；或（2）欧共体技术规格（specification）[例如，欧洲标准化委员会（CEN）的标准]，或者以上两方面都不考虑，而是考虑在产品区分或文化艺术和技术状况方面英国的标准或良好惯例法：《条例》第10条第2款。

生产者还应向消费者提供相关的信息，以使消费者能通过产品的通常使用期来估计产品中存在的固有风险，如果这样的风险不是立即能看出来的，则应使消费者能通过合理预见的使用期来估计产品中存在的固有危险,并且,生产者应采取措施通知消费者产品可能存在风险,并采取适当的行动,包括收回产品,避免那些风险。这些措施包括:为了便于识别标明产品或产品批次;样品检验;调查控诉和告知经销商这些情况:《条例》第 8 条。

经销商有义务帮助生产者确保符合《条例》第 7 条的规定,特别是不应该提供这样的产品,即经销商在其了解的信息的基础上和作为一个专业人员应知道或应该能推断出此商品是具有危险性的产品,其应该参与监测产品的安全性,通过告知产品上有危险的信息和在行动上合作的方式来避免那些危险:《条例》第 9 条。

《条例》第 12 条对违反《条例》第 7 条或《条例》第 9 条第 1 款的生产者和经销商规定了违法行为。根据《条例》第 13 条,生产者或经销商作出下列行为也构成违法行为:要约或同意向市场投放任何危险产品,或为将此类产品投放到市场而展示或占有此类产品。根据《条例》第 12 条,生产者负有严格责任,但是经销商仅当其知道或应该知道产品是有危险的时候才负有责任。同时,《条例》第 13 条对生产者和经销商都规定了严格责任的违法行为。然而,对两个违法行为而言,如果能表明其采取了所有合理的措施并尽到了所有适当谨慎(diligence)来避免作出违法行为,则应是一个抗辩:《条例》第 14 条第 1 款。如果经销商已经违反了《条例》第 9 条第 2 款,此款规定了经销商参与产品监测和为避免危险互相合作,经销商不能使用《条例》第 14 条第 1 款中或 1987 年《消费者保护法》第 39 条第 1 款中规定的适当谨慎抗辩:《条例》第 14 条第 5 款。根据 1994 年《一般产品安全条例》被控告的人主张此违法行为是由另一个人的行为或违约或依赖于另一个人提供的信息而引起的,此人未经法院许可不能援用抗辩,除非其在提起诉讼的听证会之前 7 天内送达了根据《条例》第 14 条第 3 款作出的通知:《条例》第 14 条第 2 款。

如果违法行为是由在商业活动过程中另一个人(another)的

行为或违约引起的,则他人(the other)犯有违法行为:《条例》第 15 条第 1 款。如果法人犯有违法行为是因为任何董事、经理、秘书或其他职员的同意或纵容,或可归因于其过失作出的行为或违约,则这些董事、经理、秘书或其他职员也被视为作出了违法行为,并且应被提起公诉和被处罚:《条例》第 15 条第 2 款。必须在违法行为发生之日起 12 个月内开始诉讼(规则 16),犯有违法行为的人应经简易判罪处以 3 个月的拘禁或处以不超过标准比例 5 级的罚金,或者并罚:《条例》第 17 条。

为执行 1994 年《一般产品安全条例》,1987 年《消费者保护法》第 13 条适用于产品,就如同该条关于禁止通知和警告通知的规定适用于有关商品一样:《条例》第 11 条第 1 款。《条例》根据 1987 年《消费者保护法》第 14、16 和 18 条中的规定制定关于中止通知(suspension notice)、没收(forfeiture)和获得信息的安全条款:《条例》第 11 条第 2 款。由英国官方权衡过的《条例》是可执行的:《条例》第 11 条第 3 款。

16.11　从担保合同

即使商品的制造商不直接销售商品,其也可能同消费者订立一个从合同,由其设立的"担保"和"保证"可以形成消费者和零售商之间的合同基础。制造商对这些保证负有责任。

以前,担保或保证企图排除任何购买人根据法律获得的权利,但是 1977 年《不公平合同条款法》(Unfair Contract Terms Act)第 5 条中对此作了调整,该条规定:(1)在一种类型的商品通常提供给私人使用或消费的情况下,如果损失或损害①产生于当消费者使用时证明有瑕疵的商品;并且②是由制造或经销商品活动中相关人的过失导致的,则仅依据商品保证不能免除或限制损失或损害的责任。

"保证"(guarantee)就是"包含或意图包含一些'来弥补瑕

疵'的许诺或保障(无论是口头提出还是出示)的书面文件通过完全或部分替换或者通过修理、金钱补偿或其他方式":第5条第2款第2项。

本条"不适用于当事人之间根据或按照合同来移转商品占有权或所有权":第5条第3款。这就似乎允许制造商在消费者直接向其购买商品时免除自己的责任,但是该规定仅意味着将会根据其他条文企图免除责任。

16.12 主动提供商品和服务的合同

1971年《主动提供商品和服务法》(Unsolicited Goods and Services Act)规定了一个惯例,商人借以未经某人要求提供就将商品送到某人手中,该惯例受到但书(proviso)的限制,即如果此人在确定的期间内未归还商品,商人就可以认为此人购买了此商品,而且此人还应向其支付商品的价款。如果上述情况发生,收到商品的人有权利将商品视为一个主动提供的礼物并且免费保留商品一段时间。如果此人向发送商品的人送达书面通知,告知此商品是主动提供的,则这段时间是30天,如果没有发出通知,则此商品可由接受者在6个月以后保留:第1条。

本法还规定了根据商业或贸易指南(directories)中的条目订购的形式(第3条),并且还规定了寄送描述或说明人类性爱技巧的主动提供的书是一种刑事犯罪:第4条。

16.13 可撤销的商品和服务协议

1987年《消费者保护(在经营场所以外的地方签订的合同)条例》对由商人主动去其家或工作地点或其他地方交易中订约购买商品或服务的私人购买者规定了一个试用期间。该《条例》对公司、法人或与交易有关的订约人没有规定,仅提及了"主动提供"的拜访,但是这包括商人通过电话进行的拜访。购买人必须得到有关其权利的书面通知和在运用此权利时可使用的形式。顾客可以在达 7 天的时间内以任何形式的书面通知撤销；通知一经发邮即生效。

《条例》排除下列合同：（1）商品的成本是 35 英镑或更少（包括增值税）；（2）购买、销售、处分、租借或抵押土地；（3）为购买土地融资或提供临时融资；（4）建筑或建筑物的延伸部分或其他垂直于地面的建筑物；（5）提供食物、饮料或其他通常由定期的（regular）商业推销员提供的商品；（6）提供 35 英镑或更少的信贷（credit）；（7）由其他法律规定：1982 年《保险公司法》（Insurance Companies Act），1986 年《金融服务法》（Financial Services Act），1987 年《银行法》（Banking Act）；或（8）邮购商品价目表的条款特别授予撤销的权利。

16.14　消费者合同中的不公平条款（unfair terms）

在 1994 年《消费者合同不公平条款条例》（成文法文件 1994/3159）贯彻实施了欧洲经济共同体委员会第 93/13 号指令（EEC Council Directive 93/13）中关于消费者合同不公平条款的规定。此条例于 1995 年 7 月 1 日生效，涉及商品供应者和消费者之间的合同条款，此处所指的消费者是不以贸易为活动目的的自然人。这就意味着此条例不涉及（1）向不以商业活动为活动目的的人所作的供应；（2）双方当事人都不以商业活动为目的的供应。此条例适用于各式各样的合同——不只适用于买卖商品的合同——还包括买卖土地的合同、抵押和借款证明文件（documentation）、保险合同和运输或专业建议合同。供应商品的合同包括租借合同或分期分期付款买卖合同。此条例不适用于雇佣合同、继承权、根据家庭法取得的权利、公司或合伙的合并和设立、任何符合或反映英国法律或规章条文的组成法人组织的条款；或者成员国或欧共体是参与者的国际公约（conventions）的条文或原则（表1）。

如果卖方或供应商和消费者之间达成的条款未经单独协商，则本条例适用于该条款（《条例》第3条第1款），其例外是，如果此条款（1）规定了合同的主要标的物（subject–matter）；或（2）涉及销售或供应的商品或服务的价格或报酬的恰当性则只要该条款的表述是清楚的和可理解的，就不得对该条款的公平性作出评定：《条例》第3条第2款。如果已经事先革拟一个条款，并且消费者已经不能影响此条款的实质，则此条款总是应作为未经单独协商的条款。关于"条款已被单独协商"的举证责任由卖方或供应商承担：《条例》第3条第4款。

"不公平条款"被定义为"违反诚信或善意要求，导致双方当事人权利义务严重失衡，从而损害消费者利益的条款"：《条例》第4条第1款。

评定条款的不公平性应该考虑商品或服务的性质，并且参考办理签订合同的所有情况和此合同的其他条款或此合同赖以存在的另一个合同的其他条款：《条例》第4条第2款。《条例》第4条第3款规定：在决定条款是否满足诚信要求的时候，特别应该注意表2，其涉及到：（1）当事人交易地位的实力；（2）消费者是否有同意此条款的诱因；（3）是否按消费者的特别定单来销售或提供商品或服务；（4）卖方或供应商同消费者公平公正地交易所达到的程度。

即使消费者同卖方在合同中达成了任何不公平条款，此不公平条款也不能约束消费者：《条例》第5条第1款。此外，卖方/供应商应该确保合同的书面条款以清楚明白的、能被理解的语言书写，如果对书面条款的意义有疑问，则应优先考虑对消费者最有利的解释：《条例》第6条。如果根据非成员国法律适用的条款与成员国的领土有紧密的关系，则尽管此条款是根据非成员国的法律而适用的，《条例》也仍然适用于此条款：《条例》第7条。此外，公平交易总署署长有义务仔细考虑申诉——为通常使用而拟定的任何合同条款的不公平，除非此申诉是无关紧要的或令人烦恼的：《条例》第 8 条第 1 款。如果根据申诉，其认为合同条款是不公平的，则其可以提起诉讼，申请对任何在消费者合同中使用或推荐使用该条款的人签发禁令：《条例》第 8 条第 2 款。但是，其可以根据相关人员向其作出的保证而同意其继续使用该条款：《条例》第 8 条第 3 款。

表 3 规定了可以被视为不公平条款的说明性列表，包括：

1）在由于卖方或供应商的行为或忽略导致消费者死亡或人身伤害的情况下，免除或限制卖方或供应商的责任；

2）在完全或部分不履行或不充分履行任何合同义务的情况下……不恰当地免除或限制消费者的法定权利；

3）签订协议约束消费者，同时卖方或供应商服务的条文只能根据一种有赖于卖方或供应商单独的愿望才能实现；

4）如果消费者者决定不签订或履行合同，则允许卖方或供应商保留消费者支付的款项，但未规定：如果卖方或供应商解除了合同，消费者也可得到同等的补偿；

5）要求不能履行义务的消费者支付（与卖方或供应商的损失）不成比例的高额补偿金；

6）授权卖方或供应商可自由决定解除合同，而同样的权利却未给予消费者或者规定：如果消费者解除合同，则卖方或供应商保留消费者为尚未提供的服务支付的款项；

7）除非有重大的理由，否则使卖方或供应商能够未经合理通知就终止未规定合同期间的合同；

8）如果消费者在固定期间到期之前就已经预先表明其希望不再延长此合同期间，则未经消费者此外指示就自动地延长有固定期间的合同的期间；

9）在达成合同之前，消费者没有真正机会了解的约束消费者的不可撤销条款；

10）使卖方或供应商能够没有合同中规定的有效理由就单方面变更合同的条款；

11）使卖方或供应商能够没有合同中规定的有效理由就单方面变更产品或服务的任何特征；

12）规定在交付的时候决定商品的价格，或者允许卖方或供应商提高商品的价格而不给予消费者在价格与签订合同时商议的价格相比太高的情况下解除合同的权利；

13）给予卖方或供应商决定提供的商品或服务是否与合同不一致的权利，或者给予其解释任何合同条款的独有的权利；

14）限制卖方或供应商对其代理人所为行为承担责任，或者要求卖方或供应商的委托行为必须符合特定手续；

15）强迫消费者履行其所有义务，而卖方或供应商却无须履行其义务；

16）给予卖方或供应商移转其合同项下的权利义务的可能性，若此移转可能降低对消费者的保证且未经消费者同意；

17）免除或阻碍消费者行使采取法律诉讼或运用任何其他法律救济的权利，特别是通过要求消费者只能将争议提交给法律条款没有规定的仲裁来解决，过度地限制消费者能获得的证据，或者强加给消费者举证责任，而此举证责任根据应适用的法律本应该是由合同的另一方当事人承担的。

推荐读物

《消费者保护法教程》（David Oughton and John Lowry, Blackstone Press, 1997）。

问题

1. 1968年《商品说明法》第1条就商品规定了哪两种刑事犯罪？

2. 举例说明何为对商品作出"虚假商品说明"。

3. 关于确定对服务、住房和设施作出虚假陈述的人的责任的主要问题是什么？

4. 1968年《商品说明法》规定的抗辩之一涉及了"人格否认"（alter ego）原则。何为此抗辩，此原则的意义是什么？

5. 制造者怎样对其商品上的瑕疵承担责任？

6. 收到主动提供商品的人有权在一段确定的时间之后将这些商品作为主动提供的礼物。这段期间是多长？

7. 《消费者合同不公平条款条例》与其他哪部法律的规定重合？

8. 在卖方或供应商和消费者签订的协议中，适用《消费者合同不公平条款条例》的哪些条款？

9. 举例说明《消费者合同不公平条款条例》适用的协议和不适用的协议的类型。

17

竞争法

学习目标

通过本章学习了解以下内容：
1. 公平贸易总署署长及公平贸易办公室在管理垄断、兼并及限制性、非竞争性贸易实务方面的职责
2. 《欧共体法》中有关限制性贸易实务的规定
3. 《欧共体法》中关于禁止滥用优势地位的规定

17.1 《竞争法》的宗旨

《竞争法》规定了公司和个人的市场竞争力（market power），禁止公司和个人通过制定统一联合的商品、服务价格以制约竞争，并为其划分了市场份额。该法还对兼并进行了规定，并禁止占优势地位的公司滥用其优势地位，制定过高的价格或歧视消费者的政策。本法对自由市场的干预是为了保护消费者的利益。

17.2 英国竞争法及欧洲共同体竞争法

英国竞争法包括 1973 年《公平贸易法》、1980 年《贸易法》、1998 年《竞争法》。1998 年《竞争法》对前两部法律均做了修改，其对原英国竞争法中关于限制性贸易协议及公司滥用其优势地位的内容进行了革命性的修改。英国竞争法现与欧洲共同体竞争法并

存。两套体制都注重效果，都以实际或潜在竞争的效果为首要调整重点。本章包括（1）英国竞争法；（2）共同体竞争法。

17.3 1973年《公平贸易法》

该法包括十二编，第一编规定了公平贸易总署署长（DG），消费者保护咨询委员会（CPAC）及竞争委员会（其代替了垄断与兼并委员会）。其他各编主要是规定公平贸易总署署长（DG）的权力范围，其由贸易工业部任命，承担1980年和1998年《竞争法》、1974年《消费者信贷法》和1979年《房地产经纪人法》中为其规定的义务。

公平贸易总署署长（DG）主要有以下义务：（1）管理垄断、兼并及限制性、非竞争性实务；（2）监督贸易实务；（3）向贸易工业部报告不良贸易现象，并提出建议；（4）对一贯不公平对待消费者的商人采取措施；（5）鼓励商会制定非官方的贸易规则；及（6）印制近期信息及为消费者提供建议。

以上工作由理事长的机构——公平贸易办公室（OFT）完成。理事长可根据投诉及办公室收到的其他信息，向贸易工业部的国务大臣提出建议。理事长也能向其他政府官员提出立法建议。

17.4 向消费者保护咨询委员会报告（CAPC）

该法第二编规定公平贸易总署署长（DG）可公布有关于消费者利益问题的材料，并提出建议。该材料将会送至委员会，再由委员会决定是否同意或再对材料进行修改。委员会必须在三个月内向可依法定程序制定成文法的官员汇报，例如有关邮购商品、保证、消费者权利通知、变相买卖等成文法的制定。

17.5 对不良商人的控制

该法第三编中规定公平贸易总署署长具有"监督人"及"检

查人"的职责,对一贯有下列行为的人进行监督:(1)损害消费者利益,无论是经济、健康、安全或其他利益;及(2)根据具体标准认定其对消费者有不公行为。该标准包括违反刑法规定的义务、禁止、限制以及对合同的违反或对民事义务的违反。

公平贸易总署署长应首先试图取得该商人有效的书面保证,在保证中其承诺不继续在经营中有相同或类似的行为。该保证书应附于年度报告中。若不能取得书面保证,或保证又被违反,则理事长可根据该法第35条在高等法院或郡法院提起诉讼。法院的权力包括(1)取得不再为该行为的担保;(2)对类似的情况作出判决。法院还可获得公司的分公司、董事、或高级职员及其他联合组织的其他成员的保证或对其作出判决。在此种诉讼中,抗辩方通常可获得法律援助,并上诉于上诉法院。若违反作出的保证或判决构成藐视法庭罪,则应受到监禁或罚款的处罚。

17.6 非官方行业规则

公平贸易总署署长有义务鼓励商会制定并公布保护及促进英国消费者利益的规则:第124条第3款。制定规则的行会包括:国家电气用具制造商协会;英国旅游代理商协会;苏格兰马达贸易协会;车辆制造及修理商协会;国家修鞋厂协会;圣克里斯宾皮靴贸易协会;英国洗衣工及清洁工协会;足上用品销售商联合会;无线电、电子、电视零售商协会;邮购出版商协会,等等。

办公室会在"公平交易,购买者指南"一书的活页中列出各行规则及各协会的名称和地址。许多协会成员会在其营业场所展示协会标志,并且大多都规定将争议提交仲裁。

17.7 垄 断

垄断的现代历史是伴随着法院的不干预模式产生的,该模式导致了法定干预。1973年《公平贸易法》中规定了公平贸易总署署长及竞争委员会（CC）。委员会由 10-27 名经国务大臣任命的委员组成，其主要职责是对投诉进行调查并汇报，根据本法，其受理的投诉是有关于：（1）存在或可能存在垄断情况；（2）根据本法第五编对报社或报社的财产进行转让，该编禁止通过兼并使报社不合理的集中于一位所有者；（3）根据本法第五编，调查已发生或可能发生的兼并情况；及（4）由公共机构提供的服务的效率及收费或可能的垄断滥用。公共机构是指提供商品或服务的国家性商务行业，例如公共汽车服务经营人、法定自来水供应商及类似行业（1980年《竞争法》第11条）。

垄断报告书

若在下列情况下出现垄断，则公平贸易总署署长或国务大臣可制作一份垄断报告书：（1）任何种类货物的供应；（2）服务的提供；或（3）任何种类货物自英国向外出口，无论是针对大众市场还是针对具体的市场。

竞争委员会将对此进行调查作出报告。

商品或服务行业的垄断标准为：英国境内 1/4 的商品或服务由某人或某集团提供，或其通过订立一个或几个协议来禁止其他的同种商品供应，以及类似的情况。

委员会报告及汇报的内容

委员会必须如实报告，但也可能要报告经营条件或可能的经营条件是否影响了公共利益。在决策时，要考虑到所有相关的事项，委员会可要求证人出庭、监誓、要求提供文书及其他证据。在调查完毕时，要递交一份有效的报告。若报告书内容正确，则在报告书中必须为汇报定一个具体的时间限制。除非违犯了公共利益，否则汇报书必须呈交国会两议院。若发现存在垄断，则相应官员有权依法发布裁定。而后，公平贸易总署署长就具有了监督职责。若有必要采取执行措施，则"任何人"均可提起民事诉讼，皇室也可申请禁令或其他适当的救济措施。除发布命令之外，公平贸易总署署长还可取得垄断者保证弥补汇报中所记载的恶劣后果的保证书。这种解决方式在不太正式的场合能有效地解决复杂的经济及商业问题，若其后情况变化，还可再作协商。

17.8 兼并

根据该法第 73 条，国务大臣有权命令中止兼并。若有必要对兼并进行调整，则公平贸易总署署长应研究全部事实情况。许多公司都需要办公室对于公平贸易总署署长是否会建议国务大臣向委员会提交兼并报告书给予较秘密的指导。公平贸易总署署长有向国务大臣提建议的义务，大臣随后会向委员会提交报告书——公平贸易总署署长可以不亲自调查兼并情况。当 2 个或 2 个以上（至少有 1 个）企业在英国已不再是第 64 条意义上的企业时，国务大臣就可以提交报告书了。同时，国务大臣还必须调查兼并是否造成了垄断或将要造成垄断（即占据了 1/4 的市场份额），或兼并的财产超过了五百万英镑。若兼并已经发生，则应在发生后的 6 个月内制作报告书。

程序如下：公平贸易总署署长作为各省间兼并小组主席，通常要完成准备性调查，并在 4 周内向国务大臣提出建议。若国务大臣决定制作报告书，则委员会必须在 6 个月内提交报告，必要时可再延长 3 个月。通常是在 3-4 个月内提交报告。委员会必须确定兼并情况是否存在，以及为了公共利益其如何运作或将如何运作。国务大臣有权对此发布命令，但通常是要求公平贸易总署署长取得兼并担保。

对于报业兼并，若将报社或其财产转让给某报业所有人，而其已拥有的报纸平均日发行量为 50 万份（包括转让的报业），则除非得到国务大臣的书面同意，否则此种转让是不合法的、无效的。（第 58 条第 1 款）

17.9 阻碍、限制或扭曲竞争的协定等

1976 年和 1977 年《限制性贸易实施法》、1976 年《转售价格法》(Resale Prices Act) 及 1976 年《限制性贸易实施法庭法》(此法建立了保证执行法律规定的法院) 被 1998 年《竞争法》第一编所代替。除非另有规定，否则本节中所指的法律均为 1998 年《竞争法》。

企业之间的协议，企业联合组织之间的决定或其他可能影响英国贸易的一致行为，若其目的及协议的效果是阻碍、限制或扭曲英国国内的竞争，则除非第一编第 2 条第 1 款另有规定，否则这种行为是受到禁止的。该条适用于下列协议及其他类似情况：(1) 直接或间接地规定固定的购买、出售价格或其他贸易条件；(2) 限制或控制生产、市场、技术进步或投资；(3) 划分市场份额或供应来源；(4) 对不同交易方在相同的贸易中适用不同的交易条件，使其处于竞争劣势地位；及 (5) 使合同的缔结取决于对方对额外义务的接受，无论是依合同性质，还是依商业惯例，该额外义务均与合同标的无关：第 2 条第 2 款。此种禁止只适用于意图在英国履行的协议或类似协议：第 2 条第 3 款。这种协议是无效的：第 2 条第 4 款。可参见第一章：禁止 (第 2 条第 8 款)。第一章禁止不适用于本法表 1 至 4 排除的协议，包括：兼并及资本集中 (表 1)；根据其他立法而为的竞争调查 (表 2)；计划责任及其他一般免责 (表 3)；职业规则 (表 4) (第 3 条第 1 款)。本条还授予国务大臣随时修改表 1 及表 3 的权力，并可根据具体情况免除对协议的禁止。本法还规定了对第一章禁止的个别及成批豁免。

个别豁免

若协议的一方当事人根据第 14 条提出了豁免请求，并且该协议适用于第 9 条，可豁免该协议于禁止之外。该免除可附加公平贸易总署署长认为适当的条件或义务，并在公平贸易总署署长认为合

适的期间内产生效力,该期间必须在豁免时具体说明。此豁免可早于批准豁免之日(第4条)。在豁免程序上要求通知公平贸易总署署长并申请其作出决定。公平贸易总署署长应决定是否违反了第一章禁止,若未违反,应决定该协议是否属于法定豁免范围或属于除外范围。若某协议已通知了公平贸易总署署长,则在从通知日起至申请结束日止的期间内,不得对其采取处罚措施(第14条)。协议能否豁免于禁止之外取决于个别及成批豁免标准,该标准适用于下列协议:(1)有助于①改善生产及销售;或②促进经济及技术进步,同时使消费者能得到公平的利益;但(2)不是①强加对于达到上述目的并非必要的限制性义务;②使有关企业能消除产品生产的竞争(第9条)。若署长认为某协议并未违反第1章的禁止,其将对该协议不采取任何措施,除非:其有理由认为情况发生了重大改变;或其有合理根据怀疑其作出决定的依据信息是不完全的、虚假的或误导的。对于任何违反不得采取任何惩罚措施,但署长可向申请人递交书面通知来取消此种豁免,通知中包括其将在具体时间取消其豁免,该时间可早于通知的时间,从署长有合理理由怀疑其作出决定的依据信息是不完全、虚假或误导之时起算(第16条)。若署长在作出同意后有合理理由认为情况发生了重大变化,则其可以通过书面通知:(1)取消豁免;(2)改变或取消任何附加的条件或责任;或(3)增加一项或一项以上的条件或义务(第5条第1款)。此种通知也适用于其有合理理由怀疑其作出决定的依据信息是不完全的、虚假的或误导的(第5条第2款);及申请人未能遵守义务(第5条第4款)。对附加条件的违反会导致豁免被取消(第5条第3款)。

成批豁免(Block Exemption)

若协议是处于特殊的协议目录中,并且署长认为其有可能符合第9条时,则其可建议国务大臣为成批豁免的目的而豁免此目录于禁止之外(第6条第1款)。国务大臣可根据建议作出成批豁免命令，或做相应调整（第6条第2款）。在此具体规定目录中的协议可豁免于第一章禁止之外（第6条第3款）。成批豁免命令中可附加条件或义务，可规定（1）违反条件将会取消对此类协议的成批豁免；（2）若协议人没有遵守义务，则署长可通过书面通知，取消对该协议的豁免；及（3）署长可规定对具体协议取消成批豁免的情况（第6条第5款）。命令中也可规定该命令在某一具体期间结束后失效（第6条第7款）。一份豁免命令可允许协议的一方当事人向署长通知该协议，该协议不符合命令中的整体豁免要求，但符合具体的通知标准，一旦该协议被通知，则其从命令中规定的通知期间结束时起，视为处于成批豁免裁定所规定的目录中，除非理事长（1）反对如此作法；并（2）在通知期限结束前递交其反对的书面文件。若署长为前述行为，则第1款通知的协议将被视为根据第14条作出个别豁免。在作出成批豁免建议前或变更、撤销豁免命令时，署长必须遵循第8条规定的程序。若某协议（1）通过规定的方式；（2）由委员会给予豁免；或（3）根据适当的反对或抗议程序向委员会进行了通知，并且（1）在规定的时间里委员会未反对该协议；或（2）委员会对该协议提出了反对或抗议，但又撤回了反对或抗议（第10条第1款）。而符合共同体竞争法的豁免，其同时在英国国内也享有豁免，在欧共体竞争法第11条豁免中规定了进一步的豁免可能性。

寻求指导的通知

协议的一方当事人可向署长通知该协议，并向其咨询此协议是否违反第1章禁止（第13条第1款和第2款）。署长可告知（1）该协议是否可根据成批豁免、同时豁免或第11条豁免而免除责任；或（2）在被询问时回答其是否有可能同意该协议作为个别豁免（第13条第3款）。根据本条进行通知的协议在通知日起至申请结束之日止，不得受到处罚（第13条第4款）。一旦署长根据第13条第3款进行了指导，则其对该协议不得采取进一步的行为，除非

(1) 其有理由相信自指导后情况发生了重大变化；(2) 有合理理由怀疑其作出指导的依据信息是不完全的、虚假的或误导的；(3) 一方当事人是根据第14条申请其作决定的；或 (4) 第三方向其进行了投诉（第15条第1款和第2款）。根据本条对该协议不得采取处罚措施（第15条第3款）。但署长可通过送达书面通知取消在通知期限内的豁免（第15条第4款）。并且若其有合理的理由相信其作出指导的依据信息是不完全的、虚假的或误导的，则豁免的日期可早于提交通知的日期。

小额协议的限制性豁免

小额协议是指处于声明为了本条目的而定的目录之中，但并非价格固定的协议。认定小额协议的标准可能包括协议当事人的联合控制及该协议控制的市场份额（两者均取决于具体条款的规定）（第38条）。小额协议的当事人可被豁免第35条的责任（处罚规定——见下文），但经署长调查后，可撤销此种豁免。署长撤销豁免的书面通知应当送达当事人，并且撤销日期应当晚于作出撤销决定的日期，同时要考虑当事人可能要求的保证不进一步违反禁止的保证期间。

17.10 滥用优势地位

1998年《竞争法》第二编"禁止"代替了已被废除的《竞争法》的第2-10条"控制"的规定。除非另有说明，否则本节所指法律均为1998年《竞争法》。

根据第19条，从事一项或几项滥用优势地位影响英国市场的行为是禁止的（第18条第1款）。下列情况可构成滥用：(1) 直接或间接地强加不公平的购买、出售价格或其他不公平贸易条件；(2) 限制生产、市场或技术发展以歧视消费者；(3) 对不同交易方在相同的贸易中适用不同的交易条件，使其处于竞争劣势地位；或 (4) 使合同的缔结取决于对方对额外义务的接受，无论是依合同性质,还是依商业惯例,该额外义务均与合同标的无关(第18条第2款)。"优势地位"是指在联合王国国内或其部分领地内有"优势地位"。第2章禁止不适用于兼并及资本集中(表1)或一般免责(表3)。国务大臣可以随时通过命令修改表1,并在特定情况下将第2章禁止适用于表3。

通知

本法对认为自己可能违反了禁止者向署长发出通知进行了规定。通知可要求指导(第21条)或要求作决定(第22条)。在申请指导时,若署长认为该行为不可能违反禁止,其就不能采取进一步行为,除非其(1)有理由相信情况发生了巨大改变;或(2)有合理理由怀疑其作出指导的依据信息是不完全的、虚假的或误导的;或(3)其收到了对于该行为的投诉(第23条1款第2项)。对于该情况下的违反不得采取任何惩罚措施,但署长在下列情况下可撤销此种豁免:(1)对第2款中的行为采取措施;(2)其认为有可能违反该禁止;及(3)其对申请指导者给予了书面通知,说明其将从通知中具体规定的某日起撤销豁免。若署长有合理理由怀疑其作出指导的依据信息是不完全的、虚假的或误导的,则该日期可早于通知的日期(第23条第4款和第5款)。第24条对第22条中申请作决定的通知有相同的规定。

对较不重要(minor significance)行为的限制性免责

衡量较不重要行为的标准可陈述为包括行为人的流动资产及其行为对份额的影响(取决于法律的具体规定)(第39条第2款)。从事较不重要行为的人不受任何处罚,但署长可在调查之后,送达撤销豁免的书面通知,该豁免于书面通知记载的日期被撤销。撤销日期必须在决定作出日之后,并且要考虑申请人避免进一步违反可能需要的时间(第39条)。

17.11 对第1章及第2章禁止的调查及执行

署长在有合理根据怀疑违反禁止时，可进行调查，也可授权其职员行使其第26条、27条的权力（第25条）。署长可要求某人提交其认为与调查有关的文件（第26条第1款）。署长可规定提交的时间、地点、方式及形式。该权力还包括要求提供该文件的副本或节略本，或要求过去或现在的职员对此进行解释。若未提交此文件，可要求一份说明该文件位于何处的声明（第26条第4款和第5款）。任何经署长授权的职员均可根据第25条第2款，通过向业主递交一份至少进行两个工作日调查的书面通知进入与调查有关的营业场所（第27条第1款和第2款）。该进入通知适用于进入署长有合理理由怀疑是由正在受调查的协议当事人所有或正在受调查的企业所有的营业场所，或调查官员采取了所有合理步骤送达通知却不能送达成功的营业场所（第27条第3款）。调查官员可以：（1）携带对其十分必要的装备；（2）要求营业场所的任何人①提交其认为与调查有关的文件，以及②作出调查员要求的解释；（3）要求任何人说明文件的所在地点；（4）对提交的文件取得副本或节略本；及（5）在授权职员认为从营业场所可获得计算机上的信息与调查有关、可以某种形式带走、并且在该形式下可见、易读时，要求带走该信息（第27条第4款和第5款）。若有合理理由相信：（1）营业场所有符合第26条的要求但未提交的文件；（2）营业场所有不应被提交但被隐藏、转移、修改或销毁的文件；或职员试图进入该营业场所而不能进入的情况下，持有治安法官签署的保证书即可进入该营业场所：第28条第1款和第2款。不遵守第26、27、28条规定或销毁、伪造文件，或提供虚假、误导信息者，是违法的，应根据第41、42或43条受到监禁及/或罚款处罚。公民受法律保护，可不提供、披露特许交易的材料（第29条）。

若署长认为某协议违反了第1章的禁止或某行为违反了第2章

的禁止，则其可指示通过修改、终止该协议以结束此违反协议或停止有疑问的行为（第31、32条）。若某人未能遵守第31、32条的指示，则署长可要求法院判决该人对其违反行为作出弥补；或者，若该指示有关企业的经营或管理，则要求该企业或其职员遵守指示（第33条第1款）。署长有合理理由怀疑有违反第1章及第2章的行为，但未完成其调查时，其为公共利益考虑，有权要求采取过渡措施（第34条）。署长认定某企业有对第1章及第2章禁止的违反时，可要求该企业因违反行为接受处罚（第35条第1款和第2款）。通知必须是书面的，并规定具体的时间，当事人应在该时间前支付罚金，此时间不得早于第45条规定的对该通知上诉期间的结束日。处罚不得超过该企业流动资产的10%。罚金应支付给联合基金会（第35条第5款和第6款）。署长可将未支付的罚金作为民事债务进行追偿。署长必须公布如何确定处罚金额的指南，并随时公布对该指南的变更。

对署长所作决定的上诉

署长对某协议或某行为作出决定后，该协议的任何当事人或行为人可上诉于竞争委员会（第45条）。第三方也有上诉的权利（第46条）。上诉审判由上诉法庭（竞争委员会上诉法庭）主持。在法律上不服或对罚金数额决定的不服，也可上诉于上诉法院。该权利是合法的，可由对此事有足够利益的人或团体行使。

17.12　欧洲共同体竞争法基础

欧洲共同体体制来源于美国法，其目的是发展州际间的自由贸易，禁止反竞争的协议，并根据竞争法的授权公告协议，此种协议可以是市场中同等水平竞争者之间的（即横向协议）或是不同供应水平之间的（即纵向协议）。欧洲委员会规定了几乎所有的纵向、横向协议，并监督协议的市场力量、有效利润及对消费者的影响。

《欧洲共同体条约》第 2 条规定了基本原则，在第 3 条第 6 款中特别规定了"要组建保证共同市场上竞争不受阻碍的体制"。私营企业（不同于公共企业，私营企业被限制参加国家支柱产业）间竞争规则的框架主要是第 85 条（规定了限制性实务）、第 86 条（规定了优势地位滥用）及第 17 条规则（规定了法律执行机制）。

17.13 对共同体范围内违反的认定

欧洲共同体竞争法执行的授权

委员会享有调查及认定违反竞争规则的权力，这是委员会委员及第四总局（包括一个行政单位及 4 个管理局）的职责。各管理局的职责分别为：一局：调查、制作文书、对市场结构进行研究；二局：根据欧洲共同体法第 85、86 条控制限制性实务及对优势地位的滥用；三局：合并联合煤炭、钢铁、能源、交通及知识产权；及四局：监督国家支柱产业、国家垄断及公共企业，区分公共产业。

委员会的调查

委员会要对违反第 85 及 86 条的下列情况进行调查：（1）属于二局及三局的职权范围内；或（2）煽动（instingate）利益方：即成员国、企业及个人。

依职权的调查由委员会决定是否开始，但委员会负有对第三方投诉进行调查的义务，投诉是委员会信息的主要来源。仅有投诉是不够的：必须还有对违反行为的说明及有关方的具体情况；投诉必须是真实的。委员会决定是否接受投诉。通常调查要花费 2 - 3 个月的时间。

投诉所提及的违法者没有回答问题的义务，但通常要合作。为了开展调查，通常在委员会、企业、相应国家当局间签订协议；例如，在英国负责公平贸易的是竞争政策部。调查有结果后，委员会作出声明，并特别说明对企业与委员会对质，在作出最后决定前提出其观点。若证明有违反行为,则委员会可对违反企业进行劝告,签发禁止令以终止违反行为,以及在适当时申请制裁。包括:(1)宣告限制性实务协议无效;(2)实施罚款及处罚:罚款最高不超过公司流动资金的10%——1991年7月特拉帕克(Tetrapak)由于违反《竞争法》而被创纪录地罚了5200万英镑;(3)对"恶意或疏忽"提供虚假信息的罚款,可从中拨一部分鼓励提供证据者。

应当注意的是:委员会在这些程序中具有调查和准司法的职能。其决定要受到欧洲法院(ECJ)的司法审查,欧洲法院可撤销其全部或部分决定,并且可减少或增加罚金或处罚。

17.14 对国家范围内违反的认定

英国执行当局

对违反共同体竞争法的调查可由适当的国内当局执行,其还可对违反的企业提起诉讼。在英国,处于公平贸易总署署长领导之下的公平贸易办公室担负着此种职责。

制裁及司法调查

在国家范围内,制裁是受国内法调整的,执行机关必须根据已建立的司法调查体制作出执行决定。因此,在英国由普通法院进行司法调查。

对共同体竞争法的遵守

为了保证在共同体内遵守竞争规则,对《欧共体法》的解释只能由欧洲法院(ECJ)作出,《欧洲共同体条约》第177条允许、并且在某些情况下要求国内法庭及法院申请欧洲法院(ECJ)在解释上作预先裁定。在共同体委员会和成员国之间可能会出现管辖权重叠,但通常,由委员会先提起的诉讼,优先于由国内机关提起的诉讼;然而,即使委员会在此过程中也提出了诉讼,由国内机关先提起的诉讼仍应持续至结束。

欧洲抗辩

国内法采取的一项特殊执行措施是在国内法院使用欧洲抗辩。在 Aero Zipp Fasteners Ltd. v. Ykk Fasteners (UK) Ltd 一案中，原告提出了第85条及第86条规定的抗辩作为专利侵权诉讼的抗辩。

17.15 规则的域外适用

本规则并不是只在共同体地理范围以内适用，共同体规则也有域外适用，即规则可根据贸易协议扩展适用于非成员国。在 *ICI Ltd* v. *EC Commission* 一案中，确定了欧洲委员会管辖权能适用于非成员国企业的规则。ICI 有限公司联合多家公司对染料价格进行联盟，自行定价，委员会处罚了4家德国企业，1家法国企业，1家意大利企业，3家瑞士公司及 ICI 有限公司〔英国当时并非欧洲经济共同体的（EEC）成员国〕。欧洲共同体之外的公司反对将共同体竞争法适用于界外。

域外扩展适用的标准

总顾问提出了共同体法适用的三个标准：（1）通过协议或一致行为对共同市场造成直接及迅速的限制；（2）对效果可合理预见；及（3）对共同体产生了实质性效果。

其总结："第85条规定了反竞争的唯一标准，就是在共同市场产生反竞争的效果。在有企业违反竞争并应承担责任时，无须考虑企业的地点及所属国。"

委员会对国外企业的调查

委员会可对国外企业采用通常的调查程序：*Geigy and Sandoz* v. *EC commission* 案；*Franco - Japanese Ball bearing Agreement* 案；*French and Taiwanese Mushroom Packer* 案；*Hoffman - La Roche Decision* 案；*Re Brazilian Coffee* 案等。

可能的双重制裁

确实存在双重危险及双重制裁的问题，但这是企业必须承担的风险：*Boehringer Mannheim v. EC commission* 一案（根据《欧洲共同体法》及英国《反托拉斯法》进行罚款；但欧洲法院最终减少了罚款的金额）。

17.16 违反第85条第1款的限制性作法

第85条第1款规定：

凡可能影响成员国间贸易，并以阻碍、限制或扭曲共同市场内的竞争为目的或有此效果的企业间协议、企业联合组织的决定或一致行动，均被视为与共同市场不相容而被禁止，尤其是下列行为：（1）直接或间接地限定购买或出售价格或任何其他交易条件；（2）限制或控制生产、市场、技术进步或投资；（3）划分市场或供应来源；（4）对不同的交易方在同样的贸易中适用不同的交易条件，使其处于竞争劣势地位；（5）使合同的缔结取决于对方对额外义务的接受，无论是依合同性质，还是依商业惯例，该额外义务均与合同标的无关。

企业

第85条和第86条可适用于私营企业（与适用于公共企业的第90条相对应）。对"企业"并无明确的定义，无论其是公共的还是私营的，但一家企业或单位必须是实际的人、公司、或人的联合或联合公司，其目的为盈利。其有独立的法律实体及人格、经济自主权，从事贸易、制造或商品销售及服务。其可包括任何行业。

这一定义对子公司造成了许多问题。子公司可自我管理，但不能经济自主。因此，在荷兰子公司与丹麦母公司之间的协议就是"在一个单位中的任务分工"。并且，子公司不处于欧洲共同体竞争法调整范围之内：关于 *Christiani & Nielsen* 一案和关于 *kodak* 一案。这就意味着：第85条第1款对企业的禁止仅适用于在企业能相互竞争的情况下，不适用于根本不存在相互竞争的情况下——例如特殊产品的生产者：*Commercial Solventa Case* 一案和关于

Brazilian Coffee 一案。

企业间的协议

根据国内法，该术语并不仅限于合同协议；即使仅是口头协议，其仍可扩展至"绅士协议"：*ACF Chemiefarma v. Commission* 一案。在 *Polypropy lene OJ* 一案中，委员会声称：若当事人在某计划上达成一致就成立了协议，则该计划通过约束其之间的相互行为或克制其市场行为来限制或可能限制其商业自由。关于企业间的协议，没有规定认可和执行程序，也未要求必须采用书面形式。

企业联合组织的决定

企业联合组织的决定包括商会对其成员提供的解决办法及建议，而无论其成员是否受此决定约束，而且也不必考虑联合组织是否具有法人资格。为此目的，联合组织的"规则"也可成为决定。

一致行动

一致行动是"一种企业间的协调形式，其尚未达到通常所称的合同的程度，但当事人故意以企业间实际上存在的合作代替竞争的风险 *ICI Ltd* 一案。对独立的要求被认为是排除了"合作者之间直接或间接的合同，此种合同的目的或效果是影响实际或潜在竞争者的市场行为或向竞争者披露其决定采用或考虑采用的措施"（*Cooperative Verenigen Suiker Unie VA v. EC Commission* 一案）。

影响贸易及阻止、限制、扭曲竞争

这两个方面是等重的、不能替换的。有几点要注意。

对竞争产生影响的本质

法庭关注的是潜在的影响，而不是具体的已证明的影响：Consten SARL and Grundig – Verkaufs GmbH v. EC Commission 案；*Societe Technique Miniere v. Machineban Ulm GmbH* 案和关于 *WEA – Filipacchi Music SA* 案。

微小影响

潜在的或实际的影响必须具有较大作用。若对市场起的作用或潜在作用在经济上并不重要，则协议可完全不受第 85 条第 1 款的限制：*Vlok v. SAGL Import/Export* 一案。

必须对国家间的贸易产生效果

成员国企业间协定的效果或潜在效果必须遍及整个共同体。在早期案件中，委员会并没有承认该规则，但是后来，该规则成为委员会考虑的必要因素。在 *Re German Ceramic Tiles Discount Agreement* 一案中，该协议因为试图保护德国生产者不与进口商竞争而被定义为歧视性协议。在 *Brasserie de Haech v. Wilkin and Wilkin* 一案中，该协议也因试图保护比利时酒吧和咖啡馆不与进口商竞争而被定义为歧视性协议。

委员会同样关注那些企业间的、贸易目的并非在共同体内、但由于其某些条款可能影响到共同体内竞争的协议。因此，在共同体之外的区域约定独家销售协议，如有条款规定外国企业不得在共同体内转售产品或其他任何可能与对方当事人提供的产品进行竞争的原产地产品，则该协议是违反第 85 条第 1 款的。然而，在关于 SABA 一案中，SABA 企业生产电视及录音机，规定产品仅能卖给其同意的企业。委员会授予其豁免证明，这一决定被上诉到法院，但法院维持此决定。法院认为：委员会认为存在选择性销售体制是正确的……依照第 85 条第 1 款，根据客观标准及企业实力选择转售企业是一视同仁的，并不属于歧视性行为：*The Grossfillex - Fillisdorf Agreement* 一案。

阻碍、限制或扭曲竞争

阻碍是指消除竞争或阻止其出现；限制是指在地理上、数量上或通常方式上限制竞争，使其减少影响；扭曲是指改变经营领域、使当事方处于不平等的地位。对于限制通常要考虑其地理跨度、范围、经济影响及对竞争的影响，可根据计划的效果对限制进行分类。

非竞争性限制 非竞争性限制并非全部无效。若卖出了企业，则卖方通常保证在一定的时间及一定的地理区域一定范围内不与购买并转售者竞争。在 Reuter v. BASF AG 一案中，Reuter 将其企业卖给了 BASF，并且接受了 8 年内不为贸易行为的限制条款，并担保不泄露技术秘密。委员会认为：只要期限不超过第三者建立同样业务所需要的时间，并且地理上仅限于转让前其业务的范围或公司可能扩展业务的范围，就应允许当事人签订善意、保密及不竞争条款。限制期限取决于转让的专有技术的种类，技术范围越复杂保护期限越长。通常，最多允许 5 年保护期。

合谋转让 在 Suiker Unie and Others v. 一案中，糖业联盟公司签订了秘密的配额转让协议。

定价限制 竞争者间的口头协议、一致行动以及对折扣和退款的限制是违法的，并且，协议也不得在竞争者的主要业务区域内削减其定价（关于 European Glass Mannfactures 一案）。

维持转售价格 此项主要是指根据一份纵向协议，供应商要求购买者以特殊价格转售货物。这在对销售协议的成批豁免中是被明确禁止的（见下文）。集体维持转售价格是指供应商之间关于其规定转售货物价格的协议。

交换信息 委员会禁止交换信息的协议。在关于 European Glass Manu-factures 一案中，委员会认为：与竞争者交换定价政策、价目表、折扣形式及涨价日期的详细情况是违法的。在 Welded Steel Mesh Cartel：The Community v. Trefilunion SA and Other 一案中，法官认为应禁止在竞争者中公布销售数量，即使是无拘束力的价格协议也是违法的。

其他限制 其他限制包括——购买一件商品搭售另一件商品；要求知识产权许可取得者将其产品的改进让与许可颁发者的条款；要求知识产权许可取得者不得质疑已授予专利许可真实性的条款；

以及阻止平行进口条款和要求表明公平贸易的规则：Sippa OJ 一案。

对"横向"及"纵向"协议的申请

在 Consten – Grundig 一案中，欧洲法院（ECJ）反对将第85条第1款仅适用于横向协议，显然，在经济活动中处于不同地位的当事人之间的协议也应适用。

第85条第1款之外的情况

委员会1970年关于"较不重要协议、决定及一致行动"的通知将有微小经济作用的协议排除在第85条第1款之外，1977年通知又对1970年通知进行了修订。属于该通知限制中的协议，无须为获得豁免证明（见下文）而通知委员会。

违反第85条第1款的法律后果

任何第85条第1款禁止的协议、决定均是无效的：第85条第2款。但其有可能获得豁免证明或根据第85条第3款，属于除外事项。

豁免证明

委员会可批准"基于其所有权事实而无理由根据第85条第1款对其采取措施"。企业若希望签订属于第85条第1款适用范围的协议，可通知委员会以获得豁免证明。豁免证明的效力不同于豁免，其可以被委员会撤销。

第85条第1款的除外事项

第85条第3款规定了第85条第1款的除外事项。因此，若协议或行为不能被授予豁免证明，则只要委员会认为，其满足第85条第3款的条件，就可豁免于第85条第1款之外。豁免仅能由委员会批准，不能由国内当局批准。第85条第3款规定：

第1款的规定可声明不适用于下列情况：

——企业之间的任何协议或任何种类的协议；

——企业联合组织的任何决定或任何种类的决定；

——任何一致行动或任何种类的一致行动；

但是，上述协议、决定或一致行动必须促进了产品生产、商品销售或技术进步、经济发展，同时使消费者能获得公平的利益，并且不能是：（1）向企业强加并非是实现上述目标必需的限制；（2）对于某种存在争议的产品，可能为企业消除其大部分竞争力。

该豁免可分为成批豁免和个别豁免。

成批豁免

为了减少个体申请的数量，欧共体部长理事会授予委员会批准成批豁免的权力，这种成批豁免可针对特定种类的协议、决定及一致行动作出。属于该范围内的协议就可豁免于第85条第1款之外，当事方也不用从委员会获取个别协议豁免。既存的成批豁免协议与下列事项有关：

- 独家销售；
- 独家购买；
- 专利许可；
- 机动车辆销售及服务；
- 研究与开发；
- 专业化；
- 专有技术许可；及
- 代理经销。

成批豁免列表中的事项只要包括在协议中，就豁免于第85条第1款之外；除非85条第3款明确禁止，否则上述事项构成违反85条第1款。若协议含有未明确规定于免责规定中的条款，但不包括禁止性的规定，则其可从"异议程序"受益，即可将此协议递交委员会，若在6个月内委员会没有相反的回复，则该协议就可豁免于85条第1款之外。

个别豁免

为了使协议等能根据第 85 条第 3 款被授予豁免，必须将其通知委员会。《条例》根据通知的时间将协议分为两种：既存协议和新协议。既存协议是指在成员国加入共同体之前即已存在的协议。其必须在成员国加入共同体的 6 个月之内通知委员会。新协议必须在生效前通知委员会。在实践中，申请豁免的同时会要求授予豁免证明，并制作成表格 A/B。第 85 条第 3 款的决定可以根据具体条件在具体期间内作出，该决定可被续延，也可根据第 17 号条例第 8 条，被修改或废除。

未对协议进行通知不会受到制裁，但因为可从通知中获益，所以鼓励采用该通知制度。该制度的主要优势在于可逃避潜在的制裁。因此，若协议已被通知，则制裁仅能在通知之前采取。并且，除非委员会另有声明，否则该协议经通知后在委员会作出决定之前仍然有效。第 17 号条例第 4 条第 2 款规定了无须通知的协议。

17.17 滥用优势地位：第 86 条

第 86 条规定：

如果一家或多家企业滥用其在共同市场或其实质性区域内的优势地位，则只要其可能影响成员国间的贸易，就应被视为与共同市场不相容而被禁止。此类滥用尤其包括：（1）直接或间接地强加不公平的购买、销售价格或其他不公平的贸易条件；（2）限制生产、市场或技术发展，从而使消费者蒙受损害；（3）对不同的交易方在同样的贸易中适用不同的交易条件，使其处于竞争劣势地位；（4）使合同的缔结取决于对方对额外义务的接受，无论依合同性质还是依商业惯例，该额外义务都与合同标的无关。

这一条的目的是在滥用行为会影响成员国之间贸易时，在共同市场内阻止这种对优势地位的滥用。第 85 条规定的是企业之间的协议，而第 86 条规定的是公司的单独行为。在 *Eruoemballage*

Corporation and Continental Can Company v. The Commission 一案中，法院认为："第85条涉及的是企业之间的协议、企业联合组织的决定及一致行为，而第86条涉及的则是一家或多家企业单方面的行为。"

法院认为第86条规定了3个基本要件：存在优势地位；对该地位的滥用；对成员国间贸易的影响。

优势地位的存在

为了判断是否存在优势地位，必须在具体的产品环境及地理市场中考虑企业的地位。这通常称为"相关市场"。

共同市场或其实质性区域

第86条要求"在共同市场或其实质性区域"中占优势地位。在 BP v. The Commission 一案中，似乎一个小成员国——荷兰就可构成共同市场的"实质性区域"；该案涉及的荷兰汽油市场仅代表4.6%的共同体市场。在这一问题上，法庭未作评论。在 Napier Brown & Co. Ltd. v. British Sugar 一案中，英国构成"共同市场的实质性区域"。由此可看出，在逻辑上，地域小但人口稠密的区域如伦敦、巴黎也可构成共同市场的"实质性区域"，但至今对此尚无定论。

相关的产品市场

对"相关产品市场"的定义也存在着很大的争议，关键标准在于是否有已做好准备的、对产品可进行替代的产品存在。对于替代性问题，必须从消费者及生产者的角度来看。若从两者的角度都认为某产品是可替代的，则其就不能组成自己的产品市场，但其可属于一个更大的产品市场。在 United Brand v. The Commission 一案中，法庭认为：香蕉市场是一个独立的市场，而不仅仅是较大软水果市场的一部分。我们还可以从威士忌的市场上来理解这个问题。相关的产品市场究竟是威士忌市场、谷类市场、酒精饮料市场、还是酒市场，又或伏特加能替代威士忌？

委员会为了判断是否存在优势地位，通常会尽可能缩小产品市场范围。在 *Hoffman - La Roche Decision* 一案中，委员会认为：因为 13 个维他命企业集团之间彼此不能互相替代，所以这 13 个维他命企业集团中的每一个集团都构成独立的产品市场。1979 年，法院支持了这种观点。在 Hugin v. The Commission 一案中，尽管国家间的贸易未受影响，一位制造商的产品仍被认为是构成了一个独立的市场。同样，在 *Magill TV Guide/ITP. BBC and RTE* 一案中，因为每周电视节目指南是不可替代的，所以其独立于每日节目预告，自成一个独立市场。

市场优势的标准

在判断"相关市场"之后，我们必须判断企业在该市场是否具有优势地位。这是一个关于企业在该市场具有多大经济实力的问题。处于垄断地位的企业明显具有优势地位。在 Sniker Unie v. The Commission 一案中，法院认为：占据市场份额的 85% 就构成优势地位，因为这使得该企业能"阻碍市场的有效竞争"。在 United Brand v. The Commission 一案中，因为当时注重保持竞争和消费者的独立性，所以根据新标准占有 40% – 45% 的市场份额就构成优势地位。占有少于 30% 的市场份额一般不足以构成优势地位。

在 BP 一案中，Warner 总顾问对"优势"定义如下："相关企业在经济地位上至少能在相当程度上独立于其竞争者及消费者"。在 Hoffman—La Roche v. The Commission 一案中，法院认为："可合法地认为巨大的市场份额本身就是存在优势地位的证据"。

滥用优势地位

滥用的本质

第 86 条并不是禁止存在优势地位：只有滥用其优势地位才构成违法。该条列举规定了滥用的各种行为，但设有包括全部滥用行为。

在 Hoffman – la Roche v. The Commission 一案中，法院试图对

"滥用"作出广义的界定：

滥用是一个客观的概念，指通过不同于正当贸易经营人在商品及服务贸易竞争中采用的方式，占优势地位的企业影响了市场结构，并由于其出现导致了竞争程度的削弱，阻碍了市场上现有竞争程度的保持或发展。

对滥用优势地位举例说明可能更为清楚。下文将按若干标题进行列举。

滥用的示例

兼　并　在早期的案件中，如 *Euroemballage Corporation and & Continental Can Company* v. *The Commission* 一案，法院认为：在一定条件下，收购竞争方可构成滥用行为。

拒绝提供　根据第86条，此行为可构成滥用，但其范围并不完全清楚。在 CSC – ICI v. The Commission 一案中，消费者同时也是竞争者，因此拒绝提供被认为是消除竞争。委员会试图将此行为扩展适用到消费者为非竞争者的情况。在 BP 一案的决定中，委员会认为：在汽油短期期间，BP 向老顾客供应汽油而不向不常来的顾客供应，构成滥用优势地位。但法院撤销了委员会的决定，法院认为："在缺货期间，供应商有义务对其所有顾客减少相同比例的供应，而无须考虑与其老客户间的合同义务，但此种义务必须由议会或国内当局具体规定"。在 *Leyland DAF Ltd* v. *Automotive Products Plc* 一案中，破产接管人（Administrative Receiver）受命管理 Leyland DAF 的财产，当时 Leyland 欠汽车用具公司（AP）75万英镑。破产接管人希望汽车用具公司继续供应货物，但汽车用具公司坚持在巨额债务清偿后才供应。Leyland 起诉汽车用具公司，认为：根据第86条，其拒绝继续供应是对其优势地位的滥用。上诉法院维持了高等法院的判决：汽车用具公司无继续向 Leyland 供应的法定义务，因为汽车用具公司并不处于优势地位，所以也不构成第86条中的滥用行为，即使其处在优势地位，其行为也不构成对优势地位的滥用,其只是为了自身利益而作出了商业决定。企业在其长期客户继续如以前一样进行订货时,不能突然停止供应。

不公平定价 在 United Brand v. The Commission 一案中,提出了两种属于滥用的不公平定价行为。一是定价过高,二是对不同的成员国采用歧视性价格。在优势企业为了排挤竞争对手降低价格而且其可承受此策略的损失时,低定价也构成对优势地位的滥用:ECS/AK20 一案。

限制产品、市场或技术发展 本项主要规定在第86条第2款中。在 United Brand 一案中,禁止经销商在一定条件下出售产品被认为是限制市场、歧视消费者,根据第86条第2款。在 British Telecommunication v. The Commission 一案中,英国电信公司(BT)规定"若第三方公司提供传真服务,则其收费不能低于英国电信公司(BT)的收费",委员会认为其行为构成对欧洲客户利益的损害。

对相同的交易适用不同的条件 第86条第3款规定:占优势地位的公司有平等对待其他公司的义务,不得对相同的交易适用不同的条件。价格歧视应归于本项下。占优势地位的企业若要采取不同价格的定价体制,则必须保证其公平性。

搭售 Hoffman - La Roche 一案中确定了第86条第4款的适用情况,即任何诱导消费者向占优势地位企业订货的行为。因此,一家企业若要求消费者作出必须在该企业购买全部或大部分商品的承诺或承担,此种义务就构成对第86条的违反,即使在该企业同意向消费者返款或搭售是应消费者要求而作出时,也是如此。法院同时认为即使是善意地返款也构成滥用行为。法院还认为所谓的"英国条款"构成滥用。该条款是指消费者在其表明其可从其他卖方处以更低价格购买商品时,可要求卖方降低价格。若卖方拒绝降低价格,则该条款授权买方可从其他卖方处购买商品而不丧失其从主卖方处获得返款的权利。法院认为该条款有助于卖方保持其优势地位,故构成滥用。

在 *Michelin v. The Commission* 一案中，Michelin 通过退款系统与交易人进行联系，委员会认为：因为该系统限制了交易人对供应商的选择，并且限制其不能选择对自己最有利的要约及不能在不承担经济损失的情况下变更供应商，所以原告行为构成对优势地位的滥用。

对知识产权的取得及行使　对知识产权拥有所有权，往往会使所有人处于垄断地位。欧共体竞争法对知识产权的所有及行使进行了区分。第30条欧洲经济共同体规定：禁止成员国间施加进口数量限制以及其他具有同样效果的行为。与知识产权有关的第36条规定：第30条不得限制对工业（知识）产权的保护。第222条规定：条约不得影响成员国间关于财产所有权的规定。

知识产权的所有权人必须根据条约规定谨慎行使权力。处于优势地位的公司必须考虑第85条、第86条及各种欧共体规则中对授予知识产权所有权成批豁免的规定。在 *Van Zuylen Freres v. Hag AG* 一案中，当事人在不来梅向 Hag AG 购买并向卢森堡进口一批 Hag 产品，这批产品侵犯了 Van Zuylen Frères 的商标。Van Zuylen Frères 在比利时和卢森堡均享有商标权。在欧洲法院（ECJ）的判决中，欧洲法院认为：与其他工业产权不同的是，商标权不受时间的限制，因此，对商标权利的行使构成对边界的保护，不利于成员国间商品的自由流动。

因此，商标权的排他性未被承认，商标权的持有人只能依据国内法在国界内主张此权利，以使"在甲成员国合法生产的同样原材料同一商标的产品禁止在乙成员国销售。"委员会一致认为：在合法的平行进口中，不得行使商标权来禁止进口相同商标的产品。参见 *Remingon Rand* 一案和 *Centrafarm v. Sterling Drug* 一案。

在 *Tetra Pak Rausing S. A v. The Commission* 一案中，委员会认为：取得专利排他许可构成 TPR 公司的优势地位。第85条规定的专利许可成批豁免中的排他专利许可可不受第86条的限制。在电视预告案中（Magill），对每周电视节目预告不授予知识产权构成对优势地位的滥用。拒绝授予权利是否违反法律要视具体案件情况而定。

推荐读物

《英国及欧共体竞争法》 (Mark Fruze, Blackstone Press, 1998)。

《欧共体竞争法案例及材料》 (Julianne O'leary, Blackstone Press, 1998)。

问题

1. 1973 年《公平贸易法》规定了办公室、咨询委员会和委员会。其各指哪一部门，由谁主管？
2. 判断对商品及服务垄断的标准是什么？
3. 举例说明 1998 年《竞争法》中禁止的几种协议。
4. 什么是维持转售价格协议？
5. 《欧共体条约》第 85 条第 1 款禁止哪些限制性作法？对哪些人员进行限制？
6. "纵向协议"与"横向协议"有何不同？
7. 根据《欧共体条约》第 86 条，如何理解"相关产品市场"及"可替代性"？
8. 举例说明滥用优势地位。

第八编

自然人破产和法人破产

第八編

▼
▼
▼
18

自然人破产

学习目标

通过本章学习了解以下内容：
1. 个人自愿和解（IVA）可选择的形式和破产自然人的破产程序
2. 作出破产令的程序和破产财产受托人对破产人财产具有的权力
3. 债权人优先权

1986年《破产法》规定破产自然人可以与债权人达成自愿和解协议或者宣告破产。这些程序旨在解决债权人的债权请求，并且免除债务人无法履行的债务责任。如果调查表明自然人违反了法定标准，就会导致刑事处罚，而且该处罚将自动导致破产。自愿和解（程序）和破产程序都主要规定在1986年《破产法》和《破产规则》中。

18.1 个人自愿和解（IVAs）

个人自愿和解是在破产申请提出以前或以后甚至在债务人已经被宣告为破产人以后都可以进行的破产替代程序。该程序是指将草拟的债务整理方案或和解协议提交给债权人，以取得债权人的同意。债务整理方案是债务人与无担保债权人签订的协议，只要债权人相信债务人能够摆脱财政困难，就可以签订此协议以推迟债务的偿还期，从而使债务人能够继续进行商业活动。和解协议是指债权人同意按百分比偿还债务，最终偿还全部债务。以个人自愿和解作为破产的另一种替代方式，就可省去破产所需要耗费的法律费用。

和解协议或债务整理方案由同意指定的破产接管人提交，包括：债务人的财产状况明细表（statement of affairs）、债权人名单、如何处分债务的说明（statement）、整顿资产详细报告，还包括第三人提供的资料。被指定的破产接管人应向债务人发回这些资料的副本，并应在副本上背书其人收到资料的日期。如果批准决议事项之事悬而未决，则债务人通常要通过向法院申请临时命令以延缓偿付期（moratorium），以对抗对其或其财产的法律诉讼或相关程序的开始或继续。

临时命令（interim order）

临时命令是法院在其认为将有助于和解协议和债务整理方案的协商和执行的情况下作出的：第255条。法院既可依据申请立即中止任何对债务人人身或财产的法律程序，也可依其认为合适的条件中止或继续该法律程序：第254条。一旦此命令被作出且生效，就不能再提起对债务人的破产诉讼，即使诉讼已经开始，也要中止该诉讼。此外，未经法院同意，不得对债务人或债务人的财产提起或继续任何诉讼、执行或进行其他法律程序。此命令有效期为14天，除非法院在破产接管人或债务人的要求下延长此有效期，否则该命令于14天之后自动中止：第256条。临时命令的申请可以由债务人提出，或者在破产申请已对债务人提出的情况下，由官方破产接管人（official receiver）提出，或者在债务人已经被宣告破产的情况下，由破产财产受托人（trustee in bankrupcy）提出：第253条。申请时应同时提交解释制作申请书原因的宣誓书（affidavit）和经破产从业人员（LIP）批准的和解协议或债务整理方案协议副本。

破产接管人的报告

破产接管人至少应在临时命令期满前两天向法院提交报告，建议是否应举行债权人会议讨论决议事项（proposals）：第 256 条。报告应存档，而且任何债权人都有权审查。报告副本应送交对债务人提出破产请求的债权人，在债务人已经破产的情况下，副本应送交给官方破产接管人。如果法院认为决议事项应交由债权人会议讨论，则临时命令可予以延期，以使债权人会议能够在破产接管人提交报告后 14 天至 28 天内被召集举行。

债权人会议

债权人必须至少提前 14 天获得会议通知，通知必须指明破产接管人的报告提交存档的法院，还应说明债权人会议的表决规则。随通知应附送决议事项、债务人的财产状况明细表、破产接管人对决议事项的意见和有关的代理形式。通知书应送达财产状况明细表给财产状况明细表上的所有债权人和所有破产接管人知道的其他债权人。债权人会议通常由破产接管人主持，讨论决议事项，并决定是否同意或驳回决议事项；债务整理方案可能被修改，但是这些修改必须取得债权人的同意。任何事项或限制都不得影响有担保的债权人或优先债权人的权利：第 258 条。通过决议事项至少需占本人或由代理人参加投票的债权人债权总额 3/4 的债权人同意。债权人投票的权数（weight）应在会议期间拥有债权额的基础上计算。债权人不能就未清算的或不确定的债务进行投票，但在以后的案件中，主席可以允许在上述财产的评估价值的基础上投票。有担保的债权人只能就所申报债权中未予担保的部分投票。如果债权人没有足够时间申报其债权，或者有些债权人可能夸大其债权，则主席可以确认或驳回债权人的全部或部分债权请求：第 259 条。

债权人会议的决议应于 4 天内报告给法院和收到会议通知的每个人。此决议应载明参加投票的债权人和这些债权人是如何投票的。如果决议事项被否决，法院就会撤销临时命令：第 259 条，这将导致破产程序开始或继续。如果债权人会议通过了决议事项，则决议立即生效，并且约束债权人会议通知到的每一个人和有权投票的每一个人而不管其是如何投票的：第260条。法院可以驳回任何破产请求，如果债权人已经是一个未清偿债务的（undischarged）的破产人，法院可以撤销破产令或指令债务人推进和解协议和债务整理方案的履行：第261条。破产接管人成为和解协议和债务整理方案的监督人（supervisor）：第263条，并且必须占有和解协议中包括的所有资产，如果债务人是一个未清偿债务的破产人，则破产接管人必须清偿所有的费用、诉讼费及破产财产受托人和官方破产接管人的费用。

对决议的异议

如果债务人、债权人和破产接管人认为决议对债权人的利益有偏袒或存在与债权人会议相关的重大违规行为，则债务人、债权人和破产接管人可以在决议作出后28天内对决议提出异议，如果债权人是未清偿债务的破产人，则可由破产受托人或官方接管人提出异议。如果对决议的异议成立，则法院可以撤销或中止批准协议，或者裁定再次（further）召开债权人会议讨论修改提议事项。如果原债权人会议存在重大违规行为，则法院可以裁定重新召开债权人会议以重新讨论原提议事项。临时命令可以被延长至下一次债权人会议结束。

对和解的监督

监督人在法院的监督之下，其可以向法院申请监督（directions）整顿程序。未清偿债务的债务人或债权人可以向法院要求确认、撤销或变更监督人的任何行为或决定。法院也可以撤换监督人，任命其他人和债权人、债务人一起工作：第263条。监督人必须保证账目和记录正确无误，并至少每12个月一次，将所有收支状况的摘要及附本于2个月内送交法院、债务人和债权人。如果符合决议的和解协议已经完成，则监督人必须于28天内将完成结果的报告送交法院、债权人和国务大臣（secretary of state），附带总结收支状况和说明提议事项从批准至实施期间变更情况的报告。

如果债务人拒绝同监督人合作，则监督人或债权人可以向法院申请将自愿和解程序转变为破产程序。

18.2 破 产

在破产案件中，破产自然人的财产交由破产财产受托人控制，破产财产受托人用这些财产清偿债务人的债务。债务人一直作为未清偿债务的破产人，直到裁定被撤销为止。如此做的目的是为了确保破产人资产的公平分配，防止对某些债权人不公平地优先偿还。这种作法也可以使诚实却又不幸的债务人从财政问题中解脱出来，以使债务人能够摆脱过去的债务，从头开始。对于破产原因的审查，很可能导致适用刑事处罚。

可被确定为破产人的自然人

具有缔约能力的任何自然人都可能成为破产人，包括具有通常居所或商业行为能力的外国人。未成年人有限的缔约能力限制了其成为破产人的可能性。在法院的保护控制下，精神失常的人也可以成为破产人。死亡自然人的遗产也可以按破产处理（administered）。

破产申请

破产程序自破产令申请开始，在破产法院进行（对于伦敦地区的债务人而言），或者在债务人住所地或营业地中具有破产管辖权的郡法院（county court）进行。破产申请可由以下人员提出：(1) 债权人或两个或两个以上连带债权人；(2) 监督人或依据破产法受到债务整理方案或和解协议约束的任何其他人；(3) 已经对债务人作出刑事破产令情况下的官方破产申请人（official petitioner）：第264条；或 (4) 债务人。

债权人申请

申请人必须证明债权人不能偿还申请中的特定（specified）债务：第268条。通常以两种方式之一提出申请：一是法定要求

(statutory demand)，债权人可将法定要求送达给债务人，以要求其或其偿还债务、和解或者为债务提供担保。债务人在3个星期内不能遵守法定要求就证明其无能力偿还其债务。在 Re A Debtor (No50A – SD – 1995)一案中，高等法院裁定撤销6年以前的缺席判决中作出的法定要求。1980年《时效法》第24条禁止此类程序。另一种方式是主张债务人对申请人负债判决的执行是不成功的：第268条。

申请还必须符合下列条件：（1）债务人在英格兰或威尔士必须有合法住所或本人在英格兰或威尔士，并且在申请提出之时或之前3年中的任何时候，债务人在英格兰或威尔士有通常居所或有住所或进行商业活动。（2）主张的债务至少应达750英镑，并且是可即时支付或未来支付的已确定数额：第267条；（3）债务必须是未经担保的：第269条；和（4）必须对撤销申请人所基于的法定要求没有待决请求：第267条。

法院在三种情况下可以驳回申请：（1）确信债务人能清偿其所有债务；（2）申请人毫无理由地拒绝接受债务人根据法定要求作出的对债务进行担保或和解的提议（offer）。拒绝达成和解协议并不是对提议的不合理拒绝：Re A Debtor(No. 2389 of 1989)一案和 ex parte Travel & General Insurance Co. plc v. The Debtor 一案。在 Re A Debtor(No. 32 of 1993)一案中，申请人———家保险公司就33638.86英镑的债务提起申请，并拒绝将偿还15000英镑视为全部偿还债务。法院认为这一拒绝是不合理的，并根据第271条第3款驳回了申请，但是，在上诉中，法院认为：仅应在实际债权人和债务人之间考虑这一情况（position），而不能称没有不合理的债权人拒绝相关的提议；或者（3）因为违反规则或因为其他原因，法院认为驳回申请是适当的。

在下列情况下，法院必须驳回申请：（1）法定要求已经为债权人完全遵从；（2）债务人已经对清偿债务作出了合理的计划

（prospect）；（3）依据法律，因为债务人不符合住所的要求而不应提出申请：第271条。

自愿和解中监督人或债权人提出的申请

此类人员可基于两种理由提出申请：（1）债务人不能按照协议履行其义务，或者不能完成监督人合理要求的事情；或（2）债务人在其财产状况明细表或其他文件或债权人会议上提供了虚假信息或令人误解的信息：第276条。

由检察官（DPP）作为官方破产接管人提出申请

根据1973年《刑事法院法》（Criminal Courts Act），检察官可以对因为发生超过规定数量的损失而被宣告有罪的人提出申请，这种情况仅可能在为公众利益考虑的情况下才可能发生：第277条。

由债务人申请

申请必须附带描述债务人财政状况的财产状况明细表：第272条。除以下两种情况外，通常会导致自动破产令：（1）无担保债务低于破产标准（2万英镑）；（2）债务人资产的价值至少等于最少金额（2000英镑）；或（3）在申请人有优先权的5年期间中，债务人已经被法院裁定为破产人或者同债权人达成了协议：第273条。

法院可任命一个有资格的破产案件从业人员来报告自愿和解的可能性，据此法院可：（1）制作临时命令来帮助自愿和解的实施；或（2）制作破产令和签发简易破产程序的证明书（cummary administration）：第275条。这包括官方破产接管人（official receiver）进行的管理活动的简要说明（simplified form）。

破产令的效力

破产自破产令作出开始，应该在伦敦政府公报和当地报纸上公布破产令，破产开始将导致：（1）债务人成为一个未清偿债务的破产人；（2）依照例外情形（exception），官方破产接管人成为等待任命破产财产受托人期间破产财产的接管人和管理人；（3）无担保债权人丧失了对债务人进行诉讼的权利，其只能在破产案件中证明债务人欠其债务的数额；（4）如果破产人作出如下行为，就视为破产人违反法律：破产人取得 250 英镑或更多的贷款而未表明其所处的法律状况，或以不同于在破产状况下的姓名进行商业活动而未向进行商业活动的所有人表明其破产诉讼中的姓名：第 360 条。（5）破产人未经法院同意即成为注册公司的董事或参与注册公司的管理是刑事犯罪行为：1986 年《公司董事资格丧失法》第 11 条。

官方破产接管人的职责

破产财产接管人在等待破产财产受托人的任命期间成为破产财产接管人和管理人（第 287 条），但下列情形除外：（1）在刑事破产程序或简易破产程序中，受托人立即成为破产财产受托人：第 297 条；（2）如果根据债务人的申请，破产案件从业人员已经被任命来考虑自愿和解的可能性，则法院将任命破产案件从业人员为破产财产受托人：第 297 条；和（3）如果破产令是因为未遵守债务整理方案或和解协议而作出的，那么债务整理方案或和解协议的监督人就在裁定作出之时起被任命为破产财产受托人：第 297 条。

官方破产接管人可以将那些易损耗的或在价值上可能减少的货物卖出，并采取措施保护债务人的财产。官方破产接管人也应调查破产人的行为和财务状况，如果其认为适当，则应向法院报告其调查结果。破产人必须在 21 日内向官方破产接管人送交包括债务赔偿责任和资产状况的财产状况明细表（第 288 条），但在债务人申请的案件中，申请提出时已经提交财产状况明细表的情况除外。官方破产接管人可以在适当的情况下依财产状况明细表分配（dispense）破产财产：第 288 条。

官方破产接管人可向法院申请对破产人公开审查（public examination），占有破产债务额一半以上的债权人可命令官方破产接管人作出此申请。仅在涉及巨大数额或有大量债务人或涉及公众利益的情况下，法院才会裁定公开审查。此破产人必须参加公开审查，并回答相关提问包括其财务状况、交易和财产状况以及其生意失败的原因。毫无理由的拒绝回答提问就是藐视法庭（contempt of court）。官方破产接管人、破产财产受托人和其债权已获证实的任何债权人都有权提问。在刑事破产程序中，官方破产申请人也可询问问题：第290条。

破产财产受托人

可任命破产财产受托人的人是：（1）在全体债权人大会上的债权人：第292条；或（2）法院：第297条。

由债权人任命破产财产受托人

官方破产接管人有12周的时间决定是否召集债权人会议及是否向债权人发出通知。如果占债务总额1/4的债务人主张召开债权人会议，则官方破产接管人必须召集债权人会议。召开债权人会议之前21天内必须将会议通知送达法院和财产状况明细表上记载的每个债权人或官方破产接管人知道的债权人，还应附上代理委托书（proxy form）和债务形式的证明。债权人会议必须在破产令作出前的4个月内召开。

会议由官方破产接管人或其指定人主持。只有那些债权已为主席承认的债权人可以投票表决，持有未清算债务的债权人，如果主席已经评估过其债务的价值，则可以投票表决。投票表决（权）是以债权人的债权额为基础的。通过通常的决议需要获得参加投票的债权人本人或其代理人的简单多数票（simple majority）。第一次债权人会议应任命破产财产受托人，并组建债权人委员会。被任命为破产财产受托人的人必须就其具有的资格和准备接受任命作出书面确认。此任命由主席批准，批准书应在法院存档，并将签有批准日期的回执送达官方破产接管人，以便官方破产接管人将之交与破产财产受托人：第292条。

由法院任命

由法院任命破产财产受托人一般可以体现为如下三种情况：(1) 在简易破产程序中，法院可能任命官方破产接管人以外的其他人作为破产财产受托人；(2) 在债务人申请的破产程序中，报告破产人财务状况的破产案件从业人员可被任命为破产财产受托人；(3) 在因未遵守（non–compliance）和解协议而作出破产令的情况下，监督人可以被任命为破产财产受托人。

由国务大臣任命

在如下情况中国务大臣可以任命破产财产受托人：(1) 在债权人会议上没有作出任何关于受托人的任命：第 295 条；(2) 官方破产接管人正在作为受托人进行工作：第 296 条；(3) 因为缺席，债权人会议并未举行：第 300 条。

破产财产受托人的辞职或免职

破产财产受托人可以基于以下理由辞职：因疾病、退休（retirement from practice）、利益冲突或发生个人状况的改变而无法继续履行职责。在这种情况下，应该召开债权人会议，如果债权人会议同意免除受托人的义务（duty），则主席必须在 3 天内通知官方破产接管人。如果债权人拒绝接受受托人的辞职，则受托人可以向法院申请辞职。如果破产案件从业人员资格终止或破产案件被撤销，则受托人的职责自动免除：第 298 条。

法院或债权人会议可以免除受托人的职务，但简易破产程序案件除外。国务大臣任命的受托人只能由国务大臣来免职：第 298 条。

破产财产受托人的职责

破产财产受托人的任务是根据《破产法》接收（get–in）、变现（relise）和分配破产人的财产。受托人的主要职责是：(1) 取得占有权（possession），控制破产人的财产；例如为破产人收取（collect）债务；(2) 尽可能迅速且有效地将破产人的资产变现；

(3) 使破产人的财产在债权人当中获得正确分配；（4）在占有债务额达到十分之一的债权人的要求下召集债权人会议；（5）保持财务账目正确无误；（6）以最大的诚信工作；（7）在整个破产管理活动（administration）结束时召开债权人最终会议。

受托人，基于其自己的权利，享有与破产人一样的处置破产人财产的权利：第311条。受托人可要求制作有关破产人财务状况的账簿、证明、文件或证据记录：第312条，并可向法院申请强制破产人执行对财产管理有必要的任何行为：第363条。此外，在债权人委员会的批准下，受托人可以：（1）继续进行破产人的商业活动；（2）就破产人的财产提起法律诉讼或在诉讼中进行抗辩；（3）为财产筹款而抵押资产或以资产做保证；（4）为破产人的债权或债务签署和解协议或其他协议；（5）任命破产人管理公司事务，附表5。

破产中可用于破产分配的财产

破产人可用于在债权人中进行分配的财产是指在破产开始时破产人拥有的或归属于破产人的所有财产：第283条。这部分财产的多少取决于破产人以外其他人的权利状况，例如，有担保的债权人。破产开始之日就是破产令（the order）作出的日期：第278条。自对受托人的任命生效之时起这些财产就都归属于受托人：第306条。这些日期之间可能相隔几个星期。破产财产可包括现金、货物、诉取动产（things in action）、土地及财产说明，而无论这些财物位于何处，破产财产还可包括债权关系（obligations）和财产收益说明，而无论该收益是既存还是未来的，是既得的还是偶然的，是从财产中产生的还是财产附带的：第346条。无需法律上的任何正式手续（formalities），这些财产就自动归属于受托人：第306条。在 *Re Landau* 一案中，Landau 于1982年领取了退休养老金证明。1990年5月，其成为破产人。1993年5月，其被解除债务清偿责任，其于1994年2月退休，并根据政策申请退休养老金。

法院支持了受托人的请求，其请求认为养老金收益自破产开始起就属于破产人的财产的一部分，所以根据第306条应属于受托人。在 *Performing Rights Society Ltd v. Rowland* 一案中，法院认为：在作者破产前已完成的作品的特许权使用费是一项可作为遗产的财产权利，在作者指定的财产收益人破产时，此特许权使用费应归属于破产财产受托人。

有一些财产是不能用于破产分配的，而其他财产可能即使在破产令作出前已经处分完毕也要被申请分配。受托人也可能放弃那些很可能导致财产流失而不是获得收益的财产。

不可用于破产分配的财产

破产中不可用于分配的财产包括：（1）贸易和私人财产；（2）破产人作为受托人持有的财产；（3）用于维持破产人和其家人生计的个人收入；（4）破产人本人因为受到侵权损害或名誉损害行使诉讼权利所获得的利益；（5）家庭住所（family home）；和（6）由于破产导致的破产人利益的丧失，例如当承租人成为破产人时，租约自动被撤销（revoked）。

贸易和私人财产

工具、书籍、车辆和破产人雇佣、交易或职业必需的其他装备，如衣服、寝具、家具、家庭设备和满足破产人及其家人基本家庭需要的必需品是不能用于破产分配的：第283条。然而，受托人可以命令破产人用价值低的物品替代这些必需品，目的是为了可以使有价值的古董和银质餐具可以变现。

收入支付令

破产人可以继续受雇于人或自我雇佣（self-employed），并且受托人可以要求法院作出收入支付令，依据此命令，破产人或其雇主会支付破产人的工资，而这部分工资不属于归受托人所有的破产人收入：第310条。破产人必须至少于听证会举行前7天内收到举行听证会的通知，破产人必须被告知——除非其以书面形式表示同意提议，否则其必须参加听证会。法院必须确保破产人保留的收入足以满足其和家人的合理家庭需要：第310条。

家庭住所

配偶虽然不是婚姻住所的合法拥有者，但其享有住所的占有权。这些权利可以被登记为对财产的负担（charge），仅可由法院依据1983年《婚姻住所法》（Matrimonial Homes Act）撤销。如果申请将破产人在婚姻住所中的利益变现，则法院必须注意：（1）债权人的利益；（2）配偶对破产所做的管理活动；（3）配偶的需要和来源；（4）破产人的家庭中每个孩子的需要；（5）所有相关情况（破产人的需要除外）。如果申请是在破产财产归属于（vested in）所有破产财产受托人一年后提出的，则债权人的利益是最为重要的。

如果住所是由破产人和配偶共同拥有的，则将破产人对住所的利益变现的申请就必须向管辖破产的法院提出，同样也要考虑如上各因素：第336条。如果破产人在婚姻住所中有可享有的利益，并正同18周岁以下的孩子们住在一起，仅可在有法院裁定的情况下才能驱逐该破产人：第337条。但是，在提出申请和法院作出破产令时，孩子们必须已经住在房子里。

可追回的财产

受托人有权通过在破产令作出前撤销下列已达成的交易来增加可分配的资产：（1）提出申请后作出的财产处分；（2）优先权；（3）低价交易；（4）欺诈债权人的交易；（5）高利贷交易；（6）账面负债的转让；和（7）地主不完全执行程序和财产扣押。

提出申请后的处分

除非事前经法院批准或事后经法院认可，否则，在提出申请和任命受托人之前作出的财产处分或现金支付是无效的，在没有法院批准的情况下，接受财产转让的人或接受现金支付的人持有的财产或现金是债务人财产的一部分：第284条第1款。

由于申请未经公告来防止恶意申请，所以，法律规定给予第三方当事人部分（partial）保护，使其因从债务人那里经过交易获得财产或金钱而被起诉是不可能的，只要第三人是（1）善意的；（2）已支付对价的（for value）；（3）在提起申请和正在制作破产令之间的这段期间没有收到提出申请的通知：第284条第4款。该保护及于那些从被保护人处获得财产和财产中利益的人，而不考虑那些人的行为是否是善意的、已支付对价的并且没有收到提出申请的通知。第284条第4款的保护不及于那些在破产开始（既破产令作出的日期）以后发生的交易，但是，对在破产令作出后却在任命受托人之前发生的债务有一些限制性保护。因此，如果破产人因已作出的支付行为而与银行或其他人发生债务，则依第284条第1款，此债务是无效的；如果能证明银行或其他人在债务发生前没有收到破产人破产的通知，或者从已接受付款的人手中追回付款是无法合理执行的，则视为此债务发生在破产开始以前。

如果银行还未申报债务，并且，银行不知道破产令而继续运作债务人的银行账目，并通过向第三方当事人付款增加了本已存在的透支，则银行可以申报此债务。因为只要报纸发布破产令就视为已向世界告知此破产令，所以，上述保护是受到限制的，只有发布因执行原因或等待对破产令上诉而拖延时，该保护才可能适用。

优先权和低价交易

优先权是指债务人对债权人作出的付款或给予的担保使债权人处于比没有这些付款或担保更佳的地位。举证责任由受托人承担，受托人应该证明（1）当优先权产生的时候，债务人无力清偿债务；（2）债务人如此作法的目的是将债权人置于一个比没有此权利更佳的地位；（3）优先行为应在申请提出前6个月内进行，但是对债务人的合伙人而言，此期限可延长到两年。在后一种情况下，也可以推定债务人的目的是使债权人处于更佳地位：第340条。破产财产受托人可以根据第342条追回作为无效优先权标的的财产。

低价交易是指破产人在下列情况下作出的一种财产处分：（1）赠与；（2）不收取任何对价；（3）交易是基于结婚的考虑而进行的：第339条。如果交易发生在提出申请前5年，而现在债务人破产（at the time），则破产人可以申请裁定将当事人恢复到原来的状况：第341条和第342条。

根据第339条和第340条，可作出裁定加于任何人的财产或要求任何人承担义务，无论此人是否与破产人达成交易的人或债务人给予优先权的人。因此，如果A将财产给了B，B将其卖给C，则依第339条和第340条，可以控告A将财产赠与B；受托人可以从C处追回财产。然而，C的地位应受到更多的保护。自从1994年《破产法》（No. 2）对第342条作出修订之后，如果C是以善意和支付对价的方式获得财产的，则此条将阻止向C追回财产：第342条第2款第1项，新的第342条（2A）规定了几种可以假定C为非善意行为的几种情况：第342条（2A）（1）和（2），其是：（1）C在交易的时候已经知道相关情况和有关的程序，规定于第342条第4款第5项；（2）C是合伙人或与破产有关的人。

受托人不得要求在不知道相关情况时善意并支付对价进行交易获得利益或优先权的人偿还这些财产或利益，除非其是交易的一方当事人，或作出偿还是为了给予其本人优先权而此时其是自然人的债权人：第342条第2款第2项。

自然人的合伙人是自然人的丈夫或妻子、或亲属、或自然人亲属的配偶、或者自然人的丈夫或妻子的亲属或亲属的配偶：第435条第1款。亲属包括半血缘关系（half-blood）的孩子、继子女、收养的子女和非婚生子女；"丈夫"或"妻子"包括前夫或前妻和一般人公认的丈夫或妻子：第435条第8款。合伙人也包括那些同债务人或债务人的配偶、债务人或配偶的任何亲属与之有合伙关系的人：第435条第3款，任何其雇佣的或被其雇佣的人：第435条第4款，信托受托人，此信托的收益人包括债务人或其合伙人：第 435 条第 5 款。一人公司或一人与其合伙人控制的公司合伙人：第 435 条第 7 款，包括作为一个影子董事进行实际控制或行使三分之一或更多的公司表决权或控制权：第 435 条第 10 款。

欺诈债权人的交易

此类交易也是以低价进行的交易：第 423 条第 1 款，但是必须令法院确信其如此做的目的是为了将财产置于实际的或潜在的债权人可取得的范围之外，或者是对任何债权人（claimant）或潜在的债权人不公正：第 423 条第 3 款。法院可以作出裁定，裁定当事人恢复原状，保护交易中受害方的利益。自愿和解程序的监督人或受害人也都可以获得法律救济：第 424 条。法律没有规定时间限制，申请人可以就申请提出前的任何交易作出申请。

高利贷交易

受托人可以就破产人在破产令作出（不是申请提出）前三年内达成的任何高利贷交易向法院申请。高利贷交易是指不合法的、严重违犯交易公平原则的交易行为。如果假定某一信贷交易被主张是高利贷交易，那么贷方一定会驳斥这种假定。法院可扩大裁定范围，将收回的任何财产都纳入破产总财产：第 343 条。

账面负债的转让

账面负债是指那些破产人欠与之交易的交易人的债务。从事商业活动的破产人所为的既存或未来账面负债的一般转让（general assignment）对破产财产受托人是无效的，除非：（1）债务转让在破产申请提出前即已作出（paid）；（2）依照 1878 年《抵押证券法》将转让作为绝对卖契进行了登记；（3）与转让有关的具体合同项下的债务已到期；（4）与转让有关的债务于从具体债务人处转让之日到期；（5）转让构成凭善意和支付对价进行业务移转的一部分；和（6）一般来说，此转让是为债权人的利益进行的财产转让。

地主不完全执行程序和抵押

如果抵押胜诉债权人（judgement creditor）和司法行政官（sheriff）在将买卖收益（proceeds of sale）移交给债权人以前知道破产令，则司法行政官必须在官方破产接管人或破产财产受托人要求之时将货物交给其，并可就交付货物的费用申报债权。

如果执行与金额多于 500 英镑和卖出货物或者为了避免买卖要支付现金的判决有关，则司法行政官必须保留这笔款项 14 天。如果在这段期间内司法行政官接到了申请的通知，则直到 14 天期满以后或在申请待决期间内，其不能处置这笔款项；如果作出了破产令，则其必须以扣除其执行保留的费用为条件将这笔款项付给官方破产接管人或破产财产受托人。

对未清偿债务的破产人的财产进行扣押［查抄（seize）和卖出］的业主或任何其他人的权利都是能实现的，这种权利就是收取破产开始之前 6 个月的租金：第 347 条第 1 款。如果收回的金额超过 6 个月或进行扣押后的期间，这部分金额就应被认定是破产财产的一部分。此外，如果财产不充足，难以满足债权人优先取偿的请求，则业主必须放弃货物或金钱，将之交给受托人，在这样的破产案件中，业主将取得与优先债权人同等的地位。

债权申报

债权人可以向受托人或官方破产接管人申报自己的任何债权，无论此债权是既存的还是未来的，是确定的还是不确定的，是已查明的还是未查明的。必须发给财产状况明细表中确认的债权人申报其债权的表格，债权人按《破产规则》的要求将其债权请求呈交给受托人或官方破产接管人，这些申请需有宣誓书做证明。如果债权的价值不确定，则受托人可以根据其对债权的估价承认债权人的申报：第 322 条。如果受托人拒绝全部或部分债权请求，债权人可在 21 天内向法院申请变更债权估价。

破产人和任何正进行申报的债权人都可审查申报，其可以在

21天内对受托人依任何申报所作出的决定上诉。债权人在取得受托人同意的情况下可变更或撤回申报，如果受托人能证明承认申报不正确或者应予变更，则法院可以变更或驳回债权申报。在破产人和债权人之间一定会抵销（set-off）相互所负的债务或交易，这样的债权人仅能就属于其款项来申报债权。

不能申报下列四类债务：（1）因为违法行为而被处以的罚款；（2）因婚姻诉讼程序而作出的裁定中产生的任何义务；（3）根据1986年《非法交易毒品罪法（Drug Trafficking Offences Act）》第1条作出的没收令（confiscation order）产生的义务；（4）根据任何法律规定不可能被申报的债务，例如非法债务和法律禁止的债务。

有担保的债权人可只用债务人未担保的款项（balance）来申报，可选择：（1）变卖担保物并申报款项；或（2）对担保物估价并申报未担保的款项。在后一种情况下，受托人可送达28天期限的通知书，表明其要按照担保物的估价赎回担保物的意图。有担保的债权人可以向受托人送达通知书，要求其决定是否选择赎回（redeem）担保物，在这种情况下，受托人必须在6个月内作出决定。任何时候在受托人和法院的同意下都可以变更估价，但是如果受托人送达了通知书表明其欲以估价赎回担保物的意图，则债权人必须在21天内对担保物重新估价。如果债权人日后变卖担保物所获得的金额高于估价，则以变卖金额取代为计算申报债权估计的价值。

有担保的债权人可放弃任何财产担保，作为一个无担保债权人以全部债权金额申报债权。

债权人的优先权

在优先权方面，债权人可被分为几个等级，每一等级中的债务都会公平地予以偿付。优先权的顺序是：（1）破产费用；（2）特别应优先偿还的债务；（3）优先债权人（preferential creditors）；（4）普通担保债权人；（5）延期债务（deferred debts）。

破产费用

依第324条，破产费用优先于其他所有债务，包括发生的法院费用、欠付官方破产接管人的费用、官方破产接管人或受托人进行与财产相关的活动时通常应收或发生的所有费用，包括由受托人正常雇佣的人员的报酬。

特别应优先偿还的债务

如果破产人的雇员或学员已支付其培训费用，则培训未到期之期间的金额是特别应优先偿还的：第348条。

优先偿还的债务

优先债务的分类对个人破产和公司破产清算来说是相同的。根据《破产法》第386条的规定，个人破产和公司破产清算中的优先债务的范围（any reference）参照《破产法》附表6列出的债务[属于在产地扣除所得税的国内税收款项；增值税（VAT）、车辆税、打赌和赌博税、啤酒税；社会保障和养老金计划缴款；雇员的报酬等；煤炭和钢铁产品的扣押]。上述不同种类的债权都由特定规则调整，其中最为重要的是：(1) 破产令作出之前的12个月依所得税扣除法（PAYE）所作的扣除；(2) 破产令作出之前的6个月的增值税；(3) 车辆税、一般赌博税（general betting）、宾果税（bingo duty）、赌博许可证税、在破产令作出之前12个月内为一般赌博和聚众赌博收赌金而应负的代理人责任；此外，还有因在裁定作出之前6个月内的啤酒消费税而产生的责任；(4) 破产令前12个月的国民保险缴款；(5) 未解决的国家和职业养老金缴款；(6) 破产令前4个月的雇员工资拖欠（arrear），但付给每个雇员的工资限额为800英镑；(7) 累计假日工资；和(8) 用来清偿上述第6项和第7项规定的优先债权的第三方当事人的预付款。

普通债权人

普通债权人是指：破产人的一般交易债权人和任何无优先权的所得税扣除、增值税等的债权人以及所有直接税（assessed taxes）

的债权人：第 328 条。

延期债务

这些债务的等级是不同的，首先应偿付的是从破产令作出之日起可申报债务的法定利息。而计算利率时应采用下列计得利率较多的方式来计算：(1) 1838 年《判决法》(judgments act) 第 17 条规定的利率；(2) 破产人本来应负担的利率：第 328 条。实际上，第二种方式是给那些为破产人提供信贷的破产人配偶提供的破产财产请求权：第 329 条。

推荐读物

《个人破产》，第 2 版（Roger Gregory, CCH Editions, 1992）。
《个人自愿和解》（Stephen A. Lawson, Jordans, 1992）。

问题

1. 个人自愿和解是指将草拟的债务整理方案或和解协议提交债权人，并取得债权人同意。什么是债务整理方案与和解协议？
2. 法院作出何种裁定能促进个人自愿和解？
3. 法律对未清偿债务的破产人赚钱和从事商业的能力如何进行限制？
4. 什么是优先权？对破产财产受托人而言，优先权的重要性是什么？
5. 有担保的破产债权人可以有哪些选择？
6. 说出五种优先偿还的债务。在偿还完其他何种债务之后才可偿还优先债务？

19

法人破产

学习目标

通过本章学习了解以下内容：

1. 破产接管（receivership）的运作，破产接管人（Administrative receivers）和其他接管人之间的区别，包括其拥有继续经营公司以使公司可以被作为继续经营企业变卖的权力之间的区别

2. 宣告破产管理令的性质和目的，以及破产管理人（administrator）可以挽救其惨淡经营的方式

3. 作为公司与其债权人达成协议的一种方式，公司自愿和解的可能性，以及当前制度的缺陷；

4. 成员自愿清算和债权人自愿清算之间的区别

5. 法院强制清算方式下公司所处的地位

6. 清算人对公司资产的权力，包括收回先前已处分的资产的权利

7. 破产清算中公司董事的清算缴款义务以及其丧失董事资格的可能性

在公司面临破产的时候，有一些非正式的和正式的方式来解决这种情况。有很少债权人的小公司可同债权人协商延期还债，向多个银行贷款的较大公司则可以采用伦敦方法（London Approach），

即：当公司寻求使用重定还债期（rescheduling）和可能的债务产权交换（debt-for-equity swap）这两种解决办法的时候，银行仍然支持公司并继续进行银行业务（banking facilities）。非正式程序的风险在于：一旦协议达成，其他债权人就不能从诉讼中获得保护。

《破产法》试图通过如下几项正式选择来确保公司生意继续经营：(1) 破产接管；(2) 破产管理；(3) 公司自愿和解；(4) 清算。除非另有说明，否则本章所指法律均为1986年《破产法》和1986年《破产规则》。

19.1 破产接管

有担保的债权人任命接管人，既可根据担保文件规定的权利也可向法院申请。接管人最主要的职能是：将早已成为担保物的资产变卖，并在扣除所需费用后，用变卖所得的款项清偿有担保的贷款。然后，接管人向公司归还余下的款项或未变卖的资产，公司可继续经营或进行清算。

破产接管人（Administrative receivers）和其他接管人

有两种类型的接管人，其具有根本不同的权力："破产接管人（Administrative receivers）和其他接管人"。"接管人"一词指接管人或管理人，或者仅有一部分财产的接管人和由财产产生的收入或由财产的一部分产生的收入的接管人：第29条第1款，鉴于破产接管人是指由浮动担保（floating charge）持有人或为了浮动担保持有人的利益任命的公司全部财产或实质上公司全部财产的接管人或管理人；或者在没有任命其他人作为公司部分财产接管人的情况下，就是指公司的接管人或管理人：第29条第2款。因此，仅可以任命破产接管人掌管公司全部或实质上全部财产。进一步而言，任命公司部分财产的接管人不会阻碍掌管公司全部或实质上全部资产的浮动担保有人，任命破产接管人。

如果两个债权人已经掌管了公司全部或实质上全部资产，并且其中一个债权人已经任命了一个破产接管人，则因为在规定期间内只能有一个破产接管人，所以另一个债权人就不能再任命破产接管人，然而，如果没有任命破产接管人的担保持有人获得清偿的优先权排在已作出任命的债权人之前，则其可以向法院申请撤销已任命的破产接管人，并任命自己的破产接管人（nominee）：第 45 条。

任命破产接管人的权力

担保文件中必须明文规定任命破产接管人的权力。可以任命两个或两个以上的破产接管人，但是文件必须具体规定其有权单独行使职权还是共同行使职权：第 231 条第 1 款和第 2 款。

破产接管人必须是有资格的破产案件从业人员：第 230 条。直到公司进行清算为止，破产接管人都被视为公司的代理人：第 44 条第 1 款第 1 项。即使任命破产接管人或破产接管人的资格有缺陷，破产接管人的行为也仍然有效：第 232 条，善意同其交易的人，即使知道存在以上缺陷，也完全可受到保护，包括公司的董事和职员。

除授予其权力的担保文件的条款规定不一致以外，破产接管人同遗产管理人一样具有同样的法定权力：第 42 条第 1 款；以善意和支付对价方式与破产接管人交易的人无须查问破产接管人是否是在其权力范围内行为：第 42 条第 3 款。《破产法》的附表 1 规定了破产接管人的权力，并且包括在在以公司全部业务和资产作为浮动担保情况下，在制定《破产法》之前习惯上明文授予破产接管人的大部分权利。附表中列出的权力是：（1）取得公司资产的所有权和收回公司的资产，为了取得或收回公司资产提起法律诉讼、将争议提交仲裁、和解或申报破产债务人欠付公司的债务；（2）继续经营公司的业务；（3）以公司资产做担保借款；（4）为履行破产接管人的职能作出必要的或附带的支付行为，以公司的名义签发支票和使保险生效和继续保险；（5）雇佣代理人、律师和其他专业人士协助其工作；（6）变卖资产；（7）以公司的名义使公司的文件生效和使用公司的印章（1989年《公司法》规定公司使用印章可以豁免（dispense）而接管人则不能）；（8）许可租借公司财产；（9）设立子公司、移转公司的部分业务给子公司和变卖子公司；（10）雇佣和开除雇员；（11）召集未缴股本（uncalled capital）；（12）提出停业清理申请或对提出停业清理申请进行抗辩；（13）为公司财产变现而做所有必要的工作以及破产接管人行使其他权力所必需的工作。

破产接管人可以向法院申请获得处分公司担保财产的权力：第43条第1款，但是其必须偿还有担保的债务，偿还此债务的资金来自买卖的净收益加上法院处罚的金额，偿还债务的金额应等于自愿出卖人在公开市场上通过买卖而变现资产所得的金额：第43条第3款。其可以要求继续供应天然气、水、电或电信服务，而且破产接管人不需对任命前提供的服务付款：第233条。

其他接管人的权力由普通法和1925年《财产法》规定：第109条。其任务是通过法律规定的任何形式查问（demand）和追回公司财产的收益。为了查问和追回公司的财产，其可用抵押权人的名字或用抵押人的名字签发有效的收据。其可以行使抵押人依据法律授予的任何权力，但是保险权力是有限制的。只有经担保文件授权，接管人才有权出卖担保的财产。非法任命的接管人是公司财产的侵犯人，公司要承受受到严重损失的风险：*Ford & Carters v. Midland Bank* 一案；但是，根据第34条，法院有权自由裁定任命人赔偿接管人任命无效所造成的损失。

然而，破产接管人是接管人中一种特殊的类型，除非其适用的规则与特殊法律规则不一致，否则适用于非法院任命的接管人的一般规则（rules）都适用于破产接管人。

接管人的任命无效

接管人的任命可能由于担保无效而导致无效。作为经济援助的担保是违法的（1985年《公司法》第151条），根据浮动担保无效条款（1986年《破产法》第239条和第245条）或作为无效优先权的担保很容易受到影响，并且，未登记的担保是无效的（1985年《公司法》第395条）。

必须规定任命接管人的权力，并有效地行使此权力。任命接管人的权力通常会规定在债券（debenture）中，一般会由于下列情况导致需任命接管人：（1）提出停业清理或破产申请；（2）为通过停业清理公司的议案而召集会议或停业清理公司的决议获得通过；（3）对公司资产的扣押或执行；（4）违反债券条款；（5）停止贸易（cessation）；（6）资产有被诉危险；（7）根据1986年《破产法》第123条，公司无能力偿还其债务，或其他情况。

偿还未付债务和利益的请求（demand）可以在可能任命破产接管人之前提出（Crine v. Barclay's Bank, Byblos Bank v. Al-Khudhainy一案），在这种情况下，请求偿付到期的全额债务理由是充分的：Bank of Baroda v. Panessar一案。必须给公司机会去满足债权人的请求，而此请求和任命通知不应该同时移交（hand over）。允许满足请求的期间是以小时而不是以日计算的：Cripps (Pharmaceuticals) Ltd v. Wickenden一案。

任命接管人的手续

法人不能作为接管人：第30条，也不能作为未清偿债务的破产人：第31条。任命接管人的法律要件（legal requirement）取决于担保文件的规定，但是根据1925年《财产法》第109条的规定，任命接管人必须采用书面形式，书面形式不包括电报或传真。接管人必须在其收到任命（书）之后的下一个工作日结束之前表明接受任命，否则此任命就是无效的：第33条。通常表明接受任命也要采用书面形式，但是如果在7日之内任命人作出了接受任命的书面确认书，就不必要求采用正式的书面形式表明接受任命。接受任命书或确认书必须指明收到任命文件和接受任命文件的时间和日期（第 33 条,《规则》第 3 条第 1 款）。接管人一旦接受任命,任命就自收到任命文件之日起有效:《规则》第 3 条第 1 款、第 5 项。任命以后接管人必须在七日之内在公司登记机构（Companies House）办理适当手续：1985 年《公司法》第 405 条。所有的发货清单、业务许可证和其他文件都必须说明已经任命了接管人：第 39 条。

破产接管人必须告知公司其任命，并在伦敦政府公报和适当报纸上公告以便通知债权人：第 46 条第 1 款,《规则》第 3 条第 2 款第 1 项和第 3 项；并应在 28 天内通知所有其知道地址的公司的债权人。破产接管人必须向公司职员和那些曾是公司职员、雇员的人查问财产状况明细表情况或在之前 12 个月内与公司有关的信息（第 47 条），并且准备关于下列情况的报告：（1）导致任命接管人的事件；（2）其已经作出或准备作出处分公司财产和继续经营公司业务的行为；（3）公司与负责任命的债券持有人之间的账目情况；（4）欠付优先债权人的数额和对其他债权人还债的计划。

报告包括财务状况概要（summary of the statement of affairs），但是严重不利于破产案件产业管理人的信息可以排除在外：第 48 条第 6 款。报告和财务状况必须提交给公司登记机关（Companies House），如果接管人想要限制公众审查的部分文件，就必须申请有限制的公开:《规则》第 3 条第 5 款。必须将复印件送交债券持有人、任何清算人和所有已知的无担保债权人；或者对于后者，接管人可以公告在何处可以得到免费复印件。应召开无担保债权人会议来讨论报告：第 48 条第 2 款。债权人可以决定成立债权人委员会:《规则》第 3 条第 9 款至第 15 款。

接管人必须向国务大臣汇报在任命接管人之日或在此之前 3 年内所有董事或影子董事的情况：1986 年《公司董事资格丧失法》第 7 条第 3 款。董事、企业发起人/创办人、职员和雇员负有向破产接管人提供信息并与之合作的法定义务：第 235 条。其可以向法院申请查问董事和其他人的命令：第236条。

破产接管的效力

公司的业务和资产由一个新代理人控制，但是所有权和合同不受影响。被设立为浮动担保的资产是受保护的，基于这一点任命接管人，不受无担保债权人要求执行的影响，包括扣押第三债务人保管的财产令和扣押偿债令（garnishee and charging orders）。但是，如果接管人对财产有占有权，则业主可以为租金欠款扣押财产。

雇佣合同

因为法院任命的接管人不是公司的代理人，所以，即使其继续进行公司的业务活动，也会终止公司与其雇员之间的所有雇佣合同。非法院任命的接管人并不能终止雇佣合同，这些合同继续有效（in force），除非任命与雇员们的职能是矛盾的。在 Mark Trucks(Britain)Ltd 一案中，接管人通知雇员并以相同条件立即重新雇佣此雇员。法院认为：非法院任命的接管人不能自动终止当前的服务活动，并且，由雇员承诺的新合同是由作为公司的代理人的接管人提出的要约，按照通知的内容（for the purposes of the length of notice），雇员被雇佣的持续性没有中断。在 Griffths v. State for Social Services 一案中，接管人的任命与总经理（managing director）的继续雇佣并非不一致。

破产接管人或根据担保文书任命的接管人对在任命期间存在的雇佣合同不承担个人责任，但其批准的（adopt）雇佣合同除外，在其任命的14天内没有行为表示或不作为就构成批准：第37条第1款和第2款和第44条第1款第2项和第2款。接管人过去常常为避免批准合同而向雇主发出一封信函来宣布：即使雇员的服务被予以保留，仍不能将之看作是批准。这种惯例在 Re Paramount Airways(No.3) 一案中被上诉法院否决，这就意味着：接管人在14天期间之后仍继续保留雇员的行为就会构成批准雇佣合同。因为这种情况会使接管人在试图挽救公司业务时面临巨大的责任和阻碍，所以，1994年《破产法》在其第2条——关于破产接管人中缓解了这种情况的影响。该条规定可以批准合同，但是限制了接管人的责任，排除了在批准合同之前拖欠的工资、同一期间未支付的养老金缴款以及替代通知的约定支付权。此条不适用于非破产接管人，尽管其受到免责保护，其仍旧要根据第37条第1款承担责任。

根据令接管人对其控制下相关资产所作指令（directions）生效的义务，董事继续在职并保留其权利：*Gomba Holdings Ltd v. Homan* 案；*Newhart Developments v. Co-op Commercial Bank* 案；和 *Watts v. Midland Bank* 案。

当对公司作出停业清理令的时候或接管人变卖资产或结束业务的时候，合同终止。如果公司作为一个继续经营企业被全部或部分卖出，则合同将被转让给购买者：1981年《企业转让（雇佣保护）条例》（参见第12章）。

对合同所负的责任

接管人本人要对其在履行职责中订立的合同承担责任，除非在合同中规定此责任根据除公司以外的免责权利得以排除：第37条第1款第1项和第2项，第44条第1款第2项和第3项；接管人一般对其任命期间存在的合同不承担责任，但是特别应由接管人执行的合同例外：*Freevale Ltd v. Metro Store Holdings Ltd* 一案和 *Kenometrics plc v. Moden Engineers of Engineers of Bristol(Holdings)plc* 一案。

在 *Rother Iron Works Ltd v. Canterbury Precision Engineers Ltd* 一案中，原告在公司债券上就资产和业务设立了浮动担保，银行根据该债券任命了接管人，原告先前已与被告订立了总额为159英镑的保物买卖合同，但根据以前的合同，被告还欠付原告124英镑。法院认可了被告请求抵销两个债权的行为的有效性，即使货物在任命接管人之后接管人将货物交付了。法院认为：债券持有人不能处于一种比原告更好的地位。"抵销债权并非产生于同一合同（或与合同没有密切关系)"，与"抵销债权直到破产接管之后才产生"是不同的。在 Business Computers Ltd v. Anglo - African Leasing Limited 一案中，原告公司于 1974 年 6 月 13 日进入破产接管状态，被告因为购买两台电脑欠付原告 10587.50 英镑。原告后又与被告另外订立了合同，从被告处以分期付款的形式购买一台电脑。接管人对分期付款买卖合同的拒付在 8 月 8 日被承认。被告请求用分期付款买卖合同中的 32000 英镑的损失抵销其 10587.50 英镑债务，因为抵销债直到任命接管人之后才产生，所以法院驳回了被告的请求。就留置而言也是如此。在 George Barker (Transport) Ltd v. Eynon 一案中，原告订立运输合同，根据接收货物和交付货物给收货人的合同享有概括留置权（general lien）。在 9 月 2 日其接收了托运货物，并知道了银行在 8 月 31 日已经任命了一个接管人。由于合同在破产接管期间内继续存在，而留置权在合同缔结之时即已产生，并且直到何时才行使该留置权是无关紧要的。因此，原告有权对接管人的货物行使留置权。接管前的增值税义务可与接管后退还的增值税相互抵销。

接管人的职责

接管人的主要职责是为了债券持有人的利益将资产变现，如果其损害委托人的利益是其履主要职责的必然结果，则其有权损害委托人的利益: Kernohan Estates Ltd v. Boyd 一案。其没有责任去执行其当事人的指示: Meigh v. Wickenden 一案，其也不能被要求向委托人告知那些可能损害债券持有人利益的信息: Gomba Holdings Limited v. Homan 一案。

关于接管人为公司和担保人的资产获得可能的最优价格之职责，参见第 10 章（Cuckmere Brick Co. Ltd v. Mutual Finance Ltd 案; Standard Chartered Bank Ltd v. Walker 案; American Express Banking Corp. v. Hurley 案; Downsview Nominees Ltd v. First City Corpn Ltd 案)。

接管人必须满足优先债权人根据债券所享有的优先请求权（第40条），但是，接管人一般对普通债权人不负有此种职责。破产接管人必须提供破产接管进展情况的信息，特别是向债权人提供信息，其必须将每年的账目存档，并向其任命人和债权人委员会提供账目的复印件：《规则》第3条第32款。

破产接管的终止

破产接管人可以辞职，但除了其根据与管理人签订的协议而辞职的情况之外，其均应提前7天通知任命人、公司（或其清算人）和债权人委员会：《规则》第3条第33款。当破产案件从业人员资格丧失或者法院指定接管人时，破产接管人必须辞职：第11条第1款第2项和第45条。破产接管人获得报酬和经费（expenses）的权利是受到保护的：第11条第4款。只有向法院提出申请才能撤销其职务：第45条第1款。在破产接管人死亡的情况下，任命人必须通知公司登记官和其他人。

当接管人将所有的资产变现并偿付给优先债权人、优先担保权人（prior chargees）和指定债权人时，接管终止。剩余的金额应返还给公司：Re G. L. Saunders Ltd 一案。接管人应按下列顺序偿还债务：（1）将公司资产变现的费用、收取债务的费用和向第三人起诉的费用；（2）破产接管中的其他所有正常费用，包括接管人的报酬；（3）在信托契据规定了优先权时，信托契据中的受托人的工作成本和费用以及支付受托人的报酬；（4）债券持有人的活动经费；（5）在以浮动担保为贷款做担保时，公司清算中优先偿还的债务和优先履行的义务（liabilities）；（6）优先权排序中排在前面的任何优先权；（7）由担保文件担保的借款和利息。

破产接管人必须向公司或其清算人和债权人委员会通知破产接管终止：《规则》第3条第35款。其必须通过第405条第2款和《规则》第3条第35款第2项规定的在通知书上签名的方式通知公司登记官（ROC）。

19.2 破产管理令

破产管理令将惨淡经营或处于困境的公司的管理置于破产管理人的控制之下,以便尽可能保护公司余下的资产或确保将公司的资产以最有序和最有利的方式实现变现。相关内容规定在 1986 年《破产法》的第二编。

破产管理令的申请

公司或其董事或债权人共同或分别申请任命破产接管人:第 9 条第 1 款。在 Re Equiticorp International plc 一案中,Millett 法官认为:全体董事或由一个经董事会决议授权的董事个人均可提出申请,但是董事个人不能以其自己的名义申请。在 Re Instrumentation Electrical Services Ltd 一案中,采用了与停业清理申请相似中的程序。因为根据第 214 条,申请破产管理令是逃避非法贸易责任的一种方式,所以其激励董事们积极申请破产管理令。如果已经任命了破产接管人,除非任命接管人的债权人已经同意此破产管理令,则法院必须驳回申请;如果任命接管人所依据的担保作为低价交易或优先权而受到异议(第 238 条 – 240 条),或者根据逃避浮动担保的规定,则法院也必须驳回申请:第 245 条。

如果指定了破产接管人,就可以否决破产管理人的任命,而且申请破产管理令后就可以任命破产接管人(第 10 条第 2 款第 2 项)。这一事实将导致反管理浮动担保(anti – administration floating charge)。在 Re Croftbell Ltd 一案中,根据第 9 条第 3 款规定的理由即破产接管人已经在职,公司债券持有人请求驳回破产管理令的申请。公司是集团的成员,其仅有的实际资产,除了其母公司欠其债务外,是另一个拥有更多资产的公司的股份资本。公司债券持有人和另一贷款人(V)已经提供了购买股份资本的资金。公司用最近获得的股权(shareholding)向 V 做了固定担保(fixed charge),发行了有利于公司债券持有人支配整个企业和公司全部财产和资产的公司债券，并向债券持有人作了股份质押（pledge）。公司提出：公司债券不符合在 Re Yorkshire Woolcombers Association Ltd 一案中所确立的判断标准（test）；股份质押和公司没有进行交易的事实说明建立公司纯粹是为了获得和持有股份，这就意味着公司债券不能被看作是在一种明显不同种类的资产上设立了担保，这种资产在一般发展过程中会改变。另一方面，公司认为不应允许其阻止任命破产接管人，因为那仅仅是公司旨在避开这一步的策略（artifice）。Vinelot 法官认为：Re Yorkshire Woolcombers Association Ltd 一案没有为所有意义上的浮动担保作出穷尽的界定。因为公司已对现在和将来的财产设立了浮动担保，所以其驳回了公司关于公司债券无论如何也未生效的请求，在债券被扣押或债券持有人知道公司意图时，公司债券持有人任命破产接管人的权利不能实现（turn on）公司的意图。公司的意图可以改变，并且在债券持有人行使任命破产接管人的权利时，公司很可能有大量的资产在固定担保的范围之外。

申请后的部分延缓偿付

第 10 条对公司债务规定了延期偿付，直到作出破产管理令或驳回申请为止。对自愿清算的公司不能采取任何措施，尽管可以对其提出强制清算申请，但不能对其作出任何裁定：第 10 条第 2 款第 1 项。法院试图通过限制公告申请将潜在的损失减小到最低限度：Re A Company（001992）一案和 Re A Company（001448）一案。只有取得法院的许可，才能行使债权人的权利——执行担保或者继续或开始对公司或其财产的诉讼程序，但对破产接管人的任命除外：第 10 条第 2 款第 2 项。

在申请和裁定之间的期间内，还没有任命保护资产的临时破产管理人（administrator）的权力，但是此期间很短，而且法院可以根据第 9 条第 4 款和第 5 款控制董事们的活动：Re Gallidoro Trawlers Ltd 一案。延期偿付试图通过行使债权人在知道申请时的权利阻止债权人破坏破产管理程序的目的。1985 年 10 月 23 日，上议院大法官（Lord Advocate）在其评述中说明了目的（purpose）："法案（Bill）这一编的目的是强制实行延期偿付，暂缓对债权人的补偿而不影响其实体权利。"通常，有担保的债权人而不是无担保债权人会受到损害（prejudiced），主要由有担保的债权人对破产管理中的公司提出起诉或继续诉讼的请求（见下文："破产管理令的效力"）。

影响作出（grant）破产管理令的因素

在法院作出破产管理令之前，法院必须确信：（1）公司不能或可能不能偿付其债务；（2）破产管理令可能达到下面一个或更多的目的：①公司继续存在，并继续经营其全部或部分业务；②根据1985年《公司法》第425条作出债务整理方案；③根据第一编达成的自愿和解；④比进行清算更有利于变现公司资产。

如果公司已经开始进行结业清算，或者公司是保险公司或被承认的银行，则法院不能对之作出破产管理令：第8条第4款。

Hoffmann法官对第8条第1款第2项中"可能"的定义是："可以合理地期望破产管理令会达到一项或更多的法定目标"（Re Harris Simons Construction Ltd 一案），此定义现已获得普遍承认：Re SCL Building Services Ltd 一案；和 Re Chelmsford City FC（No.2）一案。《破产规则》（《规则》第2条第7款）规定（envisage）申请和听证会之间的期间最少为5天。这个期间已被缩短以延长在提出申请前作出破产管理令的期间：Re Cavco Floors Ltd 一案；和 Re Chancery plc 一案。

破产管理令的效力

一旦作出破产管理令，延期偿付就根据第11条生效，直到撤销破产管理令为止。任何要求公司清算的申请都应被驳回，破产接管人必须提出辞职，并撤销应破产管理人要求任命的其他接管人。不能通过任何决议，也不能作出要求公司清算的命令，并且不能任命破产接管人。此外，不能采取其他措施执行在公司的财产设立的担保，也不能收回分期付款买卖协议中规定的货物；其他诉讼和执行程序或其他法律程序都不能开始或继续；未经破产管理人同意或法院许可，不能对公司或公司资产执行扣押：第11条第3款。

在 Bristol Airport v. Powdrill 一案中试图对破产管理中的公司拥有的飞机行使的占有性留置权，以及在 Re Sabre International Products Ltd 一案中试图对公司账目中未支付部分行使的留置权，都是第11条第3款中规定的"其他措施"，都必须向法院提出申请。然而，在 Re Barrow Borough Transport Ltd 一案中，试图获得担保的在后登记不需要根据第11条作出单独申请。在 Air Ecosse Ltd v. CAA 一案中，法院认为：由于根据飞机操作员的许可给另一个承运人重新分配路线而进行的诉讼，即使其对卖出公司起到破坏作用，其也仅仅是一个行政程序，而且不在"其他程序"的范围之内。

每张发票（invoice）、订货单或签署的商业信函都必须包含破产管理人的签名以及由破产管理人管理的公司的财务、业务和财产状况说明。如果违反这一规定，则破产管理人、公司和职员应被处以罚金：第12条。未经登记的担保对破产管理人来说是无效的。

公司职员必须在规定的21天内或者在法院允许的更长期间内，向破产管理人提交财产状况明细表：第22条，破产管理人必须在其任命开始的3个月内（或在法院允许的更长期间内）将其决议事项的报告书（statememt）送交登记官员和所有债权人，并且提交债权人会议通过，但其必须在召开债权人会议前不少于14天内通知债权人：第23条第1款。如果管理人很快将决议事项拟定出来，则3个月的期间可能会缩短一些。在发生不可预见的紧急情况时，法院也可延长此期间：Re Newport Count AFC 一案。报告书（statement）必须送交公司的所有成员，或者由破产管理人向所有成员通知可免费索要其复印件的地址。同时，破产管理人必须把财产置于其监管（custody）和控制之下，并在法院的批准之下管理公司的事务。在决议事项被通过之前，破产管理人可能很难行使其全部权利，但是其可以向法院申请指导：第 14 条第 3 款。问题涉及破产管理人在债权人会议前变卖公司资产。关于法院的指导，请比较 Re Consumer and Industrial Press Ltd (No. 2) 一案 和 Re N. S. Distribution Ltd 一案。

如果债权人会议通过了破产管理人提出的决议事项通过获得占出席和有投票权的债权人的简单多数票——无论经过修改还是未经修改——之后，破产管理人就可以按照决议事项执行，不再需要取得法院的批准。不同意决议事项的债权人或成员可在 28 天内向法院提出申请。然而法院也没有权利推翻自愿和解协议或债务整理方案。债权人会议可以设立一个债权人委员会，按照《破产法》的规定行使法律赋予的职责，债权人委员会可在 7 天内通知破产管理人，并提供与委员会执行职能相关的信息：第 26 条。破产管理人无权忽视当前的公司合同（Astor Chemicals v. Synthetic Technology 一案），但是，在例外情况下，法院也可以授予其此种权力：Re P & C and R & T (Stockport) Ltd 一案。

如果决议事项没有获得通过，债权人会议也未对修改文本达成一致，则随着决议事项的无效和破产管理令的撤销，法院对最适合的和解协议具有广泛的自由裁量权。

破产管理人的权力

破产管理人可以做"对管理公司财务、业务和财产所必要的所有事情"：第 14 条第 1 款。《破产法》的附表 1 中列出了特别赋予破产管理人的一系列广泛但并不详尽的权力，（见上文），此外，破产管理人还有权撤换董事，任命新的董事，召集股份持有人会议和债权人会议：第 14 条第 2 款第 1 项和第 2 项。董事只能在破产管理人同意并在破产管理人权力介入的情况下行使权力。董事仍负有其法定职责，即必须作出年度统计表。破产管理人的权力不受公司章程大纲或细则限制：第 14 条第 4 款。破产管理人是公司的代理人：第14条第5款，以善意和对付对价方式与破产管理人交易的人无须调查破产管理人是否在其权力范围内行事：第14条第6款。

破产管理人可以处分设立了浮动担保的资产，但是担保债权人保留对变卖所得收益（proceeds）的优先权：第15条第1款、第3款和第4款。破产管理人也可以向法院申请处分设立其他担保的资产［包括固定担保、分期付款买卖、附条件买卖协议、动产租赁协议（chattel leasing agreements）和所有权保留（retention of title agreement）］：第15条第2款，法院可确定由自愿卖主在公开市场上销售的该资产净值。之后，破产管理人用纯收入以及需要根据此价值弥补缺陷的金额一起偿付根据分期付款买卖协议或所有权保留协议的担保金额或可支付金额：第15条第5款。接管人和清算人都不享有此种权力。关于对司法指导的普通态度，参见 Re ARV Aviation Ltd 一案。希望修改计划的破产管理人应取得债权人的同意（第25条），但是，法院在紧急情况下可以给予批准：Re Smallman Construction Ltd 一案。

除非另有明文规定，否则破产管理人对其签订的任何合同都不应承担个人责任。如果破产管理人放弃其职位，则对于其订立合同项下的未偿债务或其同意的雇佣合同项下的未偿债务，应就公司财产设立优先于浮动担保的担保：第19条第5款。该规定同样适用于破产管理人的报酬和费用：第19条第4款。在 Paramount Airways（No.3）一案中，上诉法院认为：破产管理人默示批准了破产公司雇佣雇员的合同，此合同将导致雇员有权利优先于破产管理人的报酬和费用以及任何浮动担保受偿：第19条第5款。此案件结果导致1994年《破产法》迅速通过，此《破产法》第1条即承认了默示批准雇员合同的可能性，但是同时减轻了破产管理人的责任（见上文）。破产管理人如同清算人一样，可以撤销公司与债权人之间的交易（第238－246条，见下文），并且，破产管理人还可以如同清算人和破产接管人一样，要求保留公用事业的供应、对破产状态之前发生的事件进行调查以及追回（recover）公司的账目、文件和其他财产。

对破产管理人行为的调整

在以下几个方面对破产管理人的行为作出了规定。

不公正的偏见

债权人或成员可以基于以下几个理由向法院提出申请：（1）公司的财务、业务和财产正在或已经被破产管理人以一种方式进行管理，这种方式就是破产管理人对公司的债权人或成员的利益，或对部分债权人或成员（至少包括其自身）的利益存在不公正的偏见；或者（2）破产管理人任何实际的或计划的作为或不作为是有偏见的或将造成此种偏见（第27条）：Re Charnley Davies Ltd 一案（见1985年《公司法》第459条和本书第8章）。

破产管理人召集债权人会议的职责

占公司债权人总数 1/10 的债权人或法院可要求破产管理人召集债权人会议：第17条第3款第1项和第2项。

破产管理人申请撤销破产管理令的职责

破产管理人可以向法院申请撤销或变更破产管理令：第18条第1款，但是，如果已经达到或无法达到破产管理令的目的，或者债权人会议要求撤销或变更破产管理令，则破产管理人就必须向法院申请撤销或变更破产管理令：第18条第2款第1项和第2项。

不当行为诉讼 (Misfeasance Proceedings)

破产管理人应受到第212条第1款第2项规定的不当行为诉讼的约束（见下文），但是，其可以根据1985年《公司法》第727条寻求救济：Re Home Treat Ltd 一案。根据第20条作出的弃权（release）不能阻止根据第212条进行的诉讼：Re Sheridan Securities Ltd 一案。

破产管理令的撤销

破产管理人在任何时候都可申请将破产管理令撤销,如果债权人会议要求撤销破产管理令或者如果其之所以这样要求是出于破产管理令的目的已经达到或无法达到的缘故,则破产管理人必须申请撤销破产管理令。如果破产管理人提出的决议事项涉及公司自愿和解(CVA),则破产管理人可以在自愿和解被批准之时起成为自愿和解的监督人。

19.3 公司自愿和解(CVAS)

公司自愿和解规定在第 1 条至第 7 条中,这些规定反映了柯克委员会(Cork Committee)的观点,即 1985 年《公司法》修订(reconstruction)的第 425 条中规定的复杂性和费用不应该阻碍公司进行简单的延期偿付或和解。委员会在报告中指出:"我们认为,自愿和解……仅可能被使用于下列情况:(1)由于某些原因导致对破产管理人的任命是不适当的,(2)对债权人整体而言,债务整理方案是涉及和解或延期偿付或两者都包括的简单协议,并且,该债务整理方案可以被立即拟定和提出……我们相信,对于迫切寻求直接和解或延期偿付的小公司而言,推动这样的和解协议而不必到法院诉讼是非常便利的。(第 430 款)。

如果破产管理人、清算人或董事会试图作出关于"公司和公司债权人之间偿还债务的清偿协议或关于公司事务的和解协议"的决议,则在破产管理令或清算令诉讼开始之前或之后可以使用公司自愿和解程序。此程序不涉及成员(members),也不意图影响成员们的权利。债权人和成员都不能提议进行公司自愿和解;如果提议是由董事作出的,就没有必要破产。

提议中必须提供一个自和解的监督人,作为破产接管人,其必须是有资格的破产业务从业人员。提议必须简短地解释决议人认为应进行公司自愿和解的原因(1986 年《破产规则》第 1 条第 3

款)。如果破产接管人是另外一个破产业务从业人员（亦即不是公司的清算人或破产管理人），则其必须在 28 天内向法院提交关于"其是否认为应该向公司和债权人会议提交提议"的报告：第 2 条。如果破产接管人是公司的清算人或破产管理人，则其可以在其认为合适的时间、日期和地点召集公司和债权人会议：第 3 条第 2 款。

如果公司和债权人会议都接受提议——全部接受或接受修改后的提议——则该提议约束所有被通知的债权人和公司：第 4 条。在公司自愿和解情况下，不需要将成员或债权人分级别召开会议(Class Meeting)，法院也不需要作出正式的批准；会议主席只需向法院简单地报告会议结果即可：第 4 条第 6 款。未经担保债权人或优先债权人的同意，影响其权利的提议不得被通过：第 4 条第 3 款和第 4 款。决议必须获得债权人会议中有投票权的出席债权人或其代理人 75% 的赞成票方可通过。除非公司章程另外规定了表决程序，否则成员会议决议事项只要获得简单多数票就可通过（《规则》第 1 条第 20 款），《规则》第 1 条第 18 款。

如果成员会议和债权人会议都通过了关于公司自愿和解的决议，则自愿和解即行生效，如同其是由公司在债权人会议上作出的决议一样（第 5 条第 2 款第 1 项），并且约束不同意的债权人和所有接到通知并在债权人会议上有表决权的债权人：第 5 条第 2 款第 2 项。在以上两个会议中有表决权的债权人及其指定的代理人、清算人、破产管理人可基于下列事项，向法庭提出申请，要求撤销或中止会议通过的决议或再次召开会议以修改提议或重新考虑原先的提议：(1) 会议通过的自愿和解协议不公正地损害了公司债权人、成员或清算缴款人的利益；或 (2) 在任何一个会议上或关于任何一个会议存在重大违规的行为。

一旦和解协议被通过，法院就可以中止所有的清算程序，撤销破产管理令，并作出指导以推动和解协议或债务整理方案（第 7

条)。履行指定人批准授予的职责的人员被称为"和解协议监督人":第7条第2款。监督人有义务至少每12个月向法院、公司登记官及所有相关方递交一份公司账目,若无业务,则递交计划进程报告:第1条第26款。公司自愿和解一经完成,监督人就必须向所有的债权人和成员发出通知,告知自愿和解已经全部完成,随通知一起应送交一份财务报告,同时将副本送交公司登记官和法院:条例第1.29条。

公司自愿和解的缺陷

公司自愿和解最严重的缺陷就是缺少任何延期偿付,以致债权人运用其单方救济没有任何保护。因为收到提议后,债权人就有权作出为下列行为:根据预定条款保留货物,根据租用或分期付款买卖条款收回工厂,切断电话线、电力、天然气或自来水,报告镇长或郡长,所以,在召开会议时,公司业务很少能被挽救。

此外,因为监督人没有调查的权力,也无权重新审议过去由官方破产接管人、破产管理人和清算人有权审议的交易,所以,债权人不会相信董事们提出公司自愿和解的动机。对上述问题的解决方法是:在制定决议时,根据第10条申请破产管理令,以延期偿付债务。而且,可对官员认为不正当的行为进行调查,还可能取消董事资格。

其他困难包括:如何劝说董事以及其他人采用这个计划;如何使金额较少案件的程序更为经济;如何在全社会尤其是在法院产生"救助文化"。建议应作出如下改革:(1)签发类似于个人自愿和解中临时命令的保护令;(2)根据"债务免除"方案,向债权人和债务人说明税金的状况,;(3)允许对未偿付债务的任一部分立即进行增值税(VAT)坏帐救济;(4)更多地鼓励董事来寻求帮助。

《公司法》第425条的规定花费昂贵而且仅适用于较大的重整计划,这是另此外规定的一种新制度,但是很少被使用。

19.4 公司清算

根据第 73 条，公司清算有 2 种清算方式：自愿清算和法院清算。

自愿清算

自愿清算由全体股东大会上公司提出的决议案开始，主要可能有两种决议案：（1）特别决议案；（2）非常决议案。在公司由于其债务而不能继续经营并且公司可以进行清算的情况下，可以采用非常决议案：第 84 条。

成员和债权人的自愿清算

成员的自愿清算是指：如果董事已经按照第 89 条作出了破产法定宣告，则根据第 89 条其宣告——受到截至最新执行日期为止的公司资产和债务说明书的支持——公司将能够自清算开始起最长为 12 个月的期间内偿还公司的全部债务：第 90 条。必须在决议案施行前的 5 个星期内，或者在通过决议案的同一天（之前除外）作出宣告。如果通过了决议案，那么宣告必须在决议案通过之后的 15 天内登记。如果没有合理理由即作出这样的宣告，则董事应被处以罚金。

必须于 14 天内在伦敦政府公报上公告此决议案：第 85 条。清算自决议案通过之日起开始：第 86 条。其对公司的效力是：除非要求受益性清算，否则，自清算开始，公司即应停止经营：第 87 条。

成员自愿清算的程序

在全体股东大会上，公司可任命一个或一个以上的清算人：第 91 条。如果清算期间超过一年，则自清算开始之日起，清算人必须在每年年末召集公司会议并向会议提交临时报告：第 93 条。当公司事务清算完毕时，清算人召集最后一次公司会议，并提交关于清算的最终报告：第94条第1款。在召开会议的一个星期之内，清算人应向登记官送交账目副本和有关召开会议的报告：第94条第3款。在最后会议报告登记3个月之后，公司自动解散：第201条。

如果清算人决定公司破产，则在其决定公司破产的28天内，清算人必须召集债权人会议，并应在召开会议前7天通知债权人召开债权人会议：第95条。此会议必须在伦敦政府公报和在相关地区发行的2份报纸上予以公告。清算人主持债权人会议，提交公司的财产状况明细表，和作为债权人清算的清算收益。

债权人自愿清算的程序

如果没有进行破产宣告，则公司必须召集债权人会议以及全体股东大会。债权人会议必须召开1天，并且其召开不得迟于清算决议案通过后14天。必须提前7天给予债权人会议通知，并且会议必须在伦敦政府公报和相关地区发行的2份报纸上予以公告。通知必须说明，破产业务从业人员的姓名和地址，该破产业务从业人员在会议之前将免费提供这些债权人可能合理要求其提供的信息；或者通知必须说明在会议之前的两个工作日可以免费查阅债权人姓名和地址列表的相关地点：第98条。

在会议上，董事们必须提交公司财产状况明细表，并任命一个董事来主持会议：第99条。在成员和债权人会议上，成员和债权人可以任命一个清算人。清算人将是债权人的被任命人，但是，如果会议已经任命了另一个不同的人，则任何董事、成员或债权人都可以在7天内向法院申请任命成员的被任命人为清算人，以替代债权人的被任命人或与债权人的被任命人共同作为清算人，或者申请任命其他人：第100条。

债权人可以指定一个不超过5人的清算委员会，在此种情况下，成员也可以任命不超过5人的代表加入委员会。清算委员会由清算人进行工作，如果需要，清算人还可以行使制裁的权力：第

101条。如果已经任命了清算人,则除了清算委员会或债权人授权范围内的权利以外,董事们的所有权利均中止:第103条。

除了应召开年度股东大会,以及债权人和成员的最后会议之外,随后进行的债权人自愿清算程序与员自愿清算程序完全相同:第105条和第106条。公司的解散方式也相同:第201条。

法院清算

如果已缴股份资本不超过12万英镑,则郡法院具有公司破产管辖权,否则就只有高等法院(衡平法庭)具有公司破产管辖权:第117条。法院清算自法律许可的申请人基于法定理由提出申请之时开始。

清算理由

公司清算的理由规定在第122条第1款第1项至第7项中:(1)公司已经通过特别决议解散;(2)公司是公众股份有限公司(public company),没有根据1985年《公司法》第117条颁发的执照,此公司的执照已经过期超过一年;(3)公司是一个经营时间较长的公众公司;(4)公司自成立之日起1年内没有开始经营,或中止经营已经满1年;(5)成员的数目已经减至少于2人(注意:这种情况不适用于只有一个成员的一人公司);(6)公司无力偿还债务;和(7)公司被清算是公平公正的。

此外,国务大臣可以对下列情况以公共利益为理由提出清算申请(第124条第1款):(1)依据1985年《公司法》第14编(part)对公司进行的调查;或(2)依据1986年《金融服务法》(Financial Services Act)》获得的报告或信息;依据1987年《刑事审判法》获得的信息;或者依据1985年《公司法》第83条(对海外管理当局的协助权)获得的任何信息。只要法院认为是公平公正的,就可以对公司进行清算。

第123条对无力偿还债务作出了如下界定:(1)债务金额达到750英镑的债权人向公司注册处送达了要求公司偿还债务的书面

请求,而公司已经过了3个星期还没有偿还该债务或为该债务提供担保,或为合理偿还该债务而同债权人达成和解协议:第123条第1款第1项;或(2)按照法院为了债权人的利益作出的判决、裁定或命令而执行或进行其他程序,结果导致债务人不能偿还全部或部分债务:第123条第1款第2项;或(3)债务到期时公司不能偿还债务:第123条第1款第5项;或(4)公司资产的价值少于其应偿还债务的金额,包括临时债务和预期债务:第123条第2款。

长期以来,根据第123条第1款第1项送达法定要求一直被视为一种有用的程序而得到认可,未获得偿付的债权人可以借助此程序将公司置于这样一种困境,即:公司或者必须解决有争议的债务,或者公司被视为无力偿还其债务而由法院依据债权人的申请进行清算。对债权人的不利之处是:在时间上会迟延三个星期。债权人可以逐渐使用第123条第1款第5项规定的更为直接的方式,并且提出申请表明:公司有义务向其偿还一笔超过法定最低金额要求的债务;债务人没有作出对此金额有争议的通知;公司无力偿还其债务,并应受到清算。这种方式被上诉法院 Taylor's Industrial Ltd v. M & H Plant Hire(Manchester)Ltd 一案中采用。

有权申请清算的人

清算申请可由以下人员提出:公司、董事、国务大臣、贸易工业部、接管人、清算缴款人或债权人:第124条。第79条对"清算缴款人"一词进行了定义,限制那些因其手中持有部分支付的(partly-paid)股份而对公司清算负有出资义务的公司成员提出申请。公司成员的申请权利是受限制的,其除了可以根据第122条第1款第5项提出申请外,仅可以就其持有的或以其名字登记的股份进行申请,这些股份(1)起初就是分配给该公司成员的;或(2)除了先前的18个月以外,该公司成员持有这些股份至少已经6个月;或者(3)由于前任持有人的死亡而移交给该公司成员:第

124 条第 2 款。

此外，虽然第 125 条第 1 款规定："仅因为以下原因，法院不应该拒绝作出清算裁定：被设立为担保的资产的数额等于公司资产的数额或者超过了公司资产，或者公司已经没有资产"，只要申请人能证明其能在公司清算中获得经济利益，法院就应该批准此申请：Re Chesterfield Catering Co. Ltd 一案。如果法院认为申请人可以获得另一种救济，但申请人为了达到要公司清算的目的而作出不合理的行为，则法院可以公正和公平为由驳回申请：第 125 条第 2 款（见第 8 章）。

尽管共同提出申请是可能的，但是，如果债权人的债权请求是 750 英镑或更多，则只有债权人才能提出申请。债务必须是毫无争议的，并且在债务诉讼中是可执行的，即使债务的实际数额是有争议的，但只要对当前规定的法定最金数额之上的那部分债务没有争议，就可以提出申请：Re Tweeds Garage 一案。如果比申请人更为重要的债权人没有提出清算申请，则法院不一定批准该申请。

清算令的效力

清算自清算申请提出之日开始：第 129 条第 2 款（但公司已处于自愿清算程序中之中除外）。这一点是很重要的，因为"除非法院另有裁定，否则，在清算开始后作出的任何对公司财产的处分和公司股份的转移，或者成员地位的变更都是无效的"：第 127 条。清算的结果是：银行可能因为清算申请的提出停止运作公司的账户。如果银行继续运作公司的账户，则其可能被强制将其已支付的款项还给清算人。在 Re Gray's Inn Construction Co. Ltd 一案中，上诉法院认为：尽管对正在接收的偿付提出申请将银行退还已支付款项的义务放在了次要位置，但进出借方账户上的支付仍构成第 127 条规定的财产处分。在 Re Barn Crown Ltd 一案中，法院认为：向贷方账户支付不构成财产处分，不受第 127 条的约束。

任命清算人

法院可以在清算申请提出之时起的任何时间任命临时清算人，以执行法院授予清算人的职能：第135条。在 Re Brackland Magazines Ltd and Others 一案中，法院判决争夺临时清算人任命权的董事应该自己承担发生的诉讼费用。在法院已经作出清算令的情况下，官方破产接管人就是公司的清算人，并且继续履行职责直到任命另一个人作清算人为止：第136条第2款。官方破产接管人在清算人空缺期间也是清算人：第136条第3款。当官方破产接管人是公司清算人的时候，为了选出一个人取代其作清算人，官方破产接管人可以召集清算缴款人和债权人召开单独会议：第136条第4款。官方破产接管人有长达12个星期的时间来自由决定是否要召集会议：第136条第5款。代表公司四分之一债权人的一个或一个以上债权人可以正式要求官方破产接管人召集单独会议。如果官方破产接管人召集了会议，第139条规定：被债权人任命为清算人的被任命人，如同上文所述的债权人自愿清算中的清算人一样，享有上诉的权利。

如果根据第136条第4款召开的会议没有任命任何人作清算人，则官方破产接管人可在任何时间向国务大臣申请任命一个人取代其位置，官方破产接管人有义务决定是否需要去求助国务大臣任命清算人。如果在撤销破产管理令时立即作出清算令，则法院可以任命破产管理人作为清算人：第140条。如果清算令作出时有自愿和解的监督人，则法院也可以任命该监督人作清算人。无论在以上何种情况下，官方破产接管人都不会再是清算人。

如果债权人和清算缴款人已经开会决定清算人的任命，则其也可以设立一个清算委员会。

清算人的权力

第167条规定了清算人的权力。经法院或清算委员会批准，清算人有权行使附表4第一编和第二编中的任何权利（偿还债务、请求和解等等；起诉和答辩；继续经营公司的业务）；无论是否经过批准，清算人都可行使附表第三编中的任何权利。

清算的终止

清算人要召开最终债权人会议。会议将收到清算人的最终报告，并决定是否应该根据第174条免除清算人的职责。登记官员将会议结果和公司结业通知进行登记，3个月之后，公司解散：第205条。

债务申报

债权人向有清算人的公司申报其债务，以便有权分得公司资产。债权人可以申报所有已清算的和未清算的、确定和不确定的、目前可能的和将来的债务（1986年《破产规则》，SI 1986，No. 1925，《规则》第12条第3款），但确实无法申报的债务除外：《规则》第12条第3款第2项、第2项第1分项和第3项。清算人有义务估计不确定债务的价值，而且《破产规则》规定债权人有权上诉。

债务的优先顺序

清算人将债务按优先顺序排列，按照这个顺序用公司的资产偿还这些债务。如果公司的资产不足以偿还所有的债务，则用公司资产公平地偿还每一顺序中的所有债务。债务的优先顺序是：（1）有固定担保的担保债权人；（2）清算的费用，包括清算人的报酬；（3）《破产法》规定的优先债权人；（4）持有资产浮动担保的有担保债权人；（5）普通的无担保债权人；（6）延期债权人；（7）股份持有人的资本收益。

除了迟延申报债权人的债务之外，在同一顺序中的所有债务都具有同等的地位。最重要的一类债务是优先权债务，1986年《破产法》第175条赋予此类债务优先权。与自然人破产一样，在法人破产中将这些债务归类也应参考第386条和附表6（见第18章）。

公司资产

所有在清算开始时属于公司的资产都是可以分配给债权人的资产。这其中包括清算缴款人就以前未支付的部分到期股份补上的资产。

不得用于偿债的资产

并非所有的财产都可以用于分配给债权人，下列财产即被排除：

由公司作为另一个人的代理人、受托人或受寄托人而持有的财产 公司为了另一个人的利益而持有的财产不能移交给清算人。在 Re Kayford Ltd 一案中，法院认为：由于该款项是邮购公司的顾客寄来的，并被存入一个特殊的账户，等待定购货物的交付，所以该款项被视为处于信托之中，应返还给顾客。

在申请清算之后处分的资产：1986 年《破产法》第 127 条就法院的强制清算而言，清算开始的日期就是提出申请的日期，而不是作出清算令的日期：第 129 条。此外，除非经法院批准，否则所有在此期间所做的财产处分都是无效的：第 127 条。因此，清算人可以收回已经处分的财产或让银行或其他人承担退还在此期间错误付款的责任：Re Gray's Inn Construction Co. Ltd 一案和 Re Western Welsh International System Buildings Ltd 一案。如果在此期间内已经完成的租约转让合同是订立于提出清算申请之前无条件合同，则此合同就不在本条规定的范围之内：Re French's Wine Bar Ltd 一案。

所有权保留 如果公司依据含有所有权保留条款的合同获得的财产，在其全部交付给买方之前，卖方仍拥有其所有权，则在其经正确贮藏和标记表明其属于卖方的情况下，其将不会移交给清算人。在极端的情况下，如果买方作为卖方的代理人将这样的货物卖出，并且所有权保留条款适用于此买卖收益，而且该收益必须被存放在一个单独账户中，那么，这笔款项将不会移交给清算人（见

第10章)。

清算人放弃的财产 清算人可以放弃其负有责任的财产,法律规定此类财产包括:(1)任何没有收益的合同;(2)任何其他财产,此财产不适合销售,或者销售有困难,或者此财产可能产生支付金钱或履行任何其他有偿行为的义务。放弃通知终止公司自通知之日起取得的权利、利益和责任。因清算人放弃财产遭受损失的人必须在清算中作为债权人就损失申报债权,法律对放弃租约有特别的规定。清算人在任何时候都可以行使其放弃权,但是,通过送达书面通知给清算人要求其选择弃权或不弃权,对财产有利益的人可以中止清算人行使放弃权的期间。在这种情况下,此期间要减少到从通知时起28天,也可由法院批准而延长此期间:第178-182条。在 Hindcastle v. Barbara Attenborough Associates Ltd 一案中,上议院认为:放弃租约会导致减少公司的责任,但是不影响其他人的权利和义务。因此,过去曾保证偿付租金的董事仍有责任履行其保证。此判决推翻了 Stacey v. Hill 一案的判决。

撤销清算之前进行的交易

清算人可以通过撤销在清算之前进行的交易来增加可用于分配的资产。

低价交易

破产管理人或清算人可以要求法院撤销在破产开始之前的相关期间(即两年)内进行的低价交易;或者要求撤销在提出破产管理令申请和作出破产管理令这段期间内进行的交易。根据第123条的规定,如果公司当时无力偿还债务,则可宣告破产,但是在某些相关人员进行交易的时候,法院可以作出这种推定:第240条第2款。破产的开始就如同可撤销的优先权一样。在 Re M. C. Bacon Ltd 一案(见下一节)中,法院认为:因为所设立的担保既不是赠与,也不会耗尽公司的资产,所以此担保在第238条规定的范围之外。

在以下两种情况下，公司可能达成低价交易：（1）公司将资产赠与他人，或者达成公司没有得到任何对价的交易；（2）公司所达成交易的对价明显少于公司提供的对价。

如果法院确信公司善意地达成交易，并且有合理理由相信此交易将对公司有益，则法院不会作出撤销交易的裁定。第238条规定的诉讼没有地域的限制。在 Re Paramount Airways Ltd 一案中，破产管理人能够就支付给泽西岛上银行账户的资金主张权利。

法院作出的裁定的性质规定于第241条中，此条保护善意和支付对价购买财产的买方：1994年《破产法》（第二次修订）第241条第2款和第2款第1项。

可撤销的优先权

如果公司已作出偿付和担保，使债权人或保证人或债权人的担保人处于更好的境地，则破产管理人或清算人可以在公司将要进行破产清算时撤销这些偿付和担保。这样的财产处分和其他交易等等必须发生在破产开始之前的相关期间内，对局外人而言这段期间是6个月：第240条第1款第2项，对公司的相关人员而言是2年：第240条第1款第1项，而公司必须无力偿还第123条规定范围内的债务。本条也适用于在提出破产管理令申请和作出破产管理令期间作出的交易：第240条第1款第3项。如果公司有要将利益转移给优先权人的动机，则优先权只能是可撤销的。如果破产管理令的结果导致适用本条，或者公司由于撤销破产管理令而立即进行清算，或者公司在另外一个时间进行清算，则破产开始之日就是提出破产管理令申请之日。在 Re M. C. Bacon Ltd 一案中，高等法院认为：新法条以欺诈性优先权为理由撤销依据早先法定条款作出的裁决。在这个案件中，公司在银行有一笔高达30万英镑的无担保透支。1986年，此公司失去了主要客户，并有两个董事退出了公司管理；在这时，银行向公司表明公司应该提供担保。1987年5月，银行报告的结论是：此公司技术上破产，但是有可能通过继续经营走出困境。作为银行继续运作公司账户的条件，银行要求在公司资产上设定固定担保和浮动担保。公司设立了担保，并在登记机关进行了担保登记。1987年9月，公司开始结业清算，清算人请求法院将公司向银行作出的担保作为低价交易或作为无效优先权而撤销。法院仔细研究了"意图"和"希望（desire）"的区别，并得出结论：公司并未必然地希望其意图实现该担保。因此，法院认为该担保不是可撤销的。如果公司由于受到债权人的压力而被迫授予优先权，则该优先权不是可撤销的。对于第249条规定的相关人员，可以推定适用对其有利的意图：第239条第6款，Re DKG Contractors Ltd 一案和 Re Bescon Leisure Ltd 一案。

法院可以判决再转让财产、解除或撤销担保、向破产管理人或清算人偿还资产、担保重新生效等等：第241条。根据1994年《破产法》（第2次修订）修改的第241条第2款和第2款第1项对进行善意有偿购买的善意第三人的进行特别保护。胜诉获得的收益是无担保债权人可以获得的收益：Re Yagerphona Ltd 一案。在 Re M. C. Bacon Ltd (No. 2) 一案中，清算人不能将在毫无结果的诉讼中花费的诉讼费用作为清算费用的一部分。

浮动担保的无效

根据第245条第3款第1项，除非担保人能证明公司当时候并不是无力偿还债务或者是因担保才无力偿还债务，否则，在破产开始之前一年内为局外人的利益设立的浮动担保是无效的：第245条第4款。对于相关人员而言，此期间可根据第245条第3款第1项被延长到2年，并且此期间无条件适用于在设置担保之时无力偿还债务的公司。破产开始自提出破产管理令申请之日或清算开始之日开始：第245条第5款。

法律规定的例外情形共有以下几种：（1）在就公司债务设立担保的同时或之后，向公司提供的金钱、货物或服务的价值；（2）在就公司债务设立担保的同时或之后，偿还或减少的价值；（3）

依据上述（1）和（2）可获得的任何利益：第 245 条第 2 款第 1 项。

"在就公司债务设立担保的同时或之后向公司提供的金钱、货物或服务的价值"这一例外规定是最重要的；因为其意味着：同时预付或提供货物和服务，如果不能使浮动担保全部生效，也至少可以使浮动担保部分生效。如果货物或服务构成对价，则只有在合理提供货物或服务的情况下，担保才是有效的：第 245 条第 6 款。

就早先的一些等同条款（equivalent provision）而言，如果但书与在同一时间鉴于担保而支付给公司的现金有关系，则法院将不会完全地采用此但书。在 Re F & E Stanton Ltd 一案中，即使公司在设立担保之后的 5 天已经停止清算，办理设立浮动担保的手续之前 5 天作出的偿付也适用此但书。然而，在 Re Shoe Lace Ltd 一案中，法院裁定应按照这些词语通常使用的含义决定同时发生的程度。在此基础上，尽管公司在 4 月至 7 月初这段时间内为发行债券的设想已经贷款，但不能说贷款与发行债券同时作出，债权的发行在 1990 年 7 月 24 日最终执行。因此，浮动担保是无效的。此裁决并未遵循 Re Fairway Magazines Ltd 一案的判决，在后一案件中，即使偿付是在 8 月 28 日发生的，而担保是在 9 月 27 日设立的，但法院仍认为设立有利于请求人的担保与偿付 15000 英镑同时发生。然而，上诉法院对 Power v. Sharp Investments Ltd 一案的上诉案采用了高等法院在 Re Shoelace 一案中的判决。上诉法院认为：如果贷款在发行债券券之前作出，则除非间隔的时间太短以至于此间隔被认为最小值，否则，偿付将不会被视为与设立担保同时作出。此判例对银行和基于当前账户的卖方的有利之处可以在 Re Yeovil Glove Co. Ltd 一案中看到，在该案中，银行继公司发行债券之后支付公司签发的支票总额达 11 万英镑，即使为使银行作出进一步的贷款并保留设有实质性改变的透支，公司已向银行就既存债务设立了无条件担保，银行的这种支付也被法院认定为一个新的付款。这表明在 Clayton's Case 一案中所确立规则的优势，该规则规定：对于裁定中因未被特定划拨而产生的债务而言，可以用往来账户进行的贷款予以清偿。

如果无担保债权人的浮动担保是为了立即偿还其既存债务，则该贷款不属于上述例外情形：Re Destone Fabrics Ltd 一案。如果公司在清算或破产前赎回了担保，则清算人或破产管理人不能要求担保债权人返还收到的款项，尽管这笔款项可凭优先权追回：Mace Builders（Glasgow）Ltd v. Lunn 一案。

高利贷交易

清算人可以就清算开始之前的 3 年内发生的高利贷交易向法院提出申请，如果法院推定此交易是高利贷交易，则法院可以：(1) 撤销整个交易或交易的一部分；(2) 变更此交易的条款或变更那些法院认为担保与交易有关系的条款；(3) 要求任何人退还公司支付给其的款项；(4) 要求放弃担保；或 (5) 要求提供任何人之间的账目。

欺诈债权人的交易

这些规定更新了以前规定在 1925 年《财产法》(Law of Property Act) 第 172 条中的一般无效制度，这一制度被认为与 Re Shilena Hosiery Ltd 一案中的公司有关。其关键因素是低价交易，而且此低价交易必须是为了不让债权人得到资产或损害债权人的利益：第 423 条第 3 款。按照法律建议作出的行为将不会必然地撤销本条范围内的交易：Arbuthnot Leasing International Ltd v. Havelet Leasing Ltd(No.2)。第 424 条规定了可以申请撤销此类交易的人员，包括那些受到损害的个体请求人。法院可能作出的裁决规定在第 425 条，这与第 241 条规定的裁决是相似的。没有关于时效的具体规定，但是根据第 423 条第 3 款对意图的衡量标准比根据第 238 条或第 239 条更难以满足。

未登记的担保（见第 10 章）

对管理不当的救济

清算人也可以为增加可用于分配的资产,对下列事项要求公司董事对公司承担个人责任:归还其从公司移转的财产,或者根据法院清算令,要求公司董事对公司资产承担清算缴款责任。

针对不履行职责的董事的简易救济

法院最近作出的裁决表明破产公司或濒临破产公司的董事负有一项普通法义务——为保护公司资产而避免财产的不当使用:Winkworth v. Edward Baron Development Co. Ltd 一案和 West Mercia Safetywear v. Dodd 一案。在 Re Purpoint Ltd 一案中,法院判决:正在进行清算的公司的董事应负担公司资产总额中的 12666.79 英镑,包括公司用于分期付款购买公司汽车的款项,理由是:此购买行为(1)对公司经营而言是无必要的;和(2)公司无力清偿债务;而且,董事未作说明就收回这笔款项。

在 Re DKG Contractors Ltd 一案中对于经所有股份持有人批准的非越权行为,Hoffmann 法官参考了以下两个例外:债权人有权让公司的资产保持完整和不能许可欺诈债权人的行为。因此,其认为:根据第 212 条,董事应偿还在公司清算前 10 个月就已经支付给董事的那笔总额超过 40 万英镑的款项。在该案中,法院对同一笔款项同时根据第 239 条(可撤销的优先权)和第 214 条(非法交易)作出裁决。

如果在不当行为诉讼中胜诉,则可以要求董事返还公司的财产或补偿所造成的任何损失。下列人员可以提起此类诉讼:官方破产接管人、清算人或任何债权人、或者即使不能从任何裁决中获得个人利益但经法院批准也可以起诉的清算缴款人,即使其不能从任何裁决中获得私人利益:第 212 条 5 款。

欺诈性交易

如果在清算期间公司继续经营是意图欺诈公司的债权人或任何其他人的债权人,或为了任何欺诈的目的,则法院可以宣告通过继续经营意图欺诈的人应对公司的资产承担清算缴款责任：第213条第1款第2项。"意图欺诈"和"欺诈目的"两词是指只要根据普通的正当商业人士的观点，当事人的行为是故意地或事实上有欺瞒，该当事人就负有责任：*Re EB Tractors Ltd* 一案。在 *Re William C. Leitch Brothers Ltd* 一案中，法院认为：如果董事们经营公司业务却对偿付债务没有合理的计划，就构成欺诈性交易。此外，在 *Re Gerald Cooper Chemicals Ltd* 一案中，法院认为：如果只有一个债权人被欺诈并且只被一个交易欺诈，则实施欺诈的当事人也是有责任的。

因为法律规定本条仅适用于以上述方式故意实施欺诈的继续经营公司业务的人，所以，本条规定不适用于董事。由于本条规定要求证明高度故意才可确定责任，因此，第214条和第213条第2款规定的非法交易条款很可能会得到更普遍地适用。

在 *Re Maidstone Buildings Provisions Ltd* 一案中，法院认为：未向董事们通知公司破产和应该停止交易的公司秘书不属于"继续经营公司业务的当事人"。除非实际经营公司业务的当事人被起诉进行欺诈性交易，否则，"继续经营公司业务的当事人"可包括董事和与董事合作开展公司业务的局外人，但不包括消极的参与人。因此，在 *Re Augustus Barnett & Son Ltd* 一案中，母公司成功地请求驳回对方的诉讼请求，依据的理由是：没有主张清算子公司的董事会继续经营业务是意图欺诈债权人。只有在母公司继续给予财政支持的情况下，包括母公司同意给予财政支持的"安慰函（comford letters）"，子公司才能继续经营。如果对方当事人向母公司主张非法交易，这就不是问题。法律特别规定了非法交易罪，以克服确定欺诈性交易的责任这一技术性难题。

非法交易

非法交易罪确立了主观义务之外的客观注意义务，但是其只针对公司的董事，而且此公司（1）已经进行破产清算；（2）在公司清算开始之前的某个时候,当事人已知道或应该知道不存在关于"公司能避免破产清算"的合理预见:第 214 条第 2 款。根据此条,董事们对债权人负有法定注意义务,并有责任对清算中的公司资产进行清算缴款。如果董事"为了将公司债权潜在的损失减少到最低限度,采取了其应该采取的每一个措施",则其可以抗辩:第 214 条第 3 款。第 214 条第 2 款和第 3 款规定:

公司董事应该知道或查明的事实、其应该得出的结论以及其应该采取的措施,是一个理性且勤勉的人应该知道、查明、得出或采取的,一个理性且勤勉的人应该同时具有:(1) 可以合理执行与公司董事职责相同的职责的人应具有的一般知识、技能和经验;(2) 董事应该具有的一般知识、技能和经验:第 214 条第 4 款。

第 214 条规定了对前任董事的救济:第 214 条第 1 款,和对影子董事的救济:第 214 条第 7 款。第 251 条对影子董事的含义作了定义。此条特别考虑了母公司作为影子董事取得资格的情况,与 1985 年《公司法》第 741 条第 3 款的规定相同。对公司集团来说,除非其采取的每一个措施都将债权人的损失减少到最低限度,否则其子公司很难进入破产清算。在 Re Hydrodam(Corby)Ltd 一案中,法院认为:如果一个法人是一个公司的董事,则无论其是法定董事、影子董事还是事实(de facto)董事,该法人的董事都不必是那个公司的影子董事。此裁决显然承认了各种董事,无论是法定董事、事实董事还是影子董事,根据第 214 条的规定都是有义务的。法官对影子董事和和事实董事作出了明确的区分。然而此区分未能在 Re Tasbian Ltd(No.3) 一案中得到采用,在该案中,上诉法院判决:根据第 214 条,公司的董事有责任作为公司的事实董事或影子董事来挽救濒临破产的公司。

贷款银行必须谨慎地限制其对公司的监督行为,不能签发命令或作出指示,否则其就可能被认为是影子董事。第一个被汇编的案件是 Re A Company(No.005009 of 1987)一案,该案涉及到银行,银行试图对其命令进行抗辩，但败诉。在 Kuwait Asia Bank EC v. National Mutual Life Nominees Ltd 一案中，因为银行指定了五个董事中的两个，所以银行并不是影子董事，因此，不能说董事们习惯于执行银行的指示或命令。第214条的规定将会导致清算人对破产公司董事的诉讼大量增加，特别是在财务管理不当的情况下更是如此。

在 Re Produce Marketing Consortium Ltd 一案中，第一次对第214条作出了成功的验证。法院认为：因为董事们本应该可以断定1986年6月，不存在关于"公司能够避免破产清算"的合理预见（公司于1987年10月开始进行清算），所以，两被告都应就公司债务中的75000英镑承担清算缴款责任。这种责任是连带责任。在后一个案件中，因为董事们保存的资料不够充分，所以法院不能确定董事们是否应该知道公司不能继续经营下去。此案确立了如下规则：在此类的案件中，法院有权自己决定开始的日期，还确立了赔偿的标准——只能赔偿法院确定的开始日期之后发生的债务：Re Purpoint Ltd 一案。在 Re DKG Contractors Ltd 一案中也确立了此种赔偿标准。Produce Marketing 一案还提出了一个问题，即：法院是否能根据1985年《公司法》第727条免除董事根据第214条规定的全部或部分责任。法院认为第727条不能适用于第214条规定的责任。在 Re DKG Contractors Ltd 一案中，尽管法院发现没有理由根据第727条免除董事的责任，但没有排除第214条的适用。

如果担保设立在后取得的财产上，则"是否能判决浮动担保债权人进行的是非法交易"仍是一个疑问。在 Re Produce Marketing Consortium Ltd 一案中，法院判决浮动担保债权人进行的是非法交易。但是这能否类推适用于优先权的地位仍是有争议的（见 Re Yagerphone 一案）。已经根据第213条和第214条被裁定进行清算缴款的董事可由法院免除其董事资格：1986年《公司董事资格丧失法》（CDDA）第10条。在 Purpoint 和 DKG 两案中，法院也免除了此种董事的资格。

在 Re Oasis Merchandising Services Ltd 一案中,破产公司的清算人根据第214条对5名董事提起了诉讼。但是,因为公司没有资产支付诉讼费用,而且债权人也不愿意这样做,所以,经清算委员会和公司法庭(companies court)的同意,清算人将诉讼收益公平转让给一个专门的诉讼支持公司,以作为受让人同意支付诉讼费用的回报。法院判决:因为此种行为是助诉行为(champertous)并且滥用诉讼程序,所以中止诉讼。诉讼支持公司的上诉被驳回,理由是:尽管根据附表4中规定的权利,清算人可以在清算开始时转让(assignable)公司的资产,但这并不是其作为一个清算人的法定权利。

19.5 因破产而产生的刑事责任

刑事责任基于下列情况产生:(1)在参与清算过程中欺诈:第206条;(2)欺诈债权人的交易:第207条;(3)在清算过程中处理不当:第208条;(4)伪造公司账簿:第209条;(5)财产状况明细表的重大遗漏:第210条;(6)向债权人作虚假陈述:第211条。

19.6 因破产清算而导致董事资格的丧失

根据《公司董事资格丧失法》第10条,董事可能丧失其资格;如果董事犯有与公司的发起、设立、管理或清算相关的可诉犯罪,则根据《公司董事资格丧失法》第2条丧失其董事资格的时间可长达15年。在简易定罪(summary conviction)案件中,最长期间是5年,而在公诉案件中,最长期间是15年。对于处于清算期间的公司的董事而言,如果依据1985年《公司法》第458条其被判决犯有欺诈性交易罪(无论被宣告有罪还是未被宣告),或者被判决犯有任何欺诈罪或违反其与公司有关的职责,则可根据

《公司董事资格丧失法》第4条,免除其董事资格。

在最少两年的时间内,法院有义务免除破产公司不称职的董事:第6条。不称职的标准规定在附表1的第二编,但是这些标准已经被法庭判决扩展到包括过失和无力偿付公司债务。在因无力偿付公司债务而导致的责任方面,特别是在因无力偿付欠王室的债务而导致的责任方面,关键案件是 Re Sevenoaks Stationers (Retail) Ltd 一案,此案件为丧失董事资格的期间规定(lay down)了适用标准(见第8章)。第6条的效力可被以下一事实削弱,即:仅可由国务大臣提起此类诉讼,或者,如果公司由法院进行清算,则可由国务大臣指令官方破产接管人提起此类诉讼。即使公司的清算已终止(concluded),法院仍继续享有审理免除董事资格案件的管辖权:Re The Project Ltd 一案。

19.7 停业公司的解散

当公司表现出停止执行职能的时候,即使其未被清算,也可被解散。登记官员向公司的注册住所(registered office)发函,询问公司是否仍履行职能。如果在一个月内没有收到答复,登记官员就在14日内发出挂号信,通知公司:如果一个月之内未收到公司答复,则登记官员将在伦敦政府公报上公告通知,以取消该公司的注册。无论收到公司的确认答复还是未收到公司的答复,该通知都将被公告,并且公司的注册自公告之日起3个月内被取消:1985年《公司法》第652、653条。在20年内,公司可被申请重新注册,在此种情况下,公司将被视为一直存在,如同其从未被取消注册一样。

19.8 法院宣告解散无效的权力

法院可在公司解散后2年内宣告该解散是无效的。清算人或其他任何利害关系人(interested person)都可以提出申请:1985年

《公司法》第651条。

推荐读物

《公司清算申请》，(Derek French, Blackstone Press, 1993)。
《派宁特论法人破产法》，第2版 (Buttenworths, 1997)。
《法勒论公司法》，第5版 (Butterworths, 1998)。

问题

1. 区别破产接管人和其他接管人。后任无法获得前任应具有的何种资格？

2. 1994年《破产法》如何解决破产接管人和破产管理人（administrator）采用雇佣合同的问题？

3. 可申请破产管理令的人员有哪些？在法院作出破产管理令之前应证明哪些事项？

4. 什么是延期偿付，如何使用延期偿付制度推动破产程序（adminstration process）？

5. 即使在公司资产上设立了担保，破产管理人也有权处分公司的资产。在这一方面，法律如何区分浮动担保和其他担保？

6. 公司自愿和解的缺陷是什么？如何能最好地避免这些缺陷？

7. 成员自愿清算与债权人自愿清算有哪些区别？

8. 强制清算的主要原因是公司无力偿还其债务。如何确定公司无力偿还其债务？

9. 法律对清算缴款人申请公司结业清算有一些限制。何为清算缴款人？法律对清算缴款人有哪些限制？

10. 如果公司意图将利益移转给有优先权的人，那么这种优先权是可撤销的。这一规定的意义是什么？

11. 在清算前某段期间设立的浮动担保在某些情况下是无效的。这段相关期间是多久？这些情况有哪些？

12. 非法交易可能导致部分董事要承担责任，无论其是法定董事、事实董事还是影子董事（shadow director）。这三种董事之间有何不同？

13. 1986年《破产法》规定的影子董事与1985年《公司法》规定的影子董事之间有什么区别？

案例表

Ketley Ltd v. Scott [1981] ICR 241
Roberts & Co. Ltd v. Leicestershire Country Council [1961] Ch 555
A – G v. Blake [1998] 1 All ER 833
A – G v. Edison Telephone Co. (1880) 6 QBD 244
Aas v. Benham [1891] 2 Ch 244
AB Trucking and BAW Commercials (unreported 3 June 1987)
Abbey Glen Property Corpn v. Stumborg [1976] 2 WWR 1
Aberdeen Rly Co. v. Blaikie Bros. (1854) 2 Eq Rep 1281
Aberfoyle Plantations Ltd v. Cheng [1960] AC 115
ACF Chemiefarma v. Commission [1970] ECR 661
ADT Limited v. BDO Binder Hamlyn, Independent, 7 December 1995
Adams v. Cape Industries plc [1990] Ch 433
Adams v. Lindsell (1818) 1 B 7 Ald 681
Adams v. Union Cinemas [1939] 3 All ER 136

Adams v. Ursell [1913] 1 Ch 269
Addis v. Gramophone Co. Ltd [1909] AC 488
Adler v. Dickson [1954] 3 All ER 396
Aerators Ltd v. Tollitt [1902] 2 Ch 319
Aero Zipp Fasteners Ltd v. YKK Fasteners (UK) Ltd [1978] CMLR 888
AIB Finance Ltd v. Debtors [1997] 4 All ER 677
Air Ecosse Ltd v. CAA (1987) 3 BCC 492
Airfix Footwear v. Cope [1978] ICR 1210
Airtours plc v. Shipley (1994) 158 JP 835
Albert v. Motor Insurers' Bureau [1972] AC 301
Alcock and Others v. Chief Constable of South Yorkshire Police [1991] 3 WLR 1057
Alexander v. Rayson [1936] 1 KB 169
Ali v. Christian Salvesen Food Services Ltd [1997] 1 All ER 721
Allam v. Europa Poster Services [1968]

1 All ER 286
Allcard v. Skinner (1887) 36 ChD 145
Allen v. Emerson [1944] KB 362
Allen v. Gold Reefs of West Africa Ltd [1900] 1 Ch 656
Allen v. Hyatt (1914) 30 TLR 444
Alliance & Leicester Building Society v. Edgestop Ltd [1993] 1 WLR 1462
Aluminium Industrie Vaassen v. Romalpa Aluminium Ltd [1976] 2 All ER 552
Amalgamated Investment & Property Co. Ltd v. John Walker & Sons Ltd [1976] 3 All ER 509
American Cynamid Co. v. Ethicon Ltd [1975] 1 All ER 504
American Express Banking Corp. v. Hurley [1985] 3 All ER 564
Anangel Atlas Naviera SA v. Ishikawajima - Harima Heavy Industries Co. Ltd [1990] 1 Lloyd's Rep 167
Andre et Cie. SA v. Ets. Michel Blanc et fils [1979] 2 Lloyd's Rep 427
Andrews v. Ramsay & Co. [1903] 2 KB 635
Anglia Television v. Reed [1972] 1 QB 60
Annabel's (Berkeley Square) v. G. Schoek [1972] RPC 838
Anns v. Merton London Borough Council [1977] 2 All ER 492
Anton Piller K. G. v. Manufacturing Processes Ltd [1976] 1 All ER 779

Appleby v. Myers [1867] LR 2 CP 651
Appleson v. Littlewood Ltd [1939] 1 All ER 454
Arab Bank Ltd v. Ross [1952] 1 All ER 709
Arab Bank plc v. Mercantile Holdings Ltd and Another [1994] 1 BCLC 330
Arbuckle v. Taylor (1815) 3 Dow 160
Arbuthnot Leasing International Ltd v. Havelet Leasing Ltd (No. 2) [1990] BCC 636
Arcos v. Ronaasen (E. A.) & Son [1933] AC 470
Armhouse Lee Ltd v. Chappell (1996) The Times, 7 August
Armour v. Thyssen Edelstahl Werke AG (1990) FT 26 October
Arora v. Bradford City Council 1990 [1991] 3 All ER 545
Ashbury Railway Carriage & Iron Co. Ltd v. Riche (1875) LR 7 HL 653
Ashington Piggeries Ltd v. Christopher Hill Ltd (Nordsildmel Third Parties) [1971] 1 All ER 847
Ashley v. Sutton London Borough Council (1994) 159 JP 631, DC
Ashmore, Benson, Pease & Co. Ltd v. A. W. Dawson Ltd [1973] 2 All ER 856
Ashville Investments Ltd v. Elmer Contractors Ltd [1989] 2 QB 488
Associated Distributors Ltd v. Hall

[1938] 2 KB 83
Associated Japanese Bank (International) Ltd v. Credit du Nord SA [1988] 3 All ER 902
Astor Chemicals v. Synthetic Technology [1990] BCC 97
Aswan Engineering Establishment v. Lupdine [1987] 1 WLR 1
Atari Corporation (UK) Ltd v. Electronics Boutique Stores (UK) Ltd [1998] 2 WLR 66
Attica Sea Carriers Corp. v. Ferrostaal Poseidon Bulk Reederei GmbH, The Puerto Buitrago [1976] 1 Lloyd's Rep 250
Att. Gen. v. Corke [1933] Ch 89
Attwood v. Small (1838) 6 Cl & Fin 232
Atwood v. Lamont [1920] 3 KB 571
Avery v. Bowden (1855) 5 E & B 714
Baden Delvaux & Lecuit v. Societe Generale pour favoriser le developpement du commerce et de l'industrie en France SA [1983] BCLC 325
Badgerhill Properties Ltd v. Cottrell [1991] BCLC 805
Bagot v. Stevens Scanlon & Co. Ltd [1966] 1 QB 197
Baker v. Australia and New Zealand Bank Bank Ltd [1958] NZLR 907
Baker v. Barclays Bank Ltd [1955] 2 All ER 571
Baker v. James Bros. [1921] 2 KB 674

Baldry v. Marshall [1925] 1 KB 260
Baldwin v. British Coal (1994) IRLB 501
Balfour v. Balfour [1919] 2 KB 571
Balkis Consolidated Co. v. Tomkinson [1893] AC 396
Balsamo v. Medici [1984] 2 All ER 304
Balston Ltd v. Headline Filters Ltd [1990] FSR 385
Bamford v. Bamford [1970] Ch 212
Banco - Exterior International v. Mann [1995] 1 All ER 936
Banco Exterior International SA v. Thomas [1997] 1 All ER 46
Bank of Baroda v. Panessar [1986] BCLC 497
Bank of Baroda v. Rayarel [1995] 2 FLR 376
Bank of England v. Vagliano Brothers [1891] AC 107
Bank of Montreal v. Stuart [1911] AC 120
Bank of Scotland v. Grimes NLJ, Vol 135 (1985)
Banque de l'Indochine et de Suez S. A. v. Euroseas Group Finance Co. Ltd [1981] 3 All ER 198
Barber v. Guardian Royal Exchange Assurance Group [1991] 2 WLR 72
Barclays Bank Ltd v. Astley Industrial Trust Ltd [1970] 1 All ER 719
Barclays Bank plc v. Boulter [1997] 2

All ER 1002
Barclays Bank plc v. Thomson [1997] 4 All ER 816
Barclays Bank Ltd v. Trevanion The Banker, Vol. xxvII (1933)
Barclays Bank Ltd v. W. J. Simms & Son & Cooke (Southern) Ltd and Another [1980] QB 677
Barclays Bank plc v. Fairclough Building Ltd and Others [1995] 1 All ER 289
Barclays Bank plc v. O'Brien [1994] 1 AC 180
Barker v. Hargreaves [1981] RTR 197
Barnes v. Hampshire County Council [1969] 3 All ER 746
Barnett v. Chelsea & Kensington Management Committee [1969] 1 QB 428
Barrett v. Enfield LBC [1997] 3 All ER 171
Barry v. Midland Bank plc [1998] 1 All ER 805
Bartlett v. Sydney Marcus [1965] 1 WLR 1013
Bass Brewers Ltd. v. Appleby and Another [1997] 2 BCLC 700A
Batty v. Metropolitan Property Realisations Ltd [1978] QB 554
Baxendale v. Bennett (1878) 3 QBD 525
Beach v. Reed Corrugated Cases Ltd [1956] 2 All ER 652
Beard v. London General Omnibus Co. [1900] 2 QB 530

Beattie v. E. & F. Beattie Ltd [1938] Ch 708
Beckett v. Cohen [1972] 1 WLR 1593
Beckett v. Kingston Bros. (Butchers) Ltd [1970] 1 QB 606
Beguelin Import v. SAGL Import/Export [1971] ECR 949
Belfield v. Bourne [1894] 1 Ch 521
Bell v. Lever Bros. [1932] AC 161
Bell Houses Ltd v. City Wall Properties Ltd [1966] 2 QB 656
Belmont Finance Corpn v. Williams Furniture Ltd [1979] Ch 250
Belmont Finance Corpn Ltd v. Willims Furniture Ltd (No. 2) [1980] All ER 393
Bence Graphics International Ltd v. Fasson UK Ltd [1997] 1 All ER 979
Bentinck Ltd v. Cromwell Engineering Co. [1971] 1 QB 324
Bentley v. Craven (1853) 18 Beav 75
Bentley - Stevens v. Jones [1974] 2 All ER 653
Benyon v. Nettleford (1850) 3 Mac & G 94
Berkshire County Council v. Olympic Holidays Ltd [1994] Crim LR 277
Bermingham v. Sher Brothers 1980 SLT 122
Bernstein v. Pamsons Motors (Golders Green) Ltd [1987] 2 All ER 22
Bernstein v. Skyviews & General Ltd

[1977] 3 All ER 902
Bertram, Armstrong & Co. v. Godfrey (1830) 1 Knapp 381
Beswick v. Beswick [1968] AC 58
Bettini v. Gye (1876) 1 QBD 183
Betts v. Brintel Helicopters Ltd [1997] 2 All ER 840
Bevan v. Webb [1901] 2 Ch 59
Beverley Acceptance v. Oakley [1982] RTR 417
Bigos v. Boustead [1951] 1 All ER 92
Bilka - Kaufhaus v. Weber van Hartz [1986] 2 CMLR 701
Binstead v. Buck 1777 2 WB1 1117
Bird & Co. (London) Ltd v. Thomas Cook & Son Ltd and Thomas Cook & Son (Bankers) Ltd [1937] 2 All ER 227
Bisney v. Swanston [1972] 225 EG 2499
Bisset v. Wilkinson [1927] AC 177
Blackmore v. Bellamy [1983] RTR 303
Blackpool and Fylde Aero Club Ltd v. Blackpool Borough Council [1993] 3 All ER 25
Bliss v. South East Thames Regional Health Authority [1987] ICR 700
Bloomenthal v. Ford [1897] AC 156
Blum v. OCP Repartition SA [1988] BCLC 170
Boardman v. Phipps [1967] 2 AC 46
Boardman v. Sanderson [1964] 1 WLR 1317

Boden v. French (1852) 10 CB 886
Boehringer Mannheim v. EC Commission [1970] ECR 769
Bolton v. Mahadeva [1975] QB 326
Bolton v. Stone [1951] AC 850
Bondina Ltd v. Rollaway Shower Blinds Ltd and Others [1986] BCLC 177
Bone v. Seale [1975] 1 All ER 787
Borden (UK) Ltd v. Scottish Timber Products Ltd [1979] 3 All ER 961
Borland's Trustee v. Steel Bros. & Co. Ltd [1907] 1 Ch 279
Boston Deep Sea Fishing and Ice Co. v. Ansell [1888] 39 ChD 339
Bourhill v. Youny [1943] 2 All ER 396
Bowmakers Ltd v. Barnet Instruments Ltd [1945] KB 65
Box v. Midland Bank Ltd [1979] 2 Lloyd's Rep 391
BP v. EC Commission [1978] ECR 1513
BP Exploration Co. (Libya) Ltd v. Hunt (No. 2) [1983] 2 AVC 352
Brace v. Calder [1895] 2 QB 253
Bradford Banking Co. Ltd v. Henry Briggs, Sons & Co. Ltd (1886) 12 App Cas 29
Bradford v. Robinson Rentals Ltd [1967] 1 All ER 267
Brady v. Brady [1988] BCLC 20
Brasserie de Haecht v. Wilkin and Wilkin [1968] CMLR 26
Brasserie du Pecheur SA v. Germany

[1996] 1 CMLR 889
Bratton Seymour Service Co. Ltd v. Oxborough [1992] BCLC 693
BRDC Ltd v. Hextall Erskine & Co [1997] 1 BCLC 182
Brettel v. Williams (1849) 4 Exch 623
Bridge v. Campbell Discount Co. Ltd [1962] AC 600
Bridlington Relay Ltd v. Yorkshire Electricity Board [1965] 1 All ER 264
Brikom Investments Ltd v. Carr [1979] QB 467
Brinkibon Ltd v. Stahag Stahl [1983] AC 34
Bristol & West Building Society v. Henning and Anther, The Times 3 April 1985
Bristol Airport v. Powdrill [1990] BCLC 585
British Airways Board v. Parish [1979] 2 Lloyd's Rep 386
British Airways Board v. Taylor [1976] 1 All ER 65
British Celanese v. A. H. Hunt (Capacitors) Ltd [1969] 2 All ER 1252
British Concrete Co. Ltd v. Schelff [1921] 2 Ch 563
British Homes Assurance Corpn. Ltd v. Patterson [1902] 2 Ch 404
British Telecommunications v. Commission [1973] 1 CMLR 457
British Transport Commission v. Gourley

[1956] AC 185
Britton v. The Commissioners of Customs and Excise [1986] VATTR 204
Brown v. Westminster Bank Ltd [1964] 2 Lloyd's Rep 187
Browne – Wilkinson Woods v. WM Car Services (Peterborough) Ltd [1981] ICR 666
Bull v. Pitney – Bowes Ltd [1966] 3 All ER 384
Bunge Corp., N. York v. Tradax Exports S. A. Panama [1981] 1 WLR 711
Bunker v. Charles Brand & Son Ltd [1969] 2 All ER 59
Burnard v. Haggis (1863) 14 CBNS 45
Buron v. Denman [1848] 2 Exch 167
Burton v. Gray (1873) 8 Ch App 932
Bushell v. Faith [1970] AC 1099
Business Computers Ltd v. Anglo – African Leasing Limited [1977] 1 WLR 578
Bute (Marquess) v. Barclays Bank Ltd [1954] 3 All ER 365
Butler Machine Tool Co. Ltd v. Ex – Cell – O Corp (England) Ltd [1979] 1 WLR401
Butterworth v. Kingsway Motors [1954] 1 WLR 1286
Byrne v. Van Tienhoven (1880) 5 CPD 344
C & P Haulage v. Middleton [1983] 3 All ER 94

Calico Printers' Association Ltd v. Barclays Bank (1913) 145 LT 51
Callow v. Lawrence (1814)
Cambridge Water Co. Ltd v. Eastern Counties Leather plc [1994] 1 All ER 53
Cammell Laird Ltd v. Manganese Bronze and Brass Ltd [1934] AC 402
Campbell Discount Co. Ltd v. Bridge [1962] AC 600
Campbell v. Paddington Corporation [1911] 1 KB 869
Candian Aero Service Ltd v. O'Malley (1973) 40 DLR (3d) 371
Cane v. Jones [1980] 1 WLR 1451
Cannon v. Hartley [1949] Ch 213
Caparo Industries plc v. Dickman [1990] 1 All ER 568
Capital and Counties plc v. Hants CC [1997] 2 All ER 865
Capital Finance Co. Ltd v. Bray [1964] 1 WLR 323
Capper Pass v. Lawton [1977] QB 852
Carlill v. Carbolic Smokeball Co. [1893] 1 QB 256
Carlisle and Cumberland Banking Co. v. Bragg [1911] 1 KB 489
Carlogie SS Co. Ltd v. The Royal Norwegian Government [1952] AC 292
Carlos Federspiel & Co. v. Charles Twigg & Co. [1957] 1 Lloyd's Rep 240

Carmichael v. Evans [1904] 1 Ch 486
Carney v. Herbert [1985] AC 301
Cassell & Co. Ltd v. Broome [1972] 1 All ER 808
Cassidy v. Ministry of Health [1951] 2 KB 343
Castle v. St Augustine's Links (1922) 38 TLR 615
Catamaran Cruisers Ltd v. Williams (1994) IRLR 501
Catlin v. Cyprus Finance Corporation (London) Ltd [1983] 1 All ER 809
CBS (UK) Ltd v. Lambert [1982] 3 All ER 213
CCC Films v. Impact Quadrant Films [1984] 3 All ER 298
Cebora S. N. C. v. S. I. P. (Industrial Products) Ltd [1976] 1 Lloyd's Rep 271
Cellulose Acetate Silk Co. Ltd v. Widnes Foundry Ltd [1933] AC 20
Centrafarm v. Sterling Drug [1976] 1 CMLR 1
Central London Property Trust Ltd v. High Trees House Ltd [1947] KB 130
Central Motors (Birmingham) v. P. A. & S. N. P. Wadsworth [1983] CLY 79
Century Insurance Co. Ltd v. Northern Ireland Road Transport Board [1942] 1 All ER 491
Chadwick v. British Transport Commis-

sion [1967] 2 All ER 945
Champagne Perrier – Jonet SA v. H. H.
Finch Ltd [1982] 3 All ER 713
Chandler v. Webster [1904] 1 KB 904
Chapelton v. Barry UDC [1940] 1 KB 532
Chaplin v. Hicks [1910] 2 KB 486
Chaplin v. Leslie Frewin (Publishers) Ltd [1966] Ch 71
Chapman and Elkins v. CPS Computer Group (1987) IRLIB 336
Chappell & Co. Ltd v. Nestle Co. Ltd [1960] AC 87
Chaproniere v. Mason (1905) 21 TLR 633
Charing Cross Electricity Supply Co. v. Hydraulic Power Co. [1914] 3 KB 772
Charles Forte Investments Ltd v. Amanda [1963] 2 All ER 940
Charles Rickards Ltd v. Oppenheim [1950] 1 KB 611
Charter v. Sullivan [1957] 2 QB 117
Chaudhry v. Prabhakar [1989] 1 WLR 29
Chief Constable of Kent v. V and Another [1982] 3 WLR 462
Chiron Corporation v. Murex Diagnostics Ltd [1995] All ER (EC)
Christie v. Davey [1893] 1 Ch 316
Christie, Owen and Davies v. Rapacioli [1974] 2 All ER 311

Christie, Owen & Davies Ltd v. Stockton [1953] 2 All ER 1149
CIBC Mortgages plc v. Pitt [1993] 4 All ER 433
Citibank NA v. Brown Shipley & Co. Ltd [1991] 2 All ER 690
Cityland and Property (Holdings) Ltd v. Dabrah [1968] Ch 166
Clark v. Associated Newspapers Ltd [1998] 1 All ER 959
Clarke v. Dunraven, The Satanita [1897] AC 59
Clay v. Yates (1856) 1 H & N 73
Clayton's Case (1816) 1 Mer 572
Clea Shipping Corpn v. bulk Oil International Ltd, The Alaskan Trader (No. 2) [1984] 1 All ER 129
Cleather v. Twisden (1884) 28 Ch D 340
Clemens v. Clemens Bros. Ltd [1976] 2 All ER 268
Clements v. L. & N. W. Ry Co. [1894] 2 QB 482
Clifton v. Palumbo [1944] 2 All ER 497
Clive Sweeting v. Northern Upholstery Ltd [1982] The Times, 28 June
Clough Mill Ltd v. Martin [1984] 3 All ER 982
Clovertogs Ltd v. Jean Scenes Ltd [1982] Com. L. R. 88
Clutton v. Attenborough & Son [1897] AC 90

Coates v. Rawtenstall BC [1937] All ER 602

Cohen v. Nessdale Ltd [1982] 2 All ER 97

Colchester Estates (Cardiff) Ltd v. Carlton Industries plc [1984] 2 All ER 601

Coles v. Enoch [1939] 3 All ER 327

Collingwood v. Home and Colonial Stores Ltd [1936] 3 All ER 200

Collins v. Godefroy (1831) 1 B & Ad 950

Coltman v. Bibby Tankers Ltd [1968] AC 276

Comet Group plc v. British Sky Broadcasting [1991] TLR 211

Commercial Plastics Ltd v. Vincent [1965] 1 QB 623

Commercial Solvents Case [1974] CMLR 309

Commission of the EC v. UK (1994) IRLR 392

Commission of the EC v. UK (1994) IRLR 412

Commissioners of Customs & Excise v. Hedon Alpha Ltd [1981] QB 818

Compagnie de Commerce et Commission SARL v. Parkinson Stove Co. Ltd [1953] 2 Lloyd's Rep 487

Compaq Computers Ltd v. Abercorn Group Ltd [1991] BCC 484

Computer and Systems Engineering plc v. John Lelliott Ltd (1991) The Times, 21 February

Condor v. The Barron Knights Ltd [1966] 1 WLR 87

Consten SARL and Grundig – Verkaufs GmbH v. EC Commission [1966] CMLR 418

Conway v. Geo. Wimpey & Co. [1951] 1 All ER 363

Cook v. Broderip (1968) 112 SJ 193

Cook v. Deeks [1916] 1 AC 554

Cooper v. National Provincial Bank Ltd [1945] 2 All ER 641

Co – operative Insurance Society Ltd v. Argyll Stores (Holdings) Ltd [1997] 3 All ER 297

Cooperative Verenigen Suiker Unie VA v. EC Commission [1975] ECR 1663

Coral v. Kleyman [1951] 1 All ER 518

Cornwall v. Wilson (1750) 1 Ves Sen 509

Corpe v. Overton (1833) 10 Bing 252

Costa v. ENEL [1964] ECR 585

Cotman v. Brougham [1918] AC 514

Cotronic (UK) Ltd v. Dezonie [1991] BCLC 721

Cottee v. Douglas Seaton (Used Cars) Ltd [1972] 3 All ER 750

Cotton v. Derbyshire DC (1994) The Times, 20 June

Coupe v. Guyett [1973] 2 All ER 1058

Coutts & Co. v. Browne – Lecky [1947]

KB 104
Cowan v. Mibourn (1867) LR 2 Exch 230
Coward v. Motor Insurers'Bureau [1963] 1 QB 259
Cowburn v. Focus Television Rentals Ltd [1983] Crim. LR 563
Cox v. Coulson [1916] 2 KB 177
Cox v. Hickman (1860) 8 HL Cas 268
Cox v. Philips Industries Ltd [1976] 3 All ER 161
Craven – Ellis v. Canons Ltd [1936] 2 KB 403
Creasey v. Beachwood Motors Ltd [1992] BCC 639
Credit Lyonnais Bank Nederland NV v. Burch [1997] 1 All ER 144
Crine v. Barclays Bank, Byblos Bank v. Al – Khudhainy [1987] BCLC 32
Cripps (Pharmaceuticals) Ltd v. Wickenden [1973] 1 WLR 944
Croft v. Day (1847) 7 Beav. 84
Crowhurst v. Amersham Burial Board (1878) 4 ExD 5
Crowther v. Shannon [1975] 1 WLR 30
CSC – ICI v. Commission [1974]
CTN Cash and Carry Ltd v. Gallaher Ltd [1994] 4All ER 714
Cuckmere Brick Co. Ltd v. Mutual Finance Ltd [1971] 2 All ER 633
Cumbrian Newspapers Group Ltd v. Cumberland & Westmorland Herald Newspaper & Printing Co. Ltd [1986] BCLC 286
Cunard v. Antifyre Ltd [1953] 1 KB 551
Cundy v. Lindsay (1878) 3 App Cas 459
Curtice v. London , City and Midland Bank Ltd [1908] 1 KB 293
Curtis v. Chemical Cleaning & Dyeing Co. [1951] 1 KB 805
Customs and Excise Commissioners v. Savoy Hotel Ltd [1966] 2 All ER 299
Cutler v. United Dairies (London) Ltd [1933] 2 KB 297
Cutter v. Powell (1795) 6 Term Rep 320
D & C Builders Ltd v. Rees [1966] 2 QB 617
D. H. N. Food Distributors Ltd v. Tower Hamlets LBC [1976] 1 WLR 852
DPP v. Kent & Sussex Contractors Ltd [1944] KB 146
Daimler Co. Ltd v. Continental Tyre and Rubber Co. (Great Britain) Ltd [1916] 2 AC 307
Daniels v. Daniels [1978] Ch 406
Daniels v. White [1968] 160 LT 128
Dann v. Curzon (1911)
Dann v. Hamilton [1939] 1 All ER 59
Daulia Ltd v. Four Millbank Nominees Ltd [1978] Ch 231
Davidson v. Barclays Bank (1940) 56 TLR 343
Davies v. Leighton [1978] Crim LR 575
Davies v. Liverpool Corporation [1949]

2 All ER 175
Davies v. Sumner [1984] 1 WLR 1301
Davies Contractors Ltd v. Fareham UDC [1956] AC 696
Dawsons International plc v. Coats Patons plc (1988) 4 BCC 305
De Bussche v. Alt (1978) 8 ChD 286
De Keyser's Royal Hotel Ltd v. Spicer Brothers Ltd (1914) 30 TLR 257
Defrenne v. Sabena (No. 2) [1949] 3 CMLR 312
Demby Hamilton & Co. Ltd v. Burden (Endeavour Wines Ltd Third Party) [1949] 1 ALL ER 435
Denmark Productions Ltd v. Boscobel Productions Ltd [1969] 1 QB 699
Dennant v. Skinner and Collom [1948] 2 KB 164
Derry v. Peek (1889) 14 APP Cas 337
Diamond v. Graham [1968] 2 ALL ER 909
Dickinson v. Dodds (1876) 2 ChD 463
Dietman v. London Borough of Brent (1988) IRLR 228
Dillon v. Baltic Shipping Co. (The Mikhail Lermontov) [1991] 2 Lloyd's Rep 155
Dimskal Shipping Co. SA v. International Transport Workers Federation (The Evia Luck) [1992] 2 AC 152
Dines v. Pall Mall (1994) IDS Brief 518
Dixon v. BBC [1979] QB 546

Donnelly v. Rowlands [1970] 1 WLR 1600
Donoghue v. Stevenson [1932] AC 562
Dooley v. Cammell Laird & Co. Ltd [1951] 1 Lloyd's Rep 271
Dorchester Finance Co. Ltd v. Stebbing [1989] BCLC 498
Doughty v. Turner Manufacturing Co. Ltd [1964] 1 QB 518
Downsview Nominees Ltd v. First City Corpn Ltd [1993] AC 295
Doyle v. Olby (Ironmongers) Ltd [1969] 2 QB 158
Doyle v. White City Stadium Ltd [1935] 1 KB 110
Dr Sophie Redmond Stichting v. Bartol [1992] IRLR 366
Drew v. Nunn (1879) 4 QBD 661
Drewery and Drewery v. Ware Lane [1960] 3 ALL ER 529
Drinkwater v. Kimber [1952] 2 QB 281
Du Jardin v. Beadman Brothers [1952] 2 ALL ER 160
Dunbar Bank plc v. Nadeem [1997] 2 ALL ER 253
Dungate v. Lee [1967] 1 ALL ER 241
Dunlop Pneumatic Tyre Co. Ltd v. New Garage Ltd [1915] AC 847
Dunlop v. Selfridge & Co. Ltd [1915] AC 847
Dunton v. Dover District Council [1977] 76 LGR 87

Durham Fancy Goods Ltd v. Michael Jackson (Fancy Goods) Ltd [1968] 2 QB 839

Dyster v. Randall & Sons [1926] Ch 932

E & S Ruben Ltd v. Faire Bros. & Co. Ltd [1949] 1 ALL ER 215

Eaglehill Ltd v. J. Needham Builders Ltd [1973] AC 992

Earl of Oxford's Case (1615)

Easson v. L. & N. E. Ry. Co. [1944] KB421

Eastern Distributors v. Goldring [1957] 2 QB 600

Eastwood v. Kenyon (1840) 11 Ad & El 438

Eaton v. Nuttall [1977] 3 ALL ER 1131

Ebrahimi v. Westbourne Galleries Ltd [1973] AC 360

ECS/AKZO [1986] 3 CMLR 273

Edgington v. Fitzmaurice (1885) 29 Ch D 459

Edwards v. Ddin [1976] 1 WLR 942

Edwards v. Halliwell [1950] 2 ALL ER 1064

Edwards v. Skyways Ltd [1964] 1 WLR 349

Egbert v. National Crown Bank [1918] AC 903

Egg Stores (Stamford Hill) v. Leibovici [1977] ICR 260

Eley v. Positive Govt Sec. Life Assurance Co. (1876) 1 Ex. D 88

Elguzouli – Daf v. Commissioner of Police of the Metropolis; McBreaty v. Ministry of Defence [1994] 2 WLR 173

Ellesmere Brewery Company v. Cooper [1896] 1 QB 75

Elliott v. Bax – Ironside [1925] 2 KB 301

Elpis Maritime Co. Ltd v. Marti Chartering Co. Inc. (The Maria D) [1991] 3 ALL ER 758

Elves v. Crofts (1850)

Entores v. Miles Far Eastern Corp. [1955] 2 QB 327

Erlanger v. New Sombrero Phosphate Co. (1878) 3 App Cas 1218

Essell v. Hayward (1860) 30 Beav. 130

Esso Petroleum Ltd v. Commissioners of Customs and Excise [1976] 1 ALL ER 117

Esso Petroleum Co. Ltd v. Harper's Garage (Stourport) Ltd [1968] AC 269

Esso Petroleum Co. Ltd v. Mardon [1976] QB 801

Estmanco (Kilner House) Ltd v. G. L. C. [1982] 1 ALL ER 437

Ethiopian Oilseeds and Pulses Export Corporation v. Rio Del Mar Foods Inc. [1990] 1 Lloyd's Rep 86

Euroemballage Corporation and Continental Can Company v. Commission [1973] ECR 215

Evans v. Brunner, Mond & Co. [1921] 2 Ch 1

Exxon Corporation v. Exxon Insurance Consultants International Ltd [1982] Ch 119

Faccenda Chicken Ltd v. Fowler [1987] Ch 117

Factortame (No. 3) [1991] 3 ALL ER 769

Fairclough v. Swan Brewery Co. Ltd [1912] AC 566

Fawcett v. Smethurst (1914) 84 LJKB 473

Felthouse v. Bindley (1863) 1 New Rep 401

Ferguson v. Davies [1997] 1 ALL ER 315

Ferguson v. John Dawson & Partners (Contractors) [1976] 1 WLR 1213

Financings Ltd v. Baldock [1963] 2 QB 104

Financings Ltd v. Stimson [1962] 3 ALL ER 386

Fisher v. Bell [1961] 1 QB 394

Fisher v. Bridges [1854] 2 E & B 642

Fitch v. Dewes [1921] 2 AC 158

Fitzmaurice v. Bayley (1856) 6 E & B 868

Fletcher v. Budgen (1974) The Times, 12 June

Fletcher v. Sledmore [1973] RTR 371

Foakes v. Beer (1884) 9 App Cas 605

Foley v. Classique Coaches Ltd [1934] 2 KB 1

Foley v. Hill [1848] 2 HL Cas 605

Folkers v. King [1923] 1 KB 282

Ford & Carter v. Midland Bank (1979) 129 NLJ 543

Ford Motor Co. v. Armstrong (1915)

Forman & Co. Proprietary Ltd v. The Ship Liddesdale [1990] AC 190

Forthright Finance Ltd v. Carlyle Finance Ltd [1997] 4 ALL ER 90

Forthright Finance Ltd v. Ingate (Carlyle Finance Ltd, third party) [1997] 4 ALL ER 99

Foss v. Harbottle (1843) 2 Hare 461

Foster v. Driscoll [1929] 1 KB 470

Four Point Garages Ltd v. Carter [1985] 3 ALL ER 12

Francis, Day & Hunter Ltd v. Twentieth Century Fox Corporation Ltd [1940] AC 112

Franco – Japanese Ballbearings Agreement [1975] 1 CMLR D 83

Francovich and Bonifaci v. Italian State [1991] IRLR 84

Freeman & Lockey v. Buckhurst Park Properties (Mangal) Ltd [1964] 2 QB 480

Freevale Ltd v. Metro Store Holdings Ltd [1984] BCLC 72

French and Taiwanese Muchroom Packers [1975] 1 CMLR D 83

Froom v. Butcher [1976] QB 286

Frost and Others v. Chief Constable of South Yorks [1997] 1 ALL ER 540

Frost v. Aylesbury Dairy [1905] 1 KB 1

Fulham Football Club Ltd and Others v. Cabra Estate plc [1994] BCLC 363

G. Percy Trentham Ltd v. Archital Luxfer Ltd [1993] Lloyd's Rep 25

G. Scammell & Nephew Ltd v. Ouston [1941] AC 151

GA Estates v. Caviapen Trustees Ltd (1991) The Times, 22 October

Gader v. Flower (1979) 129 NLJ 1266

Galoo Ltd v. Bright Grahame Murray and another [1995] 1 ALL ER 16

Garland v. British Rail Engineering [1983] 2 AC 751

Garner v. Murray [1904] 1 Ch 57

Garrard v. Southey (A. E.) and Co. and STC Ltd [1952] 2 EB 174

Garrett v. Boots Chemist Ltd, 16 July 1980 (unreported)

Garwood v. Paynter [1903] 1 Ch 236

Geddling v. Marsh [1920] ALL ER 631

Gee v. Metropolitan Railway Co. (1873) LR 8 QB 161

Geigy and Sandoz v. EC Commission [1972] CMLR 557

George Barker (Transport) Ltd v. Eynon [1974] 1 WLR 462

George Mitchell (Chesterhall) Ltd v. Finney Lock Seeds Ltd [1983] 1 ALL ER 108

Gibbons v. Westminster Bank Ltd [1939] 2 KB 882

Gibson v. Manchester City Council [1978] 1 WLR 520

Giles v. Walker (1890) 24 QBD 656

Gilford Motor Co. Ltd v. HornGlasgow CorporationGlasgow Corporation v. Taylor [1922] 1 A. Barnes [1900] AC 240

Godley v. Perry (Burton & Sons (Bermondsey) Ltd (Third Party), Graham, (Fourth Party)) [1960] 1 ALL ER 36

Goldbergs v. Jenkins (1889) 15 VLR 36

Goldman v. Hargrave [1966] 2 ALL ER 989

Gomba Holdings Ltd v. Moman [1986] 1 WLR 1301

Goodinson v. Goodinson [1954] 2 QB 118

Goulston Discount Co. Ltd v. Clark [1967] 2 QB 493

Grant v. Australian Knitting Mills [1936] AC 85

Grant v. South-West Trains Ltd [1998] ALL ER (EC) 193

Gt Northern Railway v. Swaffield (1874) LR 9 Exch 132

Gt Northern Railway Co. v. Witham (1873) LR 9 CP 16

Green v. Howell [1910] 1 KB 846

Greenaway Harrison Ltd v. Wiles (1994) IRLR 380
Greenock Corporation v. Caledonian Ry Co. [1917] AC 556
Greenwood v. Martins Bank Ltd (1933) AC 51
Gregory & Parker v. Williams (1817) 2 Mer 582
Griffiths v. Peter Conway Ltd (1939) 1 ALL ER 685
Griffiths v. Secretary of State for Social Services [1973] ALL ER 1184
Grist v. Bailey [1967] Ch 532
Groom v. Crocker [1939] 1 KB 194
The Grossfillex - Fillisdorf Agreement [1964]
Guinness plc v. Saunders [1990] 1 ALL ER 652
Hadley v. Baxendale (1854) 9 Exch 341
Hale v. Jennings Bros [1938] 1 ALL ER 579
Halesowen Presswork & Assemblies Ltd v. Westminster Bank Ltd [1972] 1 ALL ER 641
Haley v. LEB [1965] AC 778
Hall v. Brooklands Auto Racing Club [1933] 1 KB 205
Halsey v. Esso Petroleum Co. Ltd [1961] 1 WLR 683
Hamilton Finance Co. Ltd v. Coverley Westray etc. [1969] 1 Lloyd's Rep 53
Hamlyn v. John Houston & Co. [1903]

1 KB 981
Handyside v. Campbell (1901) 17 TLR 623
Hare v. Murphy Brothers [1974] 3 ALL ER 940
Harman and Another v. BML Group Ltd [1994] 1 WLR 893
Haringey London Borough v. Piro Shoes Ltd [1976] Crim LR 462
Harris v. James (1876) 45 LJQB 545
Harris v. Nickerson (1873) LR 8 QB 286
Harrison v. Michelin Tyre Co. Ltd [1985] 1 ALL ER 918
Harrods Ltd v. Remick [1998] 1 ALL ER 52
Hart v. O'Connor [1985] 2 ALL ER 880
Hartley v. Ponsonby (1875) 7 E & B 872
Hartwell v. Grayson, Rollo and Clover Docks Ltd [1947] KB 901
Harvey v. Facey [1893] AC 552
Havering London Borough v. Stevenson [1970] 3 ALL ER 609
Haynes v. Harwoods [1935] 1 KB 146
Hays v. Carter [1935] 1 Ch 397
Hayward v. Cammell Laird Shipbuilders (No. 2) [1988] AC 894
Head v. Tattersall (1871) LR 7 Ex 4
Heald v. O'Connor [1971] 1 KB 337
Heap v. Motorists Advisory Agency Ltd [1992] ALL ER Rep 251

Hedley Byrne & Co. Ltd v. Heller & Partners Ltd [1964] AC 465

Heil v. Hedges [1951] 1 TLR 512

Helby v. Matthews [1895] AC 471

Hely – Hutchinson v. Brayhead Ltd [1968] 1 QB 549

Henderson and Others v. Merrett Syndicates Ltd etc. [1994] 3 WLR 761

Hendy Lennox (Industrial Engines) Ltd v. Grahame Puttick Ltd [1984] 1 WLR 185

Henry Head & Co. Ltd v. Ropner Holdings Ltd [1952] Ch 124

Herbert Morris Ltd v. Saxelby [1916] 1 AC 688

Herne Bay Steamboat Co. v. Hutton [1903] 2 KB 603

Heron International Ltd v. Lord Grade [1983] BCLC 244

Heydon's Case (1584) 3 Co. Rep. 7a, 7b

Heyman v. Darwins Ltd v. Lord Grade [1983] BCLC 244

Hickman v. Romney Marsh Sheepbreeders' Association [1915] 1 Ch 881

Higgin v. Beauchamp [1914] 3 KB 1192

Higgins (W) Ltd v. Northampton Corporation [1927] 1 Ch 128

Highley v. Walker (1910) 26 TLR 685

Hill v. Chief Constable of West Yorkshire [1989] AC 53

Hill v. William Hill (Park Lane) Ltd [1932] ALL ER 494

Hilton International Hotels (UK) Ltd v. Faraji (1994) IRLR 264

Hindcastle Ltd v. Barbara Attenborough Associates Ltd [1996] 1 WLR 262

Hippisley v. Knee Bros. [1905] 1 KB 1

Hivac Ltd v. Park Royal Scientific Instruments Ltd [1946] Ch 169

H. L. Bolton (Engineering) Ltd v. T. J. Graham & Sons Ltd [1957] 1 QB 159

Hoare & Co v. McAlpine [1923] Ch 167

Hochster v. De La Tour [1843 – 60] ALL ER Rep 12

Hoening v. Isaacs [1952] 2 ALL ER 176

Hoffman – La Roche Decision [1976] 2 CMLR D 25

Hoffman – La Roche v. Commission [1979] ECR 461

Hogg v. Cramphorn Ltd [1967] Ch 254

Holdsworth & Co. v. Caddies [1955] 1 WLR 352

Hollier v. Rambler Motors (AMC) Ltd [1972] 2 QB 71

Hollywood Silver Fox Farm v. Emmett [1936] 2 KB 468

Holwell Securities Ltd v. Hughes [1974] 1 ALL ER 1227

Hong Kong Fir Shipping Co. Ltd v. Kawasaki Kisen Kaisha Ltd [1962] 2

QB 26

Hopkins v. Norcross plc (1994) IRLR 18

Horsfall v. Thomas (1862) 1 H & C 90

Household Fire and Carriage Accident Ins. Co. Ltd v. Grant (1879) 4 Ex D 216

Howard Smith Ltd v. Ampol Petroleum Ltd [1974] 1 ALL ER 1126

Hudgell, Yeates & Co. v. Watson [1978] QB 451

Hudson v. Ridge Manufacturing Co. Ltd [1957] 2 ALL ER 229

Hughes v. Liverpool Victoria Legal Friendly Society [1916] 2 KB 482

Hughes v. Lord Advocate [1963] 1 ALL ER 705

Hugin v. Commission [1979] ECR 1869

Hunter v. Canary Wharf Ltd [1997] 2 WLR 684

Hyde v. Wrench (1840) 3 Beav 334

Ian Chisholm Textiles Ltd v. Griffiths and Others [1994] 2 BCLC 291

IBMAC v. Marshall (Homes) Ltd (1968)

ICI Ltd v. EC Commission [1972] CMLR 557

Igbo v. Johnson Matthey Chemicals [1986] ICR 505

Industrial Development Consultants Ltd v. Cooley [1972] 2 ALL ER 162

Ingram v. Little [1961] 1 QB 31

Initial Services v. Putterill [1968] 1 QB 396

Ironmonger v. Movefield Ltd t/a Deerings Appointments [1988] IRLR 461

Island Export Finance Ltd v. Umunna [1986] BCLC 460

J. Spurling Ltd v. Bradshaw [1956] 2 ALL ER 121

Jackson v. Chrysler (1978)

Jackson v. Horizon Holidays Ltd [1975] 3 ALL ER 92

Jackson v. Union Marine Insurance Co. Ltd (1874) LR 10 CP 125

Jackson v. White and Midland Bank Ltd [1976] 2 Lloyd's Rep 68

Jade International Steel Stahl and Eisen GmbH & Co. KG v. Robert Nicholas (Steels) Ltd [1978] QB 917

James Graham & Co. (Timber) Ltd v. Southgate – Sands [1985] 2 ALL ER 344

James McNaughton Paper Group Ltd v. Hicks Anderson & Co. [1991] 1 ALL ER 134

James v. Eastleigh Borough Council [1980] 2 AC 751

Jay's Ltd v. Jacobi [1933] ALL ER 690

Jayson v. Midland Bank Ltd [1968] 1 Lloyd's Rep 409

JEB Fasteners Ltd v. Marks, Bloom & Co. [1983] 1 ALL ER 583

Jenice v. Dan [1993] BCLC 1349

Jennings v. Randall (1799) 8 TR 335
Jesner Ltd v. Jarrad Properties Ltd [1993] BCLC 1032
Joachimson v. Swiss Bank Corporation [1921] 3 KB 110
John McCann & Co. v. Pow [1975] 1 ALL ER 129
John v. Matthews [1970] 2 QB 443
John v. Mendoza [1939] 1 KB 141
Jones (R. E.) Ltd v. Waring and Gillow Ltd [1926] ALL ER 36
Jones v. Lipman [1962] 1 WLR 832
Jones v. Lloyd (1874) LR 18 Eq 265
Jones v. Padavatton [1969] 2 ALL ER 616
Jones v. Tower Boot Co. Ltd [1997] 2 ALL ER 406
Jones v. Vernon's Pools Ltd (1938) 2 ALL ER 626
Jones v. Wrotham Park Settled Estates [1980] AC 958
Junior Books Ltd v. Veitchi Co. Ltd [1982] 3 ALL ER 201
K. C. Sethia (1944) Ltd v. Partabmull Rameshwar [1950] 1 ALL ER 51
Karlshamns Oliefabriker v. Eastport Navigation Corporation, The Elafi [1982] 1 ALL ER 208
Kaufman v. Gerson [1904] 1 KB 591
Keighley, Maxtead v. Durant [1901] AC 240
Keith Spicer Ltd v. Mansell [1970] 1 ALL ER 462
Kelly v. Cooper [1993] AC 205 (PC)
Kelsen v. Imperial Tobacco Co. (of Gt Britain and Ireland) Ltd (1957) 2 All ER 343
Kendall (Henry) & Sons v. William Lillico & Sons Ltd (1968) 2 All ER 444
Kennaway v. Thompson (1980) 3 All ER 329
Kenometrics plc v. Modern Engineers of Bristol (Holding) plc (1985) BCLC 213
Kepitigalla Rubber Estates Ltd v. National Bank of India Ltd (1909) 2 KB 1010
Keppel v. Wheeler (1927) 1 KB 577
Kernohan Estates Ltd v. Boyd (1967) N 127
King v. Phillips (1953) 1 QB 429
King's Norton Metal Co. Ltd v. Edridge, Merrett & Co. Ltd (1897) 14 TLR 98
Kirkham v. Attenborough (1895–9) All ER Rep 450
Knightsbridge Estates Trust Ltd v. Byrne (1940) AC 613
Knowles v. Liverpool City Council (1993) 4 All ER 321
Kofi Sunkersette Obu v. Strauss & Co. Ltd (1951) AC 243
Koufos v. C. Czarnikow Ltd, The Heron II (1969) 1 AC 350
Kreditbank Cassel GmbH v. Schenkers

Ltd (1927) 1 KB 826
Krell v. Henry (1903) 2 KB 740
Kuwait Asia Bank EC v. National Mutual Life Nominees Ltd (1991) 1 AC 187
L. Schuler A. G. v. Wickman Machine Tool Sales Ltd (1974) AC 235
Lacis v. Cashmarts (1962) 2 QB 400
Ladbroke & Co. v. Todd (1914) 111 LT 43L
Lamb (W. T.) & Sons v. Goring Brick Co. Ltd (1932) 1 KB 710
Lambert v. Lewis (1982) AC 225
Lampleigh v. Brathwait (1615) Hob 105
Lancashire Loans Ltd v. Black (1934) 1 KB 380
Langley v. North West Water Authority (1991) 3 All ER 610
Latham v. Johnson & Nephew Ltd (1913) 1 KB 398
Latimer v. A. E. C. Ltd (1953) AC 643
Laverack v. Woods of Colchester (1966) All ER 683
Law v. Law (1905) 1 Ch 140
Law v. Redditch Local Board (1892) 1 QB 127
Lazenby Garages v. Wright [1976] 2 All ER 770
Leaf v. International Galleries Ltd [1950] 2 KB 86
Leakey v. National Trust [1980] 1 All ER 17

Leather Cloth Co. v. Lorsont [1896]
Lee Cooper Ltd v. C. H. Jeakins & Sons Ltd [1967] 2 QB1
Lee v. Butler [1893] 2 QB 318
Lee v. Lee's Air Farming Ltd [1961] AC 12
Leighton v. Michael [1995] The Times, 26 October
Lennard's Carrying Co. Ltd v. Asiatic Petroleum Co. Ltd [1915] AC 705
Letang v. Cooper [1964] 2 All ER 929
Leverton v. Clwyd County Council [1987] 1 WLR 65
Lewis v. Averay [1972] 1 QB 198
Lewis v. Carmanthenshire County Council [1953] 1 WLR 1439
Leyland DAF Ltd v. Automotive Products plc [1994] 1 BCLC 245
Limpus v. London General Omnibus Co. [1862] 1 H & C 526
Lion Laboratories v. Evans [1985] QB 526
Litster v. forth Dry Dock and Engineering Co. [1989] Ltd ICR 341
Lloyd's v. Grace, Smith & Co. [1912] AC 716
Lloyd's Bank Ltd v. Brooks (1950) 72 JIB 114
Lloyd's Bank Ltd v. Bundy [1975] QB 326
Lloyd's Bank Ltd v. Chartered Bank of India, Australia and

China (1928) 44 TLR 534
Lloyd's Bank Ltd v. E. B. Savory & Co. [1932] AC 201
Lloyd's Bank Ltd v. Hornby [1933] Financial Times, 5 July
Lloyd's Bank v. Waterhouse [1991] Fam Law 23
London and Mashonaland Exploration Co. Ltd v. New Mashonaland Exploration Co. Ltd [1891] WN 165
London Joint Stock Bank v. Macmillan and Arthur [1918] AC 777
London Street Tramways Ltd v. LCC [1898] AC375
Longman v. Bath Electric Tramways Ltd [1905] 1 Ch646
Lonrho Ltd v. Shell Petroleum Co. Ltd [1980] 1 WLR 627
Lovell Construction Ltd v. Independent Estates plc & Others [1994] 1 BCLC 31
Lowther v. Harris [1926] All ER Rep 352
Luker v. Chapman (1970) 114 Sol. Jo. 788
Lumley v. Wagner (1852) 5 De G. M. & G. 604
Lumsden & Co. v. London Trustee Savings Bank [1971] 1 Lloyd's Rep 114
Luxor (Eastbourne) Ltd v. Cooper [1941] AC 108
Lynch v. Stiff (1943) 68 CLR 428

MFI Warehouses v. Nattrass [1973] 1 All ER 762
Macarthys Ltd v. Smith [1980] 2 CMLR 205
Macaura v. Northern Assurance Company [1925] AC 619
Mace Builders (Glasgow) Ltd v. Lunn [1987] Ch 191
Mack Trucks (Britain) Ltd [1967] 1 WLR 780
MacKenzie v. Royal Bank of Canada [1934] AC 468
Magill TV Guide/ITP, BBC and RTE [1989] 4 CMLR 757
Magor and St Melons RDC v. Newport Corporation [1950] 2 All ER 1266, 1236
Magorrian v. Eastern Health and Social Services Board [1998] All ER (EC) 38
Mahesan v. Malaysian Government Officers Co-op. [1979] AC 374
Malik v. Bank of Credit & Commerce International SA [1997] 3 All ER 1
Malone v. Laskey [1907] 2 KB 141
Manley v. Marks & Spencer Ltd (1981) 89 ITSA Monthly Review 212
Manley v. Sartori [1927] 1 Ch 157
Mann v. D'Arcy [1968] 2 All ER 172
Manubens v. Leon [1919] 2 KB 128
Maple Flock Co. Ltd v. Universal Furniture Products (Wembley) Ltd [1933]

All ER 15
Mavera Compania Naviera S. A. v. International Bulkcarriers S. A. [1980] 1 All ER 213
Marfani & Co. Ltd v. Midland Bank Ltd [1968] 2 All ER 573
Maritime National Fish Ltd v. Ocean Trawlers Ltd [1935] AC 524
Market Investigations v. Minister of Social Security [1969] 2 QB 173
Marleasing SA v. La Comercial Internati-
Marshall v. Southampton & S. W. HantMarshall v. Southampton & S. W. Hants AHA [1986] QB 173
Marshall v. Southampton & S. W. Hants AHA (No. 2) [1991] ICR136
Martin v. Puttick [1968] 2 QB 82
Massey v. Crown Life Insuance Co. [1978] 1 WLR 676
Mayor of Bradford Corporation v. Pickles [1895] AC 587
McCutcheon v. David MacBrayne Ltd [1964] 1 WLR 125
McFarlane v. EE Coledonia Ltd [1994] 2 All ER 1
McKew v. Holland and Hannen and Cubitts (Scotland) Ltd [1969] 3 All ER 1621
McLeish v. Amoo – Gottfried & Co. (1993) The Times, 13 October
McLeod v. Dowling (1917) 43 TLR 655
McLoughlin v. O'Brian [1983] 1 AC 410

McRae v. Commonwealth Disposals Commission (1950) 84 CLR 377
Meer v. Tower Hamlets LBC [1988] IRLR 399
Meigh v. Wickenden [1942] 2 KB 160
Mercantile Bank of India Ltd v. Central Bank of India [1938] AC 827
Mercantile Credit Co. Ltd v. Garrod [1962] 3 All ER 1103
Mercantile Credit Co. v. Hamblin [1965] 2 QB 242
Merritt v. Merritt [1970] 2 All ER 760
Mersey Dock and Harbour board v. Coggins and Griffiths (Liverpool) Ltd and McFarlane [1947] AC 1
Michelin v. Commission [1985] CMLR 282
Microbeads v. Vinhurst Road Markings [1975] 1 WLR 218
Midland Bank Ltd v. Reckitt and Others [1933] AC 1
Midland Bank Trust Co Ltd v. Hett, Stubbs & kemp [1979] Ch 384
Midwood & Co. Ltd v. Mayor of Manchester [1905] 2 KB 597
Mihalis Angelos, The [1971] 1 QB 164
Miles v. Clarke [1953] 1 All ER 779
Miller v. Jackson [1977] QB 966
Milligan v. Securicor Cleaning Ltd [1995] ICR 867
Ministry of Defence v. Jeremiah [1980]

QB 87
Monarch SS Co. Ltd v. Karlshamns Oljefabriker [1949] AC 196
Moorcock, The [1889] 14 PD 64
Moore v. D. E. R. Ltd [1971] 1 WLR 1476
Morris v. Murray and Another [1990] 3 All ER 801
Moss v. Elphick [1910] 1 KB 846
MRS Environmental Services Ltd v. Marsh and Another [1997] 1 All ER 92
Muirhead v. Industrial Tank Specialities Ltd [1985] 3 WLR 993
Mullholland v. Bexwell Estates (1950) Sol Jo 671
Multinational Gas & Petrochemical Co. Ltd v. Multinational Gas & Petrochemical Services Ltd [1983] 2 All ER 563
Multiservice Bookbinding Ltd v. Marden [1979] Ch 84
Murphy v. Brentwood District Council [1990] 2 All ER 908
Murray v. Harringay Arena Ltd [1951] 2 All ER 320
Musgrove v. Pandelis [1919] 2 KB 43
NAAFI v. Varley [1977] 1 WLR149
Napier Brown & Co. Ltd v. British Sugar [1990] 4 CMLR 196
Napier v. National Business Agency [195] 2 All ER 264

Nash v. Inman [1908] 2 KB 1
National Carriers Ltd v. Panalpina (Northern) Ltd [1981] AC 675
National Dock Labour Board v. Pinn & Wheeler Ltd and Others 15 March 1989 (LEXIS)
National Mutual General Insurance Association Ltd v. Jones [1988] 2 WLR952
National Provincial Bank of England v. Brackenbury (1906) 22 TLR 797
National Westminster Bank Ltd v. Barclays Bank International and Another [1975] QB 654
National Westminster Bank plc v. Morgan [1985] 1 All ER 821
Nationwide Building Society v. Lewis (1998) The Times, 6 March
Nationwide Building Society v. Lewis [1997] 1 WLR1181
Nattrass v. Marks & Spencer Ltd, 25 June 1980
Neale v. Merrett [1930] WN 189
Neilson v. Stewart [1991] SLT
Nelson v. James Nelson & Sons Ltd [1914] 2 KB 770
Neptune (Vehicle Washing Equipment) Ltd v. Fitzgerald [1995] 1 BCLC 352
Newhart Developments v. Co-op Commercial Bank [1978] QB 814
Newstead (Inspector of Taxes) v. Frost [1980] 1 All ER 363
Niblett Ltd v. Confectioners' Materials

Co. [1921] 3 KB 387
Nichol v. Godts (1854) 10 Exch 191
Nichols v. Marsland [1876] 2 Ex D 1
Nicholson and Venn v. Smith - Marriott (19470) LTD 189
Nicolene Ltd v. Simmonds [1953] 1 QB 543
Nicoll v. Beere (1885)
Nissan v. Att. Gen [1967] 2 all ER 1238
Nokes v. Doncaster Amalgamated Collieries [1940] AC1014
Nordenfeld v. Maxim Nordenfeldt Guns & Ammunition Co. [1894] AC 535
Norman v. Bennett [1974] 3 All ER 351
Norman v. Theodore Goddard (A firm) [1991] BCLC 1028
North Ocean Shipping Co. v. Hyyndai Construction Co. [1978] 3 All ER 1170
North - West Transportation Co. Ltd v. Beatty [1887] 12 App Cas 589
Northern Sales (1963) Ltd v. Ministry of National Revenue [1973] 37 DLR (3d) 612
Notcutt v. Universal Equipment Co. (London) [1986] ICR 414
Nova (Jersey) Knit Ltd v. Karngarn Spinnery GmbH [1977] 2 All ER 463
Nu - Stilo Footwear Ltd v. Lloyd's Bank Ltd (1956) 7 LDB121
Oakes v. Turquand and Harding (1867)
LR 2 HL 325
O'Connell v. Jackson [1972] 1 QB 270
Odenfield, The [1978] 2 Lloyd's Rep 357
Ogwo v. Taylor [1988] 1 AC 431
O'Kelly and Others v. Trusthouse Forte plc [1983] IRLR 369
Olgiersson v. Kitching [1986] 1 WLR 304
Oliver v. Davis & Woodcock [1949] 2 KB 727
OLL Ltd v. Secretary of State for Transport [1997] 1 All ER 897
Olley v. Marlborough Court Ltd [1949] 1 KB 532
Olver v. Hillier [1959] 2 All ER 220
Orbit Mining and Trading Co. Ltd v. Westminster Bank Ltd [1962] 3 All ER 565
Ord and Another v. Belhaven Pubs Ltd (1998) The Times, 7 April
Orwell Strrl v. Asphalt & Tarmac [1981] 1 WLR 1097
Oscar Chess Ltd v. Williams [1957] 1 All ER 325
Oshkosh BGosh Inc. v. Dan Marbel Inc. Ltd & Craze [1989] BCLC 507
Oughton v. Seppings (1830) 1 B & Ad 241
Overbrooke Estates Ltd v. Glencombe Properties Ltd [1974] 1 WLR 1335
Overseas Tankship (UK) Ltd v. Morts

Dock Engineering Co. Ltd, The Wagon Mound (No. 1) [1961] 1 All ER 404
Owens v. Brimmells [1976] 3 All ER 765
P v. S and Cornwall CC (C - 13/94) [1996] 2 CMLR 247
Page v. Combined Shipping and Trading Co. Ltd [1997] 3 All ER 656
Page v. Smith [1996] 1 AC 155
Page One Records Ltd v. Britton [1968] 1 WLR 157
Panorama Developments (Guildford) Ltd v. Fidelis Furnishing Fabrics Ltd [1971] 2 QB 711
Pao On v. Lau Yiu Long [1980] AC 614
Paris v. Stepney Borough Council [1951] AC367
Parker v. Ibbetson (1858) 4 CBNS 346
Parkinson v. College of Ambulance Ltd and Harrison [1925] 2 KB 1
Parradine v. Jane [1558-1774] All ER Rep 172
Parry v. Cleaver [1970] AC 1
Parson v. Barnes [1973] Crim LR537
Partridge v. Crittenden [1968] 2 All ER 421
Pathirana v. Pathirana [1966] 3 WLR 666
Pavides v. Jensen [1956] 2 All ER 518
Peake v. Automotive Products [1978] QB 233

Peake v. Carter [1916] 1 KB 652
Pearce v. Brooks (1866) 1 Exch 213
Pearson v. North – Western Gas Board [1968] 2 All ER 669
Pearson v. Rose and Young [1951] 1 KB 275
Pedley v. Inland Waterways Assoc. Ltd [1977] 1 All ER 209
Penarth Dock Engineering Co. Ltd v. Pounds [1963] 1 Lloyd's Rep 359
Pender v. Lushington (1877) 6 ChD 70
Pengelley v. Bell Punch Co. Ltd [1964] 1 WLR 691
Pepper v. Hart [1993] 1 All ER 42
Percival v. Wright [1902] 2 Ch 421
Performing Rights Society Ltd v. Rowland [1997] 3 All ER336
Perry v. National Provincial Bank of England [1910] 1 Ch 464
Perry v. Thomas Wrigley Ltd [1955] 1 WLR1164
Peso Silver Mines Ltd v. Cropper [1966] SCR 673
Peter Long and Partners v. Burns [1956] 3 All ER 207
Peters v. Prince of Wales Theatre Ltd [1943] KB 73
Pettersson v. Royal Oak Hotel Ltd [1948] NZLR 136
Pfeiffer Weinkellerei – weinenkauf GmbH v. Arbuthnot Factors Ltd [1988] 1 WLR 150

Pharmaceutical Society of Gt Britain v. Boots Cash Chemists [1953] 1 QB 401
Philip Alexander Securities & Futures v. Bamberger (1996) The Times, July 22
Philips v. M. J. Alkam (1969, unreported)
Phillips Products Ltd v. Hyland and Another [1987] 1 WLR 659
Phillips v. Brooks [1919] 2 KB 243
Phipps v. Rochester Corporation [1955] 1 QB 450
Phonogram Ltd v. Lane [1982] QB938
Photo Production Ltd v. Securicor Transport Ltd [1980] AC 827
Pickstone v. Freemans plc [1989] 3 WLR 265
Piercy v. S. Mills & Co. Ltd [1920] 1 CH 77
Pignataro v. Gilroy & Son (1919) 120LT480
Pilling v. Pilling (1865) 3de F. J. & Sm 162
Pinnel's Case (1602) 5 Co. Rep 117 a
Pioneer Shipping Ltd v. B. T. P. Tioxide Ltd, The Nema [1982] Ac 725
Pitt v. PHH Asset Management Ltd [1993] 4 ALL ER961
Planche v. Colburn (1831) 8 Bing 14
Polenghi Brothers v. Dried Milk Co. Ltd (1904) 92 LT 64
Polypropylene OJ [1986] L230/1
The Polzeath [1916] 32 TLR 674

Pontardawe RDC v. Moore - Gwyn [1929] 1Ch 656
Poole v. Smith's Car Sales (Balham) Ltd [1962] 2 ALL ER482
Poole BC v. B & Q (Retail) Ltd [1983] The Times, 29 January
Pooley v. Driver (1877) 5 Ch D 458
Popat v. Shonchhatra [1997] 3 ALL ER 800
Porcelli v. Strathclyde Regional Council [1986] ICR 564
Posner v. Scott Lewis [1986] 3 ALL ER 513
Poussard v. Spiers & Pond (1876) 1 QBD 410
Powell v. Braun [1954] 1 ALL ER 484
Powell v. Kempton Park Racecourse Co. [1899] AC 143
Power v. Sharp Investments Ltd [1994] 1 BCLC 111
Practice Statement (Judicial Precedent) [1966] 3 ALL ER 77
Prager v. Blatspiel, Stamp and Heacock Ltd [1924] 1 KB 556
Pratt v. Strick (1932) 17 T. C. 459
Precision Dippings Ltd v. Precision Dippings Marketing Ltd [1985] 3 W. L. R. 812
Preston v. Wolverhampion Healthcare NHS Trust [1998] 1 ALL ER 528
Price v. Civil Service Commission (No. 2) [1978] IRLR 3

Priest v. Last [1903] 2 KB148
Prudential assurance Co. Ltd v. Chatterley – Whitfield Colleries Lt [1949] AC 512
Prudential Assurance Co. Ltd v. Newman Industries Ltd (No. 2) [1982] 1 All ER 354
Punt v. Symons & Co. Ltd [1903] 2 Ch 506
Pwllbach Colliery Co. Ltd v. Woodman [1915] AC 634
R v. Breeze [1973] 2 All ER 1141
R v. Brockley [1994] 1 BCLC 606
R v. Gateway Foodmarkets Ltd [1997] 3 All ER 78
R v. Goodman [1994] 1 BCLC 349
R v. Gould [1968] 2 QB 65
R v. HM Coroners for East Kent, ex parte Spooner (1987) 3 BCC 636, DC
R v. HM Treasury, ex parte British Telecommunications plc
R v. ICR Haulage Ltd [1944] KB 551
R v. Industrial Injuries Commissioner, ex parte AEU (No. 2) [1966] 2 QB 31
R v. Kupfer [1915] 5 KB 321
R v. Ministry of Defence, ex parte Smith [1996] IRLR 100
R v. OLL Ltd (1994) the Times, 9 December
R v. P & O Ferries (Dover) Ltd (1990) 93 Cr App Rep 72

R v. Secretary of State for Defence, ex parte Perkins [1997] 3 C,; R 310
R v. Secretary of state for Empolyment, ex parte EOC [1994] 2 WLR 409
R v. Secretary of State for Employment, ex parte mrs P. Day [1994] IRLR 176
R v. Secretay of State for Employment, ex parte Seymour – Smith and Another [1997] 2 ALL ER 273
R v. Secretary of State for transport, ex parte Factortame (No. 2) [1996] 1 All ER 70
R v. Secretary of State for Transport ex parte Factortame Ltd (No. 3) [1996] 1 CMLR 889
R v. Spencer [1985] 1 ALL ER 673
R v. Sumair Holidays Ltd [1973] 1 WLR 105
R v. Swan Hunter Shipbuiders Ltd and Another [1982] 1 All ER 204
R v. Thomson Holidays Ltd [1974] QB 592
R & B Customs brokers Co. Ltd v. United Dominions Trust Ltd [1988] 1 WLR 321
R. Leslie Ltd v. Sheill [1914] 3 KB 607
Radford v. De Froberville [1977] 1 WLR 1262
Raffles v. Wichelhaus (1864) 2 H & C 906
Rafsanjan Pistachio Producers Co – pera-

tive v. Reiss [1990] BCLC 352
Rahman (Prince Abdul) bin Turki al Sudairy v. Abu - Taha [1980] 1 WLR 1268
Ramsgate Victoria Hotel v. Montefiore (1866) LP 1 Ex 109
Rank Film Distributors Ltd v. Video Information Centre [1981] 2 All ER 76
Rank Xerox Ltd v. Churchill (1988) IRLR 280
Pask v. ISS Kantineservice A/S [1993] IRLR 133
Rawhide [1962] RPC 133
Rayfield v. Hands [1960] ch 1
Re A & BC Chewing Gum Ltd [1975] 1 All ER 1017
Re A Company 90014480 [1989] BCLC 715
Re A Company (001992) [1989] BCLC 9
Re A Company (NO. 002612 of 1984) [1985] BCLC 80
Re A Company (NO. 005009 of 1987) [1989] BCLC 13
Re A Company [1983] 2 All Er 36
Re A Company [1983] 2 All ER 854
Re A Company [1985] BCLC 333
Re A Company [1986] 1 WLR 281
Re A Company [1986] BCLC 376
Re A Company (No. 0032314 of 1992) [1995] BCC 89
Re A Debtor (No. 2389 of 1989), ex parte Travel and General Insurance Co. plc v. The Debtor [1990] 3 All ER 984
Re A Debtor (No. 517 of 1991) (1991) The Times, 25 November
Re A Debtor (No. 32 of 1993) [1995] 1 All ER 628
Re A Debtor (No. 50A - SD - 1995) [1997] 2 WLR 57
Re A Solicitor's Arbitration [1962] 1 All ER 772
Re Andrabell Ltd: Airborne Accessories v. Goodman [1984] 3 All ER 407
Re Armagh Shoes Ltd [1982] NI 59
Re ARV Aviation Ltd [1989] BCLC 664
Re Augustus Barnett & Son Ltd [1986] BCLC 170
Re Automatic Bottlemakers Ltd [1926] Ch 412
Re Baby Moon (UK) Ltd (1985) 1 BCC 99
Re Bahia and San Francisco Rly Co. (1868) Re Barn Crown Re Barn Crown Ltd [1994] 4 All ER 42
Re Barrow Bot Ltd [1989] 2 WLR 858
Re Bath Glass [1988] BCLC 329
Re Beacon Leisure Ltd [1991] BCC 213
Re Bird Precision Bellows Ltd [1986] 2 WLR 158
Re Blackspur Group plc [1998] 1 WLR 422
Re Bond Worth [1979] 3 All ER 919

Re Borax Co. [1901] 1 Ch 326
Re Bourne [1906] 1 Ch 113
Re Bovey Hotel Ventures Ltd, 31 July 1981 (unreported)
Re Brackland Magazines Ltd and Others [1994] 1 BCLC 190
Re Brazilian Coffee [1976] 1 CMLR D 13
Re Brightlife Ltd [1987] Ch 200
Re British Steel plc (1994) The Times 31 December
Re C. L. Nye Ltd [1971] Ch 200
Re Casey's Patents, Stewart v. Casey [1892] 1 Ch 104
Re Cavco Floors Ltd [1990] BCLC 940
Re Chancery plc [1991] BCC 171
Re Charnley Davies Ltd (No. 2) [1990] BCC 605
Re Chartmore Ltd [1990] BCLC 673
Re Chattlerley – Whitefield Collieries Ltd [1948] 2 All ER 593
Re Chelmsford City FC (No. 2) [1991] BCC 133
Re Chesterfield Catering Co. Ltd [1977] Ch 373
Re Christiani & Nielsen 69/195 [1969] CMLR 1336
Re Churchill Hotel (Plymouth) Ltd and Others [1988] BCLC 341
Re Cimex Tissues Ltd [1994] BCC 626
Re City Equitable Fire Assurance Co. Ltd [1925] Ch 407

Re Civicia Investments Ltd [1983] BCLC 456
Re Coalport China Co. [1895] 2 Ch 404
Re Compania de Electricidad de la provincia de Buenos Aires Ltd [1978] 3 All ER 668
Re Consumer and Industrial Press Ltd (No. 2) (1988) 4 BCLC 72
Re Crestjoy Products Ltd, 18 October 1989 (Lexis)
Re Croftbell Ltd [1990] BCLC 844
Re Cumana Ltd [1986] BCLC 430
Re Dawson Print Group [1987] BCLC 596
Re Destone Fabrics Ltd [1941] Ch 319
Re D´Jan London Ltd [1994] 1 BCLC 561
Re DKG Contractors Ltd [1990] BCC 903
Re Duckwari plc [1997] 2 WLR 48
Re EB Tractors Ltd [1987] BCC 313
Re Eddystone Marine Insurance Co. [1983] 3 Ch 9
Re Elgindata Ltd [1991] BCLC 959
Re ELS Ltd [1994] 3 WLR 616
Re Eric Holmes Ltd [1965] Ch 1053
Re Equiticorp International plc [1989] BCLC 597
Re European Glass Manufacturers [1974] 2 CMLR D51
Re F & E Stanton Ltd [1929] 1 Ch 180

Re Fairway Magazines Ltd [1993] BCLC 643
Re Ferrier [1944] Ch 295
Re FG (Films) Ltd [1953] 1 All ER 615
Re Fort, ex parte Schofield [1987] 2 QB 495
Re French's Wine Bar Ltd (1987) 3 BCC 173
Re G. E. Tunbridge Limited [1994] BCC 563
Re G. L. Saunders Ltd [1986] 1 WLR 215
Re Gallidoro Trawlers Ltd [1991] BCLC 411
Re Gerald Cooper Chemicals Ltd [1978] Ch 262
Re German Ceramic Tiles Discount Agreement [1971] CMLR D6
Re German Date Coffee Co. (1882) 20 Ch 169
Re Gray's Inn Construction Co. Ltd [1980] 1 WLR 711
Re H. R. Harmer Ltd [1958] 3 All ER 689
Re Harris Simons Construction Ltd [1989] 1 WLR 368
Re Highway Foods Int. Ltd [1995] 1 BCLC 209
Re Holders Investment Trust Ltd [1971] 2 All ER 289
Re Home Treat Ltd [1991] BCC 165
Re House of Fraser plc [1987] BCLC 293
Re Hydrodam (Corby) Ltd [1994] 2 BCLC 180
Re Instrumentation Electrical Services Ltd [1988] BCLC 550
Re Interview Ltd [1975] IR 382
Re John Smith's Tadcaster Brewery [1953] Ch 308
Re Kayford Ltd [1975] 1 All ER 604
Re Keenan Bros Ltd [1986] BCLC242
Re Keever [1966] 3 All ER 631
Re Kodak 70/332 [1970] CMLR D19
Re Landau [1997] 3 All ER 322
Re Lo - Line Electric Motors Ltd [1988] BCLC 698
Re London School of Electronics Ltd [1986] Ch 211
Re Looe Fish Ltd [1993] BCLC 1160
Re M. C. Bacon Ltd [1990] BCLC 324
Re M. C. Bacon Ltd (No. 2) [1990] 3 WLR 646
Re Mackenzie & Co. Ltd [1916] 2 Ch 450
Re Macro (Ipswich) Ltd [1994] 2 BCLC 354
Re Maidstone Buildings Provisions Ltd [1971] 1 WLR 1085
Re Majestic Recording Studios Ltd [1989] BCLC 1
Re Mathews Ltd (1988) 4 BCC 513
Re McArdle [1951] Ch 669

Re Mechanisations (Eaglescliffe) Ltd [1966] Ch 20
Re Megavand (ex parte Delhasse) (1878) 7 ChD 511
Re Molton Finance Ltd [1968] Ch 325
Re Monolithic Building Co. [1915] 1 Ch 643
Re Moore & Co. Ltd and Landauer & Co. [1921] 2 KB 519
Re N. S. Distribution Ltd [1990] BCLC 169
Re New British Iron Co. [1915] 1 Ch 324
Re New Bullas Trading Ltd [1994] 1 BCLC 485
Re Newport County AFC [1987] BCLC 582
Re North End Motels (Huntly) Ltd [1976] 1 NZLR 446
Re Northern Engineering Industries plc [1994] 2 BCLC 704
Re Northumberland & Durham District Banking Co. , ex parte Bigge (1858) 28 LJ Ch 50
Re Oasis Merchandising Service Ltd [1997] 2 WLR 764
Re P & C and R & T (Stockport) Ltd [1991] BCC 98
Re Panama, New Zealand and Australian Royal Mail Co. (1870) 5 Ch App 318
Re Paramount Airways (No. 3) [1994] BCC 172

Re Peachdart [1983] 3 ALL ER 204
Re Polemis and Furniss Withy & Co. [1921] 3 KB 560
Re Polly Peck International plc (NO. 2) [1994] 1 BCLC 574
Re Produce Marketing Consortium Ltd [1989] BCLC 513
Re Purpoint Ltd [1991] BCLC 491
Re R. A. Noble & Sons (Clothing) Ltd [1983] BCLC 273
Re Rolus Properties Ltd & Another (1988) 4 BCC 446
Re Rudd & Son Ltd [1984] Ch 237
Re SABA [1977] ECR 1875
Re Sabre International Producers Ltd [1991] BCLC 479
Re Saltdean Estate Co. Ltd [1968] 1 WLR 1844
Re Sam Weller & Sons Ltd [1990] Ch 682
Re SCL Building Service Ltd (1989) 5 BCC 746
Re Seagull Manufacturing Co. Ltd (No. 2) [1994] 1 BCLC 273
Re Selectmove Ltd [1995] 2 ALL ER 531
Re Sevenoaks Stationers (Retail) Ltd [1990] 3 WLR 1165
Re Sheridan Securities Ltd (1988) 4 BCC 200
Re Shilena Hosiery Ltd [1980] Ch 219
Re Shoe Lace Ltd [1992] BCLC 636

Re Smallman Construction Ltd (1988) 4 BCC 784
Re Smith & Fawcett Ltd [1942] Ch 304
Re Soltykoff [1891] 1 QB 413
Re Stanford Fletcher Ltd and Re Ellis Son & Vidler Ltd [1995] 1 ALL ER 192
Re Tasbian Ltd (No. 3) [1991] BCLC 792
Re Telomatic [1994] 1 BCLC 90
Re Textron Inc. [1988] 1 FTLR 210
Re Tottenham Hotspur plc [1994] 1 BCLC 655
Re Tweeds Garage [1962] Ch 406
Re W & M Roith Ltd [1967] 1 ALL ER 427
Re WEA - Filipacchi Music SA [1973] CMLR D43
Re Weldtech Equipment Ltd [1991] BCC 16
Re Welfab Engineering Ltd [1990] BCLC 833
Re Western Welsh International System Buildings Ltd (1988) 4 BCC 449
Re White Rose Cottage [1965] Ch 940
Re William C. Leitch Brothers Ltd [1932] 2 Ch 71
Re William Hall (Contractors) Ltd [1967] 2 ALL ER 1150
Re Woodroffes (Musical Instruments) Ltd [1985] 3 WLR 543
Re The Working Project Ltd [1995] 1 BCLC 226
Re Wragg Ltd [1897] 1 Ch 796
Re Yagerphone Ltd [1935] 1 Ch 392
Re Yenidje Tobacco Co. Ltd [1965] Ch 148
Re Yorkshire Woolcombers Association Ltd [1903] 2 Ch 284
Re Young, ex parte Jones [1896] QB 484
Read v. J. Lyons & Co. Ltd [1946] 2 ALL ER 471
Read Bros. Cycles (Leighton) Ltd v. Waltham Forest LBC [1978] RTR 397
Reading v. A. - G. [1951] 1 ALL ER 617
Ready Mixed Concrete v. Minister of Pensions and National Insurance [1968] 2 QB 497
Redgrave v. Hurd (1881) 20 ChD 1
Regal (Hastings) Ltd v. Gulliver [1942] 1 ALL ER 378
Regazzioni v. K. C. Sethia (1944) Ltd [1958] AC 301
Regent OHG Aisenstadt und Barig v. Francesco of Jermyn Street Ltd [1981] 3 ALL ER 327
Reid v. Hollingshead (1825) 4 B & C 867
Reiger v. Campbell - Stuart [1939] 3 ALL ER 235
Remington Rand Case 1969
Reuter v. BASF AG [1976] 2

CMLR D44
Revlon Inc. v. Cripp & Lee Ltd [1980] FSR 85
Reynolds v. Atherton (1921) 125 LT 690
Rhodes v. Forwood [1874 – 80] All ER Rep 476
Rhodes v. Moules [1895] 1 Ch 236
Richards v. Westminster Motors Ltd [1976] 2 QB 795
Richardson v. Pitt – Stanley and Others [1995] 2 WLR 26
Richco International Ltd v. Bunge and Co. Ltd [1991] 2 Lloyd's Rep 93
Rickards v. Lothian [1913] AC 263
Roberat A. Munro & Co. Ltd v. Meyer [1930] 2 KB 312
Roberata, The (1937) 58 Ll. L. R. 159
Roberts v. Gray [1913] 1 KB 520
Robinson v. Graves [1935] 1 KB 597
Robinson v. Kilvert (1889) 41 ChD 88
Robinson v. Post Office [1974] 2 All ER 737
Rock Refrigeration Ltd v. Jones [1997] 1 All ER 1
Rogers and Another v. Parish (Scarborough) Ltd [1987] QB 933
Roles v. Nathan [1963] 1 WLR 1117
Rolfe & Co. v. George (1968) 113 SJ 244
Rolfe Lubell & Co. v. Keith and Another

[1979] 1 All ER 860
Rolled Steel Products Ltd v. British Steel Corpn [1986] Ch 246
Rondel v. Worsley [1969] 1 AC 191
Rookes v. Barnard [1964] AC 1129
Rose v. Plenty and Another [1976] 1 All ER 97
Ross v. Caunters [1979] 2 All ER 903
Rother Iron Works Ltd v. Canterbury Precision Engineers Ltd [1974] QB 1
Rowland v. Divall [1923] 2 KB 500
Rowlandson and Others v. National Westminster Bank Ltd [1978] 1 WLR 798
Royal Bank of Scotland plc v. Etridge [1997] 3 All ER 628
Royal Bank of Scotland v. Greenshields [1914] SC 259
Royal British Bank v. Turquand (1856) 6 E & B 327
Royal Brunei Airlines Sdn Bhd v. Tan Kok Ming [1995] 2 AC 378
Royal Trust Co. of Canada v. Markham and Another [1975] 1 WLR 1416
Royscott Trust Ltd v. Rogerson [1991] 3 WLR 57
Ruben v. Great Fingall Consolidated [1906] AC 439
Ruxley Electronic v. Forsyth [1995] 3 All ER 268
Ryan v. Mutual Tontine Association [1893] 1 Ch 116
Rylands v. Fletcher (1868) LR 3

HL 330
Said v. Butt [1920] 3 KB 497
St Albans City and District Council v. International Computers Ltd (1996) The Times, 14 August
St Helen's Smelting Co. v. Tipping (1865) 11 HL Cas 642
Salford Corporation v. Lever [1891] 1 QB 168
Salomon v. Salomon & Co. Ltd [1897] AC 22
Sammuel v. Jarrah Timber and Wood Paving Corpn Ltd [1904] AC 323
Saunders v. Anglian Building Society [1971] AC 1004
Sayers v. Harlow UDC [1958] 1 WLR 623
Saywell v. Pope [1979] STC 824
Scancarriers A/S v. Aetearoa International Ltd (1985) 135 NLJ 79
Scheggia v. Gradwell [1963] 3 All ER 114
Schmidt v. Spar – und Leihkasdse der fruheren Amter Bordesholm, Keil und Cronhagen (1994) IDS Brief 516
Scholfield v. Earl of Londesborough [1896] AC 514
Scorer v. Seymour Jones [1966] 1 WLR 1419
Scott v. Avery (1856) 5 HLC 811
Scott v. Frank F. Scott (London) Ltd [1940] Ch 794

Scott v. London and St Katherine Docks Co. (1865) 3 H & C 596
Scottish Insurance and Corporation Ltd v. Wilsons & Clyde Coal Co. Ltd [1949] AC 462
Scriven Bros. & Co. v. Hindley & Co. [1913] 3 KB 564
Scruttons Ltd v. Midland Silicones Ltd [1962] 1 All ER 1
Searose Ltd v. Seatrain UK Ltd [1981] 1 WLR 894
Secretary of State for Employment v. Spence [1986] ICR 651
Selangor United Rubber Estates Ltd v. Cradock (No. 3) [1968] 1 WLR 1555
Seymour – Smith and Perez v. Secretary of State for Employment [1996] All ER 1
Shadwell v. Shadwell (1860) 9 CBNS 159
Shamia v. Joory [1958] 1 QB 448
Shanklin Pier Ltd v. Detel Products Ltd [1951] 2 KB 854
Sharratt v. Geralds The American Jewellers Ltd (1970) 114 SJ 147
Shaw v. Commissioner of Police for the Metropolis [1987] 1 WLR 1332
Shearer v. Bercain Ltd [1980] 3 All ER 295
Sheffield Corporation v. Barclay [1905] AC 392

Shepherd (FC) & Co. Ltd v. Jerrom [1985] IRLR 275

Shiffman v. Venerable Order of the Hospital of St John of Jerusalem [1936] 1 All ER 557

Shipway v. Broadwood [1899] 1 QB 369

Shove v. Downs Surgical plc [1984] 1 All ER 7

Shuttleworth v. Cox Bros. & Co. (Maidenhead) Ltd [1927] 2 KB 9

Siebe Gorman & Co. Ltd v. Barclays Bank Ltd [1979] 2 Lloyd's Rep 142

Sika Contracts Ltd v. Gill & Closeglen Properties Ltd (1978) 9 BLR 11

Sim v. Rotherham BC [1987] Ch 216

Simmonds v. Heffer [1983] BCLC 298

Simmonds v. Potter [1975] RTR 34

Simpkins v. Pays [1955] 1 WLR 957

Simpson v. London and North Western Rly Co. (1876) 1 QBD 274

Sippa OJ [1992] 5 CMLR 529

Siu Yin Kwan v. Eastern Insurance Co. Ltd [1994] 1 All ER 213

Skilton v. Sullivan (1994) The Times, 25 Match

Sky Petroleum Ltd v. VIP Petroleum Ltd [1974] 1 All ER 954

Smeaton v. Ilford Corporation [1954] 1 All ER 923

Smith v. Chadwick (1884) 9 App Cas 187

Smith v. Charles Baker & Sons [1891] AC 325

Smith v. Croft (No. 2) [1987] BCLC 206

Smith v. Croft (No. 3) [1987] BCLC 355

Smith v. Gardner Merchant Ltd [1996] IRLR 342

Smith v. Land and House Property Corp (1884) 28 ChD 7

Smith v. Leech Brain & Co. Ltd [1961] 3 All ER 1159

Smith v. Prosser [1907] 2 KB 735

Smith v. Scott [1973] 3 All ER 645

Smith New Court Securities Ltd v. Citibank N. A. [1966] 3 WLR 1051

Smith Stone and Knight Ltd v. Birmingham Corpn [1939] 4 All ER 116

Snow v. Milford (1868) 16 W. R. 654

Sochacki v. Sas [1947] 1 All ER 344

Societe Technique Miniere v. Machineban Ulm Gmbh [1966] CMLR 357

Solle v. Butcher [1950]

Southern Foundries (1926) Ltd v. Shirlaw [1940] AC 701

Southwark London Borough v. Charlesworth (1983) 147 JP 470

Spartan Steel and Alloys Ltd v. Martin & Co. Ltd [1973] QB 27

Spector v. Ageda [1971] 1 Ch 30

Spicer v. Smee (1946) 175 LT 163

Spiro v. Glencrown Properties Ltd

[1991] 2 WLR 931
Spiro v. Lintern [1973] 1 WLR 1002
Spring v. Guardian Assurance plc [1994] 3 All ER 129
Springer v. Gt Western Railway Co. [1921] 1 KB 257
Stacey v. Hill [1901] 1 KB 660
Standard Chartered Bank Ltd v. Walker [1982] 1 WLR 1410
Stanley v. Powell [1891] 1 QB 86
Stearn v. Prentice Brothers Ltd [1919] 1 KB 394
Steen v. Law [1963] AC 287
Stein v. Blake [1998] 1 All ER 724
Steinberg v. Scala (Leeds) Ltd [1923] 2 Ch 52
Stekel v. Ellice [1973] 1 WLR 191
Stevenson v. Beverley Bentinck [1976] 1 WLR 1593
Stevenson, Jacques & Co. v. MacLean (1880) 5 QBD 346
Stilk v. Myrick (1809) 2 Camp 317
Stock v. Frank Jones (Tipton) Ltd [1978] 1 All ER 948
Stockton - on - Tees BC v. Brown [1988] 2 WLR 935
Stoke - on - Trent CC v. B & Q plc [1991] 2 WLR 42
Stone v. Taffe [1974] 1 WLR 1575
Stour Valley Builders v. Stuart [1992] The Independent, 9 February CA Transcript 555

Strand Electric Engineering Co. Ltd v. Brisford Entertainments Ltd [1952] 2 QB 246
Stroud Architectural Systems Ltd v. John Laing Construction Ltd [1994] 2 BCLC 276
Sturges v. Bridgman (1879) 11 ChD 852
Suiker Unie and Others v. Commission [1976] 1 CMLR 295
Suisse Atlantique Societe d'Armement Maritime SA v. N. v. Rotterdamsche Kolen Central [1967] 1 AC 361
Sumpter v. Hedges [1898] 1 QB 673
Sunair Holidays Ltd v. Doss [1970] 2 All ER 410
Surrey County Council v. Bredero Homes Ltd [1993] 1 WLR 1361
Sutton v. Sutton [1984] 1 All ER 168
Swabey v. Port Darwin Gold Mining Co. (1889) 1 Meg 385
Sweet v. Parsley [1969] 1 All ER 347
Swordheath Properties Ltd v. Tabet [1979] 1 WLR285
Sybron Corp v. Rochem Ltd [1983] 2 All ER 707
Tai Hing Cotton Mill Ltd v. Liu Chong Hing Bank Ltd [1985] 2 All ER 947
Tamplin v. James (1880) 15 ChD 215
Taupo Totara Timber Co. Ltd v. Rowe [1977] 3 All ER 123
Taverner Rutledge Ltd v. Trexapalm Ltd

[1977] RPC 275
Taylor's Industrial Flooring Ltd v. M 8 H Plant Hire (Manchester) Ltd [1990] BCLC216
Tesco Supermarkets Ltd v. Nattrass [1971] 2 All ER 127
Tetra Pak Rausing SA v. Commission [1991] 4 CMLR 334
Tett v. Phoenix Property & Inv. Co. Ltd [1986] BCLC 149
Third Chandris Shipping Corporation v. Unimarine S. A. [1979] 2 All ER 972
Thomas v. Nottingham Incorporated Football Club Ltd [1972] Ch 596
Thompson (W. L.) Ltd v. Robinson (Gunmakers) Ltd [1955] Ch 177
Thompson v. T. Lohan (Plant Hire) Ltd and Another [1987] 2 All ER 631
Thompson's Trustee in Bankruptcy v. Heaton [1974] 1 All ER 1239
Thornett & Fehr v. Beers [1919] 1 KB 486
Thornton v. Shoe Lane Parking Ltd [1971] WLR 585
Tinn v. Hoffman & Co. (1873) 29 LT 271
Tinsley v. Milligan [1993] 3 All ER 65
Tito v. Waddell (No. 2) [1977] Ch 106
Tournier v. National Provincial and Union Bank of England [1924] 1 KB 461

Tower Cabinet Co. Ltd v. Ingram [1949] 2 KB 397
Trego v. Hunt [1896] AC 7
Tremain v. Pike [1969] 3 All ER 1303
Tsakiroglou & Co. Ltd v. Noblee Thorl GmbH [1962] AC 93
TSB Bank plc v. Camfield [1995] 1 All ER 951
Tulk v. Moxhay (1848) 2 Ph 774
Tunstall v. Steigman [1962] 1 QB 593
Turner v. Goldsmith [1891] 1 QB 544
Tweddle v. Atkinson (1861) 4 LTD 468
Twentieth Century Banking Corpn Ltd v. Wilkinson [1977] Ch 99
Twine v. Bean's Express Ltd (1946) 175 LT 131
Twycross v. Grant (1877) 2 CPD 469
UB (Ross) Youngs Ltd v. Elsworthy (1993) IDS Brief 498
UDT (Commercial) Ltd v. Ennis [1968] 1 QB 54
UDT Ltd v. Western [1976] QB 513
Ultramares Corp. v. Touche (1931) 174 NE 441
Underwood v. Burgh Castle Brick & Cement Syndicate [1922] 1 KB 343
Union Eagle Ltd v. Golden Achievement Ltd [1997] 2 All ER 215
Unit Construction Co. Ltd v. Bullock (Inspector of Taxes) [1960] AC 351
United Bank Ltd v. Akhtar (1989) IRLR 505

United Bank of Kuwaitt plc v. Hammoud [1988] 1 WLR 1051
United Bank of Kuwaitt plc v. Sahib [1995] 2 WLR 94
United Brands v. Commission [1978] ECR 207
United Overseas Bank v. Jiwani [1976] 1 WLR 864
Universe Tankships Inc. of Monrovia v. International Transport Workers Federation [1983] 1 AC 366
Vacwell Engineering Co. Ltd v. BDH Chemicals Ltd [1971] 1 QB 88
Van Duyn v. Home Office (No. 2) [1975] Ch 358
Van Zuylen Freres v. Hag AG [1974] ECR 731
Vancouver Malt & Sake Brewing Co. Ltd v. Vancouver Breweries Ltd [1934] AC 181
Varley v. Whipp [1900] 1 QB 513
Vaughan v. Taff Vale Railway (1860) 5 H & N 679
Vawdrey v. Simpson [1896] 1 Ch 166
Vernon v. Bosley (No. 1) [1997] 1 All ER 577
Victoria Laundry (Windsor) Ltd v. Newman Industries Ltd [1949] 2 KB 528
Victors Ltd v. Lingard [1927] 1 Ch 323
Vinden v. Hughes [1905] 1 KB 795
Volk v. Vervaecke [1969] CMLR 273

von Colson v. Land Nordrhein - Westfalen [1968] 2 CMLR 702
Vroege v. NCLV Instituut voor Volkshuisvesting BV [1995] ICR 635
Wadham Stringer Ltd v. Meaney [1981] 1 WLR 39
Wakeham v. Wood (1982) 43 P & CR 40
Walford v. Miles [1992] 1 All ER 453
Walker v. Hirsch (1884) 27 ChD 460
Walker West Developments v. F. J. Emmett [1978] 252 E. G. 1171
Wallersteiner v. Moir (No. 2) [1975] 1 QB 373
Ward v. Bignall [1967] 1 QB 534
Ward v. Byman [1956] 2 All ER 318
Ward v. Tesco Stores [1976] 1 WLR 810
Warner Bros. Pictures Inc. v. Nelson [1937] 1 KB 209
Warren v. Henleys [1948] 2 All ER 935
Waterer v. Waterer (1873) LR 15 Eq 402
Watkin v. Watson - Smith, (1986) The Times, 3 July
Watson v. Duff Morgan and Vermont (Holdings) Ltd [1974] 1 All ER 794
Watson v. Swann (1862) 11 C. B. N. S. 756
Watt v. Hertfordshire County Council [1954] 1 WLR 835

Watteau v. Fenwick [1893] 1 QB 346
Watts v. Midlands Bank [1986] BCLC 15
Wealden Woodlands (Kent) Ltd v. National Westminster Bank Ltd (1983) 133 New LJ719
Webb v. Earle (1875) LR 20 Eq. 556
Webb v. EMO Air Cargo [1994] 3 WLR 941
Webster v. Cecil (1861) 30 Beav 62
Weigall v. Runciman & Co. (1916) 85 LJKB 1187
Weiner v. Gill [1906] 2 KB 574
Welded Steel Mesh Cartel: The Community v. Trefilunion SA and Other [1991] 4 CMLR13
Welsh v. Knarston (1972) SLT 96
West Mercia Safetywear v. Dodd [1988] BCLC 250
Western Excavating (EEC) v. Sharp [1978] QB 761
Westminster Bank Ltd v. Cond (1940) 46 Comm Cas 60
Westminster Bank Ltd v. Zang [1966] AC 182
Whalley v. Lancashire and Yorkshire Ry Co. (1884) 13 QBD 131
Wheat v. E. Lacon & Co. Ltd [1966] AC 552
Wheatley v. Smithers [1906] 2 KB 684
White and Another v. Jones and Others [1995] 1 All ER 691

White & Carter (Councils) Ltd v. McGregor [1961] 3 All ER 1178
White v. Bristol Aeroplane Co. [1953] Ch 65
White v. City of London Brewery Co. (1889) 42 ChD237
White v. Reflecting Roadstuds Ltd (1991) IRLR 323
Whitehead v. National Westminster Bank Ltd (1982) The Times, June 9
Wickens v. Champion Employment [1984] ICR 365
Wieland v. Cyril Lord Carpets Ltd [1969] 3 All ER 1006
Wilkie v. London Passenger Transport Board [1947] 1 All ER 258
Wilkinson v. Downton [1897] 2 QB 57
Will v. United Lankat Plantations Ltd [1914] AC 11
Williams & Glyn's Bank Ltd v. Barnes [1981] Com LR 205
Williams & Glyn's Bank Ltd v. Boland [1981] AC 487
Williams and Others v. Summerfield [1972] 2 QB 513
Williams & Roffey Bros v. Nicholls (Contractors) Ltd [1991] 1 QB 1
Williams v. Bailey (1866) LR 1 HL200
Williams v. Carwardine (1833) 5 Car & P 566
Williams v. Curzon Syndicate Ltd (1919) 35 TLR 475

Williamson v. Rider [1963] 1 QB 89
Wilson and Others v. West Cumbria Health Care NHS Trust (1994) IRLB 506
Wilson v. Rickett, Cockerell & Co. Ltd [1954] 1 QB 598
Wings Ltd v. Ellis [1984] 3 All ER 577
Winkworth v. Edward Baron Development Co. Ltd [1987] 1 All ER 114
Winn v. Bull (1877)
Winson, The [1982] AC 939
With v. O'Flanagan [1936] Ch 575
Wood v. Odessa Waterworks Co. (1889) 42 Ch. D636
Wood v. Scarth (1855) 2 K & J33, and (1858) 1 F & F293
Woodar Ind Dev. Ltd v. Wimpey Construction (U. K.) Ltd [1980] 1 All ER 571
Woods v. Martins Bank Ltd [1959] 1 QB 55
Woods v. WM Car Services (Peterborough) Ltd [1981] ICR 666
Woodworth v. Conroy (1976)
Woolerton and Wilson v. Richard Costain (Midlands) Ltd [1970] 1 All ER 483
Woolfson v. Strathclyde Richard Council 1978 SLT 159
Wray v. Wray [1905] 2 Ch 349
Wright v. Carter [1903] 1 Ch 27
Yates Building Co. v. Pulleyn (1975) 119 SJ 370
Yeoman Credit v. Gregory [1963] 1 WLR 343
Yetton v. Eastwoods Froy Ltd [1967] 1 WLR 104
Yeung Kei Yung v. Hong Kong & Shanghai Banking Corpn [1981] AC 787
Yianni v. Edwin Evans & Sons [1981] 3 All ER 592
Yonge v. Toynbee [1910] 1 KB 215
Young v. Bristol Aeroplane Co. Ltd [1944] KB 718
Young v. Marten v. McManus Childs [1969] 1 AC 454
Yukong Line Ltd of Korea v. Rendsburg Investments Corpn of Liberia (No. 2) [1998] 1 WLR 294

索 引

A

acceptance 承兑/承诺/接受
  bills of exchange 汇票 455
  contracts 合同 61 - 2
  goods 货物 420 - 1
accidents: inevitable 意外事件: 不可避免 108
accommodation: trade descriptions 和解: 商品说明 482 - 4
accord and satisfaction 和解和清偿 99 - 100
account, duty to: agents 说明义务: 代理人 344
accounts of profits 利润说明 152
Acts of God 不可抗力 108
Acts of Parliament 议会法案 10
Acts of State: defense of tort 国家行为: 侵权抗辩 108
adaptations: copyright 改编: 著作权 283
administration orders 破产管理令 557 - 63

administrative receivers 破产接管人 551 - 7
  powers of 权力 551 - 2
administrators and executors: tort (遗产) 管理人和执行人 110
adoption 收养 506, 513
advertisements 广告 59, 438 - 9, 440 - 1, 443
agency and agents 代理和代理人
  credit agreements 信贷协议 440 - 1
  commercial agents 商事代理人 351 - 4
  liability to third parties 对第三人的责任 348 - 9
  nature of 性质 337 - 8
  rights and duties 权利和义务 342 - 8
  termination 终止 350 - 1
agricultural goods 农产品 491
aliens: enemy 外国: 敌国
  bankruptcy 破产 536
  and contracts 与合同 81, 90

and partnership 与合伙 177
all monies clause 全部价款条款 329
allurement 引诱 123
alteration: bills of exchange and cheques 变更:汇票和支票 462-3
Alternative Dispute Resolution (ADR) 替代性纠纷解决方式 50-2
Alternative Investment Market (AIM) 选择性投资市场 160,274
annual percentage rate of charge (APR) 年费率 435
anticipatory breach of contract 预期违约 100-1
Anton Piller orders 安东·彼勒强制令 30
apparent authority, doctrine of 表见授权,表见授权原则 212,340-2
appeals 上诉
   arbitration 仲裁 47
   civil 民事 27-8
appropriation 划拨
   by exhaustion 用尽 412
   unconditional 无条件 411-12
arbitration: civil disputes 仲裁:民事争议 35-50
art: copyright 艺术作品:著作权 280,284-5
Articles of Association 公司章程细则 162,203-7
assets 资产
   charges over 担保 311-12
   on corporate insolvency 关于法人破产 557,561-2,571-6
   Mareva injunctions 玛瑞瓦禁令 29-30,466-7
   on partnership dissolution 合伙解散 194
   transfers of and redundancy 转让和裁员 389-91
   unavailable: bankruptcy 无法获得:破产 542-3
assignable choses in action 可转让的诉取动产 266
assignment 转让
   of book debts 帐债 546
   of partnerships 合伙 190
   of patents 专利 278
   of trade marks 商标 273-4
associates: of debtors 合伙人:债务人 545
associations 协会,组织
   trade: EC competition law 贸易:欧洲共同体竞争法 518
   voluntary codes of practice 非官方行业规则 505
   unincorporated 非法人 4
attachment of earnings 扣发工资 34
audits 审计 170
authority 权力
   of agents 代理人 338-42
   and bills of exchange or cheques 与汇票或支票 454,464-6
   in partnerships 合伙 180-2
   in registered companies 注册公司

212
Automated Teller Machines（ATMs）
银行自动柜员机 474，475

B

Bankers Automated Clearing Services
（BACS） 银行自动票据交易业务
系统 474
banker's books 银行帐簿 467
bankers' drafts 银行汇票 267，472
-3
bankruptcy 破产 34
  and agency 与代理 351
  and banks' authority 与银行权力
  466
  and guarantees 与担保 327
  processes of 程序 536-49
banks and bankers 银行和银行家
  customers' duties to 客户对其承担
  的义务 468
  duties to customers 对客户承担的
  义务 463-8
  protection 保护 469-74
  as shadow directors 作为影子董事
  231
bargains, unconscionable 交易，不合
  良心的 80
barter 易货 426
bearer shares 不记名股票 224
beneficial contracts of service 受益性
  服务合同 88
bilateral mistakes 双方错误 72-3

bills of exchange 汇票 86，267
  agents' liability 代理人的责任 348
  distinctions from cheques 与支票的
  区别 450-1
  nature of 性质 451-7
binding precedent 有拘束力的先例
  4-9
block exemptions 成批豁免 509-
  10，522-3
book debts 帐面负债 313，497
brands 品牌 268
breach of contract: discharge by 违约：
  解雇 100-1
bribes 贿赂 346，364
bringing on to land 改善土地 130
broadcasts: copyright 广播：著作权
  281，283，285
brochures: false statements 小册子：
  虚假陈述 482-4
business, kind of 业务，种类
  change in 变更 169
  in partnerships 合伙 174
  and trade descriptions 与商品说明
  434
business names 商业名称 157，178
  -9
business organizations 商事组织
  sole traders 个体经营者 157
  see also partners; registered companies 也可见合伙人；注册公司
buyers: remedies 买方：救济 424
  -5

by – laws 地方性法规 10

C

cable programmes：copyright 有线传播节目：著作权 281，283，285
canvassing：consumer credit 招揽顾客：消费者信贷 438 – 9
capacity 行为能力
　bills of exchanges and cheques 汇票和支票 54 – 5
to contract 合同 87 – 90
　partnership 合伙 177 – 8
capital clause：registered companies 资本条款：注册公司 203
capital redemption reserves 资本回赎储备金 216 – 17
capital, share：registered companies 资本, 股份：注册公司 212 – 19
care and skill, duty of 合理和技能，义务
　agents 代理人 343
　directors 董事 242 – 3
　supply of services 提供服务 428 – 9
care, duty of 注意义务
　bank customers 银行客户 468
　banks 银行 463 – 8
　bills of exchange and cheques 汇票和支票 462 – 3
breach of 违反 118 – 19
　and corporate insolvency 与法人破产 578 – 9

employers 雇主 364
case law 判例法 4 – 10
　EC 欧洲共同体 16 – 22
cash equivalence：bills of exchange and cheques 等同现金：汇票和支票 460 – 1
casual workers：position of 非正式工人：地位 356 – 7
caveat emptor 提醒买方注意 75, 399
Center for Dispute Resolution (CEDR) 争议解决中心 51 – 2
Chancery Division 衡平法庭 27
character licensing 形象许可 275
charges 担保/抵押
　floating 浮动 171，312 – 4，315，317，318 – 20，551，558，574 – 5
　over company assets 设立于公司财产之上 281 – 90，171，311 – 20
　registration 登记 314 – 18
charging orders 扣押偿债令 34
chartered corporations 特许法人 4
cheque cards 支票卡 428 – 9，463，474 – 6
cheques 支票 86，267，450 – 1
　agents' liability 代理人的责任 348
　banks' duty to honour 银行的承兑义务 463 – 4
　crossed 划线 267，459，469 – 480
customers' duties 客户的义务 468
distinctions from bills of exchange 与汇

票的区别 450-1
nature of 451-7
children: duty of care to 儿童：注意义务 123
 see also minors 也可见 未成年人
choses in action 诉取动产 266-8
choses inpossession 占有动产 265-6
circulation: and copyright 发行：与著作权 283
civil courts 民事法院 25-8
civil judgments: enforcement 民事判决：强制执行 33-5
civil law 民法 3
class rights: shares 等级权利：股票 224-6
Clearing House Automated Payment Scheme (CHAPS) 票据交换所自动支付系统 474
codes of practice, voluntary 非官方行业规则 505
collateral contracts 附属合同 69, 426
 illegal 违法的 80
collusion 合谋 520
commercial agents 商事代理人 351-4
commercial agreements 商事协议 69
Commission for Racial Equality 种族平等委员会 374
commissions: agents 佣金：代理人 347-8, 352

common law 普通法 9-10
 exceptions to majority rule 多数决定原则的例外 220-2
 exclusion clauses 除外条款，免责条款 93-4
 sales under 根据普通法进行的买卖 418
 terms of employment 雇佣条款 361-4
 unauthorized contracts 未被授权签订的合同 211-12
 unfair dismissal 不当解雇 381-6
common markets: EC competition law 共同市场：欧洲共同体竞争法 524
companies 公司
 dissolution of defunct 停业公司的解散 580-1
 distinctions from partnerships 与合伙的区别 161-71
 groups of 集团 161
 insolvency 破产 550-81
 members 成员 227-8
 see also registered companies 也可见 注册公司
company secretaries 公司秘书 160, 248
Company Voluntary Arrangements (CVAs) 公司自愿和解 563-5
compensation: unfair dismissal 赔偿：不当解雇 385
compensatory and non-compensatory damages 补偿性和非补偿性损害赔

偿金 136-148
compete, duty not to 竞争,不竞争/竞业限制
　employees 雇员 363
　partners 合伙 190
Competition Commission 竞争委员会 503,505,506,513-4
competition law 竞争法
　EC 欧洲共同体 503,514-528
　restrictive practices 限制性作法 507-11,517-23
computer programs: copyright 计算机程序:著作权 280
concerted practices: EC competition law 一致行动:欧洲共同体竞争法 517-23
conditional sales 附条件买卖 397,401,418,429
condition: terms of contract 条件:合同条款 91-3
confidentiality 保密
　directors 241 董事
　employees 雇员 363
conflict of interests 利益冲突
　agents 代理人 344-5
　directors 董事 239
consent 同意
　agents 代理人 338
　as defence of negligence 作为过失抗辩 120-1
　and mortgages 与抵押 295-6
　and tort 与侵权 108

consequential loss 间接损失 138-9
consideration 对价 63-8,321,428,458
conspiracy 合谋 107
constructive dismissal 推定解雇 383-4
constructive notice, doctrine of 推定通知,理论 94,211
constructive trusts 推定信托 67
consumer: deals as 消费者:作为消费者交易 405
consumer credit transactions 消费者信贷交易 86
Consumer Protection Advisory Committee (CPAC) 消费者保护咨询委员会 504
consumers see goods, sale of; insolvency, personal; protection 消费者 见商品,买卖;破产,个人;保护
contempt of court 藐视法庭 31
contract, law of 合同,法
　discharge 解除 97-103
　equitable remedies 衡平法上的救济 148-51
　essentials 要素 58-70
　restitutionary remedies 恢复原状的救济 151-2
　terms 条款 90-7
　vitiating elements 失效因素 70-90
contractors 承包人
　distinguished from employees 与雇

索 引 737

员的区别 355-6
employers; liability for 雇主的责任 358
contracts 合同
　and corporate insolvency 与法人破产 555-6, 562
　illegal 违法的 80-3
　pre-incorporation 公司成立之前的 208
　provisional 临时的 209
　remedies 救济 136-141, 148-150
　ultra vires 越权 209-10
　unauthorized 未被授权的 210-12
contributory negligence 共同过失 121, 140, 145-6
conversion 侵占 106
conveyancing 财产转让事务 267-8, 263-4, 297-8
cooling off periods 重新考虑期间 440, 453
copy-protected 复制保护 282
copyright 著作权 279-287
　product design 产品设计 287-291
Copyright Licensing Authority 著作权许可机构 287
Copyright Tribunal 著作权法庭 287
corporate opportunities: directors 公司机会：董事 240
corporations 法人 4
　capacity to contract 缔约能力 87
　and tort 与侵权 109-110

see also companies; registered companies 也可见公司；注册公司
corruption 腐败 82
county courts 郡法院 9
　appeals from 上诉 27
　enforcement of civil judgments 民事判决的强制执行 33-5
　jurisdiction of 管辖权 25-6
　stages of action 诉讼程序 31-3
Courts of Appeal 上诉法院 7
Court of First Instance (CFI) 欧洲初审法院 9
　jurisdiction 管辖权 18-19
courts 法院 7-9
　contracts to oust jurisdiction of 剥夺法院裁判权的合同 83
　dissolution of partnerships 合伙的解散 191-2
　hire-purchase agreements 分期付款买卖协议 448
　sales 买卖 418
　winding up companies 公司清算 567-70
　see also specific type, e. g. county 也可见 具体种类，例如郡法院
covenants: restrictive 契约：限制性的 68, 262
credit agreements, consumer 信贷协议，消费者 435-49
　hire-purchase and instalment sales 分期付款和分期付款买卖 443-8
credit cards 信用卡 441

credit sales 信贷买卖 401,
443, 448
credit transactions: directors 信贷交
易：董事 247
creditors 债权人
　　dealers as agents of 交易人作为其
　　代理人 440-1
　　deferred 延期的 177, 549, 571
　　directors'duty to 董事对其的义务
　　37
　　distinguished from partners 与合伙
　　人的区别 176
　　and guarantees 担保 325
　　liability 责任 441
　　priority of 优先权 548-9, 571
creditors'meetings 债权人会议 540,
554, 560-1, 563-41, 566, 570
　　IVAs 个人自愿和解 534-5
creditors'petitions: bankruptcy 债权
人申请：破产 536-8
criminal law 刑法 3
criminal liability: and corporate insol-
vency 刑事责任：与法人破产
580
crown courts 刑事法院 9

D

damages 损害赔偿（金）
　　breach of employment contracts 违反
　　雇佣合同 386-8
　　contract and tort 合同和侵权 136
　　-148

defective products 瑕疵产品 491
-3
　　hire-purchase 分期付款买卖
　　447
　　non-compensatory 非补偿性的
　　125, 140-1, 147
　　restitutionary 恢复原状的 151-2
　　sale of goods 货物买卖 493-7
dangerous goods 危险商品 493-7
dealers: contracts between 商人：之
间的合同 405
death and deceased persons 死亡和
死者
　　and agency 与代理 351
　　and bankruptcy 与破产 536
　　and banks'authority 与银行的权力
　　466
　　and debtors 与债务人 443
　　and employment 与雇佣 383
　　and guarantees 与担保 327
　　and life insurance mortgages 与人寿
保险单抵押 308
　　and tort 与侵权 111
debenture holders: remedies 债券持
有人：救济 318
debentures 债券 311-20
debtor-creditor agreements (DCA)
债务人—债权人协议 436
debtor-creditor-supplier agreements
(DCSA) 债务人—债权人—供应
商协议 428, 436
debts and debtors 债务和债务人

death 死亡 443
early and late payments 提前和延误还款 442
and finance companies 金融公司 444-5
in partnerships 合伙 182
priority of 优先权 548-9, 571
proof of 证明,申报 547-8, 570
see also loans 也可见 借贷
deceit 欺骗 106
defamation 诽谤 107
default actions 不履行债务诉讼 31, 395-6
defective goods 瑕疵货物 489-498
damages 损害赔偿 137
deferred debts 延期债务 549, 571
delegation: agents 委托:代理人 343-4
delegatus non potest delegare 代理人不得转让其受托权限 343-4
delivery: goods 交付:货物 419-420
Department of Trade (and Industry) (DTI) 贸易工业部 255
description: goods 说明:商品 398
design protection 产品设计保护 287-292
directives: EC law 指令:欧洲共同体法 17-18
Director of Fair Trading (DG) 公平贸易总署署长 503-14, 515
directors 董事

appointment and qualifications 任命和资格 231-3
and corporate insolvency 与法人破产 530, 554, 555, 558, 560, 561, 563, 566, 568, 576-9, 580
defaulting 不履行职责的 576-7
duties 义务 236-243
and guarantees 担保 323
private and public companies 私人和公众公司 160
removal 解职 236
wrongful trading 非法交易 243, 578-9
disabilities: of minors 残疾:未成年人的 109
disability discrimination 伤残歧视 377-81, 489-30
discharge 责任的解除
bills of exchange and cheques 汇票和支票 461-3
contracts 合同 97-103
disclaimed property 放弃的财产 572
disclaimers 不承担责任的声明/否认声明 481
disclosure 披露 29, 75
agents 代理人 345
banks 银行 467
contracts 合同 75
guarantees 担保 321-2
partnerships 合伙 188-9
patents 专利 276
private and public companies 私人

和公众公司 159
discretion: directors 自由决断权：董事 242
discrimination 歧视 374－381，429－430
dismissal: employment 解雇：雇佣 381－8
dissolution: defunct companies 解散：停业公司 580－1
distinguished precedents 已经被区分的先例 6
distributors: safety regulations 发行人，经销商：安全条例 495－7
dividends 红利 219
divisible contracts 可分的合同 97－8
divisional courts （高等）法院分庭 7
documents: discovery and inspection 文件：开示和查阅 28，31－2
domicile 住所 3－4
　registered companies 注册公司 201
dominant positions, abuse of 优势地位，滥用 511－12，523－8
dramatic works: copyright 戏剧作品：著作权 280，284－5
durability: 耐用性 400
duress 胁迫 78－9

E

easements 地役权 262

economic rights: torts 经济权利：侵权 106
editions, published 版本，公告 285，287
eiusdem generis 同类解释 14
electronic funds transfer 电子资金转让 474－6
Electronic Funds Transfer at Point of Sale (EFT－POS) 销售点电子资金转让 474
Employees 雇员
　and consent 与同意 121
　directors' duty to 董事对其的义务 237
　employers' liability for 对雇主的义务 364
employers: vicarious liability 雇主：替代责任 358－9
employment, contracts of 雇佣，合同
　and corporate insolvency 与法人破产 554－5，562
　dismissal and redundancy 解雇和裁员 381－391
　fixed term and performance contract 固定期限和履行合同 392－3
　restraints clauses 限制性条款 84
　terms of 条款 361－81
enforcement 强制执行
　arbitration 仲裁 47
　civil and High Court judgments 民事判决和高等法院判决 33－35
entire contracts 不可分的合同 97

−8

Equal Opportunities Commission 机会均等委员会 374

equal pay 同工同酬 365−8

equitable estates 衡平法上的不动产权 261−2

equitable liens 衡平法上的留置权 332

equitable mortgages 275−6, 280, 294−5, 303−4, 305−6, 310

equitable remedies 衡平法上的救济 148−51

equity 衡平法 9−10
  operative mistakes in （有关合同）生效的错误 73

equity of redemption 衡平法上的回赎权 298

escape from land 从土地中逸出 131

estates, property 不动产权，财产 260−2, 264−5

estoppel 不容否认／禁止反言
  authority 授权 184, 341−2, 413−4
  and cheques 与支票 464−5
  promissory 本票 68, 99
  and shares 与股份／股票 229−230

ethnic discrimination 种族歧视 374, 429−30

eulogistic commendations 称颂的赞扬 75, 435

Euro−defences 欧洲抗辩 516

European Community（EC） 欧洲共同体
  competition law 竞争法 514, 517−28
  equal pay 同工同酬 365−8
  law 法 16−22

European Court of Justice（ECJ） 欧洲法院 7, 8, 9
  jurisdiction 管辖权 18

European Patent Convention 欧洲专利公约 276

exchange, conatracts of 易货，合同 426

exclusion clauses 除外条款／免责条款
  employment contracts 雇佣合同 376
  finance companies 金融公司 444−5
  and misrepresentation 与虚假陈述 78
  negligence 过失 120
  sale and supply of goods 货物买卖和提供 385, 405−6, 429
  terms of contracts 合同条款 93−6
  torts 侵权 108
  unfair terms in consumer contracts 消费者合同中的不公平条款 499−501

executed consideration 已执行的对价 64

executed contracts for necessaries 关于生活必需品的已履行合同 88

execution, warrants of 执行,令状 33

executors and administrators: tort 遗产执行人和管理人：侵权 110

executory consideration 待执行的对价 64

exemption clauses see exclusion 免责条款 见除外条款

expectation loss 预期损失 138

expressio est exclusio alterius 明示其一即排除其他 14

extortionate credit transactions 高利贷交易 299,442,546,575-6

F

facilities: trade description 便利：商品说明 482-4

false statements 虚假陈述 481-4

false trade descriptions 虚假商品说明 479-482

families: agreements with 家人：与家人订立的协议 68-9

Family Division 家事庭 5,27

fee simple estates 非限定继承不动产权 260-1

fictitious payees: bills of exchange or cheques 虚拟受款人：汇票或支票 453

fieri facial (fifa) 财务扣押令 33

films: copyright 影片：著作权 281

finance companies 金融公司 444-5

financial assistance 财政支持/经济资助 220-223

firms 合伙企业
  names 名称 178-9
  powers of partners 合伙人的权力 180-2
  see also partnership 也可见 合伙

fitness for purpose: goods 适合（购买）目的：货物 401-3

fixed charges 固定担保 312,313-4

fixed date actions 指定日期的诉讼 31

fixed sum credit agreements 定额信贷协议 436

fixed term contracts 固定期限合同 392-93

floating charges 浮动担保 312-14, 315,317-20
  anti-administration 反管理 558
  corporate insolvency 法人破产 573-5

floodgates argument 水门争论 146

forecasts 预见 483

foreclosure 取消抵押品赎回权 274, 302,303

foreign trade 对外贸易 437
  EC competition law 欧洲共同体竞争法 514-28

forged cheques 伪造支票 470-1

forged signatures 伪造签名 415, 417-19,452,453,459, 462,464

formalities 手续
　companies and partnerships 公司和合伙 161-2
　contracts 合同 86-7
fraud 欺诈
　and company insolvency 与公司破产 577, 580
　and minority shareholders 与少数股东 230
fraudulent misrepresentation 欺诈性虚假陈述 77
freehold property 自由保有财产 260-1
　mortgages 抵押 293-5
friends：agreements with 朋友：与朋友订立的协议 68-9
frustration 合同履行落空 101-3
　　commercial agents 商事代理人 353
　　employment 雇佣 382
future goods 未来货物 407

G

garnishee orders 扣押第三债务人保管的财产令 33, 466, 467
golden rule interpretation 黄金释义规则 12-14
good faith, duty of 善意/诚信，义务
　　agents 代理人 344-6
　　bills of exchange 汇票 460
goods 货物/商品 265, 395
　　on approval 同意 409

mortgage of 抵押 310
sale of contracts for：买卖合同
nature and terms of 性质和条款 395-406
nemo dat quod non habet 任何人不能给予其所未有者 413-18
passing of property 所有权转移 406-13
performance 履行 419-21
remedies 救济 421-5
retention of title clause 所有权保留条款 328-31
　sale or return 可退货销售 409
　as security 担保货物 310
　supply of；contracts for 供应，合同 425-8；
refusal 拒绝 478
tracing into manufactured 追索加工成品 330
trepass to 侵犯 106
unsolicited 主动提供 498
government stock：mortgages 政府债券：抵押 306
guarantee 担保
　collateral contract of 从合同 497-8
　companies limited by 保证有限（责任）公司 159
　contracts of 合同 320-8
　and credit agreements 与信贷协议 444
guarantee payments：employees 工资

支付的保证 372

H

harm, likelihood of 损害，可能性 118
　see also safety 也可见 安全
High Court 8, 9 高等法院
　appeals from 上诉 28
　enforcement of civil judgments 民事判决的强制执行 33-35
　jurisdiction 管辖权 27
　stages of action 诉讼程序 28-31
hire business 租赁业务 437, 438
hire-purchase 分期付款买卖 417-18, 435, 443-8
holders 持有人
　bills of exchange 汇票 458-60
　collecting banks as 托收银行作为持有人 473-4
holding companies 控股公司 161
holding out 自认 184-5, 341-2, 413-4
holiday, paid 假期，带薪 394
home banking 家庭银行（系统） 475
homes: in bankruptcy 住所：破产中 543
House of Lords 上议院 7, 8
husbands and wives see spouses 丈夫和妻子 见配偶
hypothecation 不转移所有权的抵押 311

I

Identification theory: companies 同一论：公司 166
identity 身份
　mistake as to 对身份的错误 71-2
　and tracing 与追索 330
illegal contracts 违法合同 80-3
illegal partnerships：非法合伙 179-80
immoral contracts 不道德的合同 81
in expectancy estates 期待不动产权 260
in possession estates 占有不动产权 260
incidental loss 意外损失 138
income payment orders 收入支付令 542
indemnity 要求补偿权
　agents'rights to 代理人的权利 346
　commercial agents 商事代理人 353
　contracts of 合同 320-8
individual exemptions 个别豁免 508-9, 523
indorsements：bills of exchange and cheques 背书：汇票和支票 457-8, 459
information exchange：EC competition law 信息交换：欧洲共同体竞争法

521
infringement, copyright 侵权，著作权 282-4
injunctions 禁令 150
　Mareva 玛瑞瓦 29-30, 466, 467
insanity see unsound mind 精神错乱 见精神失常
insider dealing 内幕交易 248
insolvency 破产
　corporate: administration orders 法人：破产管理令 557-63;
　Company Voluntary Arrangements 公司自愿和解 563-5;
　liquidation 清算 565-81;
　receivership 接管 550-7
　partnerships 合伙 195
　personal: bankruptcy 自然人：破产 536-549;
　　individual voluntary arrangements (IVAs) 个人自愿和解 533-6
instalment delivery 分批交货 419-20
instalment sales 分期付款买卖 443-5
intellectual property 知识产权 268-292
　EC law 欧洲共同体法 527-8
interference: private nuisance 妨害：私人妨害 126-7
interference with contract 妨害合同 106

international patents 国际专利 276
international trade see foreign 国际贸易 见涉外
interpretation 解释
　EC law 欧洲共同体法 19-20
　English law 英国法 11-15
　exclusion clauses 除外条款/免责条款 94
　statutory 成文法的 11-15
intervening causes 介入原因 144-5
intimidation 胁迫 106
invitation to treat 要约邀请 58

J

joint and several liability 连带责任
　guarantees 担保，保证 324-5, 326, 328
　partners 合伙人 182
joint bank accounts 共同的银行帐户 467
joint liability 共同责任
　guarantees 担保，保证 324-6
　partners 合伙人 182
joint ownership: copyrights 共有：著作权 285-6
Judicial Committee of the Privy Council 枢密院司法委员会 7

L

land 土地
　conveyancing 财产转让事务 263-4

mortgages 抵押 293-304
and product liability 与产品责任 491
registration 登记 262-5
sale of 买卖 86
torts 侵权 105-6
Land Charges Registry 土地抵押登记处 297-8
landlords 地主 122, 129
and bankruptcy 与破产 546-7
lapse of time 时效终止
    equitable remedies 衡平法上的救济 148
    tort 侵权 111-12
Law Commission 法律委员会 9
Law Reports 判例汇编 5
law, English 法，英国
    classification 分类 3-4
    and EC law 与欧洲共同体法 19-20
    interpretation 解释 11-15
    sources 渊源 4-24
leasehold property 租赁保有财产 261, 262
    mortgages 抵押 294-5
legal estates 普通法上的不动产权 262-3
legal mortgages 普通法上的抵押 294
    life insurance policies 人寿保险单 309
    registered securities 记名证券 305

remedies 救济 300-4
legal personality 法律人格 3-4, 158
legal persons, separate: companies as 法人，独立：公司 162-8
legal relations: contracts 法律关系：合同 68-9
legislation 制定法 10
    EC law 欧洲共同体法 16-18
    Statutory interpretation 成文法的解释 11-15
Lexis system 5 Lexis 系统
liability 责任
    agents 代理人 348-9
    directors 董事 358-9
    occupiers 占有人 122-5, 129
    in partnerships 合伙 182-5
    registered companies 注册公司 203
libel 诽谤 107
licences and licensing 执照和许可
    consumer credit 消费者信贷 438-9
    copyright 著作权 287
    patents 专利 278
    trade marks 商标 273-4
lien 留置权 331-2
    agents' rights to 代理人的权利 347-8
    banks 银行 473-4
    sellers 卖方 421-2
life estates 终身不动产权 261

life insurance policies: mortgages 人寿保险单: 抵押 307-310
limited liability 有限责任
　companies 公司 138-9, 168
　and partnerships 合伙 168, 173, 196-7
liquidated and unliquidated damages 预定违约赔偿金和未确定数额的损害赔偿金 140-1
liquidation 清算 30
　and employment 与雇佣 383
　and guarantees 与担保/保证 327
　see also winding up 也可见 清算
liquidators 清算人 566, 567, 569-70
literal rule of interpretation 字面释义规则 12
literary works: copyright 文学作品: 著作权 280, 284-5
loans 贷款/借贷
　to directors 给董事 246-7
　securities for 担保
　　fixed and floating charges 固定和浮动担保 312-14
　　guarantees 担保 320-8
　　liens 留置权 331-2
　　mortgages 抵押 293-5, 304-7, 309-10
　　retention of title clauses 所有权保留条款 328-31, 572
locality: and nuisance 地点: 与妨害 127

lock out agreements 封锁协议 69-70
loss 损失
　damages for 损害赔偿 136-9
　mitigation of 减轻 140, 145
losses: in partnerships 损失: 合伙 175
low cost credit 低价信贷 437

M

magistrates' court 治安法院 8, 9
majority shareholders: abuse of power 多数股东: 滥用权力 249-56
malice 恶意 107, 127
management participation 参与管理 169
　see also directors 也可见 董事
Mareva injunctions 玛瑞瓦禁令 29-30, 466, 467
maritime liens 332 船舶优先权
markets: dominant position in 市场: 优势地位 511-12, 523-8
married people see spouses 已婚人 见配偶
maternity rights 生育权 368-72
mediation 调解 50-2
Memorandum of Association 公司章程大纲 158, 198-203, 206-7
mental disorder see unsound mind 精神错乱 见精神失常
mercantile agents 代理商 341
　sale by non-owners 非所有人对货

物的买卖 414-6
mergers 兼并 461,478
minimum clauses: payment hire purchase 最少条款:分期付款买卖 446-7
minor interests: registered land 未成年人利益:已登记土地 265
minority shareholders: protection 多数股东:保护 246-256
minors 未成年人
 bankruptcy 破产 536
 bills of exchange 汇票 454
 contracts 合同 88-9
 domicile 住所 4
 guarantees 担保 321,323
 necessaries 必需品 396
 in partnership 合伙 177
 and tort 与侵权 109,123
mischief rule of interpretation 不确切文字释义规则 12
misconduct: duty to disclose 不当行为:披露义务 364
misfeasance proceedings: 不当行为诉讼
 administrators 破产管理人 563
misrepresentation 虚假陈述 74-8,322
mistakes 错误
 contracts 合同 70-4
 guarantees 担保 322
 and tort 与侵权 108
mitigation: damages 减轻:损害赔偿

金 136-40,145
monopolies 垄断 505-6
Monopolies and Mergers Commission (MMC) 垄断与兼并委员会 503
moral rights 精神权利 284,287
moratorium: company insolvency 延期偿付:公司破产 559,560,565
mortgage lending 抵押借款 437
mortgages 抵押
 priority and protection of 优先权和保护 296-8
 remedies of 救济 300-4
mortgages 抵押 293-5,304-7,309-10
mortgagors: protection of 抵押人:保护 298-300
motor vehicles: hire-purchase 摩托车:分期付款买卖 418,448
music: copyright 音乐:著作权 280
mutual trust and confidence in employment 雇佣中的相互信任 361-2,384

N

names 名称
 partnership 合伙 178-9
 registered companies 注册公司 199-201
National Savings schemes: 国民储蓄方案
 mortgages 抵押 306-7
nationality 国籍 3

索 引 749

companies 公司 166, 201
natural persons 3－4 necessaries 自然人 88, 395, 454
necessity 紧急避险
　agency of 代理 339－40
　defence of tort 侵权抗辩 108
negative clearance 豁免证明 521
negligence 过失/疏忽 105－6, 112－22
　banks 银行 467－8, 471－2
　contributory 共同 121, 133, 140, 145－6
　defences 抗辩 120－22
　and estoppel 与不容否认/禁止反言 413－4
　liability for 责任 95
　manufactures 产品 489, 490
　and nuisance 与妨害 126
　occupiers' liability 占有人责任 122－5
　supply of services 提供服务 428
　tort 侵权 112－22
negligent misrepresentation 疏忽性虚假陈述 77
negligent misstatement 疏忽性虚假陈述 106, 117－18, 145－6
negotiable choses in action 可流通的诉取动产 266－8
negotiable instruments 可流通票据 266－8
　see also specific term, e. g. cheques 也可见 具体术语, 例如支票

negotiation：bills of exchange and cheques 流通：汇票和支票 457－8, 459－60
nemo dat quod non habet 任何人不能给予其所未有者 266, 413－18
newspapers 报纸/报社 505, 507
nominal damages 象征性损害赔偿金 141, 147
non est factum 否认订立合同 71
non－commercial agreements 非商事协议 437
non－competition restrictions：EC 非竞争性限制：欧洲共同体 520
non－existing payees：bills of exchange or cheques 不存在的受款人 453
non－natural use of land 土地的非自然使用 131
normal trade credit 438 普通贸易信贷
noscitur a sociis 文理解释 14
notice 通知
　discharge of contracts 合同的解除 100
　employment 雇佣 391－2
novation 合同更新 100
novus actus interveniens 新行为的介入 144－5
nuisance 妨害 105, 125－30

O

obedience：agents 服从：代理人 342
obiter dictum 附带意见 5－6

objects clause: registered companies 目标条款：注册公司 202-3
obligations, legal 债，法定的 57
　in partnerships 合伙 182
occupiers: liability 占有人：责任 122-5
offers: contracts 要约：合同 53-61
office banking 办公银行（系统）475
Office of Fair Trading (OFT) 公平贸易办公室 504, 505, 515
Official Receiver 官方破产接管人 539, 569-70
one person companies 一人公司 158
onward sales: protection against 转售：防止转售的保护 329
opportunity, loss of: damages 机会，损失：损害赔偿金 138
orders: of employers 指示：雇主 362
Orders in Council 枢密院君令 10
ostensible authority 名义授权 340-1
outsider protection: unauthorised contracts 对（公司）以外人员的保护：未被授权签订的合同 210-12
overdrafts 透支 473
overriding interests: registered land 首要权益：已登记土地 265
overruled precedents 已经被推翻的先例 6

ownership 所有权
　copyright 著作权 284-6
　patents 专利 278-9
　product design 产品设计 290-1
　trade marks 商标 273

P

parent companies 母公司
　EC competition law 欧洲共同体竞争法 518
　wrongful trading 非法交易 578-9
part-time workers 兼职工人 359
　continuity of employment 雇佣的持续性 359-60
　unfair dismissal 不当解雇 381
partners and partnerships 合伙人和合伙 158
　authority 权力 181
　dissolution 解散 190-6
　distinctions from companies 与公司的区别 161-171
　distinctions from creditors 与债权人的区别 176
　guarantees 担保 323
　liability 责任 182-5
　nature and formation 性质和设立 173-9
　and power to bind firms 约束合伙企业的权力 180
　rights and duties 权利和义务 187-90
passing off 假冒 106, 200

索 引 751

past consideration 过去的对价 66
patents 专利 275-9
Patents Co-operation Treaty (PCT) 专利合作条约 276
paternity leave 父亲照料婴儿的休假 372
payment 付款
    bills of exchange and cheques 汇票或支票 456,470-1
    into court 向法院交存款项 30
penal provisions 刑法规定 15
penalty clauses 处罚条款 140-1
pensions: equal rights 养老金: 同等权利 365
per incurium precedents 因失察所致的先例 6
performance 履行
    of contracts 合同 97-8
    personal: agents 亲自(履行): 代理人 343-4
    time for 时间 419-421
performance contracts 履行合同 392-3
performance: copyright 表演: 著作权 281,285,287
Performing Rights Society 表演权利协会 287
perpetual succession 永久继承 169
Personal Identification Numbers (PINs) 428-9, 474, 475-6
personality, legal 人格, 法律的 3-4

persuasive authorities 说服性先例 6
petitions: company insolvency 申请: 公司破产 558-9, 568-9
phoenix companies 长生鸟公司 199
photographs 照片 280
pleadings: High Court 答辩: 高等法院 28
pledges 质押 310
possession 占有
    mortgages 抵押 300-1, 303
    and ownership 所有权 416-7
    warrant of 保证 33
possessory liens 占有性留置权 331
postal rules of acceptance: contracts 承诺的邮寄规则: 合同 61-2
power of attorney 授权委托书 349, 350
precedents 先例
    doctrine of binding 有拘束力的先例原则 4-10
    EC law 欧洲共同体法 19-20
not binding 不具有拘束力的 6
preferences 优先权 544
    voidable 可撤销 573-4
preferential debts 优先偿还的债务 548-9, 571
preliminary statements of price 初步价格陈述 58
premium 保险费/溢价
    partnerships 合伙 193
    shares issued at 股票发行 215
Premium Bonds: mortgages 溢价债

券：抵押 307
prescription：as defence to nuisance
时效：作为妨害抗辩 129
presumptions 推定 11-12
prevention：of competition 阻止：竞争 520
price 价格 396
 anti-competitive practices 反竞争作法 507,520
 discrimination 歧视 429-430,508,526-7
 false or misleading 虚假的或误导的 487-9
 resale price maintenance 维持转售价格 502-1,507
 unfair 不公平 526-7
principals, non-existing or undisclosed：and agents 本人,不存在的或未披露的：与代理人 348-9
private companies 私人公司
 financial assistance 经济资助 222
 and shares 与股份/股票 159,187,213
private nuisance 私人妨害 113,125-7
privity of contract 合同的相对性 66-8,343-4
producers：safety regulations 生产者：安全规则,安全条例 495-7
product liability 产品责任 489-493
product markets：EC competition law 产品市场：欧洲共同体竞争法 524-5
products see also design；goods 产品 也可见设计；商品
profits 利润
 loss of：damages 损失：损害赔偿金 138
 of partnerships 合伙 175-7,187,195
 secret；agents 秘密；代理人 345-6
 directors 董事 239-41
 employees 雇员 363
 partners 合伙人 189-190
promissory notes 本票 267,461
promoters, company 发起人,公司 207-8
property 财产,所有权
 in bankruptcy 破产 541-7
 business；design protection 商业,业务；设计保护 287-91
 and directors 与董事 245；
 intangible 无形财产 266-8；
 intellectual 268-292；nature and classification 知识产权；性质和分类 259-60；
 of partnerships 合伙 186-7；
 real 不动产 259-65
 passing of 转移 406-13
 and private nuisance 与私人妨害 125-7
 retention of title clause 所有权保留条款 328-31,572

torts 侵权 105-6
protection 保护
　　bank 银行 469-74
　　consumer: product liability 消费者: 产品责任 489-97
　　unfair terms 不公平条款 499-501
　　unsolicited goods and services 主动提供商品和服务 498
public companies: shares 公众公司: 股份 159-160, 214
public duties: time off for 公共义务: 休假 373
public nuisance 公共妨害 125-6
public policy: and void contracts 公共政策: 和无效合同 83-6
public scrutiny 公众查阅 170-1
public services, contracting out: and redundancy 公共服务, 承包: 和裁员 391
purchases: on-and off-market 购买: 市场上和市场外 217-18
pure economic loss 纯经济损失 146-7

Q

qualified acceptance: bills of exchange 附条件承兑: 汇票 455
quality: goods 质量: 货物, 商品 399-403
quasi-capital account 准资本帐户 215

quasi-casual workers 准非正式工人 356-7
quasi-contracts 准合同 68, 151
quasi-loans: to directors 准贷款: 给董事 246
quasi-partners: liability 准合伙人: 责任 184-5
quasi-trustees 准受托人 57
Queen's Bench Division 女王座庭 5, 7, 27

R

race discrimination 种族歧视 374-7, 429-30
ratification: agents 追认: 代理人 338-9
ratio decidendi 判决依据 5-6
real property 不动产 259-265
reasonableness 合理 96, 112, 118, 122, 124, 363
receivers 接管人 30, 499
　　corporate insolvency 法人破产 550-7
　　mortgages 抵押 303, 304
　　personal insolvency 自然人破产 539
recording rights 录制权 281
recourse agreements 追偿协议 444
redeemable shares 可回赎的股份 216-17
redundancy 裁员 336-7, 346-9, 351, 388-9, 389-91, 393

754 商　　法

references　报告书
　　and banks　与银行　471
　　monopoly　垄断　506
register: of directors　登记：董事
　　236
registered companies　注册公司　158
　　-61
　　abuse of majority power　多数股东权
　　利的滥用　249-56
　　Articles of Association　公司章程细
　　则　203-7
　　capital　资本　212-23
　　contracts　合同　208-12
　　directors　董事　230-48
　　Memorandum of Association　公司章
　　程大纲　198-23, 206-7
　　promoters　发起人　207-8
　　securities created by　设立的担保
　　311-20
　　shares　股份　223-30
registered corporations　登记法人　4
registered design protection　对产品设
　　计的注册保护　288-9
registered land　已登记土地　262-5
registered office clause　注册住所条款
　　201
registered shares　记名股票　224
registers: company　注册：公司　201
registration　登记
　　charges　抵押　314-18
　　companies　公司　158-9
　　land　土地　262-5

restrictive agreements　限制性协议
　　461-3
　　trade marks　商标　268-70
　　regulations: EC law　规则：欧洲共同
　　体法　17
relationships: of partners　关系：合伙
　　人之间　185-6
reliance loss　信赖损失　138
remainders　剩余不动产权　261
remedies　救济
　　equitable　衡平法上的　148-151
　　restitutionary　恢复原状的　151-2
remoteness of damage　间接损失
　　139, 142-4
remuneration　报酬
　　agents　代理人　320, 347-8,
　　350, 352
　　equality in　同等　365-8
repossession　收回　445-6
repurchase agreements　买回　444
reputation: torts　名誉：侵权　107
res ipsa loquitur　事情不言自明
　　119, 444
resale: right of　转售：权利　423-4
resale price maintenance　维持转售价
　　格　507, 520
rescission　解除　148
rescues　救助　115, 121
residence: companies　住所：公司
　　166
restitutio in integrum　恢复原状　148
restitutionary remedies　恢复原状的救

济 151－2
restraints：contracts 限制：合同 84－5
restricted and unrestricted credit agreements 限制性和非限制性信贷协议 436
restrictive agreements 限制性协议 507－8，517－23
restrictive covenants 限制性契约 68，234
retention of title 所有权保留 328－31，572
retired partners 已退伙的合伙人 190－1，310
reversions 归复（不动产）权 261
revolving credit 循环信贷 436
risks 风险
  and duty of care 注意义务 118－19
  and passing of property 与所有权转移 406－13
rogue dealers 欺诈交易人 304－5
running account credit 循环帐户信贷 436
Rylands v. Fletcher 一案中确立的规则 130－4

S

safety：consumer protection 安全：消费者保护 447－52
safety representatives：time off work 安全代表：雇佣终止 273－4

salaried partners 领薪合伙人 179
sale of goods see goods 货物买卖 见货物
sale, power of：mortgages 变卖，权力：抵押 301－2, 304
sales puffs 销售宣传 75，435
samples 样品 398
  contracts for sale by 凭样品买卖合同 403－4
securities see loans 担保 见贷款
segregation：racial 种族隔离：种族的 375
self－defence 自卫 109
sellers 卖方
  remedies 救济 424
  rights of 权利 421－4
semiconductor chips：design protection 半导体晶片：产品设计保护 291－2
sensitivity：and nuisance 敏感性：与妨害 128
sequestration 扣押/查封 34
services 服务
  contracts for 合同 428－9
  trade description 商品说明 482－4
  unsolicited 主动提供的 498
sex discrimination 性别歧视 374－7，429－30
sexual orientation：discriminate 性取向：歧视 377
shadow directors 影子董事 230－1，

378-9
share capital 股份资本 212-23
share dealings：directors 股票交易：董事 246
share premium account 股票溢价发行帐户 215
shareholders 股东
　directors'duty to 董事的义务 236-7
　protection of minority 对少数股东的保护 249-56
　rights 权利 223-7
shares 股份/股票 223-7
　acquisition of own 自己取得 215-18
　classes of 种类 224-6
　companies limited by 股份有限（责任）公司 159-160
　definition 定义 223
　mortgages 抵押 304-6
　register of substantial shareholdings 重大持股人的登记 230
　transfer of 转让 171, 228-9
sick pay 病假工资 392
signatures：bills of exchange and cheques 签字：汇票和支票 452, 454
silence 默示
　and acceptance 与承诺 61
　and misrepresentation 与虚假陈述 75
size：companies and partnerships 规模：公司和合伙 171
slander 诽谤 107
sleeping partners 隐名合伙人 158
small agreements 小额协议 437
small claims 小额索赔 26, 32
social values 社会价值
　and duty of care 与注意义务 118
　and nuisance 与妨害 127
Society for Worldwide Interbank Financial Telecommunications (SWIFT) 全世界银行间金融电信协会 475
sole traders 个体经营者 157-8
solus agreements 独家经销协议 299
sound recordings：copyright 录音：著作权 281, 285
sources：English law 渊源：英国法 4-24
specific delivery：writ/warrant 特定交付：令状/许可 34
specific goods 特定货物 407-10
specific performance 特定履行 149-50
spectators：and consent 观众：与同意 120
spouses 配偶
　domicile 住所 4
　mortgage possession 抵押占有 301
　tort 侵权 110
standards, product 标准，产品 489
standing orders 长期订单 463
statements of facts 对事实的陈述 74
statements of intention 对意图的陈述

74

statements of law 对法律的陈述 5, 74

statements of opinion 对意见的陈述 75

statutory authority: defence of tort 法定权力：侵权抗辩 109

statutory corporations 法定法人 4

statutory instruments 行政立法性文件 10

statutory law 制定法，成文法

  contracts 合同 91, 95-6

  directors' duties 董事的义务 244-8

  exceptions to majority rule 多数决定原则的例外 251-6

  protection 保护 210-11

  sales under 买卖 418

  terms of employment 雇佣条款 365-92

  unfair dismissal 不当解雇 381

  winding up companies 清算公司 565-81

Stock Exchange 证券交易所 160

stocks: mortgages 股票：抵押 304-6

  see also shares 也可见股份/股票

sub-agents 复代理人 343-4

subject to contract 受合同约束 62

subsidiaries 子公司 161

  EC competition law 欧洲共同体竞争法 518

wrongful trading 非法交易 578-9

suicide: life insurance policies 自杀：人寿保险单 308

supply see goods, supply of 提供，供应 见货物，供应

Supreme Court of Judicature 最高法院 10

suspension: and right to remuneration 停工：与获得报酬权 372

T

tangible and intangible property 有形和无形财产 260, 265-6

temporary workers 临时工人 357-8

tenders 投标 63

terms of contract 合同条款 90-3

  exclusion clauses 除外条款，免责条款 93-6

  incomplete or inchoate agreements 不完全或不确定的协议 96-7

  and mistakes 与错误 72

third party rights: equitable remedies 第三方权利：衡平法上的救济 148

tie-in sales 搭售 508, 521

time for performance: services 履行时间：服务 428

  see also lapse of time 也可见 时效终止

time off: employees' rights 休假：雇员的权利 372-4

titles 所有权

  and banks' authority 与银行权力

466
bills of exchange 汇票 460
retention of 保留 328-31, 572
right to 权利 396-7
transfer of 转让 406-413
tort, law of 侵权,法
   negligence 过失 105, 106, 112-22
   nuisance 妨害 125-30
   occupiers' liability 占有人责任 122-25
   in partnership 合伙 182-4
   persons who can sue and be sued 原告和被告 109-11
   remedies 救济 141-8, 150-1, 152
   Rylands v. Fletcher 一案中确立的规则 130-4
tortious liability 侵权责任 105
tortfeasors 侵权行为人
   joint 共同的 111
   several 单独的 111
tracing into manufactured goods 追索加工成品 330-1
trade descriptions 商品说明 479-87
trade marks 商标 268
   EC law 欧洲共同体法 527-8
   registered 注册 268-75
trade secrets 商业秘密 84-5
trade unions 工会
   and redundancy 裁员 389, 391
   time off for 休假 373

tort 侵权 110
   and unfair dismissal 与不当解雇 381
trading: wrongful 交易：非法 243, 578-9
trading and non-trading partnerships 贸易型合伙和非贸易型合伙 181-2, 309
transactions at an undervalue 低价交易 544-5, 572-3
transfers of undertakings 企业的转让 389-91
transit 运输
   duration 期间 422
   right of stoppage in 中途停运权 422-4
trespass to goods 侵犯货物 106
trepass to land 侵入土地 105-6
trepassers: duty of care to 侵入者的责任 125
trials 开庭审理 31, 32
tribunals 法庭 8, 9, 25
trust accounts: and banks' authority 信托帐户 466
trustees in bankruptcy 破产财产受托人 540-1
trusts 信托 57
   property 财产 261, 571

U

uberrima fideis 坦率诚实 75, 308, 321

ultra vires 越权 169, 202, 209 – 10, 290, 292
unascertained goods 非特定物 407, 410 – 13
uncertainty: in legislation 不明确: 制定法 10 – 11
unconscionable bargains 不合良心的交易 80
undertakings 企业
  EC competition law 欧洲共同体竞争法 517, 518
  transfers of 转让 389 – 91
undue influence 不正当影响 79 – 80, 266 – 7, 292
unenforceable contracts 不可强制执行的合同 70, 86 – 9
  incomplete or inchoate 不完全或不确定的 96 – 7
unfair prejudice 不公正的偏见 226, 252 – 4, 255
  administrators （破产）管理人 562
unfair prices 不公平价格 507 – 8, 520 – 1, 526 – 7
unfair terms: consumer contracts 不公平条款: 消费者合同 499 – 501
unilateral mistakes 单方错误 71 – 2
unit trusts: mortgages 单位信托: 抵押 307
unlimited liability companies 无限责任公司 158 – 9, 160
unregistered charges 未登记的担保 576
unsafe goods 不安全商品 489 – 497
unsolicited goods and services 主动提供商品和服务 498
unsound mind 精神失常
  and agency 与代理 351
  and bankruptcy 与破产 536
  and banks' authority 与银行的权力 466
  and contracts 与合同 89
  and guarantees 与担保 327
  necessaries 必需品 396
  in partnership 合伙 191
  and tort 与侵权 112
usual authority 惯常授权 340 – 1

V

valid contracts: for minors 有效合同: 未成年人 88 – 9
valuable consideration 充分对价 63 – 4
veil, corporate 面纱, 法人/公司 162 – 8
vendors: restraints clauses 卖方: 限制性条款 85
victimisation 报复 376
visitors, authorized: duty of care to 拜访者, 经允许的: 注意义务 122 – 3
void contracts 无效合同 70 – 4, 85 – 6
voidable contracts 可撤销合同 70,

73，89

voidable preferences 可撤销优先权 573-4

voidable titles：sales under 可撤销所有权：买卖 416

volenti non injuria 对自愿者不构成侵权 108，120-1

voluntary winding up 自愿清算 565-7

W

wagering contracts 射 合同 85

warranties 保证 91-3，497-8

warranty of authority, breach of 授权担保，违反 349

Weekly Law Reports 每周判例汇编 5

whole debt clauses 全部债务条款 325

wholly innocent misrepresentation 完全无意的虚假陈述 77

wholly owned subsidiaries 拥有全部股权的子公司 161

winding up, companies 清算，公司 254-5，565-81

wives and husbands see spouses 妻子和丈夫 见配偶

work contracts see employment 劳务合同 见雇佣

work and materials：contracts for 劳务和原料：合同 426-7

working week 工作周 394

workmen：duty of care of 工人：注意义务 123-4

writing, in 书面
  bills of exchange 汇票 450
  contracts 合同 86-7

wrongful trading：and corporate insolvency 非法交易：与法人破产 243，578-9

译后记

《商法》一书开始翻译的时间是2003年4月,历时一年于2004年4月完成初稿,经过反复校译,于2004年7月终稿。该书由大连海事大学法学院院长、博士生导师屈广清教授、沈阳师范大学副教授陈小云博士共同翻译。需要感谢的是,新华社的闫克文同志为本书的翻译提供了大量的便利和帮助。大连海事大学的王慧婷、陈宇萍、郭树旸、冯冬晶等同志也为翻译提供了一定的便利和协助。更要感谢中国政法大学出版社的编辑同志。在一年多的翻译工作中,我们咬文嚼字、历尽艰辛。有时仅仅为了求证一个索引的准确意思,我们常常也会花费数天的时间,反复推敲,深恐弄错贻误读者。但是由于时间有限、水平有限,翻译中的错误肯定在所难免,恳请广大读者朋友批评指正。

屈广清
2004年7月20日

图书在版编目(CIP)数据

商法/(美)斯蒂芬著:屈广清等译. – 北京:中国政法大学出版社,2004.3
(美国法律文库)
ISBN 7-5620-2567-3

Ⅰ.商… Ⅱ.①斯…②屈… Ⅲ.商法–研究–美国 Ⅳ.D971.239.9

中国版本图书馆CIP数据核字(2004)第033526号

＊＊＊＊＊＊＊＊

书　　名	商法(第二版)	
出 版 人	李传敢	
经　　销	全国各地新华书店	
出版发行	中国政法大学出版社	
承　　印	北京博诚印刷厂	
开　　本	880×1230　1/32	
印　　张	24.375	
字　　数	625千字	
印　　数	0 001—5 000	
版　　本	2004年7月第1版　2004年7月第1次印刷	
书　　号	ISBN 7-5620-2567-3/D·2527	
定　　价	49.00元	
社　　址	北京市海淀区西土城路25号　邮政编码　100088	
电　　话	(010)62229563(发行部)　62229278(总编室)　62229803(邮购部)	
电子信箱	zf5620@263.net	
网　　址	http://www.cuplpress.com　(网络实名:中国政法大学出版社)	
声　　明	1.版权所有,侵权必究。
2.如发现缺页、倒装问题,请与出版社联系调换。	

本社法律顾问　北京地平线律师事务所